IAN RANKIN

Das Souvenir des Mörders

Buch

»Johnny Bible«, so nennen die Medien den grausamen Serienmörder, der
die schottische Polizei zurzeit in Atem hält. Benannt nach dem berüchtig-
ten »Bible John«, der vor Jahren Frauen brutal zusammenschlug, sie vergewaltigte und schließlich erwürgte. Trotz einer der größten Fahndungs-
aktionen konnte Bible John damals entkommen; seine Identität ist bis
heute ein Geheimnis geblieben. Die neuen Fälle sind bis auf wenige Einzelheiten den alten sehr ähnlich, doch genau diese kleinen Unterschiede
überzeugen Detective Inspector John Rebus davon, dass es sich nicht um
denselben Täter handeln kann: Johnny Bible ist nicht Bible John. Erste Ver-
mutungen führen Rebus nach Glasgow und Aberdeen, doch ihm läuft die
Zeit davon. Denn nach dem bisherigen Muster wird Johnny Bible bald wieder töten, und was Rebus nicht wissen kann: Auch der alte Bible John geht
der Spur des neuen Mörders nach, denn einen Nachahmer kann sein
krankhafter Stolz nicht dulden...

Autor

Ian Rankin, 1960 im schottischen Fife geboren, gilt als der »führende
Krimiautor Großbritanniens« *(Times Literary Supplement)*. Der internationale Durchbruch gelang Ian Rankin mit seinem melancholischen Serien-
helden John Rebus, der aus den britischen Bestsellerlisten nicht mehr weg-
zudenken ist. Rankin wurde bereits mit vielen renommierten Literatur-
preisen ausgezeichnet, zuletzt mit dem *Deutschen Krimipreis 2004* für
»Die Kinder des Todes«. Der Autor lebt mit seiner Familie in Edinburgh.
Weitere John-Rebus-Romane sind bei Goldmann in Vorbereitung.

Von Ian Rankin außerdem bei Goldmann lieferbar:

In chronologischer Reihenfolge:
Verborgene Muster. Roman (44607) · Das zweite Zeichen.
Roman (44608) · Wolfsmale. Roman (44609) · Ehrensache.
Roman (45014) · Verschlüsselte Wahrheit. Roman (45015)
Blutschuld. Roman (45016) · Ein eisiger Tod. Roman (45428)
Sowie:
Der kalte Hauch der Nacht. Roman (45387) · Puppenspiel.
Roman (45636) · Die Tore der Finsternis. Roman (45883) · Die Kinder
des Todes. Roman (Manhattan, gebundene Ausgabe 54550)

Ian Rankin

Das Souvenir des Mörders

Ein Inspector-Rebus-Roman

Deutsch
von Giovanni und Ditte Bandini

GOLDMANN

Die Originalausgabe erschien 1997
unter dem Titel »Black & Blue«
bei Orion Books Ltd., London

1. Auflage
Deutsche Erstveröffentlichung Juni 2005
Copyright © 1997 by Ian Rankin
Copyright © 2005 der deutschsprachigen Ausgabe
by Wilhelm Goldmann Verlag, München,
in der Verlagsgruppe Random House GmbH
Umschlaggestaltung: Design Team München
Umschlagfoto: Wolf Huber
Redaktion: Irmgard Perkounigg
Satz: Uhl + Massopust, Aalen
Druck: GGP Media GmbH, Pößneck
Verlagsnummer: 44604
KvD · Herstellung: Sebastian Strohmaier
Made in Germany
ISBN 3-442-44604-X
www.goldmann-verlag.de

O hätt, eh ich den Tag erlebt,
Da uns Verrat nahm alles,
Ich meinen Kopf ins Grab gelegt
Zu Bruce und William Wallace!
Doch sackerlot,
   bis zu meinem Tod
Erklär ich immer wieder:
Die Treue hält
   es nur Englands Geld,
Dieses Pack, meine schottischen Brüder!

Robert Burns,
»Leb wohl, all unsre Schottenherrlichkeit«

Wenn ihr die Traute habt… zu sagen, dass ich die
Geschichte nach meinen eigenen Vorstellungen
umschreiben kann, lass ich's euch durchgehen.

James Ellroy

Leere Hauptstadt

Beladen mit Jahrhunderten
Schnaubt diese leere Hauptstadt wie ein großes Tier,
Im Schlaf gefangen, das von Freiheit träumt,
Ohne daran zu glauben…

Sydney Goodsir Smith,
Kynd Kittock's Land

1

»Erzählen Sie mir noch einmal, warum Sie sie getötet haben.«

»Hab ich doch gesagt, das ist einfach dieser *Drang*.«

Rebus sah in seinen Notizen nach. »Das Wort, das Sie benutzt hatten, war ›Zwang‹.«

Der auf dem Stuhl zusammengesackte Mann nickte. Er verströmte einen üblen Geruch. »Drang, Zwang, is doch alles eins.«

»Ach ja?« Rebus drückte seine Zigarette aus. Der Blechaschenbecher war so voll, dass ein paar Stummel auf den Metalltisch kullerten. »Reden wir mal vom ersten Opfer.«

Der Mann, der ihm gegenübersaß, stöhnte. Er hieß William Crawford Shand, genannt »Craw«. Er war vierzig Jahre alt, ledig und hauste allein in einer Sozialwohnung in Craigmillar. Er war seit sechs Jahren arbeitslos. Er fuhr sich mit zitternden Fingern durch das dunkle, fettige Haar, fand und bedeckte eine große kahle Stelle auf seinem Scheitel.

»Das erste Opfer«, sagte Rebus. »Erzählen Sie's uns.«

»Uns«, weil sich noch ein anderer CID-Beamter in der »Keksdose«, dem Verhörraum, befand. Er hieß Maclay, und Rebus kannte ihn nicht besonders gut. Er kannte niemanden in Craigmillar besonders gut – noch nicht. Maclay stand mit dem Rücken zur Wand, die Arme verschränkt, die Augen zu Schlitzen verengt. Er sah wie eine ausgeschaltete Maschine aus.

»Ich hab sie erwürgt.«

»Womit?«

»'m Stück Seil.«

»Wo hatten Sie das Seil her?«

»Hab ich in irgendei'm Laden gekauft, weiß nich mehr, wo.«

Drei Herzschläge Pause. »Was haben Sie dann getan?«

»Wie sie tot war?« Shand ruckelte auf dem Stuhl ein wenig hin und her. »Ich hab sie ausgezogen und bin mit ihr intim geworden.«

»Mit einer Leiche?«

»Sie war noch warm.«

Rebus stand auf. Das Scharren seines Stuhls auf dem Fußboden schien Shand nervös zu machen. Gehörte nicht viel dazu.

»Wo haben Sie sie getötet?«

»In einem Park.«

»Und wo war dieser Park?«

»In der Nähe von wo sie wohnte.«

»Und das war wo?«

»Polmuir Road, Aberdeen.«

»Und was hatten Sie in Aberdeen zu tun, Mr. Shand?«

Er zuckte die Achseln und fuhr mit den Fingern die Tischkante entlang, auf der er Spuren von Schweiß und Fett hinterließ.

»Das würde ich lieber lassen«, sagte Rebus. »Die Kanten sind scharf, Sie könnten sich schneiden.«

Maclay schnaubte. Rebus machte ein paar Schritte auf ihn zu und starrte ihn an. Maclay nickte kurz. Rebus kehrte zum Tisch zurück.

»Beschreiben Sie den Park.« Er lehnte sich gegen die Tischkante, holte sich eine weitere Zigarette heraus und zündete sie an.

»Das war einfach so'n Park. Sie wissen schon, Bäume und Rasen, ein Kinderspielplatz.«

»War das Tor geschlossen?«

»Was?«

»Es war spätnachts, war das Tor geschlossen?«

»Weiß ich nich mehr.«

»Sie wissen's nicht mehr.« Pause: zwei Herzschläge. »Wo hatten Sie sie kennen gelernt?«

Schnell: »In 'ner Disco.«

»Sie sehen nicht aus wie der typische Discogänger, Mr. Shand.« Ein weiteres Schnauben seitens der Maschine. »Beschreiben Sie mir das Lokal.«

Shand zuckte wieder die Achseln. »Wie so 'ne Disco eben aussieht: dunkel, flackernde Beleuchtung, ein Tresen.«

»Und Opfer Nummer zwei?«

»Selbe Prozedur.« Shands Augen waren dunkel, sein Gesicht ausgezehrt. Aber trotz allem fing er an, sich zu amüsieren, wieder in seine Geschichte reinzukommen. »Hab sie in 'ner Disco kennen gelernt, hab angeboten, sie nach Haus zu begleiten, hab sie umgebracht und sie gefickt.«

»Also keine Intimitäten diesmal. Haben Sie ein Andenken mitgenommen?«

»Hä?«

Rebus schnippte Asche auf den Fußboden, einiges davon landete auf seinen Schuhen. »Haben Sie irgendetwas vom Tatort mitgenommen?«

Shand dachte nach, schüttelte den Kopf.

»Und wo genau war das?«

»Warriston-Friedhof.«

»In der Nähe ihrer Wohnung?«

»Sie wohnte in Inverleith Row.«

»Womit haben Sie sie erdrosselt?«

»Mit dem Stück Seil.«

»Demselben Stück?« Shand nickte. »Was haben Sie damit gemacht? Es ständig in der Hosentasche mit sich rumgetragen?«

»Genau.«

»Haben Sie es jetzt auch bei sich?«

»Ich hab's weggeschmissen.«

»Sie machen es uns nicht leicht, was?« Shand wand sich vor Vergnügen. Vier Schläge. »Und das dritte Opfer?«

»Glasgow«, sagte Shand. »Kelvingrove Park. Sie hieß Judith Cairns. Sie meinte, ich sollte sie Ju-Ju nennen. Ich hab sie genauso erledigt wie die anderen.« Er lehnte sich im Stuhl zurück, rutschte ein Stück höher und verschränkte die Arme. Rebus streckte eine Hand aus und legte sie ihm wie ein Gesundbeter auf die Stirn. Dann drückte er, nicht besonders fest. Aber er stieß auf keinerlei Widerstand. Shand und Stuhl kippten hintenüber auf den Boden. Jetzt kniete Rebus vor dem Mann und zerrte ihn am Hemd hoch.

»Sie sind ein Lügner!«, zischte er. »Was Sie wissen, haben Sie direkt aus den Zeitungen, und was Sie sich selbst ausdenken mussten, war der letzte Schrott!« Er ließ ihn los und stand auf. Seine Hände waren von Shands Hemd ganz feucht geworden.

»Ich lüge nicht«, beteuerte Shand, noch immer am Boden. »Das is' die reine Wahrheit!«

Rebus drückte die zur Hälfte gerauchte Zigarette aus. Weitere Stummel kullerten aus dem Aschenbecher. Rebus hob einen auf und schnippte ihn auf Shand.

»Stellen Sie mich denn nicht unter Anklage?«

»Und ob wir das tun! Wegen Vergeudung unserer Zeit. Dafür wandern Sie für ein Weilchen nach Saughton, mit einem Arschficker als Zellengenossen.«

»Normalerweise lassen wir ihn einfach laufen«, sagte Maclay.

»Stecken Sie ihn in eine Zelle«, befahl Rebus und ging aus dem Zimmer.

»Aber ich bin's!«, beharrte Shand, noch während Maclay ihn vom Boden hochzog. »Ich bin Johnny Bible! Ich bin Johnny Bible!«

»Da träumst du von, Craw«, sagte Maclay und brachte ihn mit einem Fausthieb zum Schweigen.

Rebus musste sich die Hände waschen, sich etwas Wasser ins Gesicht spritzen. Zwei von der Trachtengruppe vertrieben sich auf der Toilette etwas Zeit mit einer Geschichte und einer Zigarette. Als Rebus hereinkam, hörten sie auf zu lachen.

»Sir«, fragte der eine, »wen hatten Sie in der Keksdose?«

»Noch so'n Komiker«, sagte Rebus.

»Von denen wimmelt's hier«, kommentierte der zweite Constable. Rebus wusste nicht, ob er das Revier meinte, Craigmillar selbst oder die Stadt als Ganzes. Nicht dass es auf dem Polizeirevier Craigmillar viel zu lachen gegeben hätte. Es war der aufreibendste Posten in ganz Edinburgh; Beamte taten dort maximal zwei Jahre Dienst, länger hielt das keiner aus. Craigmillar war so ziemlich das härteste Viertel, das man in der schottischen Hauptstadt finden konnte, und das Revier trug seinen Spitznamen – Fort Apache, Bronx – völlig zu Recht. Es lag am Ende einer Sackgasse hinter einer Reihe von Läden: ein niedriges, abweisendes Gebäude, hinter dem noch abweisendere Mietskasernen in die Höhe ragten. Seine Lage am Ende einer Sackgasse bedeutete, dass eine feindselige Menge es problemlos von der Außenwelt abschneiden konnte, und tatsächlich hatte das Revier schon mehrmals den Belagerungszustand erlebt. Ja, Craigmillar war schon ein heißes Pflaster.

Rebus wusste, warum er hier war. Er war ein paar Leuten auf die Füße getreten, wichtigen Leuten. Sie hatten ihn nicht endgültig abservieren können, also schickten sie ihn stattdessen ins Fegefeuer. Die Hölle konnte das nicht sein, da er wusste, dass es nicht ewig währen würde. Nennen wir es also eine Buße. Im Schreiben, das ihm seine Versetzung mitteilte, stand, er würde einen Kollegen vertreten, der im

Krankenhaus lag. Es hatte außerdem geheißen, er werde die Schließung der alten Craigmillar-Wache beaufsichtigen. Alles wurde zusammengepackt und in ein nahe gelegenes brandneues Gebäude geschafft. Die Wache war schon jetzt ein einziges Durcheinander von Umzugskartons und leergeplünderten Schränken. Die Beamten rissen sich nicht gerade ein Bein aus, um laufende Fälle zu lösen. Ebenso wenig hatten sie sich ein Bein ausgerissen, um Detective Inspector John Rebus einen freundlichen Empfang zu bereiten. Man kam sich eher vor wie in einem Krankenhaus als wie auf einem Polizeirevier, und die Patienten schienen bis an die Kiemen mit Beruhigungsmitteln abgefüllt zu sein.

Er schlenderte in den CID-Raum – den »Schuppen« – zurück. Unterwegs kam er an Maclay und Shand vorbei, der, während er zum Zellentrakt geschleift wurde, lautstark seine Schuld beteuerte.

»Ich *bin* Johnny Bible! Kacke, verdammte, ich bin's!«

Da träumst du von.

Es war einundzwanzig Uhr an einem Dienstag im Juni, und der einzige andere Mensch im »Schuppen« war Detective Sergeant »Dod« Bain. Er sah kurz von seiner Lektüre auf – *Offbeat*, dem amtlichen Mitteilungsblatt für die Verwaltungsgebiete Lothian und Borders –, und Rebus schüttelte den Kopf.

»Hatte ich mir schon gedacht«, sagte Bain und blätterte um. »Craw ist berüchtigt dafür, dass er sich immer selbst beschuldigt, deswegen habe ich ihn Ihnen überlassen.«

»Sie haben so viel Herz wie eine Büroklammer.«

»Aber ich bin auch genauso auf Draht. Vergessen Sie das nicht.«

Rebus setzte sich an seinen Schreibtisch und überlegte, ob er jetzt den Vernehmungsbericht schreiben sollte. Ein weiterer Witzbold, weitere vergeudete Zeit. Und Johnny Bible war weiterhin auf freiem Fuß.

Zuerst hatte es Bible John gegeben, der Glasgow in den späten Sechzigern in Angst und Schrecken versetzt hatte. Ein gut gekleideter junger Mann mit rötlichem Haar, der seine Bibel aus dem Effeff kannte und den Barrowland Ballroom frequentierte. Er gabelte dort drei Frauen auf, verprügelte sie, vergewaltigte sie, erdrosselte sie. Dann verschwand er, mitten in der größten Fahndungsaktion, die Glasgow bis dahin erlebt hatte, und tauchte nie wieder auf; der Fall war bis zum heutigen Tag nicht gelöst worden. Die Polizei hatte von der Schwester des letzten Opfers eine hieb- und stichfeste Personenbeschreibung bekommen. Sie war fast zwei Stunden lang in Bible Johns Gesellschaft gewesen, hatte sogar im selben Taxi mit ihm gesessen. Die beiden hatten sie abgesetzt; ihre Schwester hatte ihr zum Abschied durch das Heckfenster zugewinkt… Ihre Beschreibung hatte nichts genützt.

Und jetzt gab es Johnny Bible. Die Medien waren mit dem Namen schnell bei der Hand gewesen. Drei Frauen: verprügelt, vergewaltigt, erdrosselt. Mehr hatten sie nicht gebraucht, um die Verbindung herzustellen. Zwei Frauen waren in Nachtklubs, Discos angesprochen worden. Es gab vage Beschreibungen eines Mannes, den man mit den Opfern hatte tanzen sehen. Gut gekleidet, schüchtern. Das passte zum Original, Bible John. Bloß dass Bible John, falls er noch immer am Leben sein sollte, mittlerweile in den Fünfzigern gewesen wäre, während der neue Mörder als Mitt- bis Endzwanziger beschrieben worden war. Ergo: Johnny Bible, geistiger Sohn Bible Johns.

Natürlich gab es Unterschiede, aber die Medien hielten sich mit ihnen nicht auf. Zum einen hatten Bible Johns Opfer alle im selben Lokal getanzt; Johnny Bible dagegen klapperte ganz Schottland nach potentiellen Opfern ab. Das hatte zu den üblichen Theorien geführt: Er war Fernfahrer oder Vertreter. Die Polizei schloss keine Möglichkeit aus. Es konnte sogar sein, dass Bible John selbst nach fünfundzwanzigjähriger Abwesenheit zurückgekehrt war und die Beschreibung des Mitt-, Endzwanzigers einfach nicht stimmte – das hatte es bei scheinbar wasserdichten Augenzeugenaussagen durchaus schon gegeben. Die Polizei hielt außerdem ein paar Informationen über Johnny Bible zurück – genauso wie sie es seinerzeit mit Bible John getan hatte. Auf die Weise ließen sich die Dutzende falscher Geständnisse leichter aussieben.

Rebus hatte gerade mit seinem Bericht angefangen, als Maclay ins Zimmer gewankt kam. Das war seine normale Art zu gehen, wie ein schlingernder Kahn, aber nicht weil er betrunken oder zugedröhnt gewesen wäre, sondern weil er ziemlich übergewichtig war; irgendwie stoffwechselbedingt. Mit den Nebenhöhlen hatte er außerdem auch Probleme; seine Atmung war oft ein mühsames Keuchen, seine Stimme ein stumpfer Hobel, der gegen die Maserung scheuerte. Im Revier hieß er nur »Heavy« – der schwere Junge.

»Craw eingebuchtet?«, fragte Bain.

Maclay nickte in die Richtung von Rebus' Schreibtisch. »Will ihn wegen Verplemperns unserer Zeit anklagen lassen.«

»Na also, *das* nenn ich Zeit verplempern.«

Maclay wankte in Rebus' Richtung. Er hatte pechschwarzes Haar, das ringsum in angeklatschte Ringellöckchen auslief. Wahrscheinlich hatte er bei einigen Baby-Schönheitswettbewerben gewonnen, was allerdings schon einige Zeit zurücklag.

»Kommen Sie«, sagte er.

Rebus schüttelte den Kopf und tippte weiter.

»Ach, Scheiße.«

»Scheiß auf ihn«, sagte Bain und stand auf. Er zog sein Jackett von der Rückenlehne seines Stuhls. Zu Maclay gewandt: »'nen Drink?«

Maclay stieß einen Seufzer aus. »Genau, was ich jetzt brauche.«

Rebus hielt den Atem an, bis sie gegangen waren. Er hatte nicht erwartet, zum Mitgehen aufgefordert zu werden. War aber sowieso nur pro forma gewesen. Er hörte auf zu tippen und holte aus der untersten Schublade die Flasche Limonade heraus, schraubte den Deckel auf, schnüffelte dreiundvierzigprozentigen Malt und goss sich den Mund voll. Anschließend verstaute er die Flasche wieder in der Schublade und steckte sich ein Pfefferminzbonbon in den Mund.

Schon besser. *I can see clearly now.* Marvin Gaye.

Er riss den Bericht aus der Schreibmaschine und knüllte ihn zusammen, dann rief er vorne an und sagte, sie sollten Craw Shand noch eine Stunde dabehalten und ihn dann laufen lassen. Er hatte gerade aufgelegt, als es klingelte.

»DI Rebus.«

»Brian.«

Brian Holmes, Detective Sergeant, noch immer in St. Leonard's stationiert. Sie blieben in Verbindung. Heute Abend klang seine Stimme tonlos.

»Probleme?«

Holmes lachte freudlos. »'ne ganze Wagenladung voll.«

»Dann erzählen Sie mir vom jüngsten.« Rebus öffnete das Zigarettenpäckchen einhändig, schob sich eine in den Mund und zündete sie an.

»Ich weiß nicht, ob ich darf, wo Sie selbst dermaßen in der Scheiße stecken.«

»Craigmillar ist gar nicht so übel.« Rebus sah sich im muffigen Büro um.

»Ich meinte die andere Sache.«

»Ach so.«

»Sehen Sie, ich... ich könnte mich in was reingeritten haben...«

»Was ist passiert?«

»Ein Verdächtiger, wir hatten ihn festgenommen. Er hat kübelweise Scheiße von sich gegeben.«

»Sie haben ihm eine geknallt.«

»Das behauptet er jedenfalls.«

»Beschwerde eingereicht?«

»Läuft. Sein Anwalt will das bis zu Ende durchziehen.«

»Ihr Wort gegen seins?«

»Genau.«

»Die Innere wird das schon ausbügeln.«

»Wahrscheinlich.«

»Oder bitten Sie Siobhan, Ihren Arsch zu decken.«

»Sie ist im Urlaub. Mein Vernehmungspartner war Glamis.«

»Dann sieht's schlecht aus, der ist 'ne wandelnde Feigwarze.«

Eine Pause. »Fragen Sie mich nicht, ob ich's getan habe?«

»Ich *will's* gar nicht wissen, klar? Wer war der Verdächtige?«

»Macken-Minto.«

»Scheiße, dieser Junkie kennt sich im Gesetzbuch besser aus als der Staatsanwalt. Okay, gehn wir ein paar Takte plaudern.«

Es tat gut, aus der Wache raus zu sein. Er hatte das Autofenster runtergekurbelt. Der Fahrtwind war fast warm. Der Dienst-Escort schien seit einer Weile nicht mehr geputzt worden zu sein. Es lagen Schokoladenpapierchen, leere Chipstüten, zerknüllte Orangensaftkartons und Ribena-Flaschen herum. Das Herz der schottischen Ernährung: Zucker und Salz. Fehlte nur noch Alkohol, und man hatte Herz *und* Leber.

Minto wohnte in einer der Mietskasernen auf der South Clerk Street, im ersten Stock. Rebus war schon zu anderen Gelegenheiten, an die er sich durchweg ungern erinnerte, da gewesen. Der Bordstein war mit Autos zugestellt, also parkte er in zweiter Reihe. Am Himmel focht ein verblas-

sendes Rosa einen aussichtslosen Kampf gegen das herauf-
ziehende Dunkel. Und unter dem Ganzen: Halogenorange.
Die Bürgersteige waren voller lärmender Passanten. Das
Kino ein Stück weiter die Straße entlang leerte sich wahrscheinlich gerade, und die ersten Schnapsleichen in spe rissen sich von den noch offenen Pubs los. Die Luft roch nach
fischigem Frittierfett, Pizza, indischen Gewürzen. Brian
Holmes stand, die Hände in den Taschen, vor einem Wohl-
tätigkeitsshop. Kein Auto. Er war von St. Leonard's wahrscheinlich zu Fuß gekommen. Die zwei Männer nickten
sich zu.

Holmes sah müde aus. Noch vor ein paar Jahren war er
jung, frisch, eifrig gewesen. Rebus wusste, dass das Fami-
lienleben seinen Tribut forderte: Er hatte es an seiner eigenen, schon seit Jahren geschiedenen Ehe erlebt. Holmes'
Lebensgefährtin wollte, dass er den Dienst quittierte. Sie
wollte einen Mann, der mehr Zeit mit ihr verbrachte, der,
wenn er zu Hause war, an sie dachte und sich nicht ständig
mit Fällen und Spekulationen, Gedankenspielen und Be-
förderungsstrategien beschäftigte. Als Polizeibeamter hatte
man oft eine engere Beziehung zu seinem Schreibtisch-
partner als zu seiner Lebensgefährtin. Wenn man zum CID
kam, erhielt man einen warmen Händedruck und ein Stück
Papier.

Das Stück Papier war das vorläufige Scheidungsurteil.

»Wissen Sie, ob er zu Haus ist?«, fragte Rebus.

»Ich hab ihn angerufen. Er hat abgenommen. Klang halbwegs nüchtern.«

»Haben Sie irgendwas gesagt?«

»Bin ich blöd?«

Rebus hielt den Blick auf die Fenster des Mietshauses gerichtet. Im Parterre waren Läden; Minto wohnte über einer
Schlosserei. Nicht unwitzig, wenn man einen Sinn für so
was hatte.

»Okay, Sie gehen mit rauf, bleiben aber draußen im Treppenhaus. Kommen Sie nur rein, wenn Sie hören, dass es Ärger gibt.«

»Sicher?«

»Ich will mich mit dem Mann nur unterhalten.« Rebus berührte Holmes' Schulter. »Entspannen Sie sich.«

Die Haustür war nicht abgeschlossen. Sie stiegen schweigend die Wendeltreppe hinauf. Rebus drückte auf den Klingelknopf und atmete tief ein. Minto hatte die Tür kaum einen Spalt breit geöffnet, als sich Rebus mit der Schulter dagegenwarf und Minto und sich selbst in den trüb beleuchteten Flur katapultierte. Er knallte die Tür hinter sich zu.

Minto wollte handgreiflich werden, bis ihm klar wurde, mit wem er es zu tun hatte. Er stieß nur einen Knurrlaut aus und schlurfte ins Wohnzimmer zurück – ein winziger Raum, der auch noch zur Hälfte als Küche fungierte; ein schmaler bis zur Decke reichender Schrank enthielt, wie Rebus wusste, eine Dusche. Dann waren da noch ein Schlafzimmer und eine Toilette mit einem Puppenhaus-Waschbecken. Es gab durchaus geräumigere Iglus.

»Was zum Teufel wollen Sie?« Minto griff nach einer Dose hochprozentigem Lager. Er leerte sie im Stehen.

»Zwei Takte plaudern.« Rebus sah sich scheinbar beiläufig im Zimmer um. Aber seine Hände waren einsatzbereit.

»Das ist unbefugtes Eindringen.«

»Kläff du nur weiter. Ich zeig dir schon, was unbefugtes Eindringen ist.«

Minto legte das Gesicht in Falten: nicht beeindruckt. Er war Mitte dreißig, sah aber fünfzehn Jahre älter aus. Er hatte schon die meisten gängigen Drogen durch: Horse, Speed, Crack. Jetzt war er auf Methadon. Zugedröhnt war er ein kleineres Problem, lediglich nervig; nüchtern taugte er nur für die Gummizelle. Völlig übergeschnappt.

»Was man so hört, sind Sie eh am Arsch«, sagte er jetzt.

Rebus trat einen Schritt näher. »Stimmt, Macke. Also frag dich selbst: Was habe ich zu verlieren? Wenn ich am Arsch bin, kann ich genauso gut Nägel mit Köpfen machen.«

Minto hob die Hände. »Nur die Ruhe, Mann. Was haben Sie für ein Problem?«

Rebus entspannte sein Gesicht. »Du bist mein Problem, Macke. Pisst einem Kollegen von mir ans Bein.«

»Er hat mich zusammengeschlagen.«

Rebus schüttelte den Kopf. »Ich war dabei, hab nix gesehen. Ich war mit einer Nachricht für DS Holmes reingeschickt worden. Ich bin dageblieben. Wenn er also auf dich losgegangen wäre, hätte ich's ja wohl mitgekriegt, oder?«

Sie standen sich schweigend gegenüber. Dann wandte sich Minto ab und ließ sich in den einzigen Sessel des Zimmers plumpsen. Er sah so aus, als wollte er eine Runde schmollen. Rebus bückte sich und hob etwas vom Fußboden auf. Es war der vom Fremdenverkehrsamt herausgegebene Zimmernachweis.

»Bisschen blau machen?« Er blätterte rasch die Listen von Hotels, Pensionen, möblierten Zimmern durch. Dann hielt er die Broschüre in die Höhe. »*Ein* Bruch an einer dieser Adressen, und du bist der Erste, dem wir einen Besuch abstatten.«

»Schikane«, sagte Minto, aber leise.

Rebus ließ die Broschüre fallen. Jetzt sah Macken-Minto gar nicht mehr so verrückt aus, eher völlig erledigt, so als hätte sich das Leben in einen der Boxhandschuhe ein Hufeisen gesteckt. Rebus wandte sich ab. Er durchquerte den Flur und griff schon nach der Klinke der Wohnungstür, als Minto seinen Namen rief. Der kleine Mann stand am anderen Ende des Flurs, keine vier Meter von ihm entfernt. Er hatte sich sein ausgeleiertes T-Shirt bis zu den Schultern hochgezogen. Nachdem er ihm die Vorderseite gezeigt hatte, drehte er sich um und führte Rebus die Rückenpartie vor. Die Beleuchtung war dürftig – eine Vierzig-Watt-Birne unter einem fliegenschisstrüben Schirm –, aber Rebus sah es auch so. Tattoos, dachte er im ersten Moment. Aber es waren Blutergüsse: an den Rippen, Seiten, Nieren. Selbst zugefügt? Vielleicht. Das war immer möglich. Minto ließ das T-Shirt herunterfallen und starrte Rebus an. Der öffnete die Tür und verließ die Wohnung.

»Alles in Ordnung?«, fragte Holmes nervös.

»Die Story lautet: Ich bin mit einer Nachricht reingekommen. Ich war während des ganzen Verhörs dabei.«

Holmes atmete geräuschvoll aus. »Das war's also?«

»Das war's.«

Vielleicht war es der Ton seiner Stimme, der Holmes aufmerken ließ. Er begegnete John Rebus' starrem Blick und sah als Erster weg. Draußen streckte er die Hand aus und sagte: »Danke.«

Aber Rebus hatte sich schon umgedreht und entfernte sich.

Er fuhr durch die Straßen der leeren Hauptstadt, links und rechts von Wohneigentum im sechsstelligen Preisbereich flankiert. Heutzutage kostete es ein Vermögen, in Edinburgh zu wohnen. Er versuchte, nicht daran zu denken, was er getan, was Brian Holmes getan hatte. In seinem Kopf der Kommentar der Pet Shop Boys: »It's a Sin.« Überleitung zu Miles Davis: »So what?«

Er fuhr in die ungefähre Richtung von Craigmillar, überlegte es sich dann aber anders. Er würde stattdessen nach Hause fahren und darum beten, dass draußen keine Reporter kampierten. Wenn er nach Haus ging, nahm er die Nacht mit, musste sie sich dann ablaugen und abschrubben und fühlte sich dabei wie ein alter Pflasterstein, auf dem Tag für Tag herumgetrampelt wurde. Manchmal war es einfacher, auf der Straße zu bleiben oder auf der Wache zu schlafen. Manchmal gondelte er die ganze Nacht herum – nicht nur durch Edinburgh: runter nach Leith und an den Nutten und Strichern vorbei, den Hafen entlang, gelegentlich bis nach South Queensferry und dann rauf zur Forth Bridge, die M90 entlang durch Fife, an Perth vorbei, bis rauf nach Dundee, wo er meist, mittlerweile müde, wendete und zurückfuhr oder, wenn nötig, am Straßenrand hielt und im Auto schlief. Es brauchte alles seine Zeit.

Er erinnerte sich, dass er in einem Dienstwagen saß, nicht in seinem eigenen. Wenn sie die Karre brauchten, dann konnten sie sie sich ja holen. Als er Marchmont erreichte, war auf der Arden Street kein Parkplatz zu finden; und so hielt er schließlich im absoluten Halteverbot. Reporter waren keine zu sehen; irgendwann mussten die ja auch schlafen. Er ging die Warrender Park Road entlang zu seinem Lieblings-Fish-and-Chips-Shop – riesige Portionen, und Zahnpasta und Klopapier gab es bei Bedarf da auch. Er schlenderte langsam wieder zurück und war schon halb die Treppe hoch, als sein Piepser losging.

2

Er hieß Allan Mitchison, und er saß in einer Kneipe und trank – nicht à la »Was kostet die Welt«, aber doch mit einer Miene, die verriet, dass er sich um Geld keine Gedanken zu machen brauchte. Er kam mit zwei Typen ins Gespräch. Der eine von beiden erzählte einen Witz. Es war ein guter Witz. Sie spendierten die nächste Runde, und dann spendierte er seinerseits eine. Als er seinen einzigen Witz zum Besten gab, lachten sie Tränen. Sie bestellten noch mal drei. Er fühlte sich in ihrer Gesellschaft wohl.

In Edinburgh hatte er nicht mehr viele Bekannte. Einige

seiner einstigen Freunde nahmen ihm das viele Geld übel, das er immer noch verdiente. Familie besaß er keine, schon so lange er zurückdenken konnte. Er fühlte sich in Gesellschaft der zwei Männer wohl. Er wusste gar nicht so genau, warum er überhaupt noch nach Hause kam beziehungsweise warum er Edinburgh überhaupt sein »Zuhause« nannte. Er hatte eine Wohnung samt dazugehöriger Hypothek, aber sie war noch nicht mal tapeziert oder gestrichen, geschweige denn eingerichtet. Sie war bloß ein Gehäuse, nichts, wofür es sich gelohnt hätte zurückzukehren. Aber alle fuhren nach Hause, das war das Problem. Während der sechzehn Tage, die man am Stück arbeitete, dachte man an zu Hause. Das gehörte sich einfach so. Man redete darüber, erzählte, was man alles tun würde, wenn man erst mal da war – saufen, vögeln, einen draufmachen. Einige der Männer wohnten in oder in der Nähe von Aberdeen, aber etliche kamen von weiter her. Sie konnten es nicht erwarten, dass die sechzehn Tage endeten und die vierzehntägige Pause begann.

Das war die erste Nacht seiner vierzehn Tage.

Anfangs vergingen sie langsam, gegen Ende dann immer schneller, bis man sich fragte, warum man mit seiner Zeit nichts Besseres angefangen hatte. Diese, die erste Nacht, war die längste. Das war die eine Nacht, die man hinter sich bringen musste.

Sie zogen in eine andere Bar. Einer seiner neuen Freunde trug eine altmodische Adidas-Tasche, rotes Plastik mit einem Seitenreißverschluss und einem zerrissenen Schulterriemen. Auf der Schule, mit vierzehn, fünfzehn, hatte er genauso eine gehabt.

»Was hast du denn da drin«, scherzte er, »deine Sportsachen?«

Sie lachten und klopften ihm auf den Rücken.

Im nächsten Lokal gingen sie zu Hochprozentigem über. Der Pub kochte, Mösen, so weit das Auge reichte.

»Du musst doch ununterbrochen daran denken«, sagte einer seiner Freunde, »da auf der Bohrinsel. Also, *ich* würde glatt durchdreh'n.«

»Oder Rückenmarksschwund kriegen«, sagte der andere.

Er grinste. »Ich komm schon auf meine Kosten.« Kippte einen weiteren Black Heart. Früher hatte er keinen dunklen Rum getrunken. Ein Fischer in Stonehaven hatte ihn mit dem Zeug bekannt gemacht. OVD oder Black Heart, aber am liebsten hatte er Black Heart. Der Name gefiel ihm.

Sie brauchten was zum Mitnehmen, damit die Party weitergehen konnte. Er war müde. Die Zugfahrt von Aberdeen hatte drei Stunden gedauert, und davor war noch der Flug mit dem Heli gewesen. Seine Freunde waren eifrig am Bestellen: eine Flasche Bell's und eine Black Heart, ein Dutzend Dosen, Chips und Kippen. So über den Tresen kostete das Zeug ein Vermögen. Aber sie teilten die Zeche durch drei, also waren sie offenbar nicht auf sein Geld aus.

Sie hatten Mühe, ein Taxi zu finden. Jede Menge unterwegs, aber alle schon besetzt. Sie mussten ihn von der Fahrbahn zerren, als er versuchte, eins zum Stehen zu bringen. Er verlor das Gleichgewicht und fiel auf ein Knie. Sie halfen ihm wieder auf.

»Also, was tust du eigentlich genau auf der Bohrinsel?«, fragte einer von ihnen.

»Sorg dafür, dass sie nach Möglichkeit nicht absäuft.«

Ein Taxi hatte angehalten und ließ ein Pärchen aussteigen.

»Ist das Ihre Mutter, oder sind Sie bloß verzweifelt?«, fragte er den männlichen Fahrgast. Seine Freunde empfahlen ihm, die Klappe zu halten, und schoben ihn in den Fond. »Habt ihr die gesehen?«, fragte er. »'n Gesicht wie ein Sack voll Murmeln.« Sie fuhren nicht in seine Wohnung, da war nichts.

»Wir fahren zu uns«, hatten seine Freunde gesagt. Also brauchte man nichts weiter zu tun, als sich zurückzulehnen und die ganzen bunten Lichter anzugucken. Edinburgh war genau wie Aberdeen – eine Kleinstadt, ganz anders als Glasgow oder London. Aberdeen hatte mehr Geld als Stil, und unheimlich war es auch. Mehr als Edinburgh. Die Fahrt schien überhaupt nicht enden zu wollen.

»Wo sind wir?«

»Niddrie«, sagte einer. Er konnte sich an ihre Namen nicht erinnern, und es war ihm peinlich zu fragen. Schließlich blieb das Taxi stehen. Die Straße war stockdunkel, sah so aus, als hätte die ganze Siedlung schon seit Ewigkeiten die Stromrechnung nicht mehr bezahlt. Das sagte er auch.

Mehr Gelächter, Heiterkeitstränen, Schulterklopfen.

Dreigeschossige Mietshäuser, Kieselrauputz. Die meisten Fenster waren mit Stahlblechplatten verrammelt oder mit Ytongblöcken zugemauert.

»Ihr wohnt hier?«, fragte er.

»Kann sich nicht jeder eine Hypothek leisten.«

Wie wahr, wie wahr. Er war in vielerlei Hinsicht ein Glückspilz. Sie drückten fest gegen die Haustür, und sie gab nach. Er trat ein, links und rechts von ihm je ein Freund mit einer Hand auf seinem Rücken. Drinnen war es feucht und modrig, die Treppe halb zugerümpelt mit aufgeschlitzten Matratzen und Klosettbrillen, Rohren und zerbrochenen Fußleisten.

»Richtig gemütlich.«

»Oben ist es schon ganz okay.«

Sie stiegen zwei Treppen hinauf. Zwei Wohnungstüren, beide offen.

»Hier rein, Allan.«

Also ging er hinein.

Es gab keinen Strom, aber einer seiner Freunde hatte eine Taschenlampe dabei. Die Wohnung war ein einziger Saustall.

»Ich hätt euch nicht für Penner gehalten, Jungs.«

»Die Küche ist okay.«

Also führten sie ihn dorthin. Er sah einen Holzstuhl, der früher mal gepolstert gewesen war. Er stand auf den Überresten des Linoleumfußbodens. Die Alkoholdämpfe verzogen sich schnell, aber nicht schnell genug.

Sie drückten ihn auf den Stuhl. Er hörte, wie Klebeband von einer Rolle gerissen wurde, spürte, wie es ihn an den Stuhl fesselte, immer rundherum. Dann um den Kopf herum, ihm den Mund zuklebte. Als Nächstes seine Beine, bis runter zu den Knöcheln. Er versuchte zu schreien, würgte am Klebeband. Ein Schlag gegen die Schläfe. Augen und Ohren versagten vorübergehend. Die Schläfe tat ihm weh, als wäre sie mit einem Stahlträger kollidiert. Hektische Schatten huschten über die Wände.

»Sieht aus wie 'ne Mummie, nich?«

»Ja, und in 'ner Minute schreit er nach seiner Mami.«

Die Adidas-Tasche lag offen vor ihm auf dem Fußboden.

»Jetzt«, sagte der eine von beiden, »hol ich meine Sportsachen raus.«

Zange, Tischlerhammer, Presslufttacker, elektrischer Schraubenzieher und eine Säge.

Nachtschweiß, Salzwasser, das ihm in den Augen brannte, hinein- und wieder heraussickerte. Er wusste, was mit ihm geschah, glaubte es aber immer noch nicht. Die Männer sprachen kein Wort. Sie breiteten eine schwere Plastikplane auf dem Fußboden aus. Dann trugen sie ihn und den Stuhl auf die Plane. Er wand sich, versuchte zu schreien, kniff die Augen zu, kämpfte gegen seine Fesseln an. Als er die Augen wieder öffnete, sah er eine durchsichtige Plastiktüte. Sie stülpten sie ihm über den Kopf und schnürten sie mit Klebeband luftdicht um den Hals zu. Er atmete durch die Nase ein, und die Tüte zog sich zusammen. Einer der beiden nahm die Säge in die Hand, legte sie dann wieder hin und nahm stattdessen den Hammer.

Von blankem Entsetzen getrieben, schaffte es Allan Mitchison irgendwie, noch immer an den Stuhl gefesselt, auf die Füße zu kommen. Vor ihm war das Küchenfenster. Es war mit Brettern vernagelt gewesen, aber jemand hatte die Bretter wieder herausgerissen. Der Rahmen war intakt, aber von der Fensterscheibe waren nur noch ein paar Zacken erhalten. Die zwei Männer waren mit ihrem Werkzeug beschäftigt. Er stolperte zwischen ihnen hindurch und kippte aus dem Fenster.

Sie sahen nicht zu, wie er unten aufschlug. Sie sammelten lediglich ihr Werkzeug ein, falteten die Plastikplane unordentlich zusammen, packten alles wieder in die Adidas-Tasche und zogen den Reißverschluss zu.

»Warum gerade ich?«, hatte Rebus gefragt, als man ihn zurückgerufen hatte.

»Weil Sie neu sind«, hatte sein Chef gesagt. »Sie sind noch nicht lang genug da, um sich in der Siedlung Feinde gemacht haben zu können.«

Und außerdem, hätte Rebus hinzufügen können, kannst du Maclay oder Bain nicht erreichen.

Ein Anwohner, der seinen Windhund Gassi führte, hatte die Sache gemeldet. »Hier wird alles Mögliche auf die Straße geschmissen, aber so was doch nicht.«

Als Rebus ankam, standen ein paar Streifenwagen herum und bildeten so etwas wie eine Absperrung, die die Anwohner allerdings nicht davon abgehalten hatte, sich zum Gaffen zu versammeln. Jemand grunzte wie ein Schwein. In dieser Gegend stand Originalität nicht hoch im Kurs; Traditionen waren schwer auszurotten. Die Mietshäuser waren größtenteils leer und warteten auf den Abriss. Die Familien hatte man umquartiert. Hier und da wohnten noch ein paar Leute. Rebus wäre da nicht geblieben.

Der Aufgefundene war für tot, die Umstände für – milde

ausgedrückt – verdächtig erklärt worden, und jetzt machten sich Spurensicherung und Fotografen an die Arbeit. Ein Vizestaatsanwalt unterhielt sich gerade mit dem Pathologen, Dr. Curt. Curt sah Rebus und nickte ihm zu. Aber Rebus hatte nur Augen für die Leiche. Das Mietshaus war von einem altmodischen Eisengitter umgeben, und die noch immer blutende Leiche hatte sich auf den eisernen Stäben aufgespießt. Im ersten Moment dachte er, die Leiche sei schwer entstellt, aber als er näher trat, sah er, was es war: ein Stuhl, beim Aufprall zur Hälfte zertrümmert. Er war mit silberfarbenem Klebeband an der Leiche befestigt. Der Kopf des Toten steckte in einer Plastiktüte. Die ehemals durchsichtige Tüte war jetzt halb voll mit Blut.

Dr. Curt kam herübergeschlendert. »Ich bin neugierig, ob wir eine Orange in seinem Mund finden werden.«

»Soll das jetzt witzig sein?«

»Ich wollte mich eigentlich melden. Hat mir Leid getan, das mit Ihrer ... na ja ...«

»Craigmillar ist gar nicht so übel.«

»Das hatte ich nicht gemeint.«

»Das ist mir klar.« Rebus sah nach oben. »Wie viele Stockwerke ist er runtergefallen?«

»Wie es aussieht, ein paar. Aus dem Fenster da oben.«

Hinter ihnen waren Geräusche zu hören. Einer der Trachtengruppler kotzte auf die Straße. Ein Kollege hatte ihm einen Arm um die Schultern gelegt und half ihm dabei, sich zu erleichtern.

»Holen wir ihn da runter«, sagte Rebus. »Dass die arme Sau in den Leichensack kann.«

»Kein Strom«, sagte jemand und reichte Rebus eine Stablampe.

»Kann man dem Fußboden trauen?«

»Bis jetzt ist noch niemand durchgekracht.«

Rebus tappte durch die Wohnung. Er hatte schon Dutzende solcher Bruchbuden gesehen. Gangs hatten sich da breit gemacht und die Wände mit Graffiti und Urin verunstaltet. Andere hatten alles rausgeschafft, was auch nur den Anschein eines materiellen Wertes besaß: Fußbodenbeläge, Innentüren, Kabel, Stuckverzierungen. Ein Tisch, dem ein Bein fehlte, war im Wohnzimmer auf den Kopf gestellt worden. Darin lagen eine zerknüllte Decke und ein paar Blätter Zeitungspapier. Trautes Heim. Das Badezimmer war völlig leer, lediglich Löcher verrieten, wo einst Armaturen und Installationen angebracht waren. In der Wand des Schlafzimmers klaffte ebenfalls ein großes Loch. Man konnte direkt in die Nachbarwohnung durchsehen und eine identische Szene bewundern.

Die Beamten von der Spurensicherung konzentrierten sich auf die Küche.

»Was haben wir?«, fragte Rebus. Jemand leuchtete mit seiner Stablampe in eine Ecke.

»Tüte voll Schnaps, Sir. Whiskey, Rum, auch ein paar Bierdosen und Knabberzeug.«

»Party, hm?«

Rebus ging ans Fenster. Ein Trachtengruppler stand da und sah hinunter auf die Straße, wo vier Leute mit vereinten Kräften versuchten, die Leiche von den Gitterstäben loszubekommen.

»Knüller als das kann man ja wohl nicht werden.« Der junge Constable wandte sich zu Rebus. »Was meinen Sie, Sir? Alki begeht Selbstmord?«

»Gewöhn dich langsam an deine Uniform, mein Sohn.« Rebus wandte sich vom Fenster ab. »Tüte und Inhalt sollen nach Fingerabdrücken untersucht werden. Wenn sie von einem Schnapsladen stammen, werdet ihr wahrscheinlich Preisaufkleber finden. Andernfalls könnten sie aus einem Pub sein. Wir suchen nach einer, wahrscheinlicher zwei Personen. Wer immer ihnen den Sprit verkauft hat, kann sie vielleicht beschreiben. Wie sind sie hergekommen? Mit eigenem Fahrzeug? Bus? Taxi? Das müssen wir herausfinden. Woher wussten sie von dieser Wohnung? Kannten sie sich hier aus? Wir müssen die Nachbarn befragen.« Er ging jetzt im Zimmer auf und ab. Er erkannte ein paar junge CID-Beamte von St. Leonard's, dazu einige Uniformierte aus Craigmillar. »Wir werden die Aufgaben später aufteilen. Das könnte ein fürchterlicher Unfall sein oder ein blöder Spaß, der in die Hose gegangen ist, aber wie auch immer – allein war das Opfer hier nicht. Ich will wissen, *wer* mit ihm hier war. Danke und gute Nacht.«

Draußen machten sie gerade letzte Aufnahmen vom Stuhl und dem darum gewickelten Klebestreifen, bevor sie Stuhl und Leiche voneinander trennten. Der Stuhl würde gleichfalls, mit sämtlichen auffindbaren Splittern, eingetütet werden. Komisch, wie ordentlich es auf einmal wurde; Ordnung aus dem Chaos. Dr. Curt sagte, er würde die Obduktion am nächsten Morgen vornehmen. Rebus hatte keine Einwände. Er setzte sich wieder in den Streifenwagen und wünschte sich, es wäre seiner: Unter dem Fahrersitz des Saab lag eine halbe Flasche Whiskey. Viele Pubs wären bestimmt noch offen gewesen: Schanklizenz bis Mitternacht. Stattdessen fuhr er wieder ins Revier. Maclay und Bain sahen so aus, als seien sie gerade erst reingekommen, aber die Neuigkeit wussten sie schon.

»Mord?«

»Was in der Art«, antwortete Rebus. »Er war an einen Stuhl gebunden, mit einer Plastiktüte über dem Kopf und zugeklebtem Mund. Vielleicht hat man ihn gestoßen, vielleicht ist er gesprungen oder gefallen. Wer immer bei ihm war, hatte es eilig zu verschwinden – hat seine ganzen Vorräte liegen lassen.«

»Junkies? Penner?«

Rebus schüttelte den Kopf. »Allem Anschein nach neue Jeans und an den Füßen neue Nikes. Brieftasche mit jeder Menge Barem, Bankcard und Kreditkarte.«

»Dann haben wir also einen Namen?«

Rebus nickte. »Allan Mitchison, wohnhaft Nähe Morrison Street.« Er rasselte mit einem Schlüsselbund. »Möchte jemand mit?«

Bain begleitete Rebus und überließ es Maclay, »die Festung zu halten« – eine in Fort Apache überstrapazierte Metapher. Bain meinte, er tauge als Beifahrer nicht viel, also ließ Rebus ihn ans Steuer. DS »Dod« Bain hatte einen Ruf als knallharter Bursche; er war ihm von Dundee nach Falkirk und von da nach Edinburgh gefolgt. Dundee und Falkirk waren auch nicht gerade Kurorte. Er hatte eine Narbe unter dem rechten Auge – ein Souvenir von einer Messerstecherei. Alle naselang strich sein Finger über die Stelle; es geschah ganz unbewusst. Mit eins achtundsiebzig war er ein paar Fingerbreit kleiner als Rebus und vielleicht zehn Pfund leichter. Er hatte früher in der Amateurliga geboxt, Mittelgewicht, Rechtsausleger, mit dem Resultat, dass ihm jetzt ein Ohr tiefer als das andere saß und seine Nase das halbe Gesicht einnahm. Sein kurz geschorenes Haar war grau meliert. Verheiratet, drei Söhne. Rebus hatte in Craigmillar noch nicht viel mitbekommen, was Bains Ruf gerechtfertigt hätte; er war ein unauffälliger, gewissenhafter Typ, der brav seine Formulare ausfüllte und stur nach Lehrbuch ermittelte. Rebus war gerade eine Nervensäge losgeworden – DI Alister Flower, auf irgendeinen Außenposten in den Borders versetzt, wo er fürderhin Schaseficker und rasende Traktorfahrer jagen konnte – und nicht scharf darauf, die Stelle neu zu besetzen.

Allan Mitchisons Wohnung lag in einem Designerblock im so genannten Financial District. Ein Stück Brachland in der Nähe der Lothian Road war in ein Konferenzzentrum und »Apartments« umgewandelt worden. Ein Hotel war geplant, und eine Versicherungsgesellschaft hatte ihre neue Zentrale an das Caledonian Hotel angebaut. Und es gab noch genügend Platz für weitere Betonklötze und Straßen.

»Jammervoll«, sagte Bain, während er den Wagen parkte.

Rebus versuchte, sich zu erinnern, wie es da früher mal ausgesehen hatte. Er brauchte lediglich ein, zwei Jahre zurückzudenken, aber selbst das bereitete ihm Schwierigkeiten. War da bloß ein großes Loch gewesen, oder hatten die irgendwas abgerissen? Sie waren gerade mal knapp einen halben Kilometer von der Wache am Torphichen Place entfernt. Rebus hatte geglaubt, das ganze Revier zu kennen. Aber jetzt musste er feststellen, dass dem nicht so war.

Am Kettchen hingen ein halbes Dutzend Schlüssel. Mit einem davon ließ sich die Haustür öffnen. In der gut beleuchteten Eingangshalle war eine ganze Wand mit Briefkästen bedeckt. Sie fanden den Namen Mitchison – Wohnung 312. Rebus suchte den passenden Schlüssel und holte die Post aus dem Briefkasten. Einiges an Werbung – »Sofort öffnen! Sie könnten schon jetzt den Jackpot geknackt haben!« – und eine Kreditkartenabrechnung. Er öffnete die Abrechnung. Aberdeen HMV, ein Sportgeschäft in Edinburgh – 56,50 Pfund, die Nikes – und ein Curry-Haus, ebenfalls in Aberdeen. Nicht ganz zwei Wochen lang nichts, dann wieder das Curry-Haus.

Sie fuhren mit dem engen Lift in den dritten Stock (Bain schattenboxte während der Fahrt vor dem wandhohen Spiegel) und fanden Apartment Nr. 12. Rebus schloss auf, sah, dass an der Wand des kleinen Flurs die Kontrolltafel einer Alarmanlage blinkte, und schaltete sie mit einem weiteren Schlüssel aus. Bain fand den Lichtschalter und schloss die Tür. Die Wohnung roch nach Farbe und Putz, Teppichboden und Lack – neu, unbewohnt. Keinerlei Möbel; nur ein Telefon auf dem Fußboden neben einem aufgerollten Schlafsack.

»Das schlichte Leben«, bemerkte Bain.

Die Küche war vollständig eingerichtet – Waschmaschine, Herd, Geschirrspüler, Kühlschrank –, aber die Tür des Wasch-Trockenautomats war noch mit einem Klebestreifen versiegelt, und der Kühlschrank enthielt lediglich die Bedienungsanleitung, eine Ersatzglühbirne und Einlegeböden. In dem Schrank unter der Spüle befand sich ein Mülleimer. Wenn man die Tür öffnete, klappte der Deckel automatisch auf. Drinnen lagen zwei zerdrückte Bierdosen und ein rot verschmiertes Einpackpapier, das dem Geruch nach Kebab enthalten haben musste. Das einzige Schlafzimmer der Wohnung war völlig kahl, auch der Einbauschrank enthielt nichts, nicht einmal Kleiderbügel. Aber Bain schleifte gerade etwas aus dem winzigen Bad. Es war ein blauer Rucksack, ein Karrimor.

»Sieht so aus, als wäre er nach Haus gekommen, hätte sich rasch gewaschen und umgezogen und wäre dann sofort wieder abgehauen.«

Sie fingen an, den Rucksack auszuleeren. Abgesehen von Kleidungsstücken fanden sie einen Walkman und ein paar Kassetten – Soundgarden, Crash Test Dummies, Dancing Pigs – und eine Kopie von Ian Banks *Whit*.

»Die hatte ich mir auch kaufen wollen«, sagte Rebus.

»Bedienen Sie sich. Wer sieht's schon?«

Rebus sah Bain an. Dessen Blick wirkte unschuldig, aber er schüttelte trotzdem den Kopf. Er konnte es sich nicht leisten, wem auch immer weitere Munition zu liefern. Er zog aus einer der Seitentaschen eine Einkaufstüte heraus: neue Kassetten – Neil Young, Pearl Jam, noch mal die Dancing Pigs. Der Kassenbon war von HMV in Aberdeen.

»Ich würde mal tippen«, sagte Rebus, »er arbeitete in Aberdeen.«

Aus der anderen Seitentasche zog Bain eine Broschüre. Er faltete sie auseinander, öffnete sie und ließ Rebus mit hineinsehen. Außen war ein Farbfoto von einer Ölbohrinsel, darüber die Überschrift: »T-BIRD OIL STEUERT GOLDE-NEN MITTELWEG AN« und der Untertitel: »Stilllegung von Offshore-Einrichtungen – ein bescheidener Vorschlag«. Innen waren außer ein paar Absätzen Text farbige Tabellen, Diagramme und Statistiken zu sehen. Rebus las den ersten Satz: »Am Anfang waren mikroskopische Organismen, die vor vielen Millionen Jahren in den Flüssen und Meeren lebten und starben.« Er sah zu Bain auf. »Und sie gaben ihr Leben hin, auf dass wir, Millionen von Jahren später, in Autos herumbrettern könnten.«

»Ich werd das Gefühl nicht los, dass Mr. Fleischspießchen möglicherweise für eine Erdölfirma arbeitete.«

»Er hieß Allan Mitchison«, sagte Rebus ruhig.

Als Rebus endlich nach Haus kam, wurde es schon langsam hell. Er schaltete die Hi-Fi-Anlage ein, ganz leise, spülte dann in der Küche ein Glas aus und goss sich zwei Finger breit Laphroaig ein und ließ dazu ein paar Tropfen Wasser aus dem Hahn rinnen. Manche Malts verlangten Wasser. Er setzte sich an den Küchentisch und warf einen Blick auf die Zeitungen, die darauf ausgebreitet lagen: Ausschnitte über den Johnny-Bible-Fall, Fotokopien vom alten Bible-John-Material. Er hatte einen ganzen Tag in der National Library zugebracht und am Mikrofilmleser einen Schnelldurchlauf der Jahre 1968–1970 gemacht. Aus den verschwommenen Bildern waren ihm einzelne Meldungen ins Auge gestochen. Der Flottenstützpunkt Rosyth sollte seinen Royal Navy Commander verlieren; in Invergordon wurde ein petroche-mischer Komplex geplant, geschätzte Kosten fünfzig Milli-onen Pfund; im ABC lief *Camelot*.

Eine Anzeige warb für eine Broschüre – »Wie Schottland

regiert werden sollte« –, und mehrere Leserbriefe äußerten sich zum Thema Selbstverwaltung. Ein Unternehmen suchte einen Verkaufs- und Marketingmanager, Jahresgehalt zweitausendfünfhundert Pfund. Ein neues Haus in Strathalmond kostete siebentausendneunhundertfünfundneunzig Pfund. Froschmänner suchten in Glasgow nach Spuren, während Jim Clark den Großen Preis von Australien gewann. Derweil wurden in London Mitglieder der Steve Miller Band wegen Drogenbesitzes festgenommen, und in Edinburgh waren die Parkmöglichkeiten allmählich restlos erschöpft…

1968.

Rebus besaß Originalausgaben der entsprechenden Zeitungen – bei einem Händler für erheblich mehr als die ursprünglichen Sixpence pro Stück erstanden. Die Berichte gingen weiter bis August 69. Am Wochenende, als Bible John sich sein zweites Opfer holte, erreichte in Ulster die Kacke den Siedepunkt und ließen sich in Woodstock dreihunderttausend zugedröhnte Popfans volldröhnen. Ein netter Kontrast. Das zweite Opfer wurde von der Schwester in einer verlassenen Wohnung aufgefunden… Rebus versuchte, nicht an Allan Mitchison zu denken, und konzentrierte sich ausschließlich auf die alten Meldungen, lächelte über eine Schlagzeile vom 20. August: »Downing Street Declaration«. Fischerstreiks in Aberdeen… eine amerikanische Filmgesellschaft suchte sechzehn Dudelsäcke… Robert »Medienmogul« Maxwells Pergamon Press stellte vorübergehend die Zahlungen ein. Eine weitere Schlagzeile: »Gewaltverbrechen gehen in Glasgow drastisch zurück.« Erzählt das mal den Opfern. Und schon im November wurde berichtet, dass in Schottland doppelt so viel Morde verübt wurden wie in England und Wales zusammengenommen – rekordverdächtige zweiundfünfzig Anklagen im laufenden Jahr. Die Todesstrafe wurde heftig diskutiert. In Edinburgh fanden

Antikriegsdemos statt, während Bob Hope die in Vietnam stationierten Truppen zum Lachen brachte. Die Stones gaben in Los Angeles zwei Konzerte – mit einundsiebzigtausend Pfund der bis dahin lukrativste Gig in der Geschichte der Popmusik.

Es war bereits der 22. November, als die Zeitungen eine Phantomzeichnung von Bible John veröffentlichten. Mittlerweile *war* er Bible John; den Namen hatten sich die Medien ausgedacht. Seit dem dritten Mord waren schon drei Wochen vergangen: Die Spur war so kalt wie ein toter Fisch. Auch schon nach dem zweiten Opfer hatte es eine Phantomzeichnung gegeben, aber mit fast einmonatiger Verspätung. Große, große Verspätungen. Rebus fragte sich nach dem Grund...

Er konnte sich selbst nicht recht erklären, warum Bible John ihm so zu schaffen machte. Vielleicht benutzte er einen alten Fall, um einen anderen zu verdrängen – den Spaven-Fall. Aber er hatte das Gefühl, dass doch mehr dahinter steckte. Bible John hatte für Schottland das Ende der Sechzigerjahre bedeutet; er hatte das Ende eines Jahrzehnts und den Anfang eines anderen vergiftet. Für viele Menschen hatte er das dürftige bisschen Frieden und Liebe, das so weit nach Norden gelangt sein mochte, so gut wie getötet. Rebus wollte nicht, dass das zwanzigste Jahrhundert auf die gleiche Weise endete. Er wollte, dass Johnny Bible geschnappt wurde. Aber irgendwo auf halber Strecke hatte sein Interesse an dem aktuellen Fall eine unerwartete Wendung genommen. Er hatte angefangen, sich auf Bible John zu konzentrieren, und das ging so weit, dass er alte Theorien wieder hervorkramte und wiederkäute und ein kleines Vermögen für bald dreißig Jahre alte Zeitungen ausgab. In den Jahren 68 und 69 war Rebus beim Militär gewesen. Man hatte ihm beigebracht, wie man Menschen kampfunfähig macht und tötet, und ihn dann auf Tournee geschickt – zuletzt nach Nordirland. Er hatte das Gefühl, einen wichtigen Teil jener Zeit verpasst zu haben.

Aber zumindest war er noch am Leben.

Er zog mit Glas und Flasche ins Wohnzimmer um und ließ sich in einen Sessel fallen. Er wusste nicht, wie viele Leichen er schon gesehen hatte; er wusste nur, dass es mit der Zeit nicht leichter wurde. Irgendjemand hatte ihm was von Bains erster Leichenschau erzählt, oben in Dundee: Der Pathologe war Naismith gewesen, an seinen besten Tagen ein grausamer Dreckskerl. Er hatte wahrscheinlich gewusst, dass es Bains Premiere war, und sich an der Leiche so richtig ausgetobt, wie ein Schrotthändler, der ein Auto ausschlachtet; hatte Organe herausgeholt, den Schädel aufgesägt, ein schleimig glitzerndes Gehirn in beiden Händen gehalten – heutzutage ging man mit dem Zeug nicht mehr ganz so sorglos um: Angst vor Hepatitis C. Als Naismith angefangen hatte, die Genitalien zu pellen, war Bain umgekippt. Aber Ehre, wem Ehre gebührt: Er war dageblieben, hatte weder gekniffen noch gekotzt. Vielleicht konnten Rebus und Bains ja doch zusammenarbeiten, wenn sie sich erst einmal die Kanten aneinander abgestoßen hatten. Vielleicht.

Er sah durch das Erkerfenster hinunter auf die Straße. Sein Auto stand noch immer im absoluten Halteverbot. In einer der Wohnungen gegenüber brannte Licht. Irgendwo brannte immer Licht. Er nippte an seinem Drink, ohne sich zu beeilen, und hörte den Stones zu: *Black and Blue*. Schwarze Einflüsse, Blues-Einflüsse, kein großes Stones-Album, aber vielleicht ihr entspanntestes.

Allan Mitchison lag in einem Kühlschrank in Cowgate. Er war an einem Stuhl festgezurrt gestorben. Rebus wusste nicht, warum. Pet Shop Boys: »It's a Sin«. Überleitung zu den Glimmer Twins: »Fool to Cry«. Mitchisons Apartment hatte sich in mancher Hinsicht gar nicht so sehr von Rebus'

Wohnung unterschieden: wenig benutzt, eher ein Stützpunkt als ein Zuhause. Er kippte seinen Drink hinunter, goss sich einen neuen ein, kippte auch den hinunter und zog die Steppdecke vom Boden hoch, bis unters Kinn.

Wieder ein Tag rum.

Er wachte ein paar Stunden später auf, blinzelte, stand auf und ging ins Bad. Duschen und rasieren, frische Sachen anziehen. Er hatte von Johnny Bible geträumt und dabei alles mit Bible John durcheinander gemischt. Am Tatort Bullen in knackengen Anzügen, schmalen schwarzen Schlipsen, weißen Nylonhemden, Deckeln wie Gene Hackman in *French Connection*. 1968, Bible Johns erstes Opfer. Für Rebus bedeutete das Van Morrison, *Astral Weeks*. 1969, Opfer zwei und drei; die Stones, *Let It Bleed*. Die Jagd setzte sich bis 1970 fort. John Rebus wäre gern zum Festival auf die Isle of Wight gefahren, schaffte es aber dann doch nicht. Aber natürlich war Bible John mittlerweile verschwunden gewesen… Er hoffte, Johnny Bible würde sich einfach verpissen und krepieren.

In der Küche gab es nichts zu essen, nichts als Zeitungen. Der nächste Tante-Emma-Laden hatte dichtgemacht; zum nächsten richtigen Lebensmittelgeschäft war es auch nicht viel weiter zu laufen. Nein, er würde irgendwo unterwegs halten. Er sah aus dem Fenster, und da parkte ein hellblauer Kombi in zweiter Reihe und blockierte gleich drei Autos. Im Fond alles mögliche Gerät, auf dem Bürgersteig zwei Männer und eine Frau, die Kaffee aus Pappbechern schlürften.

»Scheiße«, sagte Rebus, während er sich den Schlips band.

Rein ins Jackett, raus auf die Straße und in die Fragestunde. Der eine der Männer wuchtete sich gerade eine Fernsehkamera auf die Schulter. Der andere Mann redete los.

»Inspector, hätten Sie einen Augenblick Zeit? Redgauntlet Television, *The Justice Programme*.« Rebus kannte den Typ: Eamonn Breen. Die Frau war Kayleigh Burgess, die Produktionsleiterin der Sendung. Breen war Autor und Moderator, selbstverliebt, OBS: Oberarsch, wie er im Buche steht.

»Der Spaven-Fall, Inspector. Nur ein paar Minuten, um mehr bitten wir Sie gar nicht, nur um unsere Zuschauer ins Bild zu setz–«

»Da bin ich schon.« Rebus sah, dass die Kamera noch nicht aufnahmebereit war. Er drehte sich rasch um, dass er fast Nase an Nase mit dem Reporter stand. Er dachte an Macken-Minto, und wie er »Schikane« geflüstert hatte, ohne überhaupt zu wissen, was das war – jedenfalls nicht so, wie es Rebus wusste.

»Sie werden denken, Sie liegen im Kreißsaal«, sagte er.

»Bitte?«

»Wenn die Chirurgen Ihnen diese Kamera wieder aus dem Arsch rausholen.« Rebus riss einen Strafzettel von seiner Windschutzscheibe, schloss den Wagen auf und stieg ein. Die Fernsehkamera war endlich soweit, aber alles, was sie aufs Band bekam, war ein ramponierter Saab 900, der sich im Rückwärtsgang mit Vollgas entfernte.

Rebus hatte an dem Morgen eine Besprechung mit seinem Chef, Chief Inspector Jim MacAskill. Das Büro des Chefs sah genauso chaotisch aus wie die ganze Wache: Umzugskartons, die noch darauf warteten, voll gepackt und beschriftet zu werden, halb leere Regale, uralte grüne Aktenschränke, in deren aufgezogenen Schubfächern Raummeter von Schriftstücken lagerten, die man in einem Anschein von Ordnung würde wegschaffen müssen.

»Das schwierigste Puzzle der Welt«, sagte MacAskill. »Dass alles seinen Bestimmungsort unversehrt erreicht, ist ebenso wahrscheinlich, wie dass die Raith Rovers den UEFA-Cup gewinnen.«

Der Chef, groß, gut gebaut und jünger als Rebus, war wie er ein Fifer, geboren und aufgewachsen in Methil, als die Werft noch Schiffe gebaut hatte und keine Ölbohrinseln. Sein Handschlag fühlte sich ziemlich schlapp an, und er war noch nie verheiratet gewesen, was zu den üblichen Gerüchten geführt hatte, der Chef sei vom anderen Ufer. Das kümmerte Rebus nicht weiter – er hatte persönlich keine Probleme damit –, aber er hoffte, dass der Chef, falls er tatsächlich schwul sein sollte, keine Schuldgefühle deswegen hatte. Erst wenn man ein Geheimnis unbedingt für sich behalten wollte, lieferte man sich Erpressern und schlechtem Gewissen, inneren wie äußeren zerstörerischen Kräften aus. Wer wusste das besser als Rebus?

Wie auch immer, MacAskill sah gut aus, hatte einen dichten schwarzen Schopf ohne eine Spur von Grau oder Anzeichen von Kolorierung und ein kantiges, wie gemeißeltes Gesicht, das ständig so aussah, als würde es lächeln, selbst wenn es das nicht tat.

»Nun«, begann der Chef, »wonach sieht es für Sie aus?«

»Ich weiß noch nicht genau. Eine aus dem Ruder gelaufene Party, eine Diskussion, bei der sich einer zu weit aus dem Fenster gelehnt hat – in diesem Fall buchstäblich? Zu bechern hatten sie noch nicht angefangen.«

»Erste Frage, die mir einfällt: Waren sie zusammen gekommen? Könnte auch sein, dass das Opfer allein unterwegs war, irgendwelche Leute bei irgendwas überrascht hat, das sie nicht hätten tun sollen –«

Rebus schüttelte den Kopf. »Der Taxifahrer sagt, dass er drei Leute abgesetzt hat. Hat uns auch Personenbeschreibungen gegeben, wovon eine ziemlich gut auf den Toten passt. Der Fahrer hat auf ihn am meisten geachtet, weil er sich am übelsten aufführte. Die anderen beiden waren friedlich, sogar gesittet. Mit deren Beschreibungen werden wir nicht viel anfangen können. Er hat die Fuhre vor Mal's Bar aufgenommen. Wir haben uns mit dem Barkeeper unterhalten. Den Partyproviant hat er ihnen verkauft.«

Der Chef strich sich mit einer Hand über den Schlips. »Wissen wir sonst noch etwas über den Toten?«

»Nur dass er irgendwas mit Aberdeen zu tun hatte und möglicherweise in der Ölbranche arbeitete. Seine Wohnung in Edinburgh hat er nicht viel benutzt. Ich könnte mir also vorstellen, dass er in langen Schichten arbeitete, jeweils zwei Wochen Dienst, zwei Wochen frei. Vielleicht kam er auch gar nicht jedes Mal heim. Er verdiente genug, um eine Wohnung im Financial District abbezahlen zu können, und zwischen seinen letzten zwei Kreditkartenabbuchungen ist eine Lücke von zwei Wochen.«

»Sie glauben, er könnte während dieser Zeit auf einer Bohrinsel gewesen sein?«

Rebus zuckte die Achseln. »Ich weiß nicht, ob es noch immer so läuft, aber in der Anfangszeit hatte ich Freunde, die ihr Glück auf den Bohrinseln versucht haben. Sie arbeiteten jeweils zwei Wochen am Stück, sieben Tage die Woche.«

»Na, es lohnt sich, der Sache nachzugehen. Wir müssen auch nach Angehörigen suchen. Wichtig für den Papierkram und die offizielle Identifizierung. Erste Frage, die mir einfällt: Motiv. Bleiben wir bei der Streittheorie?«

Rebus schüttelte den Kopf. »Das sah alles zu geplant aus, viel zu geplant. Haben die das Klebeband und die Plastiktüte rein zufällig in der Bruchbude gefunden? Ich glaube, die haben die Sachen mitgebracht. Wissen Sie noch, wie die Krays Jack ›the Hat‹ McVitie erwischt haben? Nein, dazu sind Sie zu jung. Sie haben ihn auf eine Party eingeladen. Er war dafür bezahlt worden, jemanden umzulegen, vermasselte aber die Sache und konnte das Geld nicht zurückzahlen. Die Fete sollte in einem Souterrain steigen, also kommt er da runtergestapft und blökt nach Schnaps und Schnepfen. Kein Schnaps, keine Schnepfen, bloß Ronnie, der ihn sich schnappt, und Reggie, der ihn absticht.«

»Dann haben diese zwei Männer Mitchison also in die verlassene Wohnung gelockt?«

»Kann sein.«

»Mit welcher Absicht?«

»Na ja, als Erstes haben sie ihn verschnürt und ihm eine Tüte über den Kopf gezogen. Fragen wollten sie ihm also wohl keine stellen. Sie wollten bloß, dass er sich in die Hosen scheißt und dann verreckt. Ich würde sagen, es war ein klarer Fall von Mord, mit böswilliger Grausamkeit als Draufgabe.«

»Wurde er also hinausgeworfen, oder ist er gesprungen?«

»Spielt das eine Rolle?«

»Eine beträchtliche, John.« MacAskill stand auf und lehnte sich mit verschränkten Armen an den Aktenschrank. »Wenn er gesprungen ist, läuft es auf Selbstmord hinaus, selbst wenn sie *tatsächlich* vorgehabt hätten, ihn zu töten. Mit der Tüte über dem Kopf und so, wie er verschnürt war, könnten wir vielleicht noch einen Totschlag rausschlagen. Sie würden sich damit verteidigen, dass sie ihm lediglich einen Schrecken einjagen wollten: Er hat einen *zu* großen Schrecken bekommen und hat etwas getan, womit keiner gerechnet hatte – ist aus dem Fenster gesprungen.«

»Wozu man schon eine *ganz* schöne Angst haben muss.«

MacAskill zuckte die Schultern. »Trotzdem kein Mord. Die entscheidende Frage lautet also: Versuchten sie, ihm Angst einzujagen oder ihn umzubringen?«

»Ich werd sie zu gegebener Zeit schon fragen.«

»Das riecht irgendwie nach organisiertem Verbrechen: Drogen vielleicht oder Schulden, mit deren Abzahlung er in Verzug geraten war, oder er hatte jemanden aufs Kreuz gelegt.« MacAskill setzte sich wieder an seinen Schreibtisch. Er öffnete eine Schublade, holte eine Dose Irn-Bru heraus, riss sie auf und fing an zu trinken. Er ging nach der Arbeit nie in den Pub, gab nie einen Whiskey aus, wenn das Team einen Fall gelöst hatte: weitere Munition für die Schwulenbrigade. Er fragte Rebus, ob er auch eine Dose wolle.

»Nicht, solange ich im Dienst bin, Sir.«

MacAskill unterdrückte einen Rülpser. »Schaffen Sie noch etwas mehr Hintergrundinformationen über das Opfer ran, John, mal sehen, ob wir damit weiterkommen. Vergessen Sie nicht, der Spurensicherung wegen der Fingerabdrücke auf der Schnapstüte und der Pathologie wegen der Obduktion Dampf zu machen. Hat er Drogen genommen, ist die erste Frage, die mir einfällt. Würd's für uns leichter machen, falls ja. Ungelöst – und wir wissen momentan nicht mal, wo wir anfangen sollten – würd ich den Fall ungern mit auf die neue Wache rübernehmen. Kapiert, John?«

»Keine Frage, Sir.«

Er wandte sich schon ab, aber der Chef war noch nicht fertig. »Dieser Ärger mit… wie war noch mal der Name?«

»Spaven?«, tippte Rebus.

»Spaven, ja. Hat sich doch inzwischen beruhigt, oder?«

»Beruhigt wäre noch stark untertrieben, Sir«, log Rebus und machte einen Abgang.

3

An dem Abend war Rebus – die Verabredung hatte schon lange gestanden – auf einem Rockkonzert auf dem Messegelände in Ingliston: eine heiße Nummer aus Amerika mit ein paar mittelgroßen britischen Acts vorneweg. Rebus gehörte zu einem Team von acht Beamten aus vier verschiedenen Stadtrevieren, die Schnüffler von der Wettbewerbsbehörde unterstützen (im Klartext, beschützen) sollten. Die suchten nach Raubkopien von was auch immer – T-Shirts und Programmheften, Tapes und CDs – und genossen die volle Unterstützung des Managements der auftretenden Bands. Das bedeutete Backstage-Pässe, uneingeschränkte Nutzung des Bewirtungszeltes, eine Überraschungstüte voll offizieller Merchandising-Ware. Der Typ, der die Tüten verteilte, lächelte Rebus an.

»Vielleicht für Ihre Kinder oder Enkel…« Und drückte ihm die Tüte in die Hand. Rebus hatte sich eine Bemerkung verkniffen und war schnurstracks zum Säuferzelt durchgegangen, wo er sich zwischen den Dutzenden von Schnapsflaschen nicht entscheiden konnte, also mit einem Bier vorlieb nahm; dann bedauerte er, sich keinen Schluck Black Bush gegönnt zu haben, also beförderte er die ungeöffnete Flasche in seine Überraschungstüte.

Außerhalb des Stadions, ein ganzes Stück hinter der Bühne, parkten zwei Kleinbusse, die sich nach und nach mit Fälschern und deren konfiszierter Ware füllten. Maclay kam zu den Bussen zurückgewankt; an seiner Hand blinkte ein Schlagring.

»Wem haben Sie denn eine reingehauen, Heavy?«

Maclay schüttelte den Kopf und wischte sich den Schweiß von der Stirn, ein auf die schiefe Bahn geratener Renaissanceengel.

»Irgendso'n Typ leistete Widerstand«, sagte er. »Er hatte einen Koffer dabei. Ich hab da ein Loch reingestanzt. Danach war nichts mehr mit Widerstand.«

Rebus sah hinten in einen der Lieferwagen hinein: den mit der lebenden Fracht. Ein paar Kids, angehende Feinde des Systems, und zwei Hauptberufliche, alt genug, um zu wissen, wie die Sache lief. Sie würden zu einem Tagessatz verurteilt werden und den Verlust ihrer Ware mühelos verschmerzen können. Der Sommer war jung, es standen noch massenweise Festivals an.

»Gottbeschissener Krach.«

Maclay meinte die Musik. Rebus zuckte die Schultern; er hatte sich inzwischen reingehört und schon überlegt, ein paar von den Raub-CDs mitzunehmen. Er bot Maclay die Flasche Black Bush an. Maclay trank, als wäre es Limo. Rebus bot ihm anschließend ein Pfefferminzbonbon an, das er sich mit einem dankbaren Nicken einwarf.

»Heute Nachmittag sind die Ergebnisse der Obduktion reingekommen«, sagte der dicke Mensch.

Rebus hatte eigentlich anrufen wollen, war aber nicht dazu gekommen. »Und?«

Maclay zermalmte das Pfefferminzbonbon zwischen den Zähnen. »Todesursache war der Sturz. Abgesehen davon nicht viel.«

Todesursache war der Sturz: kaum Aussicht auf eine Verurteilung wegen Mordes. »Toxikologisch?«

»Tests laufen noch. Professor Gates meinte, als der Magen aufgeschnitten wurde, hätte es stark nach dunklem Rum gerochen.«

»In der Tüte war eine Flasche.«

Maclay nickte. »Der Leibtrunk des Verblichenen. Laut Gates keine unmittelbaren Anzeichen von Drogenkonsum, aber wir werden die Untersuchungsergebnisse abwarten müssen. Ich hab das Telefonbuch nach Mitchisons durchgeblättert.«

Rebus lächelte. »Ich auch.«

»Ich weiß, bei einer der Nummern, die ich angerufen habe, waren Sie schon drangewesen. Keinen Erfolg?«

Rebus schüttelte den Kopf. »Ich hab eine Telefonnummer von T-Bird Oil in Aberdeen gekriegt. Der Chef der Personalabteilung will mich zurückrufen.«

Ein Beamter von der Wettbewerbsbehörde kam auf sie zu,

voll bepackt mit T-Shirts und Programmheften. Sein Gesicht war rot vor Anstrengung, der schmale Schlips hing ihm locker um den Hals. Hinter ihm eskortierte ein Beamter von der »Truppe F« – Revier Livingston – einen weiteren Festgenommenen.

»Bald fertig, Mr. Baxter?«

Der Wettbewerber ließ die T-Shirts fallen, hob eins wieder auf und wischte sich damit das Gesicht ab.

»Das dürfte es in etwa sein«, meinte er. »Ich trommel meine Leute zusammen.«

Rebus wandte sich zu Maclay. »Ich bin am Verhungern. Sehen wir mal nach, was die für die Superstars aufgetischt haben.«

Fans versuchten, die Absperrung zu durchbrechen; hauptsächlich Teenager, halbe-halbe, Jungen und Mädchen. Ein paar hatten es geschafft, sich reinzumogeln. Sie irrten hinter den Barrieren herum und hielten nach Gesichtern Ausschau, die sie von den Postern an ihren Schlafzimmerwänden her wiedererkennen würden. Wenn sie dann eins sahen, waren sie zu eingeschüchtert, um auch nur ein einziges Wort herauszubringen.

»Haben Sie Kinder?«, fragte Rebus Maclay. Sie waren im Bewirtungszelt, jeder mit einer Flasche Beck's aus einer Kühlbox, die Rebus beim ersten Mal nicht gesehen hatte.

Maclay schüttelte den Kopf. »Der Scheidungsrichter war schneller als ich, wenn ich so sagen darf. Und Sie?«

»Eine Tochter.«

»Erwachsen?«

»Manchmal hab ich das Gefühl, sie ist älter als ich.«

»Die werden schneller erwachsen als zu unserer Zeit.« Rebus quittierte das mit einem Lächeln: Maclay war gute zehn Jahre jünger als er.

Ein widerspenstig kreischendes Mädchen wurde von zwei kräftigen Securitymännern zur Absperrung zurückgeschleift.

»Jimmy Cousins«, sagte Maclay und deutete auf einen der zwei Schränke. »Kennen Sie ihn?«

»Er hat eine Zeit lang in Leith Dienst getan.«

»Ist letztes Jahr in Pension gegangen, erst siebenundvierzig. Dreißig Jahre dabei. Jetzt hat er seine Pension *und* einen Job. Gibt einem zu denken.«

»*Ich* denke, er vermisst den Betrieb.«

Maclay lächelte. »Kann schon zur Sucht werden.«

»Deswegen die Scheidung?«

»Hat wohl eine gewisse Rolle gespielt.«

Rebus dachte an Brian Holmes, machte sich seinetwegen Sorgen. Der jüngere Mann bekam allmählich den Stress zu spüren – weder für die Arbeit noch fürs Privatleben gut. Rebus wusste das aus eigener Erfahrung.

»Kennen Sie Ted Michie?«

Rebus nickte: Das war der Mann, den er in Fort Apache vertrat.

»Die Ärzte meinen, da sei nichts mehr zu wollen. Er lässt sie nicht an sich ran, meint, schneiden wär gegen seine Religion.«

»Nach dem, was man so hört, konnte er zu seiner Zeit ganz gut mit dem Knüppel umgehen.«

Eine der Vorbands kam, von plätscherndem Applaus begleitet, ins Zelt. Fünf Männer mit nacktem Oberkörper und Handtüchern um den Nacken, sichtlich high – vielleicht aber auch bloß vom Auftritt. Umarmungen und Küsse seitens einer Schar von Mädchen an einem Tisch, Juchzer und Gebrüll.

»Die haben wir echt fertig gemacht!«

Rebus und Maclay nuckelten schweigend an ihren Flaschen und bemühten sich erfolgreich, nicht wie Promoter auszusehen.

Als sie wieder rausgingen, war es schon so dunkel, dass die Lightshow was hermachte. Feuerwerk gab es auch, was

Rebus daran erinnerte, dass Touristensaison war. Nicht mehr lang hin bis zum Military Tattoo, dessen Feuerwerk man selbst bei geschlossenen Fenstern bis nach Marchmont hören konnte. Eine von Fotografen verfolgte Kameracrew verfolgte ihrerseits die Hauptvorgruppe, die bereit zum Auftritt war. Maclay betrachtete die Prozession.

»Sie wundern sich wahrscheinlich, dass die nicht hinter *Ihnen* her sind«, sagte er verschmitzt.

»Leck mich«, erwiderte Rebus und machte sich auf den Weg zur Seitenbühne. Die Pässe waren farbkodiert. Seiner war gelb, was ihn berechtigte, bis seitlich vor die Bühne zu gehen, wo er stehen blieb und sich die Show ansah. Die Lautsprecheranlage war ein Witz, aber es gab Monitore ganz in der Nähe, und er konzentrierte sich auf die. Das Publikum schien sich zu amüsieren, headbangte wie verrückt, ein Meer von körperlosen Köpfen. Er dachte an die Isle of Wight, an andere Konzerte, die er verpasst hatte, an Starbands, die es gar nicht mehr gab.

Er dachte an Lawson Geddes, seinen einstigen Mentor, Chef, Beschützer: zwei Jahrzehnte alte Erinnerungen.

John Rebus, Mitte der zwanzig, ein Detective Constable, der versuchte, die Jahre beim Militär, die Gespenster und Albträume hinter sich zu lassen. Eine Frau und eine kleine Tochter, die ihrerseits versuchten, sein Leben darzustellen. Und Rebus, möglicherweise auf der Suche nach einem Ersatzvater, den er in Lawson Geddes fand, Detective Inspector, City of Edinburgh Police. Geddes war fünfundvierzig, ehemaliger Soldat, Veteran aus dem Borneokonflikt, erzählte Geschichten vom Dschungelkrieg, erzählte gegen die Beatles an, während niemand in Großbritannien noch großes Interesse an den letzten kolonialistischen Zuckungen des Empire bekundete. Die zwei Männer stellten fest, dass sie die gleichen Wertvorstellungen, die gleichen nächtlichen Schweißausbrüche und die gleichen Albträume hatten. Rebus war neu beim CID, Geddes wusste alles, was man nur wissen konnte. Es war leicht, sich an das erste Jahr ihrer wachsenden Freundschaft zu erinnern, leicht inzwischen auch, die paar kleineren Störungen zu verzeihen: wie Geddes Rebus' junge Frau angebaggert und damit fast Erfolg gehabt hatte; wie Rebus auf einer Party bei Geddes die Besinnung verloren, im Dunkeln aufgewacht war und überzeugt, die Toilette gefunden zu haben, in eine Kommodenschublade gepisst hatte; ein paar Boxkämpfe nach der Polizeistunde, die, da die Fäuste ins Leere gingen, zu Ringkämpfen ausgeartet waren.

Nicht schwer, das alles zu verzeihen. Aber dann hatten sie einen Mordfall auf den Tisch bekommen, und Leonard Spaven war Geddes' Hauptverdächtiger gewesen. Geddes und Lenny Spaven hatten schon seit ein paar Jahren miteinander Katz und Maus gespielt – schwere Körperverletzung, Zuhälterei, Raub von ein paar LKW-Ladungen Zigaretten. Es war sogar von ein, zwei Morden gemunkelt worden, Gangstersachen, Ausdünnung der Konkurrenz. Spaven hatte gleichzeitig mit Geddes bei den Scots Guards gedient, vielleicht hatte die Rivalität schon da angefangen, keiner von beiden äußerte sich je dazu.

Weihnachten 1976, ein grausiger Fund auf einem Acker bei Swanston: eine enthauptete weibliche Leiche. Der Kopf tauchte erst knapp eine Woche später auf, am Neujahrstag, auf einem anderen Feld bei Currie. Es herrschten Minustemperaturen. Aus dem Verwesungszustand konnte der Pathologe schließen, dass der Kopf nach Abtrennung vom Körper noch eine Zeit lang in einem geschlossenen Raum aufbewahrt worden war, während man den Körper gleich ausgesetzt hatte. Die Glasgower Polizei halb interessiert, die Bible-John-Akte nach sechs Jahren noch immer offen. Identifizierung anfangs nur anhand der Kleidung, dann ein Hinweis aus der Bevölkerung, der Beschreibung nach zu urteilen könne es sich um eine Nachbarin handeln, die seit ein paar Wochen nicht mehr gesehen worden sei. Der Milchmann hatte weiter geliefert, bis er zu dem Schluss gelangt war, es sei niemand zu Haus, sie sei über Weihnachten verreist, ohne ihm etwas zu sagen.

Die Polizei brach die Wohnungstür auf. Ungeöffnete Weihnachtskarten auf dem Fußabtreter; auf dem Herd ein Topf verschimmelte Suppe; ein leise vor sich hindudelndes Radio. Man fand Angehörige, sie identifizierten die Leiche – Elizabeth Rhind, für ihre Freunde Elsie. Fünfunddreißig Jahre alt, von einem Seemann der Handelsmarine geschieden. Sie hatte bei einer Brauerei gearbeitet, Stenotypistin. Sie war allgemein beliebt gewesen, ein kontaktfreudiger Typ. Der Exehemann, Verdächtiger Nummer eins, hatte ein gusseisernes Alibi: Sein Schiff hatte zur Tatzeit vor Gibraltar gelegen. Man ging die Freunde des Opfers durch, besonders die männlichen, und stieß auf einen Namen: Lenny. Kein Nachname – jemand, mit dem Elsie ein paar Wochen lang ausgegangen war. Pub-Bekannte lieferten eine Beschreibung, und Lawson Geddes erkannte sie wieder: Lenny Spaven. Geddes hatte rasch eine Theorie zusammengezimmert: Als Lenny erfahren hatte, dass Elsie in einer Brauerei arbeitete, hatte er sich auf sie eingeschossen. Wahrscheinlich hatte er ihr Informationen aus der Nase ziehen wollen, vielleicht für einen Raubüberfall auf einen Lastwagen, vielleicht auch für einen einfachen Einbruch. Elsie weigerte sich, ihm zu helfen, er geriet in Wut und tötete sie.

Geddes fand das sehr überzeugend, aber er hatte Schwierigkeiten damit, sonst jemanden zu überzeugen. Es gab auch keinerlei Indizien. Es war unmöglich, die Todeszeit näher als auf plus minus vierundzwanzig Stunden einzugrenzen, weswegen Spaven kein Alibi beizubringen brauchte. Eine Durchsuchung seiner Wohnung und derjenigen seiner Freunde ergab keinerlei Blutspuren oder sonstige Hinweise.

Es gab auch andere Spuren, denen sie hätten nachgehen müssen, aber Geddes bekam Spaven einfach nicht aus dem Kopf. Er trieb John Rebus damit fast zum Wahnsinn. Sie brüllten sich gegenseitig an, hörten auf, miteinander ins Pub zu gehen. Die Chefetage redete ein ernstes Wort mit Geddes, erklärte ihm, die Sache werde allmählich zu einer fixen Idee und schade nur den Ermittlungen. Man legte ihm nahe, Urlaub zu nehmen. Man veranstaltete für ihn sogar eine Kollekte im Mordzimmer.

Dann hatte er eines Abends vor Rebus' Tür gestanden und ihn um einen Gefallen angefleht. Er sah so aus, als habe er seit einer Woche nicht mehr geschlafen und sich während dieser Zeit auch nicht umgezogen. Er sagte, er habe Spaven beschattet und sei ihm bis zu einer Garage in Stockbridge gefolgt. Wenn sie sich beeilten, würde er wahrscheinlich noch da sein. Rebus wusste, dass es falsch war; es gab Vorschriften und Gesetze, an die man sich halten musste. Aber Geddes zitterte am ganzen Leib und hatte Augen wie ein Wahnsinniger. Jeder Gedanke an Haussuchungsbefehle und ähnliche Dinge löste sich in nichts auf. Rebus bestand darauf zu fahren, während Geddes ihn dirigieren sollte.

Spaven war noch immer in der Garage. Ebenso etliche Pappkartons, hoch aufgestapelt: das Resultat eines Lagerhauseinbruchs in South Queensferry vom vergangenen November. Digitale Radiowecker. Spaven war gerade dabei, Netzkabel anzuschließen, um die Dinger später in Pubs und Klubs zu verhökern. Hinter einem Stapel Kartons entdeckte Geddes eine Plastiktüte. Darin befanden sich ein Damenhut und eine cremefarbene Umhängetasche; beides wurde später als ehemaliges Eigentum von Elsie Rhind identifiziert.

Spaven beteuerte von dem Augenblick an seine Unschuld, als Geddes die Plastiktüte aufhob und fragte, was sich darin befand. Und er tat es weiter, solange die Untersuchung noch andauerte, während des ganzen Prozesses und noch als er, zu einer lebenslänglichen Freiheitsstrafe verurteilt, wieder in seine Zelle abgeführt wurde. Geddes und Rebus waren im Gerichtssaal. Geddes wieder ganz der Alte, vor Zufriedenheit strahlend, Rebus nicht hundertprozentig glücklich. Sie hatten sich eine Geschichte ausdenken müssen: ein anonymer Tipp über eine Lieferung von Diebesgut, ein zufälliger Fund… Es fühlte sich zugleich richtig und falsch an. Lawson Geddes hatte anschließend nicht darüber reden wollen, was seltsam war, denn normalerweise analysierten sie alle ihre – gelösten oder ungelösten – Fälle bei einem Drink. Dann hatte Geddes zur Überraschung aller, ein, zwei Jahre vor der Beförderung den Dienst quittiert und war in das Wein- und Spirituosengeschäft seines Vaters eingestiegen – Polizeibeamte konnten da immer mit einem Rabatt rechnen –, hatte sich was zusammenverdient und war als noch vitaler Fünfundfünfzigjähriger in den Ruhestand gegangen. Die nächsten zehn Jahre hatte er mit seiner Frau Etta auf Lanzarote gelebt.

Vor zehn Jahren hatte Rebus eine Ansichtskarte erhalten. In Lanzarote gebe »es nicht viel Süßwasser, aber genug, um ein Glas Whiskey zu mildern, und die Torres-Weine« kämen »ohne irgendwelche Zusätze aus«. Die Landschaft sei fast mondartig, »schwarze Vulkanasche, Blumengießen entfällt also!«, und das war's dann auch. Seitdem hatte er nichts mehr gehört, und Geddes hatte seine Adresse auf der Insel für sich behalten. Das war schon okay, Freundschaften kamen und gingen. Seinerzeit war es durchaus nützlich gewesen, Geddes zu kennen, er hatte Rebus eine Menge beigebracht.

Dylan: *Don't Look Back.*

Das Hier und Jetzt: Lightshowblitze, die Rebus in die Augen stachen. Er blinzelte Tränen zurück, kehrte der Bühne den Rücken, kehrte im gastfreundlichen Zelt ein. Popstars und Gefolge, die sich in der Aufmerksamkeit der Medien sonnten. Blitzlichter und Fragen. Eine Sektfontäne. Rebus wischte sich Schaumbläschen von der Schulter, entschied, es sei an der Zeit, sein Auto zu suchen.

Die Akte Spaven hätte geschlossen bleiben sollen, wie lautstark der Häftling auch protestieren mochte. Aber im Gefängnis hatte Spaven angefangen zu schreiben; seine Manuskripte wurden von Freunden und geschmierten Wärtern nach draußen geschmuggelt. Erste Sachen waren in Druck erschienen – zunächst Belletristisches, ein erster Preis in einem Zeitungswettbewerb für eine Erzählung. Als die wahre Identität und der Aufenthaltsort des Gewinners bekannt wurden, brachte die Zeitung einen größeren Bericht. Weitere Erzählungen, weitere Veröffentlichungen. Dann ein Fernsehspiel, von Spaven geschrieben. Es gewann einen Preis irgendwo in Deutschland, einen weiteren in Frankreich, es lief in den USA, geschätzte Einschaltquote weltweit zwanzig Millionen. Es gab eine Fortsetzung. Dann einen Roman, und schließlich erschienen die autobiographischen Sachen – zunächst nur über Spavens Jugend, aber Rebus wusste, worauf die Geschichte hinauslaufen würde.

Mittlerweile machten sich die Medien für seine vorzeitige Entlassung stark, die allerdings dadurch vereitelt wurde, dass Spaven einen Mithäftling angriff und ihm eine ernste Kopfverletzung zufügte. Spavens literarische Beiträge aus der Strafanstalt wurden wortgewaltiger denn je – der Mann war neidisch auf Spavens Erfolg gewesen, hatte versucht, ihn auf dem Korridor vor seiner Zelle zu ermorden. Notwehr. Und die Krönung des Ganzen: Dass Spaven sich in dieser beneidenswerten Situation befunden hatte, war überhaupt nur einem groben Justizirrtum zu verdanken. Die zweite Folge von Spavens Autobiographie endete mit dem Elsie-Rhind-Fall und den Namen der zwei Polizeibeamten, die ihm die Sache angehängt hatten: Lawson Geddes und John Rebus. Die Hauptlast seines Abscheus behielt Spaven Geddes vor; Rebus sei eine bloße Charge gewesen, ein Handlanger. Noch mehr Interesse von Seiten der Medien. Rebus sah das Ganze als eine Rachephantasie an, die sich der im Lauf langer Gefängnisjahre durchgeknallte Spaven ausgedacht hatte. Aber jedes Mal, wenn er Spavens Sachen las, spürte er eine starke Manipulation des Lesers, und er musste an Lawson Geddes denken, wie er in jener Nacht vor seiner Tür gestanden hatte, und an die Lügen, die sie beide später erzählten ...

Und dann starb Lenny Spaven, nahm sich das Leben. Er setzte sich ein Skalpell an die Kehle und schlitzte sie sich auf – eine Öffnung, in die man seine ganze Hand hätte reinstecken können. Weitere Gerüchte: Er sei von Wärtern ermordet worden, ehe er den dritten Band seiner Autobiographie abschließen konnte, in dem er seine Jahre und Misshandlungen in mehreren schottischen Gefängnissen geschildert hätte. Oder man habe neidischen Mithäftlingen Zutritt zu seiner Zelle verschafft.

Oder es war tatsächlich Selbstmord gewesen. Spaven hinterließ einen Abschiedsbrief – drei verschiedene Fassungen lagen zerknüllt auf dem Boden –, in dem er bis zuletzt seine Unschuld am gewaltsamen Tod der Elsie Rhind beteuerte. Die Medien begannen ihre große Story zu wittern, Spavens Leben und Sterben würden Schlagzeilen machen. Und da ... geschah dreierlei.

Erstens: Der unvollendete dritte Band der Autobiographie war veröffentlicht worden – »herzzerreißend« fand ihn ein Rezensent, ein anderer sprach von einer »gewaltigen Leistung«. Er war noch immer in der Bestsellerliste, und die ganze Princes Street entlang starrte einem aus dem Schaufenster jedes Buchladens Spavens Gesicht entgegen. Rebus versuchte, diese Route zu meiden.

Zweitens: Ein Häftling wurde entlassen und erzählte Reportern, er sei der letzte Mensch gewesen, der Spaven gesehen oder gesprochen habe. Nach seiner Aussage hatten Spavens letzte Worte gelautet: »Gott weiß, dass ich unschuldig bin, aber ich habe es so satt, das andauernd zu wiederholen.« Die Story brachte dem Haftentlassenen ein Honorar von siebenhundertfünfzig Pfund von einer Zeitung ein; leicht als ein Brocken anzusehen, der einer leichtgläubigen Presse hingeworfen worden war.

Drittens: Eine neue TV-Serie wurde gestartet, *The Justice Programme*, eine entschiedene Abrechnung mit dem Verbrechen, dem System und dessen Justizirrtümern. Hohe Einschaltquoten für die erste Staffel – der attraktive Moderator Eamonn Breen schlug beim weiblichen Publikum voll ein. Also war jetzt eine zweite Staffel in Vorbereitung, und der Spaven-Fall – enthauptete Leiche, Anschuldigungen gegen die Justiz und der Selbstmord eines Medienlieblings – würde die ganze Pilotsendung bestreiten.

Womit, da Lawson Geddes außer Landes und unauffindbar war, John Rebus die Sache ausbaden konnte.

Alex Harvey: »Framed« – reingelegt. Überleitung zu Jethro Tull: »Living in the Past«.

Auf dem Heimweg machte er einen Abstecher über die Oxford Bar – ein langer Umweg, der sich immer lohnte. Die Flaschenregale hinter dem Tresen übten eine sanft hypnotische Wirkung aus; anders wäre es nicht zu erklären gewesen, wie die Stammgäste Stunden am Stück dastehen und sie anstarren konnten. Der Barkeeper wartete auf seine Bestellung; in letzter Zeit hatte Rebus keinen »üblichen« Drink, von wegen Abwechslung ist die Würze des Lebens und so fort.

»Einen dunklen Rum und ein halbes Best.«

Dunklen Rum hatte er seit Jahren nicht mehr angerührt;

er fand, der sei ein Getränk für alte Männer. Doch Allan Mitchison hatte ihn getrunken. Ein Seemannsgetränk, ein weiteres Indiz dafür, dass er offshore gearbeitet hatte. Rebus legte Geld auf den Tresen, kippte den Schnaps in einem einzigen Schluck weg, spülte sich den Mund mit dem Bier aus und stellte fest, dass das Glas zu schnell leer wurde. Der Barkeeper kam mit dem Wechselgeld zurück.

»Machen Sie diesmal ein Pint draus, Jon.«

»Und noch einen Rum?«

»Gott bewahre.« Rebus rieb sich die Augen, schnorrte sich von seinem schläfrigen Tresennachbarn eine Zigarette. Der Spaven-Fall ... er hatte Rebus in die Vergangenheit zurückkatapultiert, ihn dabei gezwungen, sich seiner Erinnerung zu stellen und sich dann zu fragen, ob sein Gedächtnis ihm möglicherweise einen Streich spielte. Der Fall war noch immer unerledigt, seit nunmehr zwanzig Jahren. Wie die Bible-John-Sache. Er schüttelte den Kopf, versuchte, ihn von längst Vergangenem zu befreien, und musste plötzlich an Allan Mitchison denken, an die Vorstellung, längelang auf einen Zaun aus eisernen Spießen zu fallen, mit anzusehen, wie sie auf einen zurasten, die Arme an einen Stuhl gefesselt, so dass einem nur eine einzige Wahl blieb: mit offenen oder geschlossenen Augen dem Untergang entgegenstürzen. Er ging ans andere Ende des Tresens, wo das Telefon hing, steckte Geld hinein und wusste nicht, wen er anrufen sollte.

»Nummer vergessen?«, fragte ein Gast, als Rebus seine Münzen wieder herausfischte.

»Ja«, sagte er, »was ist noch mal die Telefonseelsorge?«

Zu seiner Überraschung wusste der Mann die Nummer auswendig.

Vier Blinkzeichen von seinem Anrufbeantworter bedeuteten vier Nachrichten. Er nahm sich die Bedienungsanleitung vor. Sie war auf Seite sechs aufgeschlagen; der Abschnitt über die Abspielfunktion war mit roter Tinte eingekringelt, einzelne Absätze unterstrichen. Er folgte den Anweisungen. Das Ding entschloss sich zu funktionieren.

»Brian hier.« Brian Holmes. Rebus öffnete die Flasche Black Bush und goss sich ein, während er zuhörte. »Ich wollte nur ... na ja, danke sagen. Minto hat widerrufen, ich bin also aus dem Schneider. Ich hoffe, ich kann mich mal revanchieren.« Keinerlei Energie in der Stimme, ein Mund, der aller Worte müde war. Ende der Nachricht. Rebus ließ den Whiskey sanft über seine Zunge rollen.

Piep: zweite Nachricht.

»Da ich heute länger im Haus bin, dachte ich, ich ruf Sie mal an, Inspector. Wir haben schon miteinander gesprochen, Stuart Minchell, Personalchef bei T-Bird Oil. Ich kann bestätigen, dass Allan Mitchison bei uns beschäftigt war. Wenn Sie eine Nummer haben, kann ich Ihnen alles Nähere zufaxen. Rufen Sie mich morgen im Büro an. Wiederhören.«

Auf Wiederhören und Bingo. Schon ein Fortschritt, über den Toten etwas mehr zu erfahren als bloß seinen Musikgeschmack. Rebus dröhnten die Ohren: vom Konzert und dem Alkohol, vom Hämmern des Blutes.

Dritte Nachricht: »Howdenhall hier, ich dachte, Sie hätten es eilig, und dann sind Sie unauffindbar. Typisch CID.« Rebus kannte die Stimme: Pete Hewitt vom polizeitechnischen Labor in Howdenhall. Pete sah wie fünfzehn aus, war aber wahrscheinlich Anfang zwanzig, freche Klappe und viel dahinter. Spezialist für Fingerabdrücke – unter anderem. »Ich hab hauptsächlich Teilabdrücke, aber auch ein paar echte Schönheiten, und wissen Sie was? Der Eigentümer ist im Computer. Vorstrafen wegen verschiedener Gewaltdelikte. Rufen Sie mich zurück, wenn Sie einen Namen brauchen.«

Rebus sah auf die Uhr. Pete trieb seine üblichen Spielchen. Elf durch, mittlerweile war er entweder zu Hause oder machte irgendwo einen drauf, und Rebus hatte seine Privatnummer nicht. Er verpasste dem Sofa einen Tritt und wünschte sich, er wäre daheim geblieben: Raubkopierer hochzunehmen war sowieso die pure Zeitverschwendung. Immerhin hatte er den Black Bush und eine Tüte voll CDs, T-Shirts, die er niemals anziehen würde, und ein Poster von vier pickelgesichtigen Jüngelchen abgestaubt. Die Gesichter hatte er schon mal gesehen, keine Ahnung, wo…

Noch eine letzte Nachricht.

»John?«

Eine Frauenstimme, eine, die er kannte.

»Wenn du zu Hause bist, dann nimm bitte ab. Ich kann diese Dinger nicht ausstehen.« Pause, Warten. Ein Seufzer. »Na schön, also, jetzt, wo wir nicht… ich meine, wo ich nicht dein Boss bin, wie wär's, wenn wir uns mal privat treffen würden? Zum Abendessen oder so? Ruf mich zu Hause oder im Büro an, okay? Solang dazu noch Zeit ist. Ich meine, du wirst ja nicht ewig in Fort Apache stationiert sein. Mach's gut.«

Rebus setzte sich hin und starrte den Apparat an, bis er sich ausschaltete. Gill Templer, Chief Inspector, ehemalige, tja, Lebensabschnittsgefährtin. Sie war erst vor kurzem seine Chefin geworden: nach außen hin frostig, darunter, soweit feststellbar, ein Eisberg. Rebus goss sich einen weiteren Drink ein und prostete dem Anrufbeantworter zu. Eine Frau hatte ihn gerade um ein Rendezvous gebeten: Wann war *so* was zuletzt passiert? Er stand auf und ging ins Bad, betrachtete sich im Spiegel, rieb sich das Kinn und lachte. Glanzlose Augen, strähniges Haar, Hände, die zitterten, wenn er sie waagerecht vor sich hielt.

»Siehst prima aus, John.« Ja, und im Schwindeln hätte er es leicht zur schottischen Meisterschaft bringen können.

Gill Templer, die heute noch genauso gut aussah wie damals, als er sie kennen gelernt hatte, *wollte mit ihm ausgehen?* Er schüttelte, noch immer lachend, den Kopf. Nein, da musste was dahinterstecken ... Eine ganz bestimmte Absicht.

Wieder im Wohnzimmer, leerte er seine Geschenktüte aus und stellte fest, dass das Cover einer der CDs identisch mit dem Poster der vier Rotzjungen war. Jetzt erkannte er sie wieder: The Dancing Pigs. Eine von Mitchisons Kassetten, ihr neuestes Album. Er erinnerte sich an ein paar der Gesichter im Bewirtungszelt: *Die haben wir echt fertig gemacht!* Mitchison hatte wenigstens zwei Alben von ihnen besessen.

Komisch, dass er kein Ticket für den Gig gehabt hatte ...

Die Türklingel: kurz, zwei Triller. Er ging durch den Flur zurück und sah noch einmal auf die Uhr. Fünf vor halb zwölf. Sah durch den Spion, traute seinem Auge nicht und machte die Tür weit auf.

»Wo ist der Rest der Bagage?«

Kayleigh Burgess stand da, eine schwere Tasche um die Schulter geschlungen, das Haar unter einer riesigen grünen Tellermütze hochgesteckt, aus der sich einzelne Strähnen an den Ohren herunterringelten. Süß und zynisch zugleich: Mach-mich-ja-nicht-an-es-sei-denn-ich-will-es. Rebus hatte Modell und Jahrgang schon früher erlebt.

»Alle im Bett, höchstwahrscheinlich.«

»Wollen Sie damit sagen, Eamonn Breen schläft *nicht* in einem Sarg?«

Ein zurückhaltendes Lächeln; sie rückte sich den Schulterriemen der schweren Tasche zurecht. »Wissen Sie«, sagte sie, ohne ihn anzusehen, und fummelte stattdessen an der Tasche herum, »Sie tun sich keinen Gefallen damit, dass Sie sich weigern, mit uns über die Sache zu reden. Das lässt Sie in keinem guten Licht erscheinen.«

»Ich bin noch nie ein Pin-up-Boy gewesen.«

»Wir sind nicht parteiisch, das entspräche nicht dem Konzept des *Justice Programme*.«

»Ah ja? Nun, sosehr ich einen Mitternachtsschwatz zwischen Tür und Angel auch zu schätzen weiß...«

»Sie wissen noch nichts davon, stimmt's?« Jetzt sah sie ihn an. »Nein, hatte ich mir gedacht. Ist noch zu früh. Wir hatten ein Team nach Lanzarote geschickt, um Lawson Geddes vielleicht zu einer Stellungnahme zu bewegen. Ich hab heute Abend einen Anruf bekommen...«

Rebus kannte diesen Gesichtsausdruck und diesen Tonfall; er hatte selbst schon beides wer weiß wie oft eingesetzt, wenn es darum ging, Angehörigen, Freunden die grausige Nachricht beizubringen.

»Was ist passiert?«

»Er hat Selbstmord begangen. Wie es scheint, hatte er seit dem Tod seiner Frau unter Depressionen gelitten. Er hat sich erschossen.«

»Herrgott, Scheiße.« Rebus machte auf der Stelle kehrt und schlurfte mit bleiernen Beinen ins Wohnzimmer, zur Whiskeyflasche. Sie folgte ihm und stellte ihre Tasche auf den Couchtisch. Er schwenkte die Flasche, und sie nickte. Sie stießen an.

»Wann war denn Etta gestorben?«

»Vor ungefähr einem Jahr. Herzinfarkt, glaube ich. Es gibt noch eine Tochter, wohnt in London.«

Rebus erinnerte sich an sie: eine Göre mit Zahnspange. Sie hieß Aileen.

»Haben Sie Geddes so gehetzt, wie Sie es mit mir getan haben?«

»Wir ›hetzen‹ nicht, Inspector. Wir wollen nur, dass jeder die Möglichkeit hat, seine Meinung zu äußern. Es ist wichtig für die Sendung.«

»Die Sendung.« Rebus schüttelte den Kopf. »Jetzt ist es ja wohl nichts mehr mit der Sendung, oder?«

Ihr Gesicht hatte vom Alkohol etwas Farbe angenommen. »Im Gegenteil, Mr. Geddes' Selbstmord ließe sich als Schuldeingeständnis auslegen. Das gibt eine Mords-Pointe.« Sie hatte sich schnell gefasst; Rebus fragte sich, wie viel von ihrer anfänglichen Schüchternheit nicht reines Theater gewesen war. Ihm wurde bewusst, dass sie in seinem Wohnzimmer stand: überall auf dem Boden Platten, CDs, leere Flaschen, Stapel von Büchern. Er konnte nicht zulassen, dass sie die Küche sah: Johnny Bible und Bible John über den ganzen Tisch verstreut, Beweise einer Obsession. »Deswegen bin ich hier... unter anderem. Ich hätte Ihnen die Nachricht auch telefonisch durchgeben können, aber ich dachte, so was tut man besser persönlich. Und jetzt, wo Sie allein übrig geblieben sind, der einzige lebende Zeuge sozusagen...« Sie griff in die Tasche und holte einen professionell aussehenden Taperekorder samt Mikrofon heraus. Rebus stellte sein Glas ab und ging mit ausgestreckten Händen auf sie zu.

»Darf ich?«

Nach kurzem Zögern händigte sie ihm das Gerät aus. Rebus ging damit zur Tür, die noch immer offen stand. Er trat ins Treppenhaus, streckte die Hand über das Geländer aus und ließ den Rekorder los. Er fiel zwei Stockwerke tief und ging auf dem Steinfußboden in Scherben. Sie stand schon hinter ihm.

»Dafür werden Sie bezahlen!«

»Schicken Sie mir die Rechnung, und wir werden sehen.«

Er ging wieder hinein, schloss die Tür hinter sich, legte als zarten Wink die Kette vor und sah durch den Spion, bis sie verschwunden war.

Er setzte sich in seinen Sessel am Fenster und dachte an Lawson Geddes. Als typischer Schotte schaffte er es nicht, um ihn zu weinen. Weinen war was für verlorene Fußballspiele, Anekdoten über heldenmütige Haustiere, das Absingen von »Flower of Scotland« nach der Sperrstunde. Er konnte über die größten Dummheiten weinen, aber heute weigerten sich seine Tränendrüsen störrisch, ihren Dienst zu tun.

Er wusste, dass er in der Scheiße saß. Jetzt hatten sie bloß *ihn*, und sie würden ihre Anstrengungen verdoppeln, um ihre Sendung zu retten. Außerdem hatte die Burgess Recht: Gefangener bringt sich um, Polizist bringt sich um – das war wirklich eine Mords-Pointe. Aber Rebus wollte nicht derjenige sein, der sie ihnen lieferte. Wie sie wollte er die Wahrheit wissen, aber nicht aus denselben Gründen. Er konnte nicht einmal sagen, *warum* er sie wissen wollte. Eine Möglichkeit: eigene Ermittlungen aufnehmen. Das einzige Problem war: Je tiefer er grub, desto mehr konnte es sein, dass er seinem Ruf – was davon noch übrig war –, vor allem aber dem seines einstigen Mentors, Partners, Freundes das Grab schaufelte. Zweites, mit dem ersten zusammenhängendes Problem: Er war nicht objektiv genug; er *konnte* nicht selbst ermitteln. Er brauchte einen Ersatzmann, einen Stellvertreter.

Er nahm den Telefonhörer auf und tippte sieben Ziffern ein. Eine verschlafene Stimme.

»Ja, hallo?«

»Brian, hier ist John. Tut mir Leid, dass ich so spät anrufe, jetzt könnten Sie sich revanchieren.«

Sie trafen sich auf dem Parkplatz in Newcraighall. Im UCI-Kinokomplex brannte noch Licht, irgendeine Spätvorstellung. Das Bowlingcenter war geschlossen; ebenso McDonald's. Holmes und Nell Stapleton waren in ein Haus ganz in der Nähe von Duddingston Park gezogen, mit Blick auf den Portobello Golf Course und den Güterbahnhof. Holmes sagte, der Güterverkehr halte ihn nicht die ganze Nacht lang wach. Sie hätten sich auch am Golfplatz treffen können, aber der war für Rebus' Geschmack zu nah an Nell. Er hatte sie seit ein paar Jahren nicht mehr gesehen, nicht mal bei gesellschaftlichen Anlässen; sie hatten beide einen sechsten Sinn dafür, ob der jeweils andere kommen oder nicht kommen würde. Alte Kratzwunden, von denen Nell zwanghaft immer wieder den Schorf abpulte.

Also trafen sie sich ein paar Kilometer weiter weg, in einer Schlucht, flankiert von geschlossenen Geschäften – Heimwerkermarkt, Schuhladen, Toys'R'Us –, noch immer Polizisten, selbst nach Feierabend.

Ganz besonders nach Feierabend.

Ihre Blicke schossen zwischen Seiten- und Rückspiegel hin und her, hielten nach Schatten Ausschau. Niemand zu sehen, trotzdem sprachen sie mit gedämpfter Stimme. Rebus erklärte, was er genau wollte.

»Diese Fernsehsendung, ich brauch etwas Munition, bevor ich mit den Leuten rede. Aber ich steck persönlich zu tief in der Sache drin. Sie müssen den Spaven-Fall für mich noch einmal durchgehen – Ermittlungsnotizen, Verhandlungsprotokolle. Lesen Sie sie einfach durch, machen Sie sich ein eigenes Bild.«

Holmes saß auf dem Beifahrersitz von Rebus' Saab. Er sah genau wie das aus, was er war: ein Mann, der sich ausgezogen und ins Bett gelegt hatte, nur um allzu kurz danach aus dem Schlaf gerissen zu werden und in Straßenkleidung steigen zu müssen. Sein Haar war zerzaust, das Hemd zwei Knöpfe weit auf; Schuhe, aber keine Strümpfe. Er unterdrückte ein Gähnen und schüttelte den Kopf.

»Ich komm nicht mit. Wonach suche ich eigentlich?«

»Sehen Sie einfach, ob irgendwas nicht zusammenpasst. Einfach ... ich weiß auch nicht.«

»Dann nehmen Sie die Sache also ernst?«

»Lawson Geddes hat sich gerade umgebracht.«

»Herrgott.« Aber Holmes zuckte nicht mit der Wimper;

kein Mitgefühl für Männer, die er nicht persönlich kannte, die bloße historische Gestalten waren. Er hatte zu viele eigene Sorgen.

»Noch was«, sagte Rebus. »Sie könnten einen Exknacki auftreiben, der behauptet, der letzte Mensch zu sein, der mit Spaven gesprochen hat. Ich hab den Namen vergessen, aber seinerzeit haben sämtliche Zeitungen darüber berichtet.«

»Eine Frage: Glauben *Sie*, dass Geddes Lenny Spaven die Sache angehängt hat?«

Rebus tat so, als würde er darüber nachdenken, und zuckte dann die Achseln. »Hören Sie sich einfach die Geschichte an. Nicht diejenige, die Sie in meinen Ermittlungsnotizen finden werden.«

Rebus fing an zu erzählen: von Geddes, der plötzlich vor seiner Tür gestanden hatte, von der allzu einfachen Auffindung der Tasche, von Geddes, der vorher wie von Sinnen, hinterher unnatürlich gelassen gewirkt hatte. Von der Geschichte, die sie sich zurechtlegten, vom anonymen Tipp. Holmes hörte schweigend zu. Das Kino begann sich zu leeren: eng umschlungene Pärchen, die zu ihren Autos schlenderten. Ein Durcheinander von Motorenlärm, Auspuffgasen und Scheinwerfern, lange Schatten an den Canyonwänden. Der Parkplatz leerte sich. Rebus beendete seine Version der Geschichte.

»Noch eine Frage.«

Rebus wartete, aber Holmes schien Probleme mit der richtigen Wortwahl zu haben. Schließlich gab er es auf und schüttelte den Kopf. Rebus wusste, woran er dachte. Er wusste, dass Rebus Minto die Daumenschrauben angelegt hatte, obwohl er den Verdacht hegte, dass Mintos Vorwürfe gegen Holmes nicht unberechtigt gewesen waren. Und jetzt wusste er, dass Rebus gelogen hatte, um Lawson Geddes zu schützen und eine Verurteilung zu ermöglichen. Zwei untrennbar miteinander verbundene Fragen gingen ihm durch den Kopf: Entsprach Rebus' Version der Wahrheit, und wie viel Dreck hatte der Bulle, der neben ihm am Lenkrad saß, tatsächlich am Stecken?

Wie viel Dreck würde Holmes *selbst* noch ertragen, bevor er den Dienst quittierte?

Rebus wusste, dass Nell ihm deswegen täglich in den Ohren lag. Er war jung genug, um noch auf einen anderen Beruf umzusatteln, *jeden* anderen Beruf, etwas Sauberes und Ungefährliches. Er hatte noch Zeit auszusteigen, aber vielleicht nicht mehr allzu viel.

»Okay«, sagte Holmes und öffnete die Tür. »Ich mach mich so schnell wie möglich dran.« Er hielt kurz inne. »Aber wenn ich irgendwelchen Schmutz finde, irgendwas am Rand versteckt…«

Rebus schaltete das Fernlicht ein, ließ den Motor an und fuhr los.

4

Rebus wachte früh auf. Auf seinem Schoß lag ein aufgeschlagenes Buch. Er warf einen Blick auf den letzten Absatz, den er vor dem Einschlafen gelesen hatte; er kam ihm völlig unbekannt vor. Vor der Tür lag Post: Wer möchte in Edinburgh schon Briefträger sein, bei den vielen Mietshaustreppen? Seine Kreditkartenrechnung: zwei Supermärkte, drei Schnapsläden und Bob's Rare Vinyl. Spontankäufe an einem Samstagnachmittag, nach einem ausgedehnten flüssigen Lunch im Ox – *Freak Out* als Vinyl-Single, prägefrisch; *The Velvet Underground*, abziehbare Banane noch intakt; *Sergeant Pepper* in Mono komplett mit dem Ausschneidebogen. Er hatte noch keine davon gespielt, von den Velvets und den Beatles besaß er schon zerkratzte Exemplare.

Er kaufte auf der Marchmond Road was zu essen ein und

frühstückte am Küchentisch mit dem Bible-John/Johnny-Bible-Material als Tischdecke. Schlagzeilen zu Johnny Bible: »Fangt das Ungeheuer!«, »Baby-Face-Killer metzelt drittes Opfer nieder!«, »Dringende Warnung an die Öffentlichkeit«. So ziemlich die gleichen Sprüche, die Bible John ein Vierteljahrhundert zuvor geerntet hatte.

Johnny Bibles erstes Opfer: Duthie Park, Aberdeen. Michelle Strachan stammte aus Pittenweem in Fife, also hatten sie alle ihre Aberdeener Freunde natürlich Michelle Fifer genannt. Sie sah ihrer Namensvetterin nicht besonders ähnlich: klein und spillerig, mausfarbenes, schulterlanges Haar, vorstehende Schneidezähne. Sie hatte an der Robert Gordon University studiert. Vergewaltigt, erdrosselt; ein Schuh nicht auffindbar.

Opfer Nummer zwei, sechs Wochen später: Angela Riddell, für ihre Freunde Angie. Sie hatte eine Zeit lang für eine Begleitagentur gejobbt, war bei einer Nutten-Einsammelaktion in der Nähe der Docks von Leith hopsgenommen worden und Frontfrau einer Bluesband gewesen, mit einer rauchigen Stimme, aber zu wenig Feeling. Eine Plattenfirma hatte jetzt das einzige Demo der Band als Single-CD rausgebracht und dank der Sensationsgeilheit mancher Menschen einiges Geld damit verdient. Die Kriminalpolizei von Edinburgh hatte Tausende von Arbeitsstunden damit verbracht, Angie Riddells Vergangenheit durchzuackern, hatte frühere Kunden, Freunde, Fans der Band ausfindig gemacht und nach einem Freier gesucht, der zum Mörder geworden war, einem besessenen Bluesfan, was auch immer. Der Warriston-Friedhof, wo man die Leiche fand, war ein bekannter Aufenthaltsort von Hell's Angels, Hobby-Schwarzmagiern, Perversen und Einzelgängern. In den Nächten nach der Entdeckung der Leiche lief man dort allerdings eher Gefahr, über ein schnarchendes Überwachungsteam zu stolpern als über eine gekreuzigte Katze.

Ein Intervall von einem Monat, während dem sich eine Verbindung zwischen den ersten zwei Morden ergeben hatte – Angie Riddell war nicht nur vergewaltigt und erdrosselt worden, sondern man hatte ihr auch etwas abgenommen: eine auffällige Halskette aus fünf Zentimeter langen eisernen Kreuzen, die aus einem Laden in der Cockburn Street stammte –, dann ein dritter Mord, diesmal in Glasgow. Judith Cairns, »Ju-Ju«, ging stempeln, was sie aber nicht davon abhielt, nebenher zu jobben: spätabends in einem Fish-and-Chips-Shop, gelegentlich mittags in einem Pub und wochenends als Zimmermädchen in einem Hotel. Als man sie tot auffand, fehlte jede Spur von dem Rucksack, den sie nach einhelliger Aussage ihrer Freunde überallhin mitgenommen hatte, selbst in Klubs und zu Fabrikhallenraves.

Drei Frauen, im Alter von neunzehn, vierundzwanzig und einundzwanzig, innerhalb von drei Monaten ermordet. Es war zwei Wochen her, dass Johnny Bible zuletzt zugeschlagen hatte. Aus der sechswöchigen Pause zwischen Opfer eins und zwei war ein bloßer Kalendermonat zwischen zwei und drei geworden. Alle warteten, warteten auf die schlimmstmögliche Nachricht. Rebus trank seinen Kaffee, aß sein Croissant und musterte Opferfotos: grobkörnig vergrößerte Zeitungsbilder, auf denen alle drei jungen Frauen lächelten, so lächelten, wie man es normalerweise nur für einen Fotografen tut. Die Kamera log immer.

Rebus wusste sehr viel über die Opfer, doch äußerst wenig über Johnny Bible. Auch wenn kein Polizeibeamter das jemals öffentlich zugegeben hätte, waren sie machtlos, konnten sie sich nur an die Routine klammern. Es war *sein* Spiel; sie warteten darauf, dass er einen Fehler machte: aus Selbstüberschätzung, Langeweile oder dem schlichten Wunsch heraus, gefasst zu werden, dem Wissen um Recht und Unrecht. Sie warteten darauf, dass ein Freund, ein Nachbar, eine Geliebte sich meldete – vielleicht auf einen anonymen Anruf, der sich als mehr als lediglich üble Nachrede erweisen würde. Sie alle warteten. Rebus strich mit dem Finger über das größte Foto Angie Riddells. Er hatte sie gekannt, gehörte zum Team, das sie und einen Haufen weiterer Straßenmädchen in jener Nacht in Leith festgenommen hatte. Es war locker zugegangen, viele Witzeleien, freundlich spöttisches Geschäker mit verheirateten Beamten. Die meisten Prostituierten kannten die Prozedur, die Erfahrenen beruhigten die Neulinge. Angie Riddell hatte einem hysterischen Teenager, einer Fixerin, übers Haar gestrichen. Rebus gefiel ihre Art, er leitete ihre Vernehmung. Sie brachte ihn zum Lachen. Ein paar Wochen später hatte er sie auf der Commercial Street gesehen und gefragt, wie es ihr so gehe. Sie hatte ihm gesagt, Zeit sei Geld und Plaudern nicht billig, aber wenn er etwas Konkreteres als heiße Luft wolle, könne sie ihm einen Sonderpreis machen. Er hatte ihr dann in einem Nachtcafé einen Kaffee und ein *bridie* spendiert. Zwei Wochen später, als er wieder zufällig in Leith unterwegs war, meinten die Mädchen, dass sie in letzter Zeit nicht mehr aufgekreuzt sei – und das war's gewesen.

Vergewaltigt, verprügelt, erdrosselt.

Das alles erinnerte ihn an die World's-End-Morde, andere Morde an jungen Mädchen, von denen viele unaufgeklärt geblieben waren. World's End: Oktober 1977, das Jahr vor Spaven – zwei Teenager hatten im World's End Pub auf der High Street was getrunken. Am nächsten Morgen fand man sie tot auf. Zusammengeschlagen, mit gefesselten Händen, Handtaschen und Schmuck verschwunden. Rebus hatte den Fall nicht bearbeitet, kannte aber Beamte, die daran beteiligt waren: Sie schleppten die Frustration eines unaufgeklärten Falls mit sich herum und würden sie noch mit ins Grab nehmen. Wenn sie in einer Mordsache ermittelten, betrachteten viele von ihnen das Opfer als ihren Mandanten – stumm und kalt zwar, aber dennoch nach Gerechtigkeit schreiend. Es stimmte schon, denn manchmal, wenn man nur aufmerksam genug horchte, konnte man sie hören. In seinem Sessel am Fenster hatte Rebus schon viele verzweifelte Schreie gehört, und eines Nachts auch den von Angie Riddell. Es hatte ihm schier das Herz zerrissen, weil er sie gekannt, sie gern gehabt hatte. In diesem Moment wurde die Sache für ihn zu einer persönlichen Angelegenheit. Er konnte nicht anders – er *musste* sich für Johnny Bible interessieren. Er wusste nur nicht, wie er sich nützlich machen konnte. Seine Neugier auf den Bible-John-Fall brachte wahrscheinlich gar nichts. Sie hatte ihn in die Vergangenheit zurückgeworfen, sodass er immer weniger Zeit in der Gegenwart verbrachte. Manchmal kostete es ihn seine ganze Kraft, um sich wieder in das Hier und Jetzt zu versetzen.

Rebus musste ein paar Anrufe erledigen. Erstens: Pete Hewitt in Howdenhall.

»Einen wunderschönen guten Morgen, Inspector.«

Eine Stimme, die vor Ironie nur so troff. Rebus warf einen Blick hinaus in den milchigen Sonnenschein. »Heiße Nacht gehabt, Pete?«

»Heiß? Man hätte einen Eisbären darauf braten können. Ich nehme an, Sie haben meine Nachricht bekommen?« Rebus hielt Stift und Papier bereit. »Es gibt ein paar ordentliche Abdrücke von der Whiskeyflasche: Daumen und Zeigefinger. Von der Plastiktüte und dem Klebeband, mit dem er an den Stuhl gefesselt war, konnte ich nur ein paar Teilabdrücke kriegen, nichts, womit sich das Gericht überzeugen ließe.«

»Kommen Sie schon, Pete, raus mit dem Namen.«

»Na, ihr jammert doch immer, wie viel Geld wir für Computer verjubeln würden … binnen einer Viertelstunde hatte ich einen Volltreffer. Der Name ist Anthony Ellis Kane. Vorbestraft wegen versuchten Mordes, tätlicher Bedrohung, Hehlerei. Klingelt's?«

»Nicht im Entferntesten.«

»Na ja, sein Betätigungsfeld war Glasgow und Umland. Seit sieben Jahren keine Verurteilungen mehr.«

»Ich seh ihn mir an, wenn ich auf dem Revier bin. Danke, Pete.«

Nächster Anruf: der Personalchef von T-Bird Oil. Ein Ferngespräch; den würde er zurückstellen und von Fort Apache aus erledigen. Ein Blick aus dem Fenster: von der TV-Crew nichts zu sehen. Rebus zog sein Jackett an und verließ die Wohnung.

Er schaute erst beim Boss vorbei. MacAskill schlürfte Irn-Bru.

»Wir haben eine Abdruckidentifizierung, Anthony Ellis Kane, vorbestraft wegen Gewaltdelikten.«

MacAskill warf die leere Limodose in den Papierkorb. Sein Schreibtisch versank unter Stapeln alter Akten aus dem Schubfach Nummer eins des Aktenschranks. Auf dem Fußboden stand ein leerer Umzugskarton.

»Wie steht's mit Angehörigen und Freunden des Toten?«

Rebus schüttelte den Kopf. »Der Tote arbeitete bei T-Bird Oil. Wegen näherer Infos rufe ich noch den Personalchef an.«

»Das hat höchste Priorität, John.«

»Allerhöchste, Sir.«

Aber als er in den Schuppen kam und sich an seinen Schreibtisch setzte, spielte er mit dem Gedanken, als Erstes Gill Templer anzurufen, entschied sich dann aber dagegen. Bain saß an seinem Schreibtisch; Rebus wollte keine Zuhörer.

»Dod«, sagte er, »checken Sie mal Anthony Ellis Kane. Howdenhall hat auf der Flasche seine Abdrücke gefunden.«

Bain nickte und fing an zu tippen. Rebus rief Aberdeen an, nannte seinen Namen und bat, mit Stuart Minchell verbunden zu werden.

»Guten Morgen, Inspector.«

»Danke für die Nachricht, Mr. Minchell. Haben Sie Allan Mitchisons Personalakte?«

»Liegt direkt vor mir. Was möchten Sie wissen?«

»Den Namen eines nahen Angehörigen.«

Mitchison raschelte mit Papier. »Scheint keine zu geben. Ich seh eben seinen Lebenslauf durch.« Eine lange Pause. Rebus war froh, dass es nicht seine Telefonrechnung war. »Inspector, offenbar war Alan Mitchison Vollwaise. Ich habe hier Angaben über seine Schulbildung, und es ist von einem Kinderheim die Rede.«

»Keinerlei Angehörige?«

»Es sind keine genannt.«

Rebus hatte Mitchisons Namen auf ein Blatt Papier geschrieben. Jetzt unterstrich er ihn und ließ den Rest des Blattes leer. »Was war Mr. Mitchisons Tätigkeitsbereich innerhalb der Firma?«

»Er war… lassen Sie mich mal sehen, er arbeitete bei der Plattformwartung, konkret als Anstreicher. Wir haben einen Stützpunkt auf Shetland, vielleicht war er dort.« Weiteres Geraschel. »Nein, Mr. Mitchison arbeitete auf den Plattformen selbst.«

»Hat sie angestrichen?«

»Und allgemeine Wartungsarbeiten durchgeführt. Stahl rostet, Inspector. Sie machen sich keine Vorstellung, wie schnell die Nordsee Farbe von Stahl abschleifen kann.«

»Auf welcher Bohrinsel hat er denn gearbeitet?«

»Keine Bohrinsel, Inspector, eine Produktionsplattform. Ich werde nachsehen müssen.«

»Ja, bitte tun Sie das. Und könnten Sie mir seine Personalakte durchfaxen?«

»Sie sagen, er ist tot?«

»Gestern Abend war er's noch.«

»Dann dürfte es kein Problem sein. Geben Sie mir Ihre Nummer.«

Rebus tat es und beendete dann das Gespräch. Bain winkte ihn zu sich. Rebus stellte sich neben ihn, um einen besseren Blick auf den Bildschirm werfen zu können.

»Dieser Typ ist der reine Irre«, sagte Bain. Sein Telefon klingelte. Bain nahm ab und war eine Zeit lang beschäftigt. Rebus las den Bildschirmtext. Anthony Ellis Kane, bekannt als »Tony El«, hatte ein Vorstrafenregister, das bis in seine Jugend zurückreichte. Er war jetzt fünfundvierzig Jahre alt und ein guter Bekannter der Polizei von Glasgow und ganz Strathclyde. Während eines Großteils seines Erwachsenenlebens hatte er im Sold von Joseph Toal gestanden, auch bekannt als »Uncle Joe«, der mit der Muskelkraft seines Sohnes und solcher Männer wie Tony El Glasgow praktisch regierte. Bain legte auf.

»Uncle Joe«, sagte er nachdenklich. »Wenn Tony El noch immer für ihn arbeitet, könnte der Fall ganz anders liegen.«

Rebus erinnerte sich, was der Chef gesagt hatte: *Das riecht irgendwie nach organisiertem Verbrechen.* Drogen oder unbezahlte Schulden. Vielleicht hatte MacAskill Recht.

»Sie wissen, was das bedeutet?«

Rebus nickte. »Eine Spritztour nach Glasgrob.« Schottlands zwei bedeutendste Städte waren knapp fünfzig Autominuten voneinander entfernt, argwöhnische Nachbarn, so als habe vor Jahren die eine der anderen etwas vorgeworfen und als nage der – berechtigte oder unberechtigte – Vorwurf noch immer an ihr. Rebus hatte ein paar Kontakte beim CID Glasgow, also ging er an seinen Schreibtisch und machte sich ans Telefonieren.

»Wenn Sie Infos über Uncle Joe wollen«, erfuhr er beim

zweiten Anruf, »reden Sie am besten mit Chick Ancram. Moment, ich geb Ihnen seine Nummer.«

Wie sich herausstellte, war Charles Ancram Chief Inspector im Stadtteil Govan. Rebus versuchte eine frustrierende halbe Stunde lang, den Mann zu erreichen, und ging sich dann die Beine vertreten. Die Schaufenster der Geschäfte vor Fort Apache waren mit Stahlrollläden und -gittern gesichert und größtenteils im Besitz von Asiaten, auch wenn hinter den Ladentischen durchweg Weiße bedienten. Draußen auf der Straße lungerten tätowierte Männer in T-Shirts herum und rauchten. Augen so Vertrauen erweckend wie die eines Wiesels in einem Hühnerstall.

Eier? Ich doch nicht, Mann, die kann ich auf den Tod nicht ab.

Rebus kaufte sich Zigaretten und eine Zeitung. Als er aus dem Laden herauskam, erwischte ihn ein Kinderwagen am Schienbein, und eine Frau schimpfte, er solle aufpassen, wo er seine Scheißquanten hinsetze. Sie schob hastig ab, ein Kleinkind hinter sich herschleifend. Zwanzig, vielleicht einundzwanzig, Haare blondiert, zwei Schneidezähne weg. An ihren nackten Unterarmen waren Tattoos zu sehen. Auf der anderen Straßenseite forderte ihn eine Plakatwand auf, zwanzigtausend Pfund für ein neues Auto auszugeben. Im Supermarktdiscounter dahinter herrschte gähnende Leere, und Jugendliche benutzten den Parkplatz als Skateboardbahn.

Als er wieder in den Schuppen kam, telefonierte Maclay gerade. Er hielt Rebus den Hörer hin.

»Chief Inspector Ancram – Sie hätten ihn angerufen.« Rebus lehnte sich an den Schreibtisch.

»Hallo?«

»Inspector Rebus? Ancram hier, Sie wollten, glaube ich, mit mir reden.«

»Danke, dass Sie zurückrufen, Sir. Es geht um Joseph Toal.«

Ancram schnaubte. Er hatte einen schleppenden West-küstenakzent, nasal, mit einem ständig leicht herablassend klingenden Unterton. »Uncle Joe Corleone? Unseren lieben stadteigenen Paten? Hat er irgendwas ausgefressen, wovon ich nichts weiß?«

»Kennen Sie einen seiner Männer, einen gewissen Anthony Kane?«

»Tony El«, bestätigte Ancram. »Hat jahrelang für Uncle Joe gearbeitet.«

»*Hat?*«

»Hat schon 'ne ganze Weile nichts mehr von sich hören lassen. Wie es heißt, hat er Uncle Joe verärgert, und Uncle Joe hat Stanley die Sache übergeben. Tony El dürfte danach nicht mehr ganz neu ausgesehen haben.«

»Wer ist Stanley?«

»Uncle Joes Sohn. Das ist nicht sein richtiger Name, aber jeder nennt ihn so, wegen seines Hobbys.«

»Nämlich?«

»Stanley-Messer, er sammelt die.«

»Sie glauben, Stanley hat Tony El umgelegt?«

»Na ja, eine Leiche ist nicht aufgetaucht, was gewöhnlich ein hinreichender Beweis dafür ist.«

»Tony El ist quicklebendig. Er war vor ein paar Tagen bei uns in der Gegend.«

»Ich verstehe.« Ancram schwieg einen Augenblick. Im Hintergrund konnte Rebus geschäftige Stimmen, Funkmeldungen, Polizeireviergeräusche hören. »Tüte über dem Kopf?«

»Woher wussten Sie das?«

»Tony Els Markenzeichen. Er mischt also wieder mit, hm? Inspector, ich glaube, wir beide sollten uns ein bisschen unterhalten. Montagmorgen – finden Sie zum Revier Govan? Nein, warten Sie, besser Partick, Dumbarton Road 613. Ich hab da eine Besprechung um neun. Sollen wir zehn sagen?«

»Zehn passt mir gut.«

»Dann bis dann.«

Rebus legte auf. »Montagmorgen um zehn«, sagte er zu Bain. »Da bin ich in Partick.«

»Armes Schwein«, erwiderte Bain, und das schien von Herzen zu kommen.

»Sollen wir Tony Els Steckbrief rausgeben?«, fragte Maclay.

»Und zwar dalli. Mal sehen, ob wir ihn nicht noch vor Montag schnappen.«

Bible John kehrte eines schönen Freitagmorgens nach Schottland zurück. Kaum aus dem Flugzeug, besorgte er sich ein paar Zeitungen. Am Kiosk sah er, dass ein neues Buch über den Zweiten Weltkrieg erschienen war, also kaufte er das auch. Er setzte sich in die Wartehalle und blätterte die Zeitungen durch, fand aber keine neuen Meldungen über den Parvenü. Er ließ die Zeitungen auf dem Sitz liegen und ging zum Rollband, wo sein Gepäck schon auf ihn wartete.

Ein Taxi brachte ihn nach Glasgow. Er hatte bereits beschlossen, nicht in der Stadt zu bleiben. Nicht dass er in seinem alten Jagdrevier etwas zu befürchten gehabt hätte, aber ein Aufenthalt dort würde nur wenig einbringen. Glasgow weckte in ihm zwangsläufig bittersüße Erinnerungen. Ende der Sechziger war es gerade dabei gewesen, sich neu zu erfinden: hatte alte Slums abgerissen und in den Randbezirken neue Entsprechungen aus Beton hochgezogen. Neue Straßen, Brücken, Schnellstraßen – die Stadt war eine einzige riesige Baustelle gewesen. Jetzt hatte er den Eindruck, dass der Prozess noch immer nicht abgeschlossen war, als hätte die Stadt bisher keine Identität gefunden, die sie akzeptieren konnte.

Ein Problem, das Bible John persönlich gut kannte. Am

Bahnhof Queen Street nahm er einen Zug nach Edinburgh und ließ per Handy ein Zimmer in seinem üblichen Hotel reservieren und dafür sein Firmenkonto belasten. Dann rief er seine Frau an, um ihr zu sagen, wo er zu erreichen sei. Er hatte seinen Laptop dabei und arbeitete während der Zugfahrt ein wenig. Arbeit beruhigte ihn; es war immer am besten, wenn das Gehirn beschäftigt war. Nun fort an die Arbeit! Stroh wird euch nicht geliefert, aber die bestimmte Zahl von Ziegeln sollt ihr liefern! Zweites Buch Mose. Die Medien hatten ihm damals einen Gefallen getan, und das Gleiche galt für die Polizei. In seinem rudimentären Steckbrief hatte es geheißen, sein Vorname sei John, und er »zitiere gern aus der Bibel«. Keins von beidem hatte genau genommen gestimmt: John war sein zweiter Name, und aus dem Buch der Bücher zitierte er damals nur gelegentlich. In den letzten Jahren hatte er wieder angefangen, in die Kirche zu gehen, aber jetzt bedauerte er es, bedauerte es, sich eingebildet zu haben, er sei in Sicherheit.

Es gab keine Sicherheit auf dieser Welt, ebenso wenig wie es sie in der anderen geben würde.

Er stieg am Haymarket aus – im Sommer war es hier einfacher, ein Taxi zu bekommen –, aber als er in den Sonnenschein hinaustrat, beschloss er, zu Fuß zu gehen. Zum Hotel war es nur ein Spaziergang von fünf, zehn Minuten. Sein Koffer besaß Räder, und seine Umhängetasche war nicht besonders schwer. Er holte tief Luft: Abgase und ein Hauch von Brauereiduft. Müde, die Augen zusammenzukneifen, blieb er kurz stehen und setzte sich die Sonnenbrille auf. Schlagartig gefiel ihm die Welt besser. Als er einen Blick in ein Schaufenster warf, sah er lediglich einen x-beliebigen, von der Reise ermüdeten Geschäftsmann. Weder sein Gesicht noch seine Statur wiesen irgendwelche auffälligen Merkmale auf, und seine Kleidung war stets konservativ: ein Anzug von Austin Reed, Hemd von Double 2. Ein gut gekleideter, erfolgreicher Geschäftsmann. Er überprüfte den Knoten seiner Krawatte und fuhr mit der Zunge über seine zwei einzigen falschen Zähne; die hatte er sich vor fünfundzwanzig Jahren einsetzen lassen müssen.

Im Hotel dauerte das Einchecken nur wenige Augenblicke. Im Zimmer setzte er sich an den kleinen runden Tisch, öffnete den Laptop und schloss ihn an, nachdem er am Netzteil die Spannung von 110 auf 240 Volt umgestellt hatte. Er tippte sein Passwort ein und doppelklickte dann auf die Datei namens PARVENÜ. Sie enthielt seine Notizen über den so genannten Johnny Bible, sein eigenes psychologisches Profil des Killers. Es nahm schon sehr zufrieden stellende Konturen an.

Bible John überlegte sich, dass er über etwas verfügte, was die Polizei nicht hatte: Insiderkenntnisse davon, wie ein Serienmörder arbeitete, dachte und lebte, von den Lügen, die er erzählen musste, seinen Verstellungen und Verkleidungen, von dem geheimen Leben hinter dem Alltagsgesicht. Das gab ihm einen Vorsprung. Mit einer Prise Glück würde er Johnny Bible vor der Polizei zu fassen bekommen.

Es gab mehrere mögliche Ansätze. Erstens: Aus seiner Arbeitsweise ging klar hervor, dass der Parvenü Kenntnis vom Bible-John-Fall hatte. Wie gelangte er an dieses Wissen? Der Parvenü war in den Zwanzigern, zu jung, um sich an Bible John erinnern zu können. Also hatte er irgendwo von der Sache gehört oder darüber gelesen und dann weiterführende Recherchen angestellt. Es gab Bücher – manche jüngeren, manche älteren Datums –, die sich ausschließlich oder unter anderem mit den Bible-John-Morden befassten. Vorausgesetzt, Johnny Bible war ein gewissenhafter Forscher, hatte er vermutlich die gesamte vorhandene Literatur aufgearbeitet. Da aber ein Teil des Materials schon lange vergriffen war, musste er in Antiquariaten gestöbert oder aber Bibliotheken besucht haben. Das engte die Suche erfreulich ein.

Eine zweite, damit zusammenhängende Spur: Zeitungen. Wieder war es unwahrscheinlich, dass der Parvenü einfach so Zugang zu ein Vierteljahrhundert alten Blättern haben sollte, und nur sehr wenige Bibliotheken bewahrten Zeitungen so lange auf. Weitere erfreuliche Einengung der Suche.

Dann der Parvenü selbst: Viele Serienmörder machten am Anfang Fehler – Fehler, die wegen mangelhafter Planung oder schlicht aus Nervosität zustande kamen. Bible John entsprach in dieser Hinsicht nicht dem Schema: Sein eigentlicher Fehler war erst im Zusammenhang mit Opfer Nummer drei passiert, als er sich mit deren Schwester ein Taxi geteilt hatte. Gab es Opfer, die dem Parvenü entkommen waren? Das bedeutete, neuere Zeitungen sichten, nach Überfällen auf Frauen in Aberdeen, Glasgow, Edinburgh suchen, die Fehlstarts und frühen Misserfolge des Killers herausfinden. Das würde eine zeitraubende Arbeit werden. Aber auch eine therapeutische.

Er zog sich aus und duschte, dann schlüpfte er in legerere Sachen: marineblauer Blazer und Khakihose. Es erschien ihm zu riskant, von seinem Zimmer aus zu telefonieren – die Nummern würden an der Rezeption gespeichert werden –, also verließ er das Hotel und trat hinaus in den Sonnenschein. Da Telefonzellen heutzutage keine Telefonbücher mehr enthielten, ging er in ein Pub, bestellte ein Tonic Water und bat dann um das Telefonbuch. Die Bardame – noch keine zwanzig, Nasenpiercing, pinkfarbenes Haar – reichte es ihm mit einem Lächeln. An seinem Tisch holte er Notizbuch und Stift heraus und schrieb sich ein paar Nummern auf; dann ging er in den hinteren Teil der Bar, wo sich das Telefon befand. Direkt neben den Toiletten – für seine Zwecke abgeschieden genug, besonders jetzt, wo das Pub so gut wie leer war. Er rief ein paar Antiquariate und drei Bibliotheken an. Die Resultate waren, wie er fand, zufrieden stellend, wenn schon nicht eigentlich erfolgreich, aber andererseits hatte er sich schon vor Wochen darauf eingestellt, dass das ein langwieriger Prozess werden konnte. Schließlich verfügte er zwar über die einschlägigen Kenntnisse und Erfahrungen, aber die Polizei besaß Hunderte von Männern und Computern und einen riesigen Presseapparat. Und sie konnte offen ermitteln. Seine eigenen Ermittlungen über den Parvenü mussten diskreter vonstatten gehen, und er brauchte Hilfe. Was ein Risiko in sich barg. Es war immer riskant, andere einzubeziehen. Er hatte sich viele Tage und Nächte über das Dilemma den Kopf zerbrochen: auf der einen Seite sein Wunsch, den Parvenü aufzuspüren, auf der anderen die Möglichkeit, sich dadurch selbst – seine Identität – zu verraten.

Also hatte er sich eine Frage gestellt: Wie wichtig war es ihm, den Parvenü zu finden?

Und hatte sie beantwortet: Sehr wichtig. *Sehr, sehr* wichtig.

Er verbrachte den Nachmittag auf und bei der George IV Bridge: in der National Library of Scotland und der Central Lending Library. Für die National Library besaß er eine Benutzerkarte, er hatte da früher geschäftliche Recherchen durchgeführt und außerdem ein wenig über den Zweiten Weltkrieg gelesen, seit einiger Zeit seine Lieblingsbeschäftigung. Er suchte außerdem mehrere Antiquariate in der näheren Umgebung auf und erkundigte sich nach Büchern über wahre Kriminalfälle. Den Angestellten erzählte er, die Johnny-Bible-Morde hätten sein Interesse geweckt.

»Wir haben nur ein halbes Regalbrett über reale Verbrechen«, sagte die Verkäuferin und zeigte es ihm. Bible John tat so, als sehe er sich die Bücher interessiert an, und kehrte dann zum Ladentisch zurück.

»Nein, nichts gefunden. Nehmen Sie auch Suchaufträge an?«

»Nicht direkt«, antwortete die Verkäuferin. »Aber wir notieren uns Anfragen…« Sie zog ein schweres, altmodisches Hauptbuch heraus und schlug es auf. »Sie können aufschreiben, wonach Sie suchen, hinterlassen Ihren Namen und Ihre Adresse, und wenn uns das Buch irgendwann zufällig angeboten wird, setzen wir uns mit Ihnen in Verbindung.«

»Gut.«

Bible John zog seinen Füller heraus, und während er langsam schrieb, las er die letzten Einträge. Er blätterte eine Seite zurück und überflog auch diese Liste von Titeln und Themen.

»Ist es nicht erstaunlich, welch unterschiedliche Interessen die Leute haben?«, sagte er lächelnd zur Verkäuferin.

Er wandte denselben Trick noch in drei weiteren Antiquariaten an, fand aber keinerlei Hinweis auf den Parvenü. Dann schlenderte er zum Nebengebäude der National Library, wo jüngere Zeitungsjahrgänge aufbewahrt wurden, und blätterte je einen ganzen Monat *Scotsman, Herald* und *Press and Journal* durch; zu einzelnen Meldungen – tätlichen Angriffen, Vergewaltigungen – machte er sich Notizen. Natürlich war ihm bewusst, dass ein etwaiger erster, missglückter Versuch nicht unbedingt angezeigt worden sein musste. Die Amerikaner hatten ein Wort für das, was er da tat. Sie nannten es *shitwork*.

Ins Hauptgebäude der National Library zurückgekehrt, musterte er die Bibliothekare, auf der Suche nach einem ganz bestimmten Typ. Als er glaubte, den passenden gefunden zu haben, sah er nach, wie die Öffnungszeiten der Bibliothek waren, und entschied sich zu warten.

Als die Tore schlossen, stand er, die Augen vor dem Abendlicht durch die Sonnenbrille geschützt, vor der National Library, während sich zwischen ihm und der Central Library der Verkehr im Kriechtempo vorwärtsschob. Er sah mehrere Angestellte einzeln und in Gruppen das Gebäude verlassen. Dann erkannte er den jungen Mann, auf den er gewartet hatte. Als dieser in die Victoria Street einbog, überquerte Bible John die Straße und folgte ihm. Es waren viele Passanten unterwegs, Touristen, Trinker, ein paar Leute auf dem Weg nach Hause. Auf dem Grassmarket trat der junge Mann in den erstbesten Pub. Bible John blieb stehen und überlegte: Ein schneller Drink, bevor es nach Hause ging? Oder würde der Bibliothekar Freunde treffen und vielleicht den ganzen Abend bleiben? Er beschloss hineinzugehen.

Die Bar war dunkel und voll von schwatzenden Büroangestellten: Männern, die sich die Anzugjacketts über die Schultern gehängt hatten, Frauen, die Tonic aus Longdrink-Gläsern schlürften. Der Bibliothekar saß am Tresen, allein. Bible John quetschte sich neben ihn und bestellte einen Orangensaft. Er deutete mit einem Nicken auf das Bier des Bibliothekars.

»Noch eins?«

Als der junge Mann sich zu ihm umdrehte, beugte sich Bible John vor und sagte leise: »Drei Dinge. Erstens: Ich bin Journalist. Zweitens: Ich möchte Ihnen fünfhundert Pfund geben. Drittens: Ich erwarte dafür absolut nichts Illegales von Ihnen.« Er schwieg einen Moment. »Nun, wie steht's jetzt mit dem Bier?«

Der junge Mann starrte ihn unverwandt an. Endlich nickte er.

»Ist das ein Ja zum Bier oder ein Ja zum Geld?« Jetzt lächelte auch Bible John.

»Zum Bier. Über die andere Sache müssten Sie mir erst ein bisschen mehr sagen.«

»Es ist eine langweilige Arbeit, sonst würde ich sie selbst erledigen. Besitzt die Bibliothek Unterlagen darüber, welche Bücher eingesehen oder ausgeliehen werden?«

Der Bibliothekar dachte nach und nickte dann. »Zum Teil im Computer, zum Teil noch auf Karteikarten.«

»Gut, mit dem Computer wird es schnell gehen, aber die Karten könnten schon einige Zeit in Anspruch nehmen. Es wird trotzdem leicht verdientes Geld sein, glauben Sie mir. Und was ist, wenn jemand kommt und alte Zeitungen einsehen möchte?«

»Müsste ebenfalls dokumentiert sein. Von wie alten Zeitungen reden wir?«

»Es ginge darum, was in den letzten drei bis sechs Monaten angefordert wurde. Und zwar an Zeitungen der Jahrgänge 1968 bis 70.«

Er bezahlte die zwei Getränke mit einem Zwanziger und öffnete dabei seine Brieftasche so, dass der Bibliothekar eine ganze Menge mehr von den Dingern sehen konnte.

»Es könnte eine Weile dauern«, sagte der junge Mann. »Ich werde die Unterlagen in Causewayside und George IV Bridge abgleichen müssen.«

»Wenn Sie die Sache beschleunigen können, ist ein weiterer Hunderter drin.«

»Ich werde nähere Angaben brauchen.« Bible John nickte und reichte ihm eine Geschäftskarte. Darauf waren Name und eine falsche Adresse angegeben, aber keinerlei Telefonnummer.

»Versuchen Sie nicht, mich zu erreichen. Ich melde mich bei Ihnen. Wie heißen Sie?«

»Mark Jenkins.«

»Okay, Mark.« Bible John zog zwei Fünfziger heraus und steckte sie dem Mann in die Brusttasche. »Hier ist schon mal ein Vorschuss.«

»Worum geht's bei der ganzen Sache eigentlich?«

Bible John zuckte die Schultern. »Johnny Bible. Wir checken eine mögliche Verbindung zu ein paar älteren Fällen ab.«

Der junge Mann nickte. »Um welche Bücher handelt es sich also?«

Bible John übergab ihm eine ausgedruckte Liste. »Und dazu Zeitungen. *Scotsman* und *Glasgow Herald*, von Februar 68 bis Dezember 69.«

»Und was wollen Sie wissen?«

»Wer die Sachen eingesehen hat. Ich brauche Namen und Adressen. Lässt sich das machen?«

»Zeitungen als solche sind in Causewayside archiviert, wir bewahren nur Mikrofilme auf.«

»Worauf wollen Sie hinaus?«

»Ich werde vielleicht einen Kollegen in Causewayside um Hilfe bitten müssen.«

Bible Joe lächelte. »Meiner Zeitung kommt's auf ein, zwei Shilling nicht an, solange wir Resultate bekommen. Wie viel würde Ihr Freund voraussichtlich verlangen…?«

Der flüsternde Regen

Mind me when mischief befalls me
from the cruel and the vain.

The Bathers
»Ave the Leopards«

5

Die schottische Sprache ist besonders reich an Ausdrücken, die das Wetter betreffen: *dreich* und *smirr* sind nur zwei davon.

Rebus hatte eine Autostunde gebraucht, um die »Regenstadt« zu erreichen, aber weitere vierzig Minuten, um die Dumbarton Road zu finden. Die Revierwache Partick war 1993 umquartiert worden. Im alten Gebäude, der »Marine«, war er früher schon mal gewesen, aber im neuen noch nicht. Glasgow konnte für den ortsunkundigen Autofahrer ein Albtraum sein, ein Labyrinth von Einbahnstraßen und schlecht ausgeschilderten Kreuzungen. Rebus musste zweimal aussteigen, um im Revier anzurufen und sich weiterdirigieren zu lassen – und erst mal vor der Telefonzelle im Regen Schlange stehen. Bloß dass es kein richtiger Regen, sondern *smirr* war, ein feiner Sprühnebel, der einen in null Komma nichts bis auf die Haut durchnässte. Er kam von Westen, geradewegs vom Atlantik, und war genau das, was Rebus an einem *dreichen*, trüben Montagmorgen noch gefehlt hatte.

Als er an der Wache eintraf, fiel ihm auf dem Parkplatz ein Auto auf: drinnen zwei Gestalten, Rauchwolken aus einem offenen Fenster, Radio eingeschaltet. Konnten nur Reporter sein. Das war die Friedhofsschicht. An diesem Punkt einer Story teilten Reporter den Tag in Schichten auf, so dass sie nicht alle vor Ort herumzusitzen brauchten. Wer gerade Wache schob, war gehalten, jede etwaige neue Entwicklung umgehend allen anderen Journalisten mitzuteilen.

Als er endlich die Tür des Polizeireviers öffnete, erklang plätschernder Applaus. Er trat an den Schalter.

»Hat's also doch geklappt?«, fragte der Sergeant vom Dienst. »Wir dachten schon, wir würden Suchtrupps losschicken müssen.«

»Wo ist CI Ancram?«

»In einer Besprechung. Er sagte, Sie möchten raufgehen und warten.«

Also marschierte Rebus nach oben und stellte fest, dass aus den einzelnen CID-Büros ein riesiges zusammenhängendes »Mordzimmer« geworden war. An den Wänden hingen Fotos: Judith Cairns, Ju-Ju, lebendig und tot. Weitere Fotos vom Tatort – Kelvingrove Park, eine von Büschen umgebene, geschützte Stelle. Ein Dienstplan war gleichfalls ausgehängt: hauptsächlich Routinebefragungen, Laufarbeit, keine großen Erkenntnisse zu erwarten, aber eben Dinge, die auch gemacht werden mussten. Beamte klapperten auf Tastaturen, griffen vielleicht gerade auf den Zentralrechner der schottischen Kriminalpolizei zu, vielleicht sogar auf HOLMES – die große Fahndungs-Datenbank des britischen Innenministeriums. Alle Mordfälle – ausgenommen diejenigen, die sofort aufgeklärt wurden – kamen in das Home Office Large Major Enquiry System, HOLMES. Teams von fleißigen Detectives und Uniformierten waren rund um die Uhr damit beschäftigt, Daten einzugeben, zu überprüfen und durch Querverweise miteinander zu verknüpfen. Selbst Rebus – sonst kein großer Bewunderer neuer Technologien – erkannte die Vorteile, die die Datenbank gegenüber dem alten Karteikartensystem bot. Er blieb neben einem Terminal stehen und sah jemandem zu, der gerade eine Aussage eingab. Als er den Kopf wieder hob, erblickte er ein Gesicht, das er kannte, und ging auf den zu, dem es gehörte.

»Hey, Jack, ich dachte, Sie wären noch in Falkirk?«

DI Jack Morton drehte sich um und riss ungläubig die Augen auf. Er stand von seinem Schreibtischstuhl auf, ergriff Rebus' Hand und schüttelte sie energisch.

»Bin ich auch«, sagte er, »aber die sind hier unterbesetzt.« Er sah sich im Großraumbüro um. »Was so betrachtet kein Wunder ist.«

Rebus musterte Morton von Kopf bis Fuß und traute seinen Augen nicht. Bei ihrer letzten Begegnung hatte Jack fünfzehn bis zwanzig Kilo Übergewicht gehabt und dazu einen starken Raucherhusten. Jetzt war er nicht nur seine überschüssigen Pfunde los, auch die sonst unvermeidliche Kippe war aus seinem Mundwinkel verschwunden. Ja, mehr noch, sein Haar wirkte gepflegt und tadellos frisiert, und er trug einen teuren Anzug, blank polierte schwarze Schuhe, ein blütenweißes Hemd und einen Schlips.

»Was ist denn mit *Ihnen* passiert?«, fragte Rebus.

Morton lächelte und klopfte sich auf den fast flachen Bauch. »Ich hab mich einfach eines Tages angesehen und mich gewundert, dass der Spiegel nicht streikte. Hab mir Saufen und Rauchen abgewöhnt und bin in einen Fitnessklub eingetreten.«

»Einfach so?«

»Es ging um Leben und Tod. Da kann man es sich nicht leisten, lange zu fackeln.«

»Sie sehen toll aus.«

»Ich wollte, ich könnte das Gleiche von Ihnen sagen, John.«

Rebus versuchte sich gerade etwas Schlagfertiges auszudenken, als CI Ancram hereinkam.

»DI Rebus?« Sie gaben sich die Hand. Der Chief Inspector schien es nicht eilig zu haben, wieder loszulassen. Seine Augen sogen Rebus förmlich in sich auf. »Tut mir Leid, dass Sie warten mussten.«

Ancram war Anfang fünfzig und genauso gut angezogen wie Morton. Er hatte kaum noch Haare, aber die trug er mit dem Stil eines Sean Connery, und das Gleiche galt für den dichten dunklen Schnurrbart.

»Hat Jack Sie herumgeführt?«

»Nicht direkt, Sir.«

»Nun, das hier ist die Glasgower Seite der Operation Johnny Bible.«

»Sind Sie das Revier, das Kelvingrove am nächsten liegt?«

Ancram lächelte. »Die räumliche Nähe zum Tatort stellte nur einen Gesichtspunkt dar. Judith Cairns war sein drittes Opfer. Mittlerweile hatten die Medien schon Parallelen zum Bible-John-Fall entdeckt. Und sämtliche Bible-John-Akten befinden sich hier.«

»Meinen Sie, ich kann da einen Blick reinwerfen?«

Ancram sah ihn nachdenklich an und zuckte dann die Achseln. »Na, dann kommen Sie mal mit.«

Ancram führte Rebus den Korridor entlang zu einer zweiten Büroflucht. In der Luft hing ein modriger Geruch, eher der einer Bibliothek als eines Polizeireviers. Der Raum war gestopft voll mit alten Pappkartons, Ablageboxen, mit Schnur zusammengebundenen Stößen welligen und eselsohrigen Papiers. Vier Detectives – zwei männliche und zwei weibliche – arbeiteten sich durch alles, aber auch alles, was mit dem Bible-John-Fall zu tun hatte.

»Der ganze Krempel war in einem Lagerraum untergebracht. Sie hätten die Staubwolken sehen sollen, als wir ihn da rausgeholt haben.« Zur Illustration blies er auf einen Aktendeckel.

»Dann glauben Sie also, dass eine Verbindung besteht?«

Das war eine Frage, die jeder Polizeibeamte in Schottland schon jedem anderen Polizeibeamten gestellt hatte, denn es bestand schließlich noch immer die Möglichkeit, dass die zwei Mordserien, die zwei Mörder, nichts miteinander zu tun hatten, in welchem Fall Hunderte von Arbeitsstunden vergeudet worden wären.

»Aber ja«, antwortete Ancram. Ja: Das war auch Rebus' Meinung. »Ich meine, zunächst einmal ist der Modus Operandi auffällig ähnlich, dann haben wir die Souvenirs, die er vom Tatort mitnimmt. Das Aussehen Johnny Bibles mag von mir aus purer Zufall sein, aber ich bin sicher, dass er seinen Helden kopiert.« Ancram sah Rebus an. »Sie nicht?«

Rebus nickte. Er betrachtete die Massen an Material und wünschte sich, er könnte sich ein paar Wochen lang darin vergraben und, wer weiß, vielleicht etwas finden, was niemand anderem aufgefallen war... Es war natürlich ein Traum, eine Phantasie, aber in flauen Nächten reichte das manchmal als Motivation zum Weitermachen. Rebus besaß seine Zeitungen, aber die erzählten von der Geschichte nur so viel, wie die Polizei seinerzeit an die Öffentlichkeit gelassen hatte. Er trat an ein Regal und las die Beschriftungen der dort stehenden Ordner: Tür-zu-Tür; Taxiunternehmen; Friseure; Herrenausstatter; Perückengeschäfte.

»Perückengeschäfte?«

Ancram lächelte. »Sein kurzes Haar, die Kollegen dachten damals, es könnte eine Perücke sein. Mit Friseuren haben sie sich unterhalten für den Fall, dass einer den bestimmten Schnitt wiedererkennen würde.«

»Und mit Herrenausstattern wegen seines italienischen Anzugs.«

Erneut starrte Ancram ihn an.

Rebus zuckte die Achseln. »Der Fall interessiert mich. Was ist das?« Er deutete auf eine Wandkarte.

»Übereinstimmungen und Abweichungen zwischen den zwei Fällen«, sagte Ancram. »Tanzlokale versus Klubszene. Und die Personenbeschreibungen: groß, mager, zurückhaltend, rotbraunes Haar, gut angezogen... Ich meine, Johnny könnte glatt Bible Johns Sohn sein.«

»Das ist mir auch schon durch den Kopf gegangen. Angenommen, Johnny Bible kopiert wirklich seinen Helden, und angenommen, Bible John treibt sich immer noch irgendwo da draußen herum…«

»Bible John ist tot.«

Rebus wandte den Blick nicht von der Karte. »Aber nur mal angenommen, er ist es nicht. Ich meine, fühlt er sich geschmeichelt? Auf den Schlips getreten? Oder was?«

»Fragen Sie mich nicht.«

»Das Glasgower Opfer war nicht in einem Klub gewesen«, meinte Rebus.

»Nun, der Ort, an dem sie zuletzt *gesehen* wurde, war kein Klub. Aber sie hatte vorher an dem Abend einen besucht, er könnte ihr also von dort zum Konzert gefolgt sein.«

Opfer eins und zwei hatte Johnny Bible in Nachtklubs aufgelesen, den modernen Entsprechungen der Tanzlokale der Sechziger: lauter, dunkler, gefährlicher. Sie befanden sich in Gesellschaft von Bekannten, die allerdings nur eine sehr ungefähre Beschreibung des Mannes, mit dem sie fortgegangen waren, liefern konnten. Das dritte Opfer aber, Judith Cairns, war während eines Rockkonzerts in einem Raum über einem Pub abgeschleppt worden.

»Wir hatten auch noch andere«, erklärte Ancram. »Drei Ungelöste in Glasgow gegen Ende der Siebziger, bei allen dreien fehlte irgendein persönlicher Gegenstand.«

»Als ob Bible John die Gegend nie verlassen hätte«, murmelte Rebus.

»Es gibt sehr viel, aber nicht annähernd genug Material.« Ancram verschränkte die Arme. »Wie gut kennt Johnny die drei Städte? Suchte er sich die Klubs wahllos aus, oder kannte er sie schon? Wurde jeder Tatort im Voraus ausgewählt? Könnte er ein Brauereifahrer sein? Ein DJ? Ein Musikjournalist? Scheiße, er könnte genauso gut Verfasser von Stadtführern sein.« Ancram stieß ein kurzes, freudloses Lachen aus und rieb sich dann die Stirn.

»Könnte immer noch Bible John selbst sein«, sagte Rebus.

»Bible John ist tot und begraben, Inspector.«

»Glauben Sie wirklich?«

Ancram nickte. Er war nicht der Einzige. Es gab eine Menge Bullen, die zu wissen glaubten, wer Bible John war, und behaupteten, dass er nicht mehr lebte. Aber andere waren da skeptischer, und Rebus gehörte zu ihnen. Wahrscheinlich hätte ihn nicht einmal eine DNS-Analyse von seiner Meinung abbringen können. Es bestand immer noch die Möglichkeit, dass sich Bible John auf freiem Fuß befand.

Sie hatten die Beschreibung eines Endzwanzigers, aber derlei Zeugenaussagen waren bekanntlich mit Vorsicht zu genießen. Also kramte man die alten – montierten oder gezeichneten – Phantombilder Bible Johns hervor und brachte sie mit Hilfe der Medien wieder in Umlauf. Man setzte auch die üblichen psychologischen Tricks ein, forderte den Mörder durch Zeitungsannoncen auf, sich zu melden: »Sie brauchen offensichtlich Hilfe, und wir bitten Sie, sich mit uns in Verbindung zu setzen.« Bluffs, die mit Schweigen beantwortet wurden.

Ancram zeigte auf Fotos an einer Wand: digital »gealterte« Versionen eines Fahndungsbilds von 1970, mit Ergänzungen wie Bart und Brille, unterschiedlich zurückgehendem Haaransatz. Die waren ebenfalls veröffentlicht worden.

»Könnte eigentlich jeder sein, nicht?«, stellte Ancram fest.

»Macht Ihnen das zu schaffen, Sir?« Rebus wartete auf die Aufforderung, Ancram beim Vornamen zu nennen.

»Natürlich macht mir das zu schaffen.« Ancrams Gesicht entspannte sich. »Warum interessiert Sie das eigentlich?«

»Nur so.«

»Nun, wir sind nicht wegen Johnny Bible hier, oder? Wir sind hier, um über Uncle Joe zu reden.«

»Von mir aus sofort, Sir.«

»Na, dann kommen Sie. Mal sehen, ob wir in diesem Schuppen zwei freie Stühle auftreiben können.«

Am Ende hielten sie ihre Besprechung im Stehen auf dem Korridor ab, mit Kaffee, den sie sich aus dem Automaten geholt hatten.

»Wissen wir, womit er sie erdrosselt?«, fragte Rebus.

Ancrams Augen wurden groß. »Immer noch Johnny Bible?« Er seufzte. »Was immer es ist, es hinterlässt keinen allzu brauchbaren Eindruck. Die jüngste Theorie ist ein Stück Wäscheleine; Sie wissen schon, die Nylondinger mit Gummiummantelung. Die Labore haben um die zweihundert verschiedenen Möglichkeiten getestet; vom Hanfseil bis hin zu Gitarrensaiten so ziemlich alles.«

»Was denken Sie über die Souvenirs?«

»Ich meine, wir sollten damit an die Öffentlichkeit gehen. Ich weiß, solange wir die Informationen zurückhalten, können wir Spinner, die mit falschen Geständnissen ankommen, schneller aussieben. Aber ich glaube wirklich, dass es besser wäre, die Öffentlichkeit um Mithilfe zu bitten. Diese Halskette – ich denke, nichts könnte unverwechselbarer sein. Wenn irgendjemand sie gefunden oder gesehen hat... Bingo.«

»Sie haben doch auch einen Hellseher auf den Fall angesetzt, stimmt's?«

Ancram wirkte plötzlich ärgerlich. »Nicht ich persönlich, irgendein Arschloch von weiter oben. Es war ein bloßer Zeitungsgag, aber die hohen Tiere sind darauf abgefahren.«

»Hat nichts gebracht?«

»Wir haben ihm gesagt, wir bräuchten erst eine Demonstration seines Könnens, er sollte den Sieger im Zwei-Uhr-fünfzehn-Rennen in Ayr vorhersagen.«

Rebus lachte. »Und?«

»Er sagte, er könnte die Buchstaben S und P sehen und einen Jockey in Pink mit gelben Punkten.«

»Das ist beachtlich.«

»Das Problem ist bloß, dass es in Ayr gar kein Zwei-Uhr-fünfzehn-Rennen *gab*, noch übrigens sonstwo. Dieser ganze Hokuspokus und Profilerquatsch; reine Zeitvergeudung, wenn Sie mich fragen.«

»Dann haben Sie also nichts in der Hand?«

»Nicht viel. Kein Speichel am Tatort, nicht mal ein Haar. Der Dreckskerl benutzt einen Pariser und nimmt ihn wieder mit, einschließlich der Verpackungsfolie. Wir haben ein paar Gewebefasern von einem Jackett oder was in der Art, die Untersuchungen laufen noch.« Ancram führte seinen Becher an die Lippen und pustete. »Was ist nun, Inspector, wollen Sie was über Uncle Joe hören, ja oder nein?«

»Deshalb bin ich hier.«

»Mir kommen langsam Zweifel.« Als Rebus die Achseln zuckte, holte Ancram tief Luft. »Okay, dann hören Sie zu. Er kontrolliert einen Großteil der ›Muskelarbeit‹ in der Stadt – und das meine ich auch ganz wörtlich; er ist an mehreren Bodybuildingstudios beteiligt. Überhaupt ist er an so ziemlich allem beteiligt, was auch nur entfernt zweifelhaft riecht: Geldverleih, Schutzgelderpressung, Straßenstrich, Wetten.«

»Drogen?«

»Vielleicht. Bei Uncle Joe gibt's jede Menge Vielleichts. Das werden Sie selbst feststellen, wenn Sie die Akten lesen. Er ist so aalglatt wie eine thailändische Badenutte – ein paar Massagesalons hat er nämlich auch. Dann gehört ihm ein großer Teil der Taxis, die von der Sorte, die das Taxameter nicht einschalten, wenn man einsteigt; oder falls doch, ist der Meilentarif nach oben verstellt. Die Fahrer sind durchweg arbeitslos gemeldet, kriegen Stütze. Wir haben etliche von ihnen angesprochen, aber die sagen nicht *ein* Wort gegen Uncle Joe. Das Problem ist, wenn das Sozialamt anfängt, nach Leistungsschnorrern zu schnüffeln, bekommen die Fahnder umgehend einen Brief. Darin steht haargenau aufgelistet, wo sie wohnen, wie der jeweilige Ehepartner heißt und wo er während des Tages jeweils anzutreffen ist, wie die Kinder heißen, in welche Schule sie gehen…«

»Alles klar.«

»Also stellen sie den Antrag, in eine andere Abteilung versetzt zu werden, und in der Zwischenzeit lassen sie sich wegen Einschlafproblemen krankschreiben.«

»Okay, Uncle Joe ist also nicht Glasgows Mann des Jahres. Wo wohnt er?«

Ancram leerte seinen Becher. »Das ist ein besonders hübsches Detail. Er wohnt in einem Haus, das mit öffentlichen Mitteln gebaut wurde. Aber vergessen Sie nicht: Verlagsmogul Robert Maxwell war auch so ein Nutznießer des sozialen Wohnungsbaus. Sie müssten den Schuppen einmal sehen.«

»Habe ich auch vor.«

Ancram schüttelte den Kopf. »Er wird nicht mit Ihnen reden, man wird Sie gar nicht erst reinlassen.«

»Wetten, dass doch?«

Ancram kniff die Augen leicht zusammen. »Sie klingen ziemlich selbstsicher.«

Jack Morton ging an ihnen vorbei und verdrehte dabei die Augen: eine Stellungnahme zum Leben im Allgemeinen. Er kramte in seinen Taschen nach Kleingeld. Während er darauf wartete, dass der Automat seinen Becher füllte, wandte er sich zu ihnen.

»Chick, in der Lobby?«

Ancram nickte. »Um eins?«

»Gebongt.«

»Irgendwelche Mitarbeiter?«, fragte Rebus. Er stellte fest, dass Ancram ihn immer noch nicht aufgefordert hatte, ihn bei seinem Spitznamen zu nennen.

»Oh, davon hat er jede Menge. Seine Leibwächter sind Bodybuilder, handverlesen. Dann hat er noch ein paar Verrückte, richtige Psychopathen. Die Bodybuilder mögen gefährlich aussehen, aber diese anderen *sind* gefährlich. Es gab Tony El, Plastiktütenlieferant mit einer Schwäche für Elektrowerkzeuge. Uncle Joe hat immer noch ein, zwei von seiner Sorte. Und dann gibt's Joes Sohn, Malky.«

»Mr. Stanley Messer?«

»Von *diesem* speziellen Hobby können sämtliche Notaufnahmen von Glasgow ein Lied singen.«

»Tony El hat sich aber in letzter Zeit nicht blicken lassen?«

Ancram schüttelte den Kopf. »Aber ich hab Ihretwegen meine Spitzel ausgeschickt; ich müsste im Lauf des Tages Rückmeldung erhalten.«

Drei Männer stießen die zweiflügelige Tür am Ende des Gangs auf.

»Sieh da, sieh da«, sagte Ancram mit gedämpfter Stimme, »der Mann mit den Kristallnüssen.«

Rebus erkannte einen der Männer von einem Foto in einer Illustrierten her wieder: Es war Aldous Zane, der amerikanische Hellseher. Er hatte der Polizei irgendeiner Stadt in den USA bei der Fahndung nach Merry Mac geholfen, so genannt, weil jemand, der – ohne zu ahnen, was auf der anderen Seite der Mauer geschah – zufällig am Schauplatz eines seiner Morde vorbeigekommen war, ein tiefes gurgelndes Lachen gehört hatte. Zane hatte seine übersinnlichen Eindrücke vom Wohnort des Mörders geschildert. Als die Polizei den »Lustigen Mac« endlich festnahm, wiesen die Medien darauf hin, dass der Ort eine verblüffende Ähnlichkeit mit der von Zane gelieferten Beschreibung aufwies.

Ein paar Wochen lang war Zane überall auf der Welt in den Medien. Das genügte, um ein schottisches Boulevardblatt auf die Idee zu bringen, ihm ein Honorar zu zahlen, damit er seine parapsychologische Sicht des Johnny-Bible-Falls zum Besten gab. Und die Polizeibonzen waren verzweifelt genug gewesen, um ihre Kooperation anzubieten.

»Morgen, Chick«, sagte einer der anderen Männer.

»Morgen, Terry.«

»Terry« sah Rebus an und wartete darauf, mit ihm bekannt gemacht zu werden.

»DI John Rebus«, sagte Ancram. »DCS Thompson.«

Der Detective Chief Superintendent reichte Rebus die Hand. Er war Freimaurer, wie jeder zweite Bulle. Rebus gehörte nicht zur Bruderschaft, hatte aber gelernt, den Handschlag zu imitieren.

Thompson wandte sich zu Ancram. »Wir begleiten Mr. Zane in die Asservatenkammer, damit er sich noch einmal einige Beweisstücke ansehen kann.«

»Nicht nur ansehen«, korrigierte ihn Zane. »Ich muss sie berühren.«

Thompsons linkes Auge zuckte. Offensichtlich war er ebenso skeptisch wie Ancram. »Richtig, also, hier lang, Mr. Zane.«

Die drei Männer entfernten sich.

»Wer war der Schweigsame?«, fragte Rebus.

Ancram zuckte die Achseln. »Zanes Kindermädchen, er ist von der Zeitung. Die wollen bei allem dabei sein, was Zane tut und sagt.«

Rebus nickte. »Ich kenne ihn«, sagte er. »Beziehungsweise kannte ihn, vor Jahren.«

»Ich glaube, er heißt Stevens.«

»Jim Stevens«, sagte Rebus, noch immer nickend. »Übrigens, es gibt noch einen Unterschied zwischen den zwei Mördern.«

»Und zwar?«

»Bible Johns Opfer hatten alle ihre Regel.«

Man ließ Rebus allein an einem Schreibtisch mit dem vorhandenen Material über Joseph Toal. Viel mehr, als er inzwischen schon wusste, erfuhr er dadurch nicht – außer dass

Uncle Joe Gerichtsgebäude selten von innen zu sehen bekam. Das gab Rebus zu denken. Toal schien immer zu wissen, wann die Polizei ihn oder seine Transaktionen unter Beobachtung stellte, wann die Kacke am Dampfen war. So kam es, dass die Beamten nie irgendwelche Beweise fanden oder auch nur Indizien, die eine Verhaftung gerechtfertigt hätten. Ein paar Geldstrafen, mehr war insgesamt nicht zusammengekommen. Man hatte mehrere Großoffensiven gestartet, aber sie waren alle im Sand verlaufen – sei es aus Mangel an Beweisen, sei es, weil die Überwachung aufflog. Als hätte Uncle Joe einen eigenen Hellseher gehabt. Aber Rebus wusste, dass es eine wahrscheinlichere Erklärung gab: Jemand vom CID lieferte dem Gangster Informationen. Rebus dachte an die schicken Anzüge, die hier jeder zu tragen schien, an die teuren Uhren und Schuhe, an die allgemeine Atmosphäre von Wohlstand und Überlegenheit.

Aber das war Westküstendreck – sollten die ihn doch selbst auf oder unter den Teppich kehren. Gegen Ende der Akte fand Rebus eine handschriftliche Notiz; er nahm an, dass sie von Ancram stammte: »Uncle Joe braucht keine Leute mehr umzubringen. Sein Ruf ist eine ausreichende Waffe, und der Dreckskerl wird immer mächtiger.«

Er fand ein gerade unbesetztes Telefon, rief das Barlinnie-Gefängnis an und vertrat sich dann, da von Chick Ancram nichts zu sehen war, ein bisschen die Beine. Die führten ihn, wie nicht anders erwartet, wieder in den modrig riechenden Raum, über den das alte Ungeheuer regierte, Bible John. In Glasgow redeten die Leute noch immer über ihn, und zwar nicht erst, seit Johnny Bible aufgetaucht war. Bible John war das Fleisch gewordene Märchenmonster, die Gruselgeschichte einer ganzen Generation. Er war der unheimliche Nachbar von nebenan; der unauffällige Mann, der zwei Treppen über einem wohnte; er war der Paketkurier mit dem fensterlosen Lieferwagen. Er war alles, was einem in den

Kram passte. Anfang der Siebzigerjahre hatten Eltern ihren Kindern gesagt: »Wenn du nicht brav bist, holt dich Bible John!«

Das Fleisch gewordene Märchenmonster, das sich jetzt fortgepflanzt hatte.

Die Dienst tuenden Detectives schienen alle gleichzeitig beschlossen zu haben, sich eine Pause zu gönnen. Rebus war allein im Zimmer. Er ließ die Tür offen, ohne selbst so recht zu wissen, warum, und versenkte sich in die Akten. Fünfzigtausend Aussagen waren aufgenommen worden. Rebus blätterte die Zeitungsausschnitte durch und las ein paar Schlagzeilen: »Der Dance-Hall-Don-Juan mit Blut an den Händen«; »Hundert Tage Jagd auf den Ladykiller«. Im ersten Jahr der Fahndung waren über fünftausend Verdächtige vernommen und ausgeschieden worden. Als die Schwester des dritten Opfers ihre detaillierte Aussage zu Protokoll gab, wusste die Polizei Folgendes über den Mörder: blaugraue Augen; Zähne ebenmäßig, außer oben rechts, wo sich einer vor seinen Nachbarn schob; seine bevorzugte Zigarettenmarke war Embassy; er erzählte von einem strengen Elternhaus, und er zitierte aus der Bibel. Aber da war es schon zu spät. Bible John war in der Versenkung verschwunden.

Ein weiterer Unterschied zwischen Bible John und Johnny Bible: die Intervalle zwischen den Morden. Johnny tötete alle paar Wochen, während Bible John keinem erkennbaren – nach Wochen oder selbst nach Monaten zu bemessenden – Rhythmus gefolgt war. Sein erstes Opfer hatte er sich im Februar 1968 geholt. Es folgte eine Pause von fast achtzehn Monaten – dann, August 1969, Opfer Nummer zwei. Und zweieinhalb Monate später sein dritter und letzter Jagdausflug. Opfer eins und drei waren in einer Donnerstagnacht getötet worden, das zweite Opfer an einem Sonnabend. Achtzehn Monate waren eine verdammt lange Pause. Rebus kannte die diesbezüglichen Theorien: dass er sich in der Zwischenzeit in Übersee aufgehalten habe, vielleicht als Seemann auf einem Frachter, vielleicht als Angehöriger der Kriegsmarine oder auf irgendeinem Stützpunkt des Heeres oder der Royal Air Force; dass er wegen irgendeiner eher geringfügigen Straftat im Gefängnis gesessen hatte. Aber eben nur Theorien, eine wie die andere. Alle Opfer waren Mütter gewesen; von Johnny Bibles Opfern bislang noch keines. War es von Bedeutung, dass Bible Johns Opfer alle gerade menstruiert oder dass sie Kinder hatten? Seinem dritten Opfer hatte er eine Monatsbinde in die Achselhöhle gesteckt – eine rituelle Handlung. In diese Handlung hatten die an dem Fall beteiligten Psychologen eine Menge hineingelesen. Ihre Theorie: Die Bibel erklärte Bible John, dass Frauen Huren waren, und die Bestätigung dafür erhielt er jedes Mal, wenn eine verheiratete Frau ein Tanzlokal mit ihm verließ. Die Tatsache, dass sie ihre Regel hatte, machte ihn irgendwie wütend, stachelte seine Blutgier an, also tötete er sie.

Rebus wusste, dass etliche Leute keinen anderen Zusammenhang zwischen den drei Morden sahen als gewisse äußerliche Übereinstimmungen. Sie gingen von drei verschiedenen Tätern aus, und es stimmte schon, dass alle Parallelen, die die Morde aufwiesen, rein zufälliger Natur sein konnten. Rebus, ganz allgemein kein großer Anhänger von Zufallstheorien, glaubte weiterhin an einen einzigen, zwanghaft tötenden Killer.

Bei den Ermittlungen hatten einige hervorragende Polizisten mitgewirkt: Tom Goodall, der Mann, der Jimmy Boyle gejagt hatte und bei Peter Manuels Geständnis dabeigewesen war. Dann, als Goodall starb, waren Elphinstone Dalgliesh und Joe Beattie dazugestoßen. Beattie hatte stundenlang Fotos von Verdächtigen angestarrt, manchmal sogar durch ein Vergrößerungsglas. Er war davon überzeugt gewesen, dass er Bible John, wenn er in einen Raum voller

Menschen getreten wäre, sofort erkannt hätte. Bei manchen Beamten war der Fall zu einer regelrechten Obsession geworden, und sie waren immer tiefer abgerutscht. So viel Arbeit investiert, und keinerlei Resultat. Es machte sie, ihre Methoden, ihr ganzes System lächerlich. Er dachte wieder an Lawson Geddes …

Rebus hob die Augen und bemerkte, dass er von der Tür aus beobachtet wurde. Als die zwei Männer eintraten, stand er auf.

Aldous Zane, Jim Stevens.

»Was gefunden?«, fragte Rebus.

Stevens zuckte die Schultern. »Wir sind erst noch am Anfang. Aldous hatte ein paar Ideen.« Er reichte Rebus die Hand, lächelte. »Sie erinnern sich doch an mich?« Rebus nickte. »Vorhin auf dem Korridor war ich mir nicht sicher.«

»Ich dachte, Sie wären in London.«

»Ich bin seit drei Jahren zurück. Jetzt arbeite ich hauptsächlich als Freier.«

»Und schieben Wachdienst, wie ich sehe.«

Rebus warf Aldous Zane einen Blick zu, aber der Amerikaner hatte nicht zugehört. Er bewegte die Handflächen über die Akten auf dem Schreibtisch, der ihm am nächsten stand. Er war ein kleiner, schmächtiger Mann mittleren Alters. Er trug eine Nickelbrille mit blau getönten Gläsern, und seine leicht geöffneten Lippen ließen kleine, schmale Zähne erkennen. Er erinnerte Rebus ein bisschen an Peter Sellers in der Rolle des Dr. Seltsam. Über dem Jackett trug er eine dünne Nylon-Windjacke, die bei jeder seiner Bewegungen raschelte.

»Was ist das?«, fragte er.

»Bible John. Johnny Bibles Vorfahr. In seinem Fall wurde ebenfalls ein Hellseher hinzugezogen, Gérard Croiset.«

»Der *Paragnost*«, sagte Zane ruhig. »Konnte er der Polizei helfen?«

»Er beschrieb einen bestimmten Ort, zwei Ladenbesitzer, einen alten Mann, der sachdienliche Hinweise liefern könnte.«

»Und?«

»Und«, unterbrach Jim Stevens, »ein Reporter fand eine Stelle, die mit der Beschreibung übereinzustimmen schien.«

»Aber keine Ladenbesitzer«, fügte Rebus hinzu, »und kein alter Mann.«

Zane sah auf. »Zynismus bringt niemanden weiter.«

»Sagen wir, ich bin Par-Agnostiker.«

Zane lächelte und reichte Rebus die Hand. Als Rebus sie ergriff, spürte er eine unglaubliche Wärme. Ein Kribbeln lief ihm den Arm hinauf.

»Unheimlich, nicht?«, sagte Jim Stevens, als könnte er Rebus' Gedanken lesen.

Rebus deutete mit einer ausholenden Geste auf das Material auf den vier Schreibtischen. »Also, Mr. Zane, *spüren* Sie irgendetwas?«

»Nur Trauer und Leiden, ziemlich viel von beidem.« Er nahm eines der neueren Phantombilder Bible Johns in die Hand. »Und ich meinte, Fahnen zu sehen.«

»Fahnen?«

»Das Sternenbanner, eine Hakenkreuzfahne. Und einen Schrankkoffer voller Dinge ...« Er hatte die Augen geschlossen, seine Lider flatterten. »Auf dem Dachboden eines modernen Hauses.« Die Augen öffneten sich. »Das ist alles. Es liegt in weiter Ferne, in weiter Ferne.«

Stevens hatte seinen Notizblock gezückt. Er stenographierte rasch mit. Jetzt stand jemand anderes in der Tür und sah die Versammlung überrascht an.

»Inspector«, sagte Chick Ancram, »Zeit zum Lunch.«

Sie nahmen einen Dienstwagen und fuhren ins Westend; Ancram saß am Steuer. Er schien irgendwie verändert, gab

sich Rebus gegenüber interessierter und zugleich misstrau-
ischer. Ihre Konversation entwickelte sich allmählich zu
einem Schlagabtausch.

Schließlich zeigte Ancram auf einen gestreiften Pylonen,
der die einzige noch vorhandene Parklücke an der Straße
versperrte.

»Räumen Sie das Ding doch eben mal beiseite, ja?«

Rebus stieg aus und stellte den Plastikkegel auf den Bürgersteig. Ancram parkte zentimetergenau ein.

»Sieht so aus, als hätten Sie Übung darin.«

Ancram zog den Schlips gerade. »Kundenparkplatz.«

Sie betraten das Lokal. Die »Lobby« war eine trendige Bar
mit vielen hohen, unbequem aussehenden Barhockern,
schwarz-weiß gekachelten Wänden und von der Decke her-
abhängenden Elektro- und akustischen Gitarren.

Hinter dem Tresen gab eine Schiefertafel die Angebote
des Tages bekannt. Drei Angestellte bemühten sich, den
mittäglichen Andrang zu bewältigen; mehr Parfüm als Alkohol in der Luft. Büromädchen, die mit schrillen Stimmen
den Lärmteppich der Musik übertönten und sich an knall-
bunten Drinks festhielten; gelegentlich in Begleitung von
ein, zwei Männern – lächelnd, schweigend, älter. Sie trugen
Anzüge, die förmlich »Management« schrien: die Chefs der
Girls. Auf den Tischen sah man mehr Handys und Pager als
Gläser; selbst die Bedienungen schienen damit bestückt zu
sein.

»Was nehmen Sie?«

»Starkbier, großes.«

»Zu essen?«

Rebus überflog die Speisekarte. »Gibt's irgendwas mit
Fleisch?«

»Wildpastete.«

Rebus nickte. Sie standen erst in zweiter Reihe vor dem
Tresen, aber Ancram gelang es, die Aufmerksamkeit eines

Barkeepers zu erregen. Er stellte sich auf die Zehenspitzen und brüllte über die Front von gestylten Mädchenköpfen hinweg seine Bestellung. Die Mädchen drehten sich um und sahen ihn feindselig an: Er hatte sich vorgedrängelt.

»Alles klar, Ladys?«, grinste Ancram aggressiv. Sie wandten sich wieder ab.

Er führte Rebus in eine abgelegene Ecke der Bar, wo ein Tisch unter der Last vegetarischer Kost ächzte: Salate, Quiche, Guacamole. Rebus besorgte sich einen Stuhl; für Ancram stand schon einer bereit. Am Tisch saßen drei CID-Beamte, kein einziger mit einem Pint-Glas vor sich. Ancram übernahm die Vorstellung.

»Jack kennen Sie ja schon.« Jack Morton nickte und kaute weiter an seiner Pitta. »Das sind DS Andy Lennox und DI Billy Eggleston.« Eher an ihrem Essen interessiert, gaben die zwei Männer einen knappen Gruß von sich. Rebus sah sich um.

»Wo bleiben die Getränke?«

»Geduld, Mann, Geduld. Da kommen sie schon.«

Der Barkeeper näherte sich mit einem Tablett: Rebus' Bier und Wildpastete; Ancrams Räucherlachssalat und Gin Tonic.

»Zwölf Pfund zehn«, sagte der Barkeeper. Ancram gab ihm drei Fünfer und sagte, er könne den Rest behalten. Er prostete Rebus zu.

»Auf uns.«

»Wer ist wie wir?«, fügte Rebus hinzu.

»Herzlich wenige«, vollendete Jack Morton den traditionellen Trinkspruch, »und die sind alle tot«, und hob seinerseits ein Glas, dessen Inhalt allerdings verdächtig nach Wasser aussah. Sie tranken, machten sich dann wieder ans Essen und tauschten dabei den neuesten Revierklatsch aus. Einer der benachbarten Tische war mit Büromädchen bestückt; Lennox und Eggleston versuchten immer wieder mal, sie in die Unterhaltung einzubeziehen. Die Mädchen ließen sich von ihrem eigenen Klatsch nicht ablenken. Kleider, dachte Rebus philosophisch, machen eben doch nicht unbedingt Leute. Er fühlte sich beengt, unbehaglich. Auf dem Tisch war nicht genug Platz; sein Stuhl stand zu dicht neben Ancrams; die Musik traktierte ihn wie einen Sandsack.

»Und, was haben Sie in Sachen Uncle Joe jetzt vor?«, fragte Ancram schließlich.

Rebus kaute an einem Stück Pastete herum. Die anderen schienen auf seine Antwort zu warten.

»Ich denke, ich werde ihm im Lauf des Tages einen Besuch abstatten.«

Ancram lachte. »Sagen Sie mir rechtzeitig, ob Sie's ernst meinen, dann leihen wir Ihnen ein paar Panzerfahrzeuge.« Die anderen lachten ebenfalls und widmeten sich wieder ihren Tellern. Rebus fragte sich, wie viel von Uncle Joes Geld beim Glasgower CID im Umlauf sein mochte.

»John und ich«, sagte Jack Morton dann, »haben im Fall ›Gordon Kleve‹ zusammengearbeitet.«

»Wirklich?« Ancram machte ein interessiertes Gesicht.

Rebus schüttelte den Kopf. »Uralte Geschichte.«

Morton bemerkte den Ton seiner Stimme, beugte sich über seinen Teller, griff nach seinem Wasser.

Uralte Geschichte und viel, viel zu schmerzlich.

»Apropos alte Geschichten«, meinte Ancram. »Sie scheinen ja ein bisschen Ärger mit dem Spaven-Fall zu haben.« Er lächelte verschmitzt. »Ich hab in den Zeitungen darüber gelesen.«

»Ist alles bloß Publicity für die Fernsehsendung«, war Rebus' einziger Kommentar.

»Wir haben mit den NZVs da schon mehr Probleme, Chick«, sagte Eggleston. Er war groß, hager, steif und erinnerte Rebus an einen Buchhalter; er hätte wetten können, dass er am Schreibtisch ein Könner war, auf der Straße jedoch eine Null; jedes Revier brauchte wenigstens einen von der Sorte.

»Die sind eine Seuche«, zischte Lennox.

»Ein gesellschaftliches Problem, meine Herren«, erklärte Ancram, »womit sie auch unser Problem sind.«

»NZVs?«

Ancram wandte sich zu Rebus. »Nicht zu Vermittelnde.‹ Die Stadt hat in letzter Zeit eine Menge ›Problemkunden‹ ausgelagert, weigert sich, sie in Heimen unterzubringen, nicht mal in die Nachtasyle werden sie noch reingelassen: Junkies größtenteils, Fixer, ›psychisch Gestörte‹, die jetzt in die Gesellschaft wiedereingegliedert werden sollen. Nur dass die Gesellschaft denen klar macht, dass sie sich schleunigst wieder verpissen sollen. Also sitzen sie auf der Straße, treiben Unfug, machen uns Ärger. Dröhnen sich in aller Öffentlichkeit zu, spritzen sich Temazepam, bis sie umkippen, et cetera pp.«

»Eine beschissene Schande«, steuerte Lennox bei. Er hatte krauses, karottenfarbenes Haar und knallrote Wangen, ein völlig mit Sommersprossen übersätes Gesicht und helle Wimpern und Augenbrauen. Er war der Einzige, der am Tisch rauchte. Rebus steckte sich ebenfalls eine an: Jack Morton warf ihm einen vorwurfsvollen Blick zu.

»Was können Sie also tun?«, fragte Rebus.

»Ich werd's Ihnen verraten«, erwiderte Ancram. »Nächstes Wochenende treiben wir sie zusammen, packen sie alle in ein paar Dutzend Busse, und dann setzen wir die ganze Bagage auf der Princes Street ab.«

Mehr Gelächter auf Kosten des Besuchers – unter Ancrams Führung. Rebus sah auf seine Uhr.

»Müssen Sie noch irgendwohin?«

»Ja, und ich sollte mich auf die Socken machen.«

»Schön, aber hören Sie«, sagte Ancram, »wenn Sie *wirklich*

in Uncle Joes bescheidene Hütte eingelassen werden, will ich das wissen. Ich werde heute Abend hier sein, von sieben bis zehn. Okay?«

Rebus nickte, verabschiedete sich mit einem unbestimmten Winken und verließ das Lokal.

Kaum war er draußen, fühlte er sich besser. Er marschierte los, ohne genau zu wissen, in welche Richtung. Das Stadtzentrum war nach amerikanischem Muster angelegt, ein Raster von Einbahnstraßen. Edinburgh mochte seine Monumente haben, aber Glasgow besaß so monumentale Ausmaße, dass die Hauptstadt dagegen wie Legoland wirkte. Rebus ging weiter, bis er eine Bar sah, die eher seinem Stil zu entsprechen schien. Er wusste, dass er für den Ausflug, den er vor sich hatte, noch einiges tanken musste. Ein Fernseher lief, aber leise; keine Musik. Und was an Gesprächen zu hören war, klang gedämpft, unaufdringlich. Die zwei Männer, die neben ihm standen, redeten in einem so breiten Dialekt, dass er nicht ein Wort verstand. Die einzige Frau im Lokal stand hinter dem Tresen.

»Was soll's sein?«

»Grouse, einen doppelten. Und eine halbe Flasche zum Mitnehmen.«

Während er eine Spur Wasser ins Glas gab, überlegte er sich, dass es, wenn er hier ein paar Pasteten gegessen und ein paar Whiskeys getrunken hätte, nicht halb so teuer geworden wäre wie in der Lobby. Doch andererseits hatte in der Lobby ja Ancram bezahlt; drei brandneue Fünfer aus der Tasche eines Schickimickianzugs.

»Nur ein Coke, bitte.«

Rebus drehte sich nach dem neuen Gast um: Jack Morton.

»Sie folgen mir?«

Morton lächelte. »Sie sehen angeschlagen aus, John.«

»Und Sie und Ihre Kumpel sehen zu gut aus.«

»Ich bin nicht käuflich.«

»Nein? Wer dann?«

»Kommen Sie schon, John, das sollte nur ein Witz sein.« Morton setzte sich neben ihn. »Ich hab das mit Lawson Geddes gehört. Heißt das, dass die Aufregung sich jetzt legen wird?«

»Schön wär's.« Rebus leerte sein Glas. »Gucken Sie sich das an«, sagte er und zeigte auf einen Automaten, der an der Ecke des Tresens stand. »Gummibärchenspender, zwanzig Pence pro Ladung. Zwei Dinge, für die wir Schotten berühmt sind, Jack: unsere Vorliebe für Süßkram und unser Alkoholkonsum.«

»Es gibt noch zwei Dinge, für die wir berühmt sind«, bemerkte Morton.

»Was?«

»Die Augen vor den Problemen verschließen und ständig Schuldgefühle haben.«

»Sie meinen den Calvinismus?« Rebus schmunzelte. »Himmel, Jack, ich dachte, der einzige Calvin, den Sie heute noch kennen, sei Mr. Klein.«

Jack Morton starrte ihn unverwandt an, zwang ihn, seinen Blick zu erwidern. »Nennen Sie mir einen anderen Grund, warum ein Mann sich gehen lassen sollte.«

Rebus schnaubte. »Wie viel Zeit haben Sie?«

»So viel, wie nötig sein wird.«

»Nicht annähernd genug, Jack. Hier, trinken Sie was Richtiges.«

»Das hier ist was Richtiges. Das Zeug, das Sie trinken, ist eigentlich gar kein Getränk.«

»Was dann?«

»Eine Vorbehaltsklausel.«

Jack sagte, er würde Rebus nach Barlinnie fahren, und fragte nicht, warum er da hinwollte. Nach Riddrie, wo sich das Gefängnis befand, nahmen sie die M8; Jack kannte sämtliche Routen. Während der Fahrt redeten sie nicht viel, bis Jack die Frage stellte, die die ganze Zeit im Raum geschwebt hatte.

»Wie geht's Sammy?«

Sammy war Rebus' mittlerweile erwachsene Tochter. Jack hatte sie seit fast zehn Jahren nicht mehr gesehen.

»Gut.« Rebus hatte einen Themawechsel schon parat. »Ich hab das Gefühl, dass Ancram mich nicht besonders mag. Er ... *mustert* mich ständig.«

»Er ist ein schlauer Fuchs, seien Sie besser nett zu ihm.«

»Irgendwelche bestimmten Gründe?«

Jack Morton schluckte eine Antwort hinunter, schüttelte den Kopf. Sie bogen von der Cumbernauld Road ab, näherten sich dem Gefängnis.

»Hören Sie«, sagte Jack, »ich kann nicht warten. Sagen Sie, wie lang Sie brauchen werden, und ich schick Ihnen einen Streifenwagen raus.«

»Eine Stunde sollte genügen.«

Jack Morton sah auf seine Uhr. »Also in einer Stunde.« Er streckte die Hand aus. »Schön, Sie wiederzusehen, John.«

Rebus erwiderte den Händedruck, fest.

6

»Big Ger« Cafferty wartete schon im Vernehmungsraum.

»Strawman, na, das ist ja eine unerwartete Freude.«

Strawman: Caffertys Spitzname für Rebus. Der Gefängniswärter, der Rebus begleitet hatte, schien nicht vorzuhaben, wieder zu gehen, und es befanden sich schon zwei Wärter im Raum, die Cafferty im Auge behielten. Er war schon einmal aus Barlinnie ausgebrochen, und jetzt, wo sie ihn wiederhatten, waren sie fest entschlossen, ihn dazubehalten.

»Hallo, Cafferty.« Rebus nahm ihm gegenüber Platz. Cafferty war im Gefängnis gealtert, hatte seine Sonnenbräune und einiges von seinen Muskeln eingebüßt, dafür an sämtlichen falschen Stellen zugenommen. Sein Haar hatte sich gelichtet und sah schon ziemlich grau aus. Kinn und Wangen bedeckten Stoppeln. »Ich hab Ihnen was mitgebracht.« Er schaute die Wärter an und zog die halbe Flasche aus der Jacketttasche.

»Nicht erlaubt!«, bellte ein Wärter.

»Kein Problem, Strawman«, sagte Cafferty. »Ich hab jede Menge Stoff, wir schwimmen hier praktisch in dem Zeug. Aber was zählt, ist die Absicht, oder?«

Rebus ließ die Flasche wieder in seine Tasche gleiten.

»Sie wollen mich um einen Gefallen bitten?«

»Ja.«

Cafferty schlug entspannt die Beine übereinander. »Worum geht's?«

»Sie kennen Joseph Toal?«

»Jeder kennt Uncle Joe.«

»Ja, aber Sie *kennen* ihn.«

»Und?« Caffertys Lächeln hatte etwas Lauerndes.

»Ich möchte, dass Sie ihn anrufen und ihn dazu bringen, mit mir zu reden.«

Cafferty ließ sich die Bitte durch den Kopf gehen. »Warum?«

»Ich möchte ihn wegen Anthony Kane was fragen.«

»Tony El? Ich dachte, der wär tot.«

»Er hat am Schauplatz eines Mordes in Niddrie seine Abdrücke hinterlassen.« Egal, was der Chef sagte, Rebus behandelte die Sache als Mord. Und er wusste, dass das Wort einen größeren Eindruck auf Cafferty machen würde. So war es auch. Er stieß einen Pfiff aus.

»Das war dumm von ihm. So dumm war Tony El früher nicht. Und sollte er noch immer für Uncle Joe arbeiten…

könnt's Knies geben.« Rebus wusste, dass in Caffertys Kopf allerlei Verbindungen einrasteten, die allesamt zu dem Resultat führten, dass Joseph Toal zu seinem Nachbarn in Barlinnie werden würde. Cafferty hatte genügend Gründe, Toal in seiner Reichweite haben zu wollen: alte Rechnungen, unbezahlte Schulden, Revierstreitigkeiten. Es gab immer alte Rechnungen zu begleichen. Cafferty gelangte zu einer Entscheidung.

»Dann müssen Sie mir ein Telefon besorgen.«

Rebus stand auf, ging zu dem Wärter, der »Nicht erlaubt« gekläfft hatte, und steckte ihm die Whiskeyflasche in die Tasche.

»Wir müssen ihm ein Telefon besorgen«, sagte er.

Sie nahmen Cafferty in die Mitte und eskortierten ihn mehrere Korridore entlang, bis sie ein Münztelefon erreichten. Unterwegs hatten sie drei Gittertore passiert.

»So fast-draußen wie jetzt bin ich 'ne ganze Weile nicht mehr gewesen«, scherzte Cafferty.

Die Wärter verzogen keine Miene. Rebus spendierte das Geld für den Anruf.

»So«, sagte Cafferty, »mal sehen, ob ich die Nummer noch zusammenkriege…« Er zwinkerte Rebus zu, tippte sieben Zahlen ein, wartete.

»Hallo?«, sagte er. »Wer spricht da?« Er wartete auf den Namen. »Nie von dir gehört. Sag Uncle Joe, dass Big Ger ihn sprechen will. Sag ihm nur das.« Er wartete, warf Rebus einen Blick zu, leckte sich die Lippen. »Er sagt was? Sag ihm, ich ruf aus der Bar-L an, und die Knete ist knapp.«

Rebus steckte eine weitere Münze in den Schlitz.

»Na gut«, fuhr Cafferty fort, allmählich sauer, »dann sag ihm, er hat 'ne Tätowierung auf dem Rücken.« Er legte die Hand auf die Sprechmuschel. »Was Uncle Joe nicht gerade an die große Glocke hängt.«

Rebus hielt das Ohr so dicht wie möglich an die Hörmuschel und vernahm eine dumpfe, heisere Stimme.

»Morris Gerald Cafferty, bist du das? Ich dachte, jemand wollte mich verarschen.«

»Hallo, Uncle Joe. Wie laufen die Geschäfte?«

»Geht so. Wer hört alles mit?«

»Bei der letzten Zählung waren's drei Affen und ein Bulle.«

»Du warst schon immer scharf auf Publikum, das war dein Problem.«

»Weiser Hinweis, Uncle Joe, kommt leider ein paar Jährchen zu spät.«

»Also, was wollen die?« Die: Rebus der Bulle und die drei Wärter-Affen.

»Der Bulle ist vom CID Edinburgh, er möchte vorbeikommen und sich mit dir unterhalten.«

»Worüber?«

»Tony El.«

»Was gibt's da zu sagen? Tony arbeitet schon seit einem Jahr nicht mehr für mich.«

»Dann sag eben *das* dem netten Polizisten. Tony scheint wieder mit seinen Mätzchen angefangen zu haben. Die haben 'ne Leiche in Edinburgh und Tonys Abdrücke am Tatort.«

Ein tiefes Knurren.

»Hast'n Hund da, Uncle Joe?«

»Sag dem Bullen, dass ich mit Tony nix zu tun habe.«

»Ich glaube, das möcht er gern selbst von dir hören.«

»Dann gib ihn mir.«

Cafferty sah Rebus an, aber der schüttelte den Kopf.

»Und er möchte dir in die Augen sehen, während du's ihm sagst.«

»Ist er 'ne Schwuchtel oder was?«

»Er ist von der alten Schule, Uncle Joe. Er wird dir gefallen.«

»Warum ist er damit zu dir?«

»Ich bin eben seine letzte Hoffnung.«

»Und warum zum Teufel hast du dich breitschlagen lassen?«

Cafferty antwortete wie aus der Pistole geschossen. »Halbe Flasche *usquebaugh*.«

»Herrgott, die Bar-L muss ja trockener sein, als ich dachte.« Die Stimme schon weniger rau.

»Schick mir 'ne ganze Flasche, und ich sag ihm, er soll sich ins Knie ficken.«

Ein krächzendes Lachen. »Scheiße, Cafferty, du fehlst mir. Wie viel noch abzureißen?«

»Frag meine Anwälte.«

»Mischst du noch mit?«

»Was glaubst du?«

»Hab ich jedenfalls gehört.«

»Dein Gehör funktioniert einwandfrei.«

»Schick den Mistkerl vorbei, sag ihm, er kriegt fünf Minuten. Vielleicht komm ich dich demnächst besuchen.«

»Besser nicht, Uncle Joe, wenn die Besuchszeit vorbei ist, könnten die den Schlüssel verlegt haben.«

Wieder Gelächter. Die Verbindung wurde unterbrochen. Cafferty legte auf.

»Sie sind mir was schuldig, Strawman«, knurrte er, »und jetzt will *ich* was von *Ihnen*: Buchten Sie den alten Dreckskerl ein.«

Aber Rebus entfernte sich schon.

Der Wagen erwartete ihn; Morton hatte Wort gehalten. Rebus nannte die Adresse, die er sich aus der Toal-Akte eingeprägt hatte. Er saß im Fond, vorn zwei von der Trachtengruppe. Der Beifahrer drehte sich nach hinten um.

»Ist das nicht da, wo Uncle Joe wohnt?«

Rebus nickte. Die Trachtengruppler tauschten einen Blick.

»Fahren Sie mich einfach hin«, befahl Rebus.

Auf den Straßen war viel los, alle wollten nach Hause. Gummi-Glasgow dehnte sich nach sämtlichen Himmelsrichtungen aus. Die Siedlung, die sie schließlich erreichten, sah nicht viel anders aus als eine vergleichbar große Siedlung in Edinburgh: grauer Kieselrauputz, kahle Spielplätze, Asphalt, ein paar stark gesicherte Geschäfte. Kids auf Fahrrädern, die stehen blieben, um den vorbeifahrenden Streifenwagen zu beobachten, scharfäugig wie Wachposten; Kinderwagen, hastig geschoben von unförmigen Müttern mit blondiertem Haar. Und langsam tiefer in die Siedlung hinein: Leute, die aus ihren Fenstern glotzten, Männer an Straßenecken, gemurmelte Gesprächsfetzen. Eine Stadt für sich, einförmig und entnervend, ausgelaugt, nichts mehr übrig als Starrsinn: an einer Giebelwand die Worte NO SURRENDER, »Keine Kapitulation«, ein Slogan aus dem protestantischen Ulster, der hier ebenso sehr seine Gültigkeit hatte.

»Werden Sie erwartet?«, fragte der Fahrer.

»Ja.«

»Na, wenigstens etwas.«

»Sind sonst noch Streifenwagen in der Gegend?«

Der Beifahrer lachte nervös. »Das hier ist Grenzland, Sir. Das sorgt selbst für Ruhe und Ordnung.«

»Wenn Sie sein Geld hätten«, fragte der Fahrer, »würden Sie dann hier wohnen?«

»Er ist hier geboren«, antwortete Rebus. »Und ich vermute, sein Haus ist schon was Besonderes.«

»Was Besonderes?« Der Fahrer schnaubte verächtlich. »Na, dann sehen Sie selbst.«

Er brachte den Wagen an der Mündung einer Sackgasse zum Stehen. Am anderen Ende erkannte Rebus zwei identische aneinander gebaute Häuser, die sich in einer einzigen Hinsicht von ihren Nachbarn unterschieden: Sie waren mit Steinplatten verkleidet.

»Eins von den beiden?«, erkundigte sich Rebus.

»Sie haben die Wahl.«

Rebus stieg aus, streckte dann wieder den Kopf hinein.
»Wagen Sie es ja nicht wegzufahren.« Er knallte die Tür zu
und ging zum Ende der Sackgasse. Er entschied sich für die
linke Doppelhaushälfte. Die Tür öffnete sich, und ein Hüne
von Mann in einem eng anliegenden T-Shirt ließ ihn ein.

»Sind Sie der Polyp?« Sie standen in einer schmalen Diele. Rebus nickte. »Da lang.«

Rebus öffnete die Tür zum Wohnzimmer und stutzte. Die
Verbindungswand zwischen den zwei Haushälften hatte
man eingerissen, so dass ein doppelt so großer, durchge-
hender Wohnbereich entstanden war. Der Raum dehnte
sich außerdem weiter nach hinten aus. Rebus fühlte sich an
Dr. Whos Tardis-Maschine erinnert, und da sich sonst niemand im Zimmer befand, ging er nach hinten durch. An das
ursprüngliche Haus war ein großer Anbau angefügt worden, dazu noch ein ansehnlicher Wintergarten. Eigentlich
hätte es kaum noch Platz für einen Garten geben dürfen,
aber der Rasen war mehr als großzügig bemessen. Das
Grundstück grenzte im hinteren Teil an einen Sportplatz,
und Rebus sah, dass Uncle Joe einen Teil davon für sich ab-
gezwackt hatte.

Eine amtliche Genehmigung hätte es dafür natürlich nie
gegeben. Aber wer benötigte schon eine amtliche Genehmigung?

»Ich hoffe, Sie brauchen sich die Ohren nicht zu putzen«,
sagte eine Stimme. Rebus drehte sich um und erblickte einen kleinen, gebeugten Mann, der in der einen Hand eine
Zigarette hielt, während er sich mit der anderen auf einen
Gehstock stützte. Er schlurfte in Pantoffeln zu einem ram-
ponierten Sessel, ließ sich hineinfallen, legte die Hände auf
die schmuddeligen Spitzendeckchen und den Gehstock quer
über den Schoß.

Rebus kannte Fotos von dem Mann, aber auf die Wirklichkeit hatten sie ihn nicht vorbereitet. Joseph Toal sah *wirklich* wie jemandes Onkel aus. Er war in den Siebzigern, stämmig und hatte die Hände und das Gesicht eines ehemaligen Bergarbeiters. Seine Stirn sah aus wie ein Waschbrett aus fleischigen Falten, und sein schütteres graues Haar war zurückgekämmt und mit Brillantine angeklatscht. Er hatte einen kantigen Unterkiefer und wässrige Augen. Seine Brille hing an einer Schnur vor seiner Brust. Als er die Zigarette an die Lippen führte, bemerkte Rebus nikotingelbe Finger mit schwärzlich eingewachsenen Nägeln. Er trug eine unförmige Strickjacke über einem gleichermaßen unförmigen Sporthemd. Die Strickjacke war geflickt und teilweise ausgefranst. Seine ausgebeulte braune Hose hatte Schmutzflecken an den Knien.

»Meine Ohren sind in Ordnung«, sagte Rebus, während er auf ihn zuging.

»Gut, denn ich werd's nur einmal sagen.« Er schniefte, um seine Atmung zu beruhigen. »Anthony Kane hat zwölf, dreizehn Jahre lang für mich gearbeitet, nicht durchgängig – immer nur Einzelaufträge. Vor einem Jahr aber, vielleicht ein bisschen drüber, sagte er, dass er sich selbstständig machen wollte. Wir haben uns in bestem Einvernehmen getrennt. Ich habe ihn seitdem nicht mehr gesehen.«

Rebus deutete auf einen Sessel. Toal gab ihm mit einem Nicken zu verstehen, dass er sich setzen dürfe. Rebus machte es sich in aller Ruhe bequem.

»Mr. Toal –«

»Jeder nennt mich Uncle Joe.«

»Wie Onkelchen Stalin?«

»Glauben Sie, der Witz wär neu, mein Sohn? Stellen Sie Ihre Frage.«

»Was wollte Tony machen, wenn er nicht mehr für Sie arbeiten würde?«

117

»Er hat's mir nicht verraten. Unser Abschiedsgespräch war ... kurz und schmerzlos.«

Rebus nickte. Er dachte: Ich hatte früher einen Onkel, der dir ziemlich ähnlich sah; ich kann mich nicht mal mehr erinnern, wie er hieß.

»Also, wenn das alles ist ...« Toal machte demonstrativ Anstalten aufzustehen.

»Erinnern Sie sich an Bible John, Uncle Joe?«

Toal zog die Augenbrauen zusammen: Er verstand die Frage, aber nicht, worauf sie abzielte. Er streckte die Hand nach einem Aschenbecher aus, der neben seinem Sessel auf dem Boden stand, und drückte seine Zigarette darin aus. »Ich erinnere mich sehr gut. Hunderte von Bullen auf der Straße, das war schlecht fürs Geschäft. Wir haben hundertprozentig kooperiert, monatelang habe ich Männer dazu abgestellt, dass sie das Arschloch jagten. *Monatelang!* Und jetzt kreuzt dieser neue Mistkerl auf.«

»Johnny Bible?«

Auf sich deutend: »Ich bin Geschäftsmann. Unschuldige abschlachten find ich zum Kotzen. Ich habe alle meine Taxifahrer –«, er hielt inne, »ich bin an einem hiesigen Taxiunternehmen beteiligt und habe jedem einzelnen Fahrer eingeschärft: Halt Augen und Ohren offen!« Er atmete heftig. »Wenn ich irgendetwas erfahre, wird's umgehend an die Bullen weitergeleitet.«

»Das nenne ich Gemeinsinn.«

Toal zuckte die Achseln. »Das Gemeinwesen ist meine Kundschaft.« Eine weitere Pause, ein weiteres Stirnrunzeln. »Was hat das alles mit Tony El zu tun?«

»Nichts.« Toal wirkte nicht überzeugt. »Sagen wir, nur am Rande. Darf ich rauchen?«

»Sie bleiben nicht lang genug, um was davon zu haben.«

Rebus steckte sich trotzdem eine an und blieb sitzen. »Wo ist Tony El hin?«

»Er hat mir keine Ansichtskarte geschickt.«

»Eine ungefähre Ahnung werden Sie doch haben.«

Toal dachte nach, was sicher unnötig war. »Irgendwo nach Süden, glaube ich. Vielleicht nach London. Er hatte Freunde dort.«

»London?«

Toal mied Rebus' Blick und schüttelte den Kopf. »Ich hab gehört, dass er nach Süden gefahren ist.«

Rebus stand auf.

»Sie müssen schon?« Toal hatte anscheinend Mühe, auf die Beine zu kommen, und nahm den Gehstock zu Hilfe. »Und wir fingen doch gerade erst an, uns kennen zu lernen. Wie ist Edinburgh heutzutage denn so? Wissen Sie, was wir früher immer sagten? Pelzmantel und keine Büx, das ist Edinburgh.« Ein bellendes Lachen ging in einen bellenden Husten über. Toal klammerte sich mit beiden Händen an den Stock, seine Knie knickten fast ein.

Rebus wartete, bis er ausgehustet hatte. Das Gesicht des alten Mannes war bräunlich rot und glänzte vor Schweiß. »Mag schon sein«, sagte er, »aber hier in der Gegend sehe ich nicht allzu viele Pelzmäntel, von Büxen ganz zu schweigen.«

Toals Gesicht verzerrte sich zu einem Grinsen, das ein gelbes Kunstgebiss entblößte. »Cafferty meinte, Sie würden mir gefallen, und wissen Sie was?«

»Was?«

Das Grinsen wich einem finsteren Blick. »Er hat sich getäuscht. Und jetzt, wo ich Sie gesehen habe, frage ich mich mehr denn je, warum er Sie hergeschickt hat. Wegen einer halben Flasche jedenfalls nicht, so billig ist nicht mal Cafferty zu haben. Sie sollten zusehen, dass Sie wieder nach Edinburgh kommen, Jungchen. Und passen Sie auf sich auf, es soll da auch nicht mehr so ungefährlich sein wie früher.«

Rebus beschloss, das Haus durch die andere Tür zu verlassen, und durchquerte die Breite des Wohnzimmers. Neben der Haustür führte eine Treppe nach oben. Jemand kam gerade heruntergepoltert und stieß um ein Haar mit ihm zusammen. Ein großer, massiger, schlecht gekleideter Mann mit einem nicht allzu intelligenten Gesicht und tätowierten Armen: schottische Disteln und Dudelsackbläser. Er mochte um die fünfundzwanzig sein, und Rebus erkannte ihn von den Fotos in der Akte wieder: »Mad« Malky Toal alias »Stanley«. Joseph Toals Frau war bei seiner Geburt gestorben – eigentlich schon zu alt, um Kinder zu bekommen. Aber ihre ersten zwei hatte sie bereits verloren, eines noch als Säugling, das andere bei einem Autounfall. Womit jetzt nur noch Stanley übrig blieb: Kronprinz und ganz am Ende der Schlange, als die IQs verteilt worden waren.

Er warf Rebus einen langen, hasserfüllten Blick zu und ging dann zu seinem Vater weiter. Er trug eine Nadelstreifenhose und ein T-Shirt, dazu weiße Tennissocken und Turnschuhe – Rebus hatte noch keinen Gangster getroffen, der gewusst hätte, wie man sich kleidet: Die Kerle warfen mit Geld nur so um sich, aber hatten keinen Geschmack, und in seinem Gesicht prangten ein halbes Dutzend nicht ganz kleine Warzen.

»Hey, Pa, ich hab meine Schlüssel für den BMW verloren, wo ist der Ersatzbund?«

Rebus öffnete die Tür und stellte zu seiner Erleichterung fest, dass der Streifenwagen noch dastand. Jungs umkreisten ihn auf Fahrrädern wie ein Schwarm skalplüsterner Tscherokesen. Im Vorbeigehen musterte Rebus die Autos, die in der Sackgasse parkten: ein schöner neuer Rover; ein 3er BMW; ein älterer Mercedes, einer von den großen; und ein paar weniger ernst zu nehmende Konkurrenten. Wenn das der Warenbestand eines Gebrauchtwagenhändlers gewesen wäre, hätte er sein Geld behalten und sich woanders umgesehen.

Er quetschte sich zwischen zwei Fahrrädern hindurch, öffnete die hintere Tür und stieg ein. Der Fahrer ließ den Wagen an. Rebus drehte sich um und bemerkte Stanley, der federnden Schritts auf den BMW zuging.

»Bevor wir losfahren«, sagte der auf dem Beifahrersitz, »haben Sie auch nachgezählt, ob Sie noch sämtliche Finger und Zehen haben?«

»Westend«, sagte Rebus, lehnte sich zurück und schloss die Augen. Er brauchte noch einen Drink.

Zuerst in die Horseshoe Bar, kurze Whiskeyinfusion, dann wieder raus und ein Taxi angehalten. Er nannte dem Fahrer die Adresse: Battlefield, Langside Place. Von dem Augenblick an, als er das Bible-John-Zimmer betreten hatte, wusste er, dass er dorthin fahren würde. Er hätte sich von der Streife hinbringen lassen können, aber ihm stand nicht der Sinn danach, Erklärungen abzugeben.

Am Langside Place hatte Bible Johns erstes Opfer gewohnt. Sie war Krankenschwester gewesen, hatte bei ihren Eltern gelebt. Ihr Vater passte auf ihren kleinen Sohn auf, wenn sie tanzen ging. Rebus wusste, dass sie an dem Abend eigentlich in den Majestic Ballroom gewollt, sich aber dann auf dem Weg dorthin für das Barrowland entschieden hatte. Wenn sie nur bei ihrer ersten Wahl geblieben wäre … Welche Macht hatte sie zum Barrowland getrieben? Konnte man sie einfach Schicksal nennen und es dabei bewenden lassen?

Er bat den Fahrer zu warten, stieg aus und ging die Straße auf und ab. Ihre Leiche war ganz in der Nähe gefunden worden, außerhalb einer Autowerkstatt auf der Carmichael Lane, ohne Kleider und Handtasche. Die Polizei hatte lange, aber letztlich erfolglos nach den Sachen gefahndet, sich auch alle Mühe gegeben, andere Gäste des Barrowland ausfindig zu machen, um vielleicht Sachdienliches zu erfahren, doch da gab es ein Problem: Am Donnerstag fand in dem

Tanzlokal der berüchtigte »Abend ab fünfundzwanzig« statt, der eine Menge verheiratete Männer und Frauen anlockte, die Ehepartner und Trauringe zu Hause ließen. Viele Gäste hätten gar nicht da sein dürfen und machten entsprechend nutzlose Zeugenaussagen.

Der Motor des Taxis lief noch – und ebenso das Taxameter. Rebus wusste nicht, was er da eigentlich zu finden gehofft hatte, war aber trotzdem froh, hergekommen zu sein. Es war schwer, sich in der Straße das Jahr 1968 vorzustellen, sich in die damalige Zeit hineinzuversetzen. Alles hatte sich verändert.

Er kannte auch die andere Adresse: Mackeith Street, wo das zweite Opfer wohnte und starb. Da gab es noch so eine Merkwürdigkeit bei Bible John: Er hatte seine Opfer bis ganz in die Nähe ihrer Wohnung begleitet – entweder ein Zeichen von Selbstsicherheit oder Unentschlossenheit. Im August 1969 waren die Ermittlungen im ersten Fall schon fast ganz im Sand verlaufen, und das Barrowland machte wieder gute Geschäfte. Es war ein Samstagabend, und das Opfer ließ ihre drei Kinder bei ihrer Schwester, die auf derselben Etage wohnte. Damals bestand die Mackeith Street aus Mietskasernen, aber als das Taxi jetzt sein Ziel erreichte, sah Rebus Reihenhäuser und Satellitenschüsseln. Die Mietskasernen waren seit langem verschwunden; schon 1969 hatten sie, viele von ihnen bereits unbewohnt, auf den Abriss gewartet. Man hatte sie in einem der leer stehenden Gebäude entdeckt, mit ihrer eigenen Strumpfhose erdrosselt. Ein paar ihrer Dinge, darunter die Handtasche, waren nicht aufzufinden gewesen. Rebus stieg diesmal nicht aus; er sah keinen Sinn darin. Der Fahrer drehte sich zu ihm um.

»Bible John, stimmt's?«

Rebus nickte überrascht. Der Fahrer steckte sich eine Zigarette an. Er mochte um die fünfzig sein, dichtes, lockiges graues Haar, gesunde Gesichtsfarbe, ein jungenhaftes Blitzen in den blauen Augen.

»Ich war nämlich schon damals Taxifahrer«, sagte er. »Und bin wohl nie davon weggekommen.«

Rebus erinnerte sich an den Aktenordner mit der Aufschrift »Taxiunternehmen«. »Wurden Sie damals von der Polizei befragt?«

»Klar doch, aber es ging mehr darum, dass wir die Augen offen halten sollten, für den Fall, dass der bei uns einstieg. Aber der sah ja völlig x-beliebig aus, da hätten Dutzende auf die Beschreibung gepasst. Ein paar Leute wären fast gelyncht worden. Einigen mussten die so eine Karte mitgeben: ›Dieser Mann ist nicht Bible John‹, mit der Unterschrift vom Polizeichef.«

»Was glauben Sie, was aus ihm geworden ist?«

»Keine Ahnung. Wenigstens hat er aufgehört, das ist ja die Hauptsache, oder?«

»*Falls* er aufgehört hat«, sagte Rebus leise. Die dritte Adresse war Earl Street in Scotstoun, wo die Frau in der Halloweennacht aufgefunden wurde. Die Schwester hatte den ganzen Abend mit dem Opfer verbracht und konnte einen entsprechend detaillierten Bericht zu Protokoll geben: mit dem Bus zum Glasgow Cross, zu Fuß die Gallowgate entlang… die Schaufenster, die sie sich angeguckt hatten… ein paar Drinks in der Traders' Tavern… dann das Barrowland. Sie hatten beide Männer namens John kennen gelernt. Die zwei Typen waren sich wohl nicht sonderlich sympathisch gewesen. Der eine ging allein zur Bushaltestelle, der andere blieb und teilte sich mit ihnen ein Taxi. Redete. Rebus zerbrach sich darüber den Kopf, wie es so viele andere vor ihm getan hatten: Warum hatte Bible John eine so wichtige Zeugin nicht aus dem Weg geräumt? Warum hatte er sein drittes Opfer getötet, obwohl er doch wusste, dass die Schwester imstande sein würde, ihn genau zu beschreiben: seine Kleidung, wovon er geredet hatte, die zwei auffälligen schiefen Schneidezähne? Warum war er so leichtsinnig gewesen? Machte er sich über die Polizei lustig, oder gab es einen anderen Grund? Vielleicht stand er unmittelbar davor, Glasgow zu verlassen, und konnte sich deswegen diesen sorglosen Abgang leisten. Aber wohin war er dann gefahren? Irgendwohin, wo seine Beschreibung wertlos sein würde: nach Australien, Kanada, in die USA?

Auf halbem Weg zur Earl Street sagte Rebus, er habe seine Meinung geändert, und ließ sich stattdessen zur »Marine« fahren. Das ehemalige Dienstgebäude des Polizeireviers Partick – das das Herz der Ermittlungen im Bible-John-Fall gewesen war – stand leer und verkam. Man konnte noch immer hinein, wenn man die Vorhängeschlösser öffnete, und Jugendliche hatten wahrscheinlich schon festgestellt, dass nicht einmal das unbedingt nötig war. Rebus aber begnügte sich damit, vor dem Gebäude zu sitzen und darauf zu starren. Eine Menge Männer waren zur Marine gebracht, vernommen und vorgeführt worden. Es hatten fünfhundert formelle und noch weit mehr informelle Gegenüberstellungen stattgefunden. Joe Beattie und die Schwester des dritten Opfers standen da und konzentrierten sich auf Gesichter, Gestalten, Stimmen. Dann ein Kopfschütteln, und Joe konnte wieder bei null anfangen.

»Als Nächstes wollen Sie wohl das Barrowland sehen, stimmt's?«, sagte sein Fahrer. Rebus schüttelte den Kopf. Es reichte ihm. Das Barrowland würde ihm nichts verraten, was er nicht schon wusste.

»Kennen Sie eine Bar, die The Lobby heißt?«, fragte er stattdessen. Der Fahrer nickte. »Dann fahren wir da hin.«

Er bezahlte den Taxifahrer, gab ihm noch einen Fünfer Trinkgeld und bat um eine Quittung.

»Keine Quittung, Kumpel, tut mir Leid.«

»Sie arbeiten nicht zufällig für Joe Toal, was?«

Der Mann funkelte ihn an. »Nie von dem gehört.« Dann legte er den Gang ein und brauste davon.

Ancram stand am Tresen der Lobby und erweckte den Eindruck, als genieße er die viele Aufmerksamkeit, die ihm zuteil wurde: Zwei Männer und zwei Frauen drängten sich förmlich um ihn. Die Bar war voll von feierabendlich relaxenden Anzugträgern, Pläne schmiedenden Karrieristen, Frauen auf der Pirsch.

»Was soll's sein, Inspector?«

»Das geht auf mich.« Er deutete auf Ancrams Glas, dann auf die anderen, aber Ancram lachte.

»Denen gibt man keinen aus, das sind Zeitungsleute.«

»Ist sowieso meine Runde«, meinte eine der Frauen. »Was nehmen Sie?«

»Meine Mutter hat mir eingeschärft, niemals Drinks von Fremden anzunehmen.«

Sie lächelte: Lipgloss, Lidschatten, ein müdes Gesicht, das Begeisterung auszustrahlen versuchte. »Jennifer Drysdale.« Rebus wusste, warum sie müde war: Es bedeutete Knochenarbeit, ständig so zu tun, als wäre man »einer von den Jungs«. Mairie Henderson hatte ihm ein Lied davon gesungen – die Geschlechterrollen weichten nur langsam auf; viel Gewäsch von Gleichberechtigung, aber darunter blieb alles beim Alten.

Aus den Lautsprechern Jeff Beck: »Hi-Ho Silver Lining«. Dämlicher Text und ein Ohrwurm, der sich schon mehr als zwanzig Jahre lang hielt. Es tröstete ihn irgendwie, dass ein so prätentiöser Laden wie die Lobby noch immer auf so alte Kamellen setzte.

»Eigentlich«, sagte Ancram, »müssten wir uns auf die Socken machen. Stimmt's, John?«

»Stimmt.« Dass er ihn beim Vornamen anredete, war ein Wink: Ancram wollte weg.

Jetzt sahen die Reporter nicht mehr so glücklich aus. Sie

bombardierten Ancram mit Fragen: Johnny Bible. Sie wollten eine Story, eine beliebige Story.

»Ich würd ja, wenn ich könnte, aber es gibt nichts zu erzählen.« Ancram hielt die Hände hoch, versuchte das Quartett zu beschwichtigen. Rebus sah, dass jemand einen Minirecorder auf dem Tresen postiert hatte.

»Irgendetwas«, meinte einer der Männer. Er warf sogar Rebus einen Blick zu, aber der hielt sich aus der Sache raus.

»Wenn Sie eine Story wollen«, sagte Ancram und drängte sich aus dem Getümmel, »suchen Sie sich einen hellseherisch begabten Detective. Danke für die Drinks.«

Kaum draußen, verschwand das Lächeln aus Ancrams Gesicht. Es war alles nur Theater gewesen. »Schlimmer als Blutegel!«

»Und wie Blutegel haben auch sie ihren Nutzen.«

»Richtig, aber mit wem würden Sie lieber einen heben? Ich hab kein Auto, was dagegen, wenn wir laufen?«

»Wohin?«

»In die nächste Bar, die wir finden.«

Tatsächlich mussten sie aber drei Pubs passieren – keine Lokale, in denen ein Polizist gefahrlos trinken konnte –, bevor sie eines fanden, das Ancram zusagte. Es regnete noch immer, aber es war mild. Rebus spürte, dass das Hemd ihm am verschwitzten Rücken klebte. Trotz des Regens waren haufenweise *Big-Issue*-Verkäufer unterwegs; allerdings sah man niemanden, der ihnen die Obdachlosenzeitung abgekauft hätte: allgemeine Mitleidsmüdigkeit.

Sie schüttelten sich trocken und setzten sich an den Tresen. Rebus bestellte – Malt und Gin Tonic – und steckte sich eine Zigarette an; als er Ancram eine anbot, schüttelte der den Kopf.

»Also, wo sind Sie gewesen?«

»Bei Uncle Joe.« Unter anderem.

»Wie ist es gelaufen?«

»Ich hab mit ihm geredet.« Und meinen Kotau gemacht...

»Persönlich?« Rebus nickte; Ancram sah ihn prüfend an. »Wo?«

»Bei ihm zu Haus.«

»Auf der Ponderosa? Er hat Sie ohne Durchsuchungsbefehl reingelassen?«

»Das Haus war blütenrein.«

»Er hatte vorher wahrscheinlich eine halbe Stunde lang geackert, um die ganze Sore nach oben zu schaffen.«

»Als ich kam, war sein Sohn oben.«

»Und hielt vor der Schlafzimmertür Wache, jede Wette. Haben Sie Eve gesehen?«

»Wer ist das?«

»Uncle Joes Tussi. Fallen Sie bloß nicht auf seine Asthmatischer-alter-Rentner-Masche rein. Eve ist um die fünfzig, noch bestens in Schuss.«

»Ich hab sie nicht gesehen.«

»Sie hätten sie nicht vergessen. Und, haben Sie aus dem tatterigen Arschloch was rausbekommen?«

»Nicht viel. Er schwört, dass Tony El seit einem Jahr nicht mehr auf seiner Gehaltsliste steht und er ihn seitdem auch nicht wiedergesehen hat.«

Ein Mann betrat die Bar, sah Ancram und wollte auf der Stelle kehrtmachen. Ancram hatte ihn aber schon im Spiegel hinter dem Tresen entdeckt, also kam der Mann auf ihn zu, während er sich den Regen aus den Haaren wischte.

»Hi, Chick.«

»Dusty, wie läuft's?«

»Geht so.«

»Alles klar?«

»Sie kennen mich, Chick.« Der Mann hielt den Kopf gesenkt, sprach mit leiser Stimme, schlurfte dann zum anderen Ende des Tresens.

»Ein Bekannter«, erklärte Ancram – ein Spitzel also. Der Mann bestellte ein »Halb und Halb«: Whiskey mit einem halben Pint Dunkelbier zum Nachspülen. Er öffnete ein Päckchen Embassy und vermied es ein bisschen zu auffällig, nicht herüberzuschauen.

»War das also alles, was Uncle Joe Ihnen erzählt hat?«, fragte Ancram. »Eins würde mich interessieren: Wie sind Sie an ihn rangekommen?«

»Ein Streifenwagen hat mich abgesetzt. Das letzte Stück bin ich gelaufen.«

»Sie wissen, was ich meine.«

»Uncle Joe und ich haben einen gemeinsamen Freund.« Rebus leerte seinen Malt.

»Noch mal das Gleiche?«, fragte Ancram. Rebus nickte. »Na ja, ich weiß, dass Sie in der Bar-L waren.« Jack Morton hatte *geplaudert*? »Und mir fallen nicht allzu viele Leute ein, deren Wort bei Uncle Joe was gilt … Big Ger Cafferty?« Rebus spendete lautlos Beifall. Diesmal war Ancrams Lachen echt, keine Show für Reporter. »Und die alte Drecksau hat Ihnen nichts gesagt?«

»Nur dass er glaubte, Tony El sei nach Süden gezogen, vielleicht nach London.«

Ancram fischte die Zitrone aus seinem Drink und legte sie beiseite. »Wirklich? Das ist interessant.«

»Warum?«

»Weil meine Freunde mir Bericht erstattet haben.« Ancram bewegte kaum merklich den Kopf, und schon glitt am anderen Ende des Tresens der Spitzel von seinem Barhocker und kam auf sie zu. »Erzähl Inspector Rebus, was du mir erzählt hast, Dusty.«

Dusty leckte sich die nicht vorhandenen Lippen. Er sah wie die Sorte Spitzel aus, die es nicht bloß aus Geldgier oder Rachsucht tut, sondern auch, um sich wichtig zu fühlen.

»Es heißt«, sagte er und hielt weiterhin den Kopf gesenkt,

so dass Rebus ihm auf den Scheitel sah, »dass Tony El in letzter Zeit im Norden gearbeitet hat.«

»Norden?«

»Dundee... Nordosten.«

»Aberdeen?«

»Die Ecke, ja.«

»Als was?«

Ein schnelles Achselzucken. »Freier Unternehmer, wer weiß. Man hat ihn einfach da gesehen.«

»Danke, Dusty«, sagte Ancram. Dusty verzog sich wieder an das Ende des Tresens. Ancram gab der Bardame ein Zeichen. »Noch zwei«, sagte er, »und für Dusty, was er will.« Er wandte sich zu Rebus. »Wem glauben Sie nun, Uncle Joe oder Dusty?«

»Sie glauben, er hat gelogen, nur um mich aufzuziehen?«

»Oder runterzuziehen.«

Ja, ganz runter, bis nach London – eine falsche Fährte, die die Ermittlungen hätte behindern können: vergeudete Zeit, Arbeitskraft, Mühe.

»Das Opfer hatte draußen vor Aberdeen gearbeitet«, sagte Rebus.

»Wohin alle Wege führen.« Die Drinks kamen. Ancram zückte einen Zwanziger. »Behalten Sie den Rest, ziehen Sie davon alles ab, was Dusty noch trinkt, und geben Sie ihm am Ende, was übrig bleibt. Und noch einen für Sie.«

Sie nickte, kannte das Spiel. Rebus dachte konzentriert nach: mögliche Routen nach Norden. Wollte er nach Aberdeen? Das hätte ihm das *Justice Programme* erspart, ihn vielleicht davon abgehalten, an Lawson Geddes zu denken. Der heutige Tag war in der Hinsicht wie Urlaub gewesen. In Edinburgh gab's zu viele Gespenster; aber in Glasgow schließlich auch: Jim Stevens, Jack Morton, Bible John und dessen Opfer...

»Hat Jack Ihnen erzählt, dass ich in der Bar-L war?«

»Nehmen Sie es ihm nicht krumm, ich hab den Vorgesetzten rausgekehrt.«

»Er hat sich ganz schön verändert.«

»Hat er Sie genervt? Ich hatte mich schon gefragt, warum er Ihnen heute Mittag nachgestiefelt ist. Der Eifer des Bekehrten.«

»Kapier ich nicht.« Rebus hob das Glas an die Lippen, ließ den samtweichen Inhalt durch die Kehle rinnen.

»Hat er's nicht erzählt? Er ist in die AA eingetreten, und ich meine damit nicht die Pannenhilfe.« Ancram hielt inne. »Obwohl, wenn ich's mir recht überlege, vielleicht doch.« Er zwinkerte, lächelte. Sein Lächeln hatte etwas Unangenehmes; es suggerierte, dass er in gewisse Geheimnisse eingeweiht war – ein gönnerhaftes Lächeln.

Ein echt Glasgower Lächeln.

»Er war Alkoholiker«, fuhr Ancram fort. »Ich meine, er ist immer noch einer. Einmal Alki, immer Alki, so heißt es bei denen ja. In Falkirk ist was mit ihm schief gelaufen, er landete im Krankenhaus, fast im Koma. Schweißausbrüche, großes Kotzen, Schleim, der von der Zimmerdecke runtertropfte. Hat ihm eine Scheißangst eingejagt. Kaum war er draußen, hat er als Erstes die Nummer der Telefonseelsorge rausgesucht, und die haben ihn an die Schnapskirche weitervermittelt.« Er sah auf Rebus' Glas. »Herrgott, das war flott. Hier, nehmen Sie noch eins.« Die Bardame hatte schon ein Glas parat.

»Danke, gern«, sagte Rebus und wünschte sich, er wäre nicht so ruhig. »Da Sie ja die Taschen voll Geld zu haben scheinen. Und einen hübschen Anzug dazu.«

Ancrams Blick wurde schlagartig ernst. »Es gibt einen Schneider auf der Argyle Street, Polizeibeamte kriegen da zehn Prozent Nachlass.« Die Augen verengten sich. »Spucken Sie's schon aus.«

»Nein, es ist eigentlich nichts, mir ist nur beim Durchlesen der Akte aufgefallen, dass Toal immer gut informiert zu sein schien.«

»Vorsicht, Jungchen.«

Das »Jungchen« wurmte; war auch so beabsichtigt.

»Na ja«, fuhr Rebus fort, »jeder weiß, dass die Westküste gern die Hand aufhält. Muss sich natürlich nicht immer um Bargeld handeln. Könnten auch Uhren sein, Panzerarmbänder, Ringe, vielleicht sogar ein paar Anzüge …«

Ancram sah sich in der Bar um, als rufe er alle zu Zeugen von Rebus' Äußerungen an.

»Wären Sie auch gewillt, Namen zu nennen, *Inspector*, oder begnügt man sich beim CID Edinburgh mit Hörensagen? Nach dem, was *ich* so höre, muss man in Fettes alte Akten in den Gängen stapeln, weil der Keller schon gestopft voll von Leichen ist.« Er hob sein Glas. »Und die Hälfte dieser Leichen scheint von oben bis unten mit *Ihren* Fingerabdrücken bedeckt zu sein.«

Wieder dieses Lächeln, blitzende Augen, Lachfältchen. *Woher wusste er davon?* Rebus wandte sich zur Tür. Ancrams Stimme folgte ihm bis nach draußen.

»Es kann schließlich nicht jeder Freunde in Barlinnie haben! Bis demnächst, Inspector.«

7

Aberdeen.

Aberdeen bedeutete weit weg von Edinburgh; kein *Justice Programme*, kein Fort Apache, keine Scheiße, in die er reinschlittern konnte. Aberdeen war verlockend.

Aber Rebus hatte in Edinburgh zu tun. Er wollte den Tatort bei Tageslicht sehen. Also fuhr er hin, aber ohne seinen Saab zu riskieren; den ließ er in Fort Apache stehen und nahm dafür den Escort, der gerade frei war. Jim MacAskill hatte ihn auf den Fall angesetzt, weil er noch nicht lang genug da arbeitete, um sich Feinde gemacht zu haben; Rebus fragte sich jetzt, ob man in Niddrie überhaupt jemals Freunde fand. Das Viertel wirkte bei Tag noch trostloser: zugemauerte Fenster, Glasscherben wie Granatsplitter auf dem Asphalt, lustlos in der Sonne spielende Kinder, deren Augen sich zu Schlitzen verengten, als sein Auto vorüberfuhr.

Ein großer Teil der Siedlung war abgerissen worden; dahinter sah es etwas besser aus, Reihenhäuser. Satellitenschüsseln als Statussymbol; der Status von deren Eigentümern: arbeitslos. Die Siedlung besaß ein verfallenes Pub – für die Feuerversicherung abgefackelt – und einen Allzweckladen mit einem Schaufenster voller Videoposter. Letzteren hatten die Kids zu ihrem Stützpunkt erkoren. Bubblegumblasende BMX-Banditen. Rebus fuhr langsam an ihnen vorüber, ohne sie aus den Augen zu lassen. Die Todeswohnung befand sich nicht direkt am Rand der Siedlung, war von der Niddrie Mains Road aus nicht gleich zu sehen. Rebus überlegte: Tony El kam nicht aus dieser Gegend, und wenn er die Wohnung zufällig ausgewählt hätte, warum dann nicht näher an der Hauptstraße, wo genügend andere Gebäude halb leer standen?

Zwei Männer plus das Opfer. Tony El und ein Komplize.

Der Komplize kannte sich hier aus.

Rebus stieg die Treppe hinauf. Die Wohnung war versiegelt worden, aber er hatte Schlüssel zu beiden Vorhängeschlössern. Das Wohnzimmer unverändert, auf den Kopf gestellter Tisch, Decke. Er fragte sich, wer da geschlafen haben mochte; vielleicht hatte er etwas mitbekommen. Er rechnete sich seine Chancen, den Betreffenden zu finden, mit eins zu hundert aus; ihn zum Reden zu bringen, noch etwas schlechter. Küche, Bad, zwei Schlafzimmer, Flur. Er hielt sich dicht an den Wänden, um nicht auf dem Fußboden einzubrechen. Der Häuserblock war völlig unbewohnt, aber im nächsten Block hatten zwei Fenster noch Scheiben: eins im ersten, eins im zweiten Stock. Rebus klopfte an die erste Tür. Eine schlampig aussehende Frau, der ein Säugling am Hals hing, öffnete. Er brauchte sich nicht vorzustellen.

»Ich weiß von nix, und ich hab nix gesehen oder gehört.« Sie machte Anstalten, die Tür zu schließen.

»Verheiratet?«

Sie zog die Tür wieder auf. »Was geht Sie das an?«

Rebus zuckte die Schultern; gute Frage.

»Er ist höchstwahrscheinlich in der Kneipe«, sagte sie.

»Wie viele Kinder haben Sie?«

»Drei.«

»Muss ganz schön eng sein.«

»Das sagen wir denen ja ständig. Aber die meinen bloß, unser Name steht auf der Warteliste.«

»Wie alt ist Ihr Ältester?«

Ihre Augen verengten sich. »Elf.«

»Irgendeine Chance, dass er was gesehen hat?«

Sie schüttelte den Kopf. »Er hätt's mir erzählt.«

»Und Ihr Mann?«

Sie lächelte. »Er hätte alles gleich *zweimal* gesehen.«

Rebus lächelte ebenfalls. »Schön, wenn Sie etwas hören sollten... von den Kindern oder Ihrem Mann...«

»Ja, klar.« Langsam, um nicht unhöflich zu erscheinen, drückte sie ihm die Tür vor der Nase zu.

Rebus stieg die nächste Treppe hinauf. Hundescheiße auf dem Absatz, ein gebrauchtes Kondom: Er bemühte sich, keine Verbindung zwischen den beiden Dingen herzustellen. Filzstift-Graffiti auf der Tür: Wichser, HMFC (Heart of Midlothian FC), Strichmännchenkoitus. Der Bewohner hatte es aufgegeben, die Schmierereien zu entfernen. Rebus drückte die Klingel. Keine Reaktion. Er versuchte es noch einmal.

Eine Stimme von innen: »Verpisst euch!«

»Könnte ich kurz mit Ihnen reden?«

»Wer ist da?

»Polizei.«

Eine Kette klirrte, und die Tür ging einen Spalt breit auf. Rebus sah ein halbes Gesicht: eine alte Frau, vielleicht auch ein alter Mann. Er zeigte seinen Dienstausweis.

»Sie kriegen mich hier nicht raus. Wenn die das Haus abreißen, dann mit mir drin.«

»Ich will Sie gar nicht rauskriegen.«

»Hä?«

Rebus hob die Stimme. »Niemand will Sie hier rauskriegen.«

»Und ob die wollen, aber die kriegen mich hier nicht raus, sagen Sie das denen ruhig.« Rebus bekam einen Schwall stinkenden Atem ab, einen irgendwie fleischigen Geruch.

»Haben Sie gehört, was nebenan passiert ist?«

»Hä?«

Rebus spähte durch den Türspalt hinein. Der Flur war mit Zeitungspapier und leeren Katzenfutterdosen übersät. Noch ein Versuch.

»In der Wohnung nebenan wurde jemand ermordet.«

»Versuch keine faulen Tricks mit mir, Kerl!« Wut in der Stimme.

»Ich versuch gar keine … ach, zum Teufel damit.« Rebus wandte sich ab und stieg wieder hinunter. Plötzlich erschien ihm die Außenwelt im warmen Sonnenschein schön. Es war alles relativ. Er schlenderte zum Gemischtwarenladen, stellte den Kids ein paar Fragen, verteilte Pfefferminzbonbons an alle, die eins wollten. Er erfuhr gar nichts, hatte aber am Ende einen Vorwand, in den Laden zu gehen. Er kaufte ein Päckchen extrastarke, steckte es für später ein, stellte der Asiatin hinter dem Ladentisch ein paar Fragen. Sie war fünfzehn, vielleicht sechzehn und außergewöhnlich hübsch.

Im Fernseher, der hoch oben an einer Wand montiert war, lief ein Video. Hongkonger Gangster ballerten sich gegenseitig halbe Körperteile weg. Sie hatte ihm nichts zu erzählen.

»Gefällt's dir in Niddrie?«, fragte er.

»Is ganz okay.« Ihr Akzent war Edinburgh pur, ihre Augen klebten am Bildschirm.

Rebus fuhr zurück nach Fort Apache. Der Schuppen war wie ausgestorben. Er trank eine Tasse Kaffee und rauchte eine Zigarette. Niddrie, Craigmillar, Wester Hailes, Muirhouse, Pilton, Granton... Alle diese Siedlungen kamen ihm wie ein grausiges Experiment in Menschenmanagement vor: Wissenschaftler in weißen Laborkitteln steckten Familien in dieses oder jenes Labyrinth und beobachteten, was passierte, wie stark sie würden werden müssen, um darin zu überleben, ob sie je den Ausgang finden würden... Er wohnte in einer Gegend Edinburghs, in der Vier-Zimmer-Küche-Bad für einen sechsstelligen Betrag zu haben waren. Es belustigte ihn, sich vorzustellen, dass er seine Wohnung verkaufen könnte und dann plötzlich reich gewesen wäre... nur dass er dann natürlich keine Bleibe mehr gehabt hätte, und in eine hübschere Wohngegend zu ziehen konnte er sich nicht leisten. Ihm ging auf, dass er genauso in der Falle saß wie ein x-beliebiger Einwohner Niddries oder Craigmillars – in einem wohnlicheren Modell, aber das war's auch schon.

Sein Telefon klingelte. Er nahm ab und bereute es sofort.

»Inspector Rebus?« Eine Frauenstimme: Verwaltungskraft. »Könnten Sie morgen zu einer Besprechung nach Fettes kommen?«

Rebus lief es eiskalt über den Rücken. »Was für eine Besprechung?«

Eine kühl lächelnde Stimme. »Näheres ist mir nicht bekannt. Die Einladung kommt vom Büro des ACC.«

Der Assistant Chief Constable, Colin Carswell, die Nummer drei in der Polizeihierarchie der Region. Rebus nannte ihn den »CC Rider«, nach einem Song der Grateful Dead. Ein Yorkshiremann, so schottisch, wie ein Engländer eben werden konnte. Er war seit zweieinhalb Jahren bei der Polizei von Lothian und Borders, und bislang konnte ihm niemand etwas Schlechtes nachsagen, was für einen Eintrag im *Guinness-Buch der Rekorde* hätte reichen müssen. Ein paar Monate, zwischen dem Rücktritt des letzten Deputy Chief Constable und der Ernennung eines neuen, waren ziemlich haarig gewesen, aber Carswell hatte sich ganz gut gehalten. Einige waren der Ansicht, er sei einfach zu gut und würde es deswegen nie zum Chief Constable bringen. Lothian und Borders hatte früher einen DCC und zwei ACCs gehabt, aber einer der ACC-Posten war kürzlich zum »Planungs- und Baudezernenten« umfunktioniert worden, von dessen Tätigkeit bei der Polizei kein Mensch die leiseste Ahnung zu haben schien.

»Wann?«

»Vierzehn Uhr, dürfte nicht lange dauern.«

»Gibt's Tee und Plätzchen? Sonst komm ich nicht.«

Ein schockiertes Schweigen, dann ein erleichtertes Ausatmen, als sie begriff, dass er scherzte. »Wir werden sehen, was sich machen lässt, Inspector.«

Rebus legte auf. Es klingelte wieder, und er nahm ab.

»John? Gill hier, hast du meine Nachricht gehört?«

»Ja, danke.«

»Ah. Ich dachte, du hättest vielleicht versucht, mich zu erreichen.«

»Hmmm.«

»John? Irgendwas nicht in Ordnung?«

Er riss sich zusammen. »Ich weiß nicht. Der CC Rider will mich sprechen.«

»Wozu das denn?«

»Keiner will's verraten.«

Ein Seufzer. »Was hast du denn *diesmal* wieder angestellt?«

»Absolut nichts, Gill, so wahr mir Gott helfe.«

»Schon geschafft, dir auf deiner neuen Dienststelle Feinde zu machen?« Während sie sprach, kamen Bain und Maclay ins Zimmer. Rebus nickte ihnen zu.

»Keine Feinde. Glaubst du, ich mach irgendwas falsch?« Maclay und Bain zogen ihre Jacketts aus und gaben sich betont desinteressiert.

»Sag mal, wegen dem, was ich dir aufs Band gesprochen habe …?«

»Ja, Chief Inspector?« Maclay und Bain gaben jede Verstellung auf.

»Können wir uns sehen?«

»Ich wüsste nicht, was dagegen spräche. Heute Abend zum Essen?«

»Heute Abend … ja, warum nicht?«

Sie wohnte in Morningside, Rebus in Marchmont … also ein Treffen auf halbem Weg, in Tollcross.

»Brougham Street«, sagte Rebus, »dieser Inder mit den Jalousien an den Fenstern. Halb acht?«

»Klar.«

»Bis dann, Chief Inspector.«

Bain und Maclay pusselten vor sich hin und sagten eine Weile nichts. Dann hustete Bain, schluckte und fragte: »Wie war's in der Regenstadt?«

»Ich bin lebend wieder rausgekommen.«

»Irgendwas über Uncle Joe und Tony El rausgekriegt?« Bains Finger fuhr an die Narbe unter seinem Auge.

Rebus zuckte die Schultern. »Vielleicht ja, vielleicht auch nicht.«

»Gut, gut, dann erzählen Sie's uns eben nicht«, sagte Maclay. Er sah komisch aus, wenn er an seinem Schreibtisch saß. Damit seine Oberschenkel unter die Tischplatte passten, hatte jemand die Beine seines Stuhls um ein paar Zentimeter gekürzt. An seinem ersten Tag im Revier hatte Rebus gefragt, warum Maclay nicht stattdessen etwas unter die Beine des Schreibtisches geschoben hatte. Maclay war vorher nicht auf diese Idee gekommen, und den Stuhl abzusägen war Bains Vorschlag gewesen.

»Es *gibt* nichts zu erzählen«, stellte Rebus richtig. »Nur so viel: Wie es heißt, hat sich Tony El selbstständig gemacht und sein Büro im Nordosten eingerichtet, wir müssen also das CID Grampian kontaktieren und nach ihm fragen.«

»Ich fax den Kollegen seinen Steckbrief zu«, meinte Maclay.

»Ich nehm an, hier hat sich nichts getan?«, sagte Rebus.

Bain und Maclay schüttelten den Kopf.

»Einen heißen Tipp hätt ich aber für Sie«, erwiderte Bain.

»Und zwar?«

»Auf der Brougham Street gibt's mindestens zwei Inder mit Jalousien an den Fenstern.«

Rebus ließ den beiden Zeit, sich vor Lachen auszuschütten, und fragte dann, was die Nachforschungen über den Toten ergeben hätten.

»Nicht viel«, sagte Bain und lehnte sich auf seinem Stuhl zurück, während er mit einem Blatt Papier wedelte. Rebus stand auf und nahm ihm das Blatt ab.

Allan Mitchison. Einzelkind. Geboren in Grangemouth. Mutter bei der Geburt gestorben; worauf es mit dem Vater bergab ging und er ihr zwei Jahre später folgte. Der kleine Allan wurde in Pflege gegeben – irgendwelche Verwandte waren nicht zu ermitteln. Heim, dann eine Pflegefamilie. Zur Adoption freigegeben, aber er war ein widerspenstiges Kind, das dauernd Ärger machte. Schreikrämpfe, Wutanfälle, gefolgt von langen Schmollperioden. Früher oder später riss er immer aus, fand immer wieder ins Heim zurück. Wuchs zu einem ruhigen Teenager heran, der weiterhin zu finsterem Schweigen und gelegentlichen Ausbrüchen neigte, aber in manchen Schulfächern – Englisch, Erdkunde, Kunst, Musik – Begabung zeigte und alles in allem folgsam war. Zog weiterhin das Heimleben jeder Pflegefamilie vor. Ging mit siebzehn von der Schule ab. Er hatte einen Dokumentarfilm über das Leben auf einer Nordsee-Plattform gesehen und entschied, dass es ihm zusagte. Meilenweit vom Rest der Welt entfernt und ein Dasein, das durchaus dem im Heim ähnelte: reglementiert. Er hatte eine Schwäche für ein Leben in der Gruppe, Schlafsäle, Gemeinschaftszimmer. Anstreicher. Seine Beschäftigungszeiten waren unregelmäßig gewesen – neben der Offshore-Tätigkeit hatte er immer wieder Perioden an Land verbracht – ein Überlebenstraining im RGIT-OSC...

»Was heißt RGIT-OSC?«

Maclay hatte auf diese Frage gewartet. »Offshore Survival Centre des Robert Gordon Institute of Technology.«

»Ist es dasselbe wie die Robert Gordon University?«

Maclay und Bain sahen sich an, zuckten die Achseln.

»Ist auch egal«, sagte Rebus und dachte: Johnny Bibles erstes Opfer hatte an der RGU studiert.

Mitchison hatte auch im Sullom-Voe-Terminal, dem großen Erdölhafen auf Mainland, Shetlandinseln, und an ein paar anderen Orten gearbeitet. Freunde und Arbeitskollegen: von Letzteren jede Menge, von Ersteren herzlich wenig. Edinburgh hatte sich als eine Sackgasse erwiesen: Keiner seiner Nachbarn hatte ihn je zu Gesicht bekommen. Und was man aus Aberdeen und weiter nördlich hörte, war nur geringfügig ermutigender. Zwei Namen: ein Mann auf einer Produktionsplattform, einer in Sullom Voe...

»Sind die zwei zu einem Gespräch bereit?«

Bain: »Herrgott, Sie haben doch nicht etwa vor, *da* raufzufahren? Erst Glasgow, jetzt zu den Wikingern – hatten Sie dieses Jahr noch keinen Urlaub?«

Maclays wieherndes Lachen.

Rebus: »Ich scheine hier die Idiotenzielscheibe zu sein. Mir ist heute ein Gedanke gekommen – wer auch immer die Wohnung ausgesucht hat, kannte sich in der Gegend aus. Ich glaube, er wohnt dort. Hat einer von Ihnen Spitzel in Niddrie?«

»Natürlich.«

»Dann unterhalten Sie sich mal ein bisschen mit denen: ein Mann, auf den Tony Els Beschreibung passt. Vielleicht hat er sich in den Pubs oder Klubs nach jungen Talenten umgesehen. Gibt's irgendwas über den Arbeitgeber des Toten?«

Bain hielt ein anderes Blatt hoch und wedelte lächelnd damit. Rebus musste wieder aufstehen und es sich holen.

Benannt war T-Bird Oil nach Thom Bird, der das Unternehmen zusammen mit »Major« Randall Weir gegründet hatte.

»Major?«

Bain zuckte die Achseln. »So wird er genannt: Major Weir.«

Weir und Bird waren beide schottischstämmige Amerikaner mit engen Beziehungen zur »alten Heimat«. Bird starb im Jahr 1986, worauf Weir die alleinige Leitung der Firma übernahm. T-Bird war eines der kleineren Unternehmen, die Erdöl und Gas aus dem Meeresboden hochpumpten …

Rebus wurde bewusst, dass er über die Erdölindustrie so gut wie nichts wusste. Er hatte ein paar Bilder im Kopf, hauptsächlich von Katastrophen: Piper Alpha, die Bohrinsel, die am 6. Juli 1988 rund hundertsiebzig Kilometer vor Aberdeen explodierte, und »Braer«, den Tanker, der am 5. Januar 1993 vor dem Südzipfel der Shetlandinseln zerschellte.

In Großbritannien hatte T-Bird Oil seinen Hauptsitz in Aberdeen, in der Nähe des Flughafens Dyce, aber die Weltzentrale lag in den USA, und das Unternehmen besaß auch weitere Öl- und Gasfördereinrichtungen in Alaska, Afrika und im Golf von Mexiko.

»Geht runter wie Öl, was?«, meinte Maclay.

»Soll das ein Witz sein?«

»Ich mach nur Konversation.«

Rebus stand auf und zog sein Jackett an. »Nun, so gern ich Ihren wohlgesetzten Reden auch den ganzen Tag lang lauschen würde...«

»Was steht an?«

»Revierhopping.«

Niemand schien sich für seine Rückkehr nach St. Leonard's sonderlich zu interessieren. Ein paar Trachtengruppler blieben stehen, um hallo zu sagen; wie sich herausstellte, hatten sie nicht mal gewusst, dass er versetzt worden war.

»Ich weiß nicht, über wen das mehr aussagt – über mich oder Sie.«

Drinnen beim CID sah er Siobhan Clarke an ihrem Schreibtisch. Sie telefonierte gerade, und als er vorbeiging, winkte sie ihm zu. Sie trug eine weiße, kurzärmelige Bluse, und ihre nackten Arme waren ebenso braun gebrannt wie ihr Hals und ihr Gesicht.

Rebus schaute sich weiter um und erwiderte ein paar lauwarme Grüße. Blöd, aber »heim« kam man nur selten. Er dachte an Allan Mitchison und seine leere Wohnung: Er war nach Edinburgh zurückgekehrt, weil er nichts besessen hatte, was einem Zuhause näher gekommen wäre.

Schließlich entdeckte er Brian Holmes, wie er gerade auf eine Uniformierte einquatschte und sich dabei mächtig ins Zeug legte.

»Hallo, Brian, was macht die Frau Gemahlin?«

Die Beamtin errötete, nuschelte irgendeine Entschuldigung und verschwand.

»Ich könnt mich bepissen«, sagte Holmes. Jetzt, wo die Beamtin weg war, sah er fix und fertig aus: hängende Schultern, graue Haut, einzelne Stoppeln hier und da, Überlebende einer ziemlich oberflächlichen Rasur.

»Dieser Gefallen …«, tastete sich Rebus vor.

»Ich sitz dran.«

»Und?«

»Ich sitz dran!«

»Nur die Ruhe, mein Sohn, Sie sind hier unter Freunden.«

Aus Holmes schien alle Luft zu entweichen. Er rieb sich die Augen, fuhr sich mit den Fingern durch die Haare.

»Tut mir Leid«, sagte er. »Ich bin erledigt, das ist alles.«

»Würde Kaffee was nützen?«

»Nur wenn Sie mir ein Fass davon spendieren.«

Die Kantine konnte lediglich mit einem »Extragroßen« dienen. Sie setzten sich, und Holmes fing an, Zuckerbeutel aufzureißen und sich in den Becher zu schütten.

»Hören Sie«, begann er, »wegen neulich Nacht, mit Macken-Minto …«

»Darüber reden wir nicht«, meinte Rebus bestimmt. »Das ist längst Geschichte.«

»Hier gibt's zu viel davon für meinen Geschmack.«

»Ist doch schließlich alles, was die Schotten haben.«

»Sie beide sehen so glücklich aus wie Nonnen auf Club-Med-Urlaub.« Siobhan Clarke zog einen Stuhl unter dem Tisch hervor und setzte sich.

»War's schön?«, fragte Rebus.

»Erholsam.«

»Wie ich sehe, war das Wetter beschissen.«

Sie strich sich mit der Hand über den Arm. »Das hat mich Stunden eisernster Disziplin am Strand gekostet.«

»Sie sind schon immer sehr pflichtbewusst gewesen.«

Sie trank Diät-Pepsi. »Und, warum sind alle so down?«

»Fragen Sie besser nicht.«

Sie hob eine Augenbraue, sagte aber nichts. Zwei müde, graue Männer; eine junge Frau, braun gebrannt und vor Leben strotzend. Rebus wusste, dass er sich für sein abendliches Rendezvous gehörig rausputzen müssen würde.

»Also, diese Sache«, fragte er Holmes beiläufig, »um die ich Sie gebeten hatte…?«

»Geht nur schleppend voran. Wenn Sie meine Meinung hören wollen« – er sah zu Rebus auf –, »dann war der Verfasser dieser Notizen ein Meister der Umschreibung. Da wird hauptsächlich um das Thema herumgeredet. Ich schätze, die meisten Leser ohne ein spezielles Interesse würden die Sache eher hinschmeißen, als sich da weiter durchzuackern.«

Rebus lächelte. »Warum sollte das der Verfasser wohl getan haben?«

»Um die Leute davon abzuhalten, den Bericht zu lesen. Er dachte wahrscheinlich, sie würden einfach zur Zusammenfassung weiterblättern und den ganzen Mist dazwischen überspringen. Und auf die Art kann man Sachen vertuschen, sie im Text vergraben.«

»Verzeihung«, mischte sich Siobhan ein, »bin ich aus Versehen in ein Freimaurertreffen reingeplatzt? Ist das irgendein Geheimkode, den ich nicht verstehen soll?«

»Ganz und gar nicht, Bruder Clarke«, sagte Rebus und stand auf. »Vielleicht erzählt Ihnen Bruder Holmes, worum es geht.«

Holmes sah Siobhan an. »Nur wenn Sie versprechen, mir keine Urlaubsfotos zu zeigen.«

»Hatte ich sowieso nicht vor.« Siobhan straffte die Schultern. »Ich weiß doch, dass Nacktbadestrände nicht Ihr Ding sind.«

Rebus brach absichtlich etwas früher zum Rendezvous auf. Bain hatte nicht gelogen: Es gab tatsächlich zwei Restaurants mit Holzjalousien. Sie waren siebzig Meter voneinander entfernt, und Rebus ging pausenlos von einem zum anderen. Er sah Gill, als sie von Tollcross her um die Ecke bog, und winkte ihr zu. Sie hatte sich für den Anlass nicht übermäßig in Schale geworfen: neu aussehende Jeans, schlichte cremefarbene Bluse und ein um die Schultern gelegter gelber Kaschmirpullover. Sonnenbrille, goldene Halskette und fünf Zentimeter hohe Absätze – sie klapperte beim Gehen gern.

»Hallo, John.«

»Hi, Gill.«

»Ist es das hier?«

Er sah das Restaurant an. »Es gibt noch ein anderes ein paar Schritte weiter, wenn's dir lieber ist. Oder ein französisches, ein thailändisches ...«

»Das hier ist okay.« Sie zog die Tür auf und trat vor ihm ein. »Hast du einen Tisch reservieren lassen?«

»Ich dachte, das würde nicht nötig sein«, antwortete Rebus. Das Restaurant war gut besucht, aber sie bekamen noch einen freien Tisch am Fenster, direkt unter einem plärrenden Lautsprecher. Gill nahm ihre braune Umhängetasche aus Leder von der Schulter und legte sie unter ihren Stuhl.

»Etwas zu trinken?«, fragte der Kellner.

»Für mich Whiskey Soda«, sagte Gill.

»Whiskey pur«, bestellte Rebus. Sobald der erste Kellner verschwunden war, erschien ein anderer mit Speisekarten, Papadams und Pickles. Nachdem er gegangen war, warf Rebus einen Blick in die Runde, und als er sah, dass niemand ihn beachtete, streckte er die Hand nach oben und zog an dem Lausprecherkabel, bis der Stecker herausfiel. Über ihnen verstummte die Musik.

»Besser«, meinte Gill lächelnd.

»Also«, sagte Rebus und legte sich die Serviette auf den Schoß, »ist das hier dienstlich oder privat?«

»Beides«, gestand Gill. Sie schwieg, als die Drinks kamen. Der Kellner merkte, dass etwas nicht stimmte, fand schließlich heraus, was es war. Er sah zum stummen Lautsprecher auf.

»Das lässt sich leicht in Ordnung bringen«, erklärte er ihnen. Sie schüttelten den Kopf, vertieften sich dann in die Speisekarte. Nachdem er bestellt hatte, hob Rebus sein Glas.

»*Slàinte.*«

»Cheers.« Gill nahm einen großen Schluck.

»So«, sagte Rebus, »nachdem die Formalitäten abgehakt wären ... zum Dienstlichen.«

»Weißt du, wie viele Frauen es bei der schottischen Polizei zum Chief Inspector bringen?«

»So viele, wie ein blinder Sägewerksarbeiter an den Fingern abzählen kann.«

»Genau.« Sie schwieg kurz und rückte ihr Besteck zurecht. »Ich will's nicht vermasseln.«

»Wer will das schon?«

Sie warf ihm einen Blick zu, lächelte. Rebus: weltgrößter Lieferant von selbst gebauter Scheiße, sein Leben eine einzige Lagerhalle, bis an die Dachsparren mit seinen Produkten gefüllt. Schwerer abzusetzen als Achtspurkassetten.

»Okay«, sagte er, »dann bin ich also eine Autorität auf dem Gebiet.«

»Und das ist gut so.«

»Nein.« Er schüttelte den Kopf. »Denn ich baue weiterhin Scheiße.«

Sie lächelte. »Ich bin seit fünf Monaten dabei, John, und hab noch keine nennenswerte Festnahme zustande gebracht.«

»Aber das soll sich bald ändern?«

»Ich weiß nicht.« Ein weiterer großer Ermutigungsschluck. »Jemand hat mir was über einen Drogendeal gesteckt ... große Sache.«

»Die du laut Protokoll an das Scottish Crime Squad abtreten müsstest.«

Sie warf ihm einen Blick zu. »Und diesen faulen Säcken die Lorbeeren überlassen? Jetzt komm schon, John.«

»Ich hab selbst noch nie viel von Protokoll gehalten. Trotzdem…« Trotzdem: Er wollte nicht, dass Gill Scheiße baute. Er sah ihr an, dass ihr die Sache wichtig war. Sie brauchte inneren Abstand – genau wie er von Spaven.

»Wer hat dir den Tipp gegeben?«

»Fergus McLure.«

»Feardie Fergie?« Rebus schürzte die Lippen. »War ›Feigling Fergie‹ nicht einer von Flowers Spitzeln?«

Gill nickte. »Als Flower versetzt wurde, habe ich seinen Bestand übernommen.«

»Herrgott, wie viel hat er dir dafür abgeknöpft?«

»Nicht dein Problem.«

»Flowers Spitzel sind übler als alle, die sie jemals bespitzeln könnten.«

»Trotzdem, er hat mir seine Liste überlassen.«

»Feardie Fergie, hm?«

Fergus McLure hatte die Hälfte seines Lebens in Privatkliniken zugebracht: ein Nervenbündel. Er trank nichts Stärkeres als Ovomaltine, und die spannendste Sendung, die er sich ansehen konnte, war die Wettervorhersage. Sein Verbrauch an verschreibungspflichtigen Medikamenten war ein Segen für die britische Pharmaindustrie. Abgesehen davon leitete er ein nettes kleines Imperium, bei dem letztlich nur die Fassade legal war: Von Haus aus Juwelier, veranstaltete er auch Auktionen für Perserteppiche, durch Feuer oder Wasser beschädigte Lagerbestände und allerlei Dinge aus Konkursen. Er wohnte in Ratho, einem Dorf am Stadtrand. Feardie Fergie war ein bekannter Homosexueller, lebte aber in Ruhe und Frieden – ganz anders als manche Richter aus Rebus' Bekanntenkreis.

Gill knabberte an einem Papadam, löffelte sich auf das letzte Stück ein bisschen Chutney.

»Also, wo liegt das Problem?«, fragte Rebus.

»Wie gut kennst du Fergus McLure?«

»Nur vom Hörensagen«, log er. »Warum?«

»Weil ich möchte, dass die Sache wasserdicht ist, bevor ich aktiv werde.«

»Das Problem mit Spitzeln, Gill: Du kannst nicht immer auf eine Bestätigung hoffen.«

»Nein, aber ein zweites Gutachten kann ich einholen.«

»Du willst, dass ich mit ihm rede?«

»John, trotz all deiner Fehler –«

»Für die ich berühmt bin.«

»– bist du ein guter Menschenkenner, und du weißt genug über Spitzel.«

»Mein Spezialgebiet fürs Fernsehquiz.«

»Ich möchte nur wissen, ob du ihn für koscher hältst. Ich hab keine Lust, die ganze Ermittlungsmaschinerie anzuleiern – vielleicht eine Überwachung anzuordnen, Telefone anzuzapfen, am Ende noch einen Deal zu fingieren –, bloß damit mir anschließend jemand den Teppich unter den Füßen wegzieht.«

»Kapiert, aber dir ist doch klar, dass die SC-Squaddies ganz schön sauer sein werden, wenn du sie nicht einweihst. Sie haben die nötige personelle Ausstattung und Erfahrung für solche Aktionen.«

Sie starrte ihn an. »Seit wann hältst du dich an die Vorschriften?«

»Wir reden nicht von mir. Ich bin das schwarze Schaf von Lothian und Borders – man dürfte der Meinung sein, dass eins schon mehr als genug ist.«

Ihr Essen kam; der Tisch füllte sich mit Tellern und Schüsseln. Sie sahen sich an und merkten, dass sie keinen so großen Appetit mehr hatten.

»Noch zweimal das Gleiche«, sagte Rebus und reichte dem Kellner sein leeres Glas. Zu Gill: »Also erzähl mir Fergies Story.«

»Da gibt's nicht viel zu erzählen. Irgendwelche Drogen kommen nach Norden, in einer Lieferung Antiquitäten versteckt. Die werden dann den Dealern übergeben.«

»Und die Dealer sind ...?«

Sie zuckte die Schultern. »McLure glaubt, es seien Amerikaner.«

Rebus runzelte die Stirn. »Wer? Die Verkäufer?«

»Nein, die Käufer. Die Verkäufer sind Deutsche.«

Rebus ging im Kopf alle größeren Edinburgher Drogenhändler durch, aber ihm fiel kein einziger Amerikaner ein.

»Ich weiß«, sagte Gill, als habe sie seine Gedanken gelesen.

»Neulinge, die sich in den Markt zu drängen versuchen?«

»McLure glaubt, dass der Stoff noch weiter nach Norden soll.«

»Dundee?«

Sie nickte. »Und Aberdeen.«

Schon wieder Aberdeen. Herrgott. Echt was los in der Stadt. »Und wie hängt Fergie da mit drin?«

»Eine seiner Auktionen wäre die perfekte Tarnung.«

»Er liefert die Deckung?«

Wieder ein Nicken. Sie kaute an einem Stück Hühnchen, stippte Nan-Brot in die Sauce. Rebus sah ihr beim Essen zu und erkannte vertraute Kleinigkeiten wieder; wie sich beim Kauen ihre Ohren bewegten, wie ihre Augen über die verschiedenen Gerichte huschten, wie sie anschließend die Finger aneinander rieb ... An ihrem Hals entdeckte er Ringe, die vor fünf Jahren noch nicht da gewesen waren, und wenn sie zum Friseur ging, ließ sie sich vielleicht den Haaransatz färben. Aber sie sah gut aus. Sie sah toll aus.

»Nun?«, fragte sie.

»Ist das alles, was er dir gesagt hat?«

»Er hat Angst vor diesen Dealern, zu viel Angst, um sie einfach zum Teufel zu jagen. Aber das Letzte, was er möchte, ist, dass wir selbst auf die Sache kommen und ihn wegen Beihilfe einbuchten. Deswegen verpfeift er die.«

»Obwohl er Angst hat?«

»M-hm.«

»Und wann soll das Ganze über die Bühne gehen?«

»Wenn sie ihn anrufen.«

»Ich weiß nicht, Gill. Wenn das ein Kleiderhaken wäre, könntest du nicht mal ein Taschentuch dran aufhängen, geschweige denn deinen Mantel.«

»Anschaulich formuliert.«

Während sie das sagte, starrte sie auf seine Krawatte. Es war eine knallige Krawatte, und zwar absichtlich: Sie sollte die Aufmerksamkeit der Betrachterin von seinem ungebügelten Hemd mit dem fehlenden Knopf ablenken.

»Okay, ich werd morgen ein paar Takte mit ihm reden, mal sehen, ob ich mehr aus ihm rausquetschen kann.«

»Aber sanft.«

»Er wird Wachs in meinen Händen sein.«

Sie aßen nur zur Hälfte auf, fühlten sich trotzdem wie genudelt. Der Kaffee und die Pfefferminzbonbons kamen. Gill steckte beide Bonbons für später in ihre Umhängetasche. Rebus nahm einen dritten Whiskey. Er dachte voraus, sah sich und sie schon draußen vor dem Restaurant stehen. Er konnte anbieten, sie zu Fuß nach Haus zu begleiten, oder sie zu sich einladen. Nur würde sie nicht über Nacht bleiben können: Am nächsten Morgen könnten draußen Reporter lauern.

John Rebus: eingebildeter Dreckskerl.

»Warum lächelst du?«, erkundigte sie sich.

»Damit ich's nicht verlerne.«

Sie teilten sich die Rechnung, wobei die Getränke so viel wie das ganze Essen kosteten. Und dann waren sie draußen. Die Nacht war kühl geworden.

»Wie stehen meine Chancen, ein Taxi zu bekommen?« Gill sah links und rechts die Straße entlang.

»Die Pubs haben noch auf, dürfte kein Problem sein. Mein Auto steht bei mir vor dem Haus…«

»Danke, John, ich komm schon zurecht. Schau, da ist schon eins.« Sie winkte. Der Fahrer blinkte und hielt mit kreischenden Reifen an. »Halt mich auf dem Laufenden«, sagte sie.

»Ich ruf sofort danach an.«

»Danke.«

Sie gab ihm ein Küsschen auf die Wange, eine Hand auf seiner Schulter, um das Gleichgewicht zu behalten. Dann stieg sie in das Taxi, schloss die Tür und nannte dem Fahrer ihre Adresse. Rebus beobachtete, wie das Taxi langsam wendete und sich in den Verkehr in Richtung Tollcross einfädelte.

Rebus stand einen Augenblick da und starrte auf seine Schuhe. Sie hatte ihn um einen Gefallen bitten wollen, das war alles. Gut zu wissen, dass er für das eine oder andere noch immer zu gebrauchen war. »Feardie Fergie«, Fergus McLure. Ein Name aus früheren Zeiten; einstiger Freund eines gewissen Lenny Spaven. Eindeutig eine morgendliche Spritztour nach Ratho wert.

Er sah ein weiteres Taxi kommen, winkte es heran, stieg ein.

»Zur Oxford Bar«, sagte er.

Je mehr Bible John über den Parvenü nachdachte… je mehr er über ihn in Erfahrung brachte… desto fester wurde seine Überzeugung, dass Aberdeen der Schlüssel war.

Er saß in seinem Arbeitszimmer und starrte auf die PAR-

VENÜ-Datei auf dem Bildschirm seines Laptops. Der Abstand zwischen Opfer eins und zwei betrug sechs Wochen, zwischen Opfer zwei und drei nur vier. Johnny Bible war ein hungriger kleiner Teufel, aber bislang hatte er nicht wieder getötet. Oder falls doch, vergnügte er sich noch immer mit der Leiche. Aber das war nicht der Stil des Parvenüs. Er brachte sie schnell um, präsentierte dann der Welt die Leichen. Bible John hatte sich zurückgearbeitet und zwei Zeitungsartikel gefunden, beide in der Aberdeener *Press and Journal*. Eine Frau war auf dem Heimweg von einem Nachtlokal überfallen worden, ein Mann hatte versucht, sie in eine Gasse zu zerren. Sie hatte geschrien, er war in Panik geraten und geflüchtet. Bible John war eines Nachts zum Tatort gefahren. Er hatte in der Gasse gestanden und sich den Parvenü vorgestellt, wie er dastand und wartete, bis das Nachtlokal sich leerte. Nicht weit davon entfernt lag eine Wohnsiedlung, und der Weg dorthin führte an der Mündung der Gasse vorbei. Oberflächlich betrachtet, war es die ideale Stelle, aber der Parvenü war nervös gewesen, schlecht vorbereitet. Er hatte wahrscheinlich ein, zwei Stunden lang da gewartet, in einer dunklen Ecke versteckt, und die ganze Zeit befürchtet, jemand könnte über ihn stolpern. Seine Entschlossenheit war gekommen und gegangen. Als er sich endlich für ein Opfer entschieden hatte, war es ihm nicht gelungen, es schnell genug außer Gefecht zu setzen. Ein Schrei genügte, um ihn in die Flucht zu schlagen.

Ja, das konnte ohne weiteres der Parvenü sein. Er hatte seinen Misserfolg analysiert, war auf einen besseren Plan verfallen: in den Nachtklub gehen, mit dem Opfer ins Gespräch kommen... das Opfer in Sicherheit wiegen, dann zuschlagen.

Zweite Zeitungsmeldung: eine Frau, die sich über einen Spanner in ihrem Garten beklagte. Als die Polizei gerufen wurde, fand sie Kratzspuren an ihrer Küchentür, ungeschickte Versuche, ins Haus einzudringen. Vielleicht ein Zusammenhang mit der ersten Geschichte, vielleicht auch nicht. Story Nummer eins: acht Wochen vor dem ersten Mord. Story Nummer zwei: noch einmal vier Wochen früher. Ein zeitliches Muster formte sich heraus und ein weiteres Muster, das das Erste überlagerte: Aus Spanner wird Gewalttäter. Natürlich konnten ihm weitere Vorfälle entgangen sein, Meldungen aus anderen Städten, die abweichende Theorien erforderlich gemacht hätten, aber Bible John begnügte sich gern mit Aberdeen. Erstes Opfer: Das erste Opfer stammte häufig aus demselben Ort. Sobald das Selbstvertrauen des Killers gewachsen war, begann er weitere Kreise zu ziehen. Aber dieser erste Erfolg war ungeheuer wichtig.

Ein zaghaftes Klopfen an der Tür des Arbeitszimmers. »Ich habe Kaffee gemacht.«

»Ich komme gleich.«

Zurück zu seinem Computer. Er wusste, dass die Polizei damit beschäftigt war, Phantombilder zusammenzubasteln, Täterprofile zu erstellen, erinnerte sich an das seine, das ein Psychiater erstellt hatte. Dass er »eine Kapazität« war, hatte man an den vielen Buchstaben hinter seinem Namen gesehen: BSc, BL, MA, MB, ChB, LLB, DPA, FRCPath. Bedeutungslos im größeren Zusammenhang, ebenso wie es sein Gutachten gewesen war. Bible John hatte es vor Jahren in einem Buch gelesen. Die wenigen tatsächlich auf ihn zutreffenden Eigenschaften hatte er zu ändern versucht. Der typische Serienmörder war angeblich verschlossen, hatte nur wenige wirkliche Freunde, also zwang er sich, ein geselliger Mensch zu werden. Charakteristisch für ihn waren ein Mangel an Tatendrang und Angst vor Kontakten zu Erwachsenen, also nahm er einen Job an, in dem Tatendrang und Kontakte von entscheidender Wichtigkeit waren. Und was den Rest der Abhandlung anbelangte... größtenteils Schrott.

Serienmörder hatten nicht selten homosexuelle Erfahrungen – nicht schuldig.

Sie waren in der Regel unverheiratet – erzähl das dem Yorkshire Ripper.

Sie hörten oft zwei Stimmen in ihrem Kopf, die eine gut und die andere böse. Sie sammelten Waffen und gaben ihnen Kosenamen. Viele gingen gern in Frauenkleidern. Manche bekundeten ein starkes Interesse an schwarzer Magie oder Monstern oder sammelten Sado-Pornos. Viele hatten ein »Refugium«, einen besonderen Raum, in dem sie Dinge wie Kapuzenmützen, Puppen und Neoprenanzüge verwahrten.

Er sah sich in seinem Arbeitszimmer um und schüttelte den Kopf.

Es gab nur einige wenige Details, die der Psychiater richtig getroffen hatte. Ja, er hätte sich als egozentrisch bezeichnet – wie die Hälfte der Bevölkerung. Ja, er legte Wert auf Sauberkeit und Ordnung. Ja, er interessierte sich für den Zweiten Weltkrieg (aber keineswegs nur für Nazismus und KZ). Ja, er konnte glaubwürdig lügen oder, besser gesagt, die Leute glaubten jeden Unsinn. Und ja, er plante seine Aktionen von langer Hand – so wie es der Parvenü jetzt auch zu tun schien.

Der Bibliothekar war mit seiner Zeitungsliste noch nicht fertig. Eine Suche nach Bestellungen von Bible-John-Literatur hatte nichts ergeben. Das waren die schlechten Nachrichten. Aber es gab auch gute. Dank dem wiedererstarkten Interesse an dem Bible-John-Fall hatte er detaillierte Zeitungsberichte über weitere unaufgeklärte Morde gefunden, sieben an der Zahl. Fünf hatten sich 1977 ereignet, einer 1978 und einer in viel jüngerer Vergangenheit. Diese Fälle lieferten ihm eine zweite These. Nach der ersten stand der Parvenü erst am Anfang seiner Laufbahn; nach der zweiten nahm er seine Aktivität nach einer langen Unterbrechung wieder auf. Er konnte in der Zwischenzeit außer Landes gewesen sein oder in irgendeiner Anstalt, ja selbst in einer Beziehung gelebt haben, in der er die Notwendigkeit zu töten nicht gespürt hatte. Wenn die Polizei sorgfältig gearbeitet hätte – was er bezweifelte –, dann wäre sie jetzt damit beschäftigt gewesen, Männer zu überprüfen, die sich in letzter Zeit hatten scheiden lassen und 1978 oder 79 geheiratet hatten. Bible John hatte nicht die Möglichkeiten, das zu tun, und das war frustrierend. Er stand auf und starrte auf seine Bücherregale, ohne sie eigentlich wahrzunehmen. Manche vertraten die Meinung, der Parvenü sei Bible John, die Personenbeschreibungen der Augenzeugen seien fehlerhaft, mit dem Resultat, dass Polizei und Medien ihre Phantombilder wieder hervorkramten.

Gefährlich. Er wusste, dass der einzige Weg, solche Spekulationen im Keim zu ersticken, darin bestand, den Parvenü aufzuspüren. Nachahmung war *nicht*, wie Charles Caleb Colton meinte, die aufrichtigste Form von Schmeichelei. Sie war potentiell tödlich. Er musste den Parvenü finden. Entweder das oder die Polizei zu ihm hinführen. So oder so würde es erledigt werden.

8

Er saß in einer Kneipe und trank sich die Reste des Schlafs aus dem Kopf.

Er war viel zu früh aufgewacht, hatte sich angezogen und beschlossen, einen Spaziergang zu machen. Er durchquerte die Meadows, lief die George IV Bridge und die High Street entlang, dann nach links weiter auf die Cockburn Street. Cockburn Street: Einkaufsmekka für Teenager und Hippies; Rebus erinnerte sich an die Zeit, als der Cockburn-Street-Markt sehr viel anrüchiger gewesen war als heutzutage. Angie Riddell hatte ihre Halskette in einem Laden an der

Cockburn Street gekauft. Vielleicht hatte sie sie an dem Tag getragen, als er mit ihr im Café war, aber er glaubte es nicht. Er schob den Gedanken beiseite, bog in eine enge Passage, eine steile Treppe, dann wieder nach links auf die Market Street. Er stand gegenüber der Waverley Station, wo es ein offenes Pub gab. Er wurde von Nachtarbeitern frequentiert – ein, zwei Drinks, bevor es nach Haus und ins Bett ging. Aber man sah auch Geschäftsleute, die sich für den bevorstehenden Tag wappneten.

Da sich in der Nähe mehrere Redaktionen befanden, waren die Stammgäste Drucker und Korrektoren, und man fand da immer druckfrische Zeitungen. Rebus war hier bekannt und wurde niemals belästigt. Selbst wenn dort ein Reporter auftauchte, versuchte er nicht, ihm eine Story oder eine Stellungnahme zu entlocken – das war ein ungeschriebenes Gesetz, das niemals gebrochen wurde.

An diesem Morgen hockten drei Jugendliche schlapp um einen Tisch und nippten lustlos an ihren Gläsern. Ihr übernächtigtes Aussehen verriet Rebus, dass sie gerade einen »Vierundzwanziger« hinter sich hatten: eine Sauf-um-die-Uhr-Tour. Tagsüber war's einfach: Man fing um sechs Uhr früh an – in einem Lokal wie diesem – und machte in den Pubs, die bis Mitternacht oder eins geöffnet hatten, weiter. Danach musste man auf Nachtklubs oder Kasinos ausweichen und beendete den Marathon in einer Pizzeria auf der Lothian Road, die erst um sechs schloss, worauf man für den letzten Drink der Tour hierher zurückkehrte.

In der Bar herrschte Stille. Es liefen weder TV noch Radio, und der Geldautomat war noch nicht angeschlossen: ein weiteres ungeschriebenes Gesetz. Zu dieser Tageszeit kam man nur her, um zu trinken. Und Zeitung zu lesen. Rebus goss sich etwas Wasser in seinen Whiskey und setzte sich mit dem Glas und einer Zeitung an einen Tisch. Vor den Fenstern hing die Sonne fleischfarben vor einem milchigen

Himmel. Er hatte den Spaziergang genossen. Er mochte es, wenn die Stadt noch still war: Taxis und Frühaufsteher, Hunde, die Gassi geführt wurden, klare, saubere Luft. Aber die Spuren der vergangenen Nacht waren noch zu sehen gewesen: eine umgekippte Mülltonne, auf den Meadows eine Parkbank mit zerbrochener Rückenlehne, Pylonen auf den Dächern von Buswartehäuschen. Auch der Nachtmief in der Bar hatte noch keine Zeit gehabt, sich zu verziehen. Rebus steckte sich eine Zigarette an und blätterte in der Zeitung.

Ein Artikel auf der dritten Seite erregte seine Aufmerksamkeit: In Aberdeen sollte eine internationale Tagung über die Verschmutzung der Meere und die Rolle der Erdölindustrie stattfinden. Es wurden Delegierte aus sechzehn Ländern erwartet. An den Artikel war eine kürzere Meldung angehängt: Das hundert Meilen nordöstlich von Shetland gelegene Erdöl- und Erdgasfeld Bannock näherte sich dem Ende seiner wirtschaftlichen Nutzungsdauer und sollte stillgelegt werden. Umweltschützer erhoben Proteste wegen Bannocks größter Produktionsplattform, einer zweihunderttausend Tonnen schweren Stahl-und-Beton-Konstruktion. Sie wollten wissen, was der Eigentümer, T-Bird Oil, damit zu tun gedenke. Wie vom Gesetz vorgeschrieben, hatte das Unternehmen bei der Erdöl- und Erdgasabteilung des Wirtschaftsministeriums ein Stilllegungsprogramm eingereicht, doch irgendwelche Details waren nicht an die Öffentlichkeit gelangt.

Die Umweltschützer wiesen darauf hin, dass sich auf dem britischen Festlandsockel mehr als zweihundert Öl- und Gasfördereinrichtungen befanden, deren Nutzungsdauer grundsätzlich begrenzt war. Die Regierung schien die Option zu favorisieren, die Mehrzahl der Hochsee-Plattformen an Ort und Stelle zu belassen und nur noch kurze Zeit zu warten. Es war sogar davon die Rede, sie zwecks alternativer Nutzung zu verkaufen – so sprach man von der Umfunktionierung zu Gefängnissen und Kasino-Hotel-Komplexen. Regierung und Erdölfirmen diskutierten über Kosteneffizienz und die Notwendigkeit, ein ausgewogenes Verhältnis zwischen Kosten, Sicherheit und Umweltschutz herzustellen. Der Standpunkt ihrer Gegner lautete: die Umwelt um *jeden* Preis. Durch ihren Sieg gegen Shell in der Brent-Spar-Frage ermutigt, planten die Umweltorganisationen, auch Bannock zu einem Politikum zu machen, und wollten Protestmärsche, Versammlungen und ein Open-Air-Konzert in der Nähe des Tagungsortes der Aberdeen-Konferenz auf die Beine stellen.

Aberdeen: auf dem besten Weg, zum Mittelpunkt von Rebus' Universum zu werden.

Er trank seinen Whiskey aus, entschied sich gegen einen zweiten, änderte dann seine Meinung. Blätterte den Rest der Zeitung durch: nichts Neues über Johnny Bible. Es gab einen Immobilienteil; er sah nach, wie die Preise in Marchmont und Sciennes waren, und lachte dann über einige Annoncen aus der Neustadt: »Luxuriöses Stadthaus, elegantes Wohnen auf fünf Etagen …«; »Separate Garage zu verkaufen, 20 000 Pfund«. Es gab in Schottland noch immer ein paar Ecken, wo man für zwanzigtausend Pfund ein ganzes Haus bekam und die Garage vielleicht sogar noch umsonst dazu. Er überflog die Liste der Landhäuser zu horrenden Preisen mit dazugehörigen schmeichelhaften Fotos. Es gab ein Haus an der Küste südöstlich der Stadt, mit Panoramafenstern und Seeblick, zum Preis einer Wohnung in Marchmont. Träum weiter, Seemann …

Er ging nach Hause, stieg in sein Auto und fuhr nach Craigmillar – einem Stadtteil, der im Immobilienteil noch nicht repräsentiert war und es voraussichtlich noch eine Weile nicht sein würde.

Die Nachtschicht machte gerade Feierabend. Rebus begegnete Beamten, die er noch nie gesehen hatte. Er fragte herum: Es war eine ruhige Nacht gewesen; die Zellen waren leer, die »Keksdosen« auch. Im Schuppen setzte er sich an seinen Schreibtisch, wo ihn brandneuer Papierkram erwartete. Er holte sich einen Kaffee und nahm sich das erste Blatt vor.

Weitere Sackgassen in Sachen Allan Mitchison; der Direktor seines Waisenhauses war vom örtlichen CID befragt worden. Eine Überprüfung seines Bankkontos, nichts Auffälliges. Nichts aus Aberdeen in Sachen Tony El. Ein Trachtengruppler kam mit einem an Rebus adressierten Päckchen an. In Aberdeen abgestempelt, gedruckter Absenderaufkleber: T-Bird Oil. Rebus öffnete es. Werbematerial, eine Geschäftskarte mit den besten Empfehlungen von Stuart Minchell, Personalabteilung. Ein halbes Dutzend A4-Broschüren, Layout und Papier eins a, durchweg farbig, Fakten nur in Spuren vorhanden. Als Verfasser von fünftausend Berichten erkannte Rebus Geschwafel auf den ersten Blick. Minchell hatte auch ein Exemplar von »T-BIRD OIL STEUERT GOLDENEN MITTELWEG AN« beigelegt, identisch mit dem, das sich in der Seitentasche von Mitchisons Rucksack befunden hatte. Rebus schlug es auf. Sein Blick fiel auf eine Karte des Bannock-Feldes, die mit einem Gitternetz unterlegt war, so dass man sehen konnte, welche Blocks es einnahm. Eine Anmerkung erläuterte, dass die Nordsee in Blocks von je hundert Quadratmeilen eingeteilt worden war und verschiedene Erdölunternehmen sich die Erschließungsrechte an diesen Blocks gesichert hatten. Bannock stieß direkt an die internationale Grenze – ein paar Meilen weiter nach Osten, und man gelangte zu weiteren Ölfeldern, aber diesmal nicht britischen, sondern norwegischen.

»Bannock wird das erste T-Bird-Oil-Feld sein, das vollständig stillgelegt wird«, las Rebus. Es schienen sieben verschiedene Optionen offen zu stehen: von »fortlaufender Wartung« bis hin zur »vollständigen Demontage«. Der »bescheidene Vorschlag« des Unternehmens lautete: einmotten und die endgültige Entscheidung auf unbestimmte Zeit vertagen.

»Na, so eine Überraschung«, murmelte Rebus und nahm zur Kenntnis, dass eine solche Einmottung »Mittel für künftige Explorations- und Erschließungsprojekte freisetzen würde«.

Er steckte die Broschüren zurück in den Umschlag, legte das Ganze in eine Schublade und wandte sich wieder seinem Papierkram zu. Unter den ersten paar Blättern lugte ein Fax hervor. Er zog es heraus. Es kam von Stuart Minchell und war am Abend zuvor um sieben abgeschickt worden: weitere Details über Allan Mitchisons zwei Arbeitskollegen. Der eine, im Sullom-Voe-Terminal beschäftigt, hieß Jake Harley. Er war gerade in Urlaub, wanderte und beobachtete Vögel irgendwo auf Shetland und wusste wahrscheinlich noch nichts vom Ableben seines Freundes. Der andere, der offshore arbeitete, hieß Willie Ford. Er steckte mitten in einer Sechzehn-Tage-Schicht und wusste »natürlich« über Allan Mitchison Bescheid.

Rebus nahm den Hörer ab, fischte Minchells Visitenkarte aus der Schublade, fand darauf die Telefonnummer und tippte sie ein. Es war noch früh; trotzdem …

»Personalabteilung.«

»Stuart Minchell bitte.«

»Am Apparat.« Bingo: Minchell, der Mustermitarbeiter, früh am Schreibtisch.

»Mr. Minchell, hier spricht wieder Inspector Rebus.«

»Inspector, Sie haben Glück, dass ich abgenommen habe. Normalerweise lasse ich es klingeln; ist die einzige Möglichkeit, was geschafft zu bekommen, bevor der Trubel losgeht.«

»Ihr Fax, Mr. Minchell. Warum schreiben Sie, Willie Ford habe ›natürlich‹ von Allan Mitchisons Tod erfahren?«

»Weil sie zusammen arbeiteten, hatte ich Ihnen das nicht gesagt?«

»Offshore?«

»Ja.«

»Auf welcher Plattform?«

»Hatte ich Ihnen das auch nicht gesagt? Bannock.«

»Der, die die stillgelegt wird?«

»Ja. Unser Public-Relations-Team hat damit alle Hände voll zu tun.« Eine Pause. »Ist das von Bedeutung, Inspector?«

»Wahrscheinlich nicht, Sir«, antwortete Rebus. »Trotzdem danke.« Rebus legte auf, trommelte mit den Fingern auf den Hörer.

Er ging raus zu den Läden, holte sich zum Frühstück ein belegtes Brötchen: Cornedbeef und Zwiebel. Das Brötchen klebte am Gaumen fest. Er nahm noch einen Kaffee dazu, um es runterzuspülen. Als er wieder in den Schuppen kam, saßen Bain und Maclay an ihren Schreibtischen, Füße hoch, Revolverblatt vor der Nase. Bain verspeiste einen Kringel; Maclay rülpste Wurstdünste.

»Spitzelberichte?«, fragte Rebus.

»Bislang nichts«, erwiderte Bain, ohne die Augen von der Zeitung zu heben.

»Tony El?«

»Die Beschreibung ist an jede schottische Dienststelle raus, keine Antwort«, sagte Maclay.

»Das CID Grampian hab ich selbst angerufen«, fügte Bain hinzu, »und denen gesagt, sie sollten sich Mitchisons Inder ansehen. Er schien dort Stammgast zu sein, die könnten was wissen.«

»Gute Idee, Dod«, sagte Rebus.

»Nicht bloß eine hübsche Schnute, wie?«, sagte Maclay.

Die Wettervorhersage versprach Sonne mit vereinzelten Schauern. Auf dem Weg nach Ratho hatte Rebus den Eindruck, dass Letztere in Abständen von zehn Minuten kamen und gingen. Dahinjagende schwarze Wolken, Sonnenstrahlen, blauer Himmel, dann wieder Wolken. An einem Punkt fing es an zu regnen, ohne dass eine Wolke am Himmel zu sehen gewesen wäre.

Ratho, von Äckern und Feldern umgeben, berührte im Norden den Union Canal. Im Sommer war es ein beliebtes Ausflugsziel: Man konnte eine Dampferfahrt auf dem Kanal machen, die Enten füttern oder in einem Restaurant am Wasser essen. Und doch waren es nur knapp anderthalb Kilometer zur M8, drei Kilometer zum Flughafen. Rebus fuhr über die Calder Road und verließ sich im Übrigen auf seinen Ortssinn. Fergus McLures Haus lag am Hallcroft Park. Es gab im ganzen Dorf nur ein Dutzend Straßen. Man wusste, dass McLure seine Geschäfte von zu Hause aus abwickelte. Rebus hatte beschlossen, sich nicht telefonisch anzumelden. Er wollte Fergie nicht vorwarnen.

Als er in Ratho eintraf, brauchte er fünf Minuten, um Hallcroft Park zu finden. Er hielt vor Fergies Haus, stieg aus und ging zur Tür. Kein Lebenszeichen. Er klingelte noch einmal. Gardinen hinderten ihn daran, durchs Fenster zu sehen.

»Hätt doch anrufen sollen«, murmelte Rebus.

Eine Frau kam gerade mit einem an der Leine zerrenden Terrier vorbei. Der kleine Hund gab fürchterliche Erstickungslaute von sich, während er auf dem Bürgersteig herumschnüffelte.

»Ist er nicht zu Hause?«, fragte sie.

»Nein.«

»Komisch, sein Auto steht da.« Sie hatte noch Zeit, in die Richtung eines parkenden Volvos zu nicken, bevor der Hund sie weiterzerrte. Es war ein blauer 940er Kombi. Rebus spähte durch die Fenster, aber mehr, als dass der Innenraum extrem sauber aussah, konnte er nicht feststellen. Er warf einen Blick auf den Meilenstand: niedrig. Ein neues Auto. Die Außenseiten der Reifen hatten noch nicht mal Zeit gehabt, ihren Glanz zu verlieren.

Rebus ging zu seinem eigenen Auto zurück – Meilenstand momentan fünfzigmal so hoch wie der des Volvos – und beschloss, über die Glasgow Road in die Stadt zurückzukehren. Aber gerade als er über die Kanalbrücke fahren wollte, sah er am hinteren Ende des Restaurantparkplatzes einen Streifenwagen, der auf dem Zufahrtsweg zum Kanal parkte. Daneben stand ein Rettungswagen. Rebus bremste, setzte zurück und bog auf den Parkplatz ein, fuhr im Schritttempo weiter. Ein Trachtengruppler kam ihm entgegen, um ihn aufzuhalten, aber Rebus hatte seine Dienstmarke schon parat. Er parkte und stieg aus.

»Was gibt's?«, fragte er.

»Jemand ist baden gegangen, ohne sich vorher auszuziehen.«

Der Constable folgte Rebus hinunter zum Anlegesteg. Vergnügungsdampfer lagen da vertäut, und es standen ein paar Touristen herum, die so aussahen, als hätten sie vorgehabt, auf einem davon eine Fahrt zu machen. Der Regen hatte wieder angefangen und zernarbte die Oberfläche des Kanals. Die Enten hielten Abstand. Ein regloser Körper war aus dem Wasser gezogen worden und lag mit tropfnasser Kleidung auf den Planken des Stegs. Ein Mann, der wie ein Arzt aussah, suchte mit eher hoffnungsloser Miene nach Lebenszeichen. Die Hintertür des Restaurants war offen, Kellner und Küchenkräfte standen dort herum und machten zugleich interessierte und entsetzte Gesichter.

Der Arzt schüttelte den Kopf. Eine Touristin brach in Tränen aus. Ihr Begleiter drückte sich seine Videokamera an die Brust und legte einen Arm um die Frau.

»Er muss ausgerutscht und reingefallen sein«, sagte jemand. »Hat sich den Kopf angestoßen.«

Der Arzt sah sich den Kopf des Toten genauer an, fand eine saubere Platzwunde.

Rebus schaute hinüber zum Restaurantpersonal. »Jemand was gesehen?« Kopfschütteln. »Wer hat das gemeldet?«

»Ich war's.« Die Touristin; englischer Akzent.

Rebus wandte sich zum Arzt. »Wie lang hat er im Wasser gelegen?«

»Ich bin nur Allgemeinmediziner, kein Experte. Aber wenn ich schätzen soll… nicht lang. Mit Sicherheit nicht über Nacht.« Etwas war aus der Jacketttasche des Ertrunkenen gefallen und hatte sich zwischen zwei Planken verfangen. Eine kleine braune Flasche mit weißem Plastikverschluss. Tabletten. Rebus sah das aufgedunsene Gesicht an, projizierte es auf einen viel jüngeren Mann, einen Mann, den er 1978 nach seiner Beziehung zu Lenny Spaven befragt hatte.

»Er ist von hier«, sagte Rebus, an niemand Bestimmten gewandt. »Er heißt Fergus McLure.«

Er versuchte, Gill Templer ans Telefon zu bekommen, konnte sie nirgends erreichen und hinterließ schließlich an einem halben Dutzend verschiedenen Stellen Nachrichten für sie.

Wieder zu Hause, putzte er sich die Schuhe und zog seinen besten Anzug an, suchte das am wenigsten zerknitterte Hemd heraus und den (nach dem für die Beerdigungen) zweitdezentesten Schlips, den er besaß.

Dann begutachtete er sich im Spiegel. Er hatte geduscht und sich rasiert, die Haare getrocknet und gekämmt. Sein Schlipsknoten saß ordentlich, und zur Abwechslung hatte er einmal zwei zusammenpassende Strümpfe gefunden. Er sah gut aus – ganz anders, als er sich fühlte.

Es war halb zwei, Zeit, nach Fettes zu fahren, in die Zentrale der Polizei von L&B.

Mit dem Verkehr ging es halbwegs, die Ampeln waren auf seiner Seite, als wollten sie nicht, dass er sich verspätete. Er kam zu früh an, spielte mit dem Gedanken, noch ein bisschen herumzufahren, aber er wusste, dass ihn das nur noch nervöser machen würde. Also ging er stattdessen hinein und ins »Mordzimmer«. Es lag im zweiten Stock: ein Großraumbüro, von dem aus einzelne Kabuffs für die höheren Beamten abgingen. Das war die Edinburgher Seite des Dreiecks, das Johnny Bible geschaffen hatte: das Herz der Ermittlungen in der Mordsache Angie Riddell. Rebus kannte ein paar der Dienst habenden Gesichter, lächelte, nickte. Die Wände waren mit Karten und Stadtplänen, Fotos und Tabellen bedeckt – ein Versuch, Ordnung zu schaffen. Ein sehr großer Teil der Polizeiarbeit bestand tatsächlich darin, das Material in eine gewisse Ordnung zu bringen: die Abfolge der Ereignisse festzustellen, Details zu überprüfen, den Schlamassel aufzuräumen, den Leben und Tod jedes Menschen hinterließen.

Die meisten Beamten, die an diesem Nachmittag Dienst taten, sahen müde und abgestumpft aus. Sie saßen neben Telefonen und warteten. Warteten auf den Tipp, der nicht kam, auf das fehlende Bindeglied, einen Namen oder eine Beobachtung, warteten auf den Mann... Sie warteten schon lange. Jemand hatte ein Phantombild von Johnny Bible künstlerisch verfremdet: gewundene Hörner, Rauchfähnchen aus geblähten Nüstern, Reißzähne und eine Schlangenzunge.

Das Märchenmonster.

Rebus sah genauer hin. Das Phantombild war mit dem Computer angefertigt worden. Den Ausgangspunkt stellte ein altes Fahndungsbild von Bible John dar. Dank der Hörner und Reißzähne wies er eine gewisse Ähnlichkeit mit Alister Flower auf...

Er betrachtete die Fotos der lebendigen Angie Riddell, blickte an den Autopsiebildern bewusst vorbei. Er erinnerte sich an die Nacht, als er sie festgenommen hatte, erinnerte sich, wie sie in seinem Auto gesessen und geredet hatte. Ihr Haar schien fast auf jedem Bild anders getönt zu sein, als sei sie nie ganz mit sich zufrieden gewesen. Oder sie hatte einfach das Bedürfnis gehabt, sich ständig zu verändern, vor dem Menschen, der sie war, wegzulaufen, zu lachen, um nicht weinen zu müssen. Zirkusclown, gemaltes Lächeln …

Rebus schaute auf seine Uhr. Scheiße: Es war Zeit.

9

Es war nur der CC Rider selbst, Colin Carswell, der Rebus im behaglichen, mit Teppichen ausgelegten Büro erwartete.

»Nehmen Sie doch Platz.« Carswell hatte sich halb erhoben, um Rebus zu begrüßen, und nahm jetzt wieder Platz. Rebus saß ihm gegenüber, musterte den Schreibtisch, suchte nach möglichen Hinweisen. Der Yorkshirer war ein hoch gewachsener, bierbäuchiger Mann mit braunem Haar, das sich lichtete, und einer platten Mopsnase. Er schniefte. »Tut mir Leid, mit Keksen kann ich nicht dienen, aber es gibt Tee oder Kaffee, wenn Sie möchten.«

Rebus erinnerte sich an das Telefonat. *Gibt's Tee und Plätzchen? Sonst komm ich nicht.* Die Bemerkung war weitergegeben worden.

»Nein, danke, Sir.«

Carswell öffnete einen Aktendeckel, nahm etwas heraus, einen Zeitungsausschnitt. »Jammerschade, das mit Lawson Geddes. Er soll seinerzeit ein außergewöhnlicher Beamter gewesen sein.«

Es war ein Artikel über Geddes' Selbstmord.

»Ja, Sir.«

»Es heißt ja, das sei ein feiger Ausweg, aber ich weiß, dass *ich* nicht den Mut dazu hätte.« Er sah auf. »Wie steht's mit Ihnen?«

»Ich hoffe, ich werde nie in die Situation geraten, das herausfinden zu müssen, Sir.«

Carswell lächelte, legte den Ausschnitt zurück, klappte den Aktendeckel zu. »John, die Medien nehmen uns unter Beschuss. Anfangs war es nur dieses Fernsehteam, aber jetzt scheint absolut jeder mitmischen zu wollen.« Er starrte Rebus an. »Nicht gut.«

»Nein, Sir.«

»Also haben wir – der Chief Constable und ich – beschlossen, dass wir die Initiative ergreifen sollten.«

Rebus schluckte. »Sie wollen den Spaven-Fall noch einmal aufrollen?«

Carswell wischte unsichtbaren Staub vom Aktendeckel. »Nicht sofort. Die Beweislage hat sich nicht geändert, also besteht auch keine eigentliche Veranlassung dazu.« Er sah rasch auf. »Es sei denn, Sie wüssten einen Grund, weswegen wir das tun sollten.«

»Der Fall war gelöst und abgehakt, Sir.«

»Versuchen Sie, das den Medien klar zu machen.«

»Das habe ich getan, glauben Sie mir.«

»Wir werden eine interne Untersuchung einleiten, nur um uns zu vergewissern, dass damals nichts übersehen oder… unkorrekt behandelt wurde.«

»Wodurch *ich* unter Verdacht gerate.« Rebus spürte, wie ihm der Kamm schwoll.

»Nur, wenn Sie etwas zu verbergen haben.«

»Ach, kommen Sie, Sir, wenn ein Fall noch mal aufgerollt wird, scheint früher oder später *jeder* Dreck am Stecken zu haben. Und jetzt, wo Spaven und Lawson Geddes tot sind, bleibe ich mit dem schwarzen Peter übrig.«

»Nur, wenn es einen schwarzen Peter gibt.«

Rebus sprang auf.

»Hinsetzen, Inspector, ich bin noch nicht mit Ihnen fertig!«

Rebus setzte sich und krallte sich mit beiden Händen seitlich am Stuhl fest. Er hatte das Gefühl, dass er, wenn er losgelassen hätte, glatt durch die Zimmerdecke geflogen wäre. Carswell brauchte eine Sekunde Zeit, um die Fassung wiederzugewinnen.

»Damit die größtmögliche Objektivität gewährleistet ist, wird die Untersuchung von einem Außenstehenden geleitet werden, der mir unmittelbar unterstellt ist. Er wird die vorhandenen Akten sichten…«

Holmes warnen!

»…sowie alle für notwendig befundenen weiteren Vernehmungen durchführen und außerdem den Abschlussbericht erstellen.«

»Soll die Sache an die Öffentlichkeit?«

»Nicht bevor mir der endgültige Bericht vorliegt. Ich kann nicht so dastehen, als wollte ich etwas vertuschen, das ist alles, was ich dazu zu sagen habe. Wenn irgendwo ein Verstoß gegen die Vorschriften stattgefunden hat, werden entsprechende Maßnahmen eingeleitet werden. Ist das klar?«

»Ja, Sir.«

»Also – gibt es etwas, das Sie mir sagen möchten?«

»Nur unter uns beiden, oder wollen Sie den Schläger hereinbitten?«

Carswell ließ das als Witz durchgehen. »Ich glaube nicht, dass man ihn als solchen bezeichnen könnte.«

»Wer soll die Untersuchung leiten, Sir?«

»Ein Beamter aus Strathclyde, DCI Charles Ancram.«

O heiliger Herrgott, gottverdammter. Sein Abschied von Ancram: der Vorwurf der Bestechlichkeit. Und Ancram hatte es *gewusst*, hatte den ganzen Tag lang gewusst, dass es so kommen würde. Wie er gelächelt hatte, als sei er in irgendwelche Geheimnisse eingeweiht, wie er Rebus gemustert hatte, als könnten sie ohne weiteres bald zu Kontrahenten werden.

»Sir, zwischen CI Ancram und mir könnten gewisse persönliche Spannungen bestehen.«

Carswell starrte ihn an. »Geht's auch konkreter?«

»Nein, Sir, bei allem Respekt.«

»Na ja, ich könnte wohl stattdessen Chief Inspector Flower nehmen. Er steht momentan ohnehin ganz hoch im Kurs, seitdem er den Sohn dieses Abgeordneten wegen Hanfanbaus hoppgenommen hat...«

Rebus schluckte. »Ich würde CI Ancram vorziehen, Sir.«

Carswell sah ihn finster an. »Das haben nicht *Sie* zu entscheiden, Inspector, oder?«

»Nein, Sir.«

Carswell seufzte. »Ancram ist bereits instruiert worden. Bleiben wir also bei ihm... wenn's Ihnen recht ist.«

»Danke, Sir.« *Wie bin ich hier bloß reingeraten?*, dachte Rebus. *Ich danke dem Typ dafür, dass er mir Ancram auf den Hals hetzt...* »Kann ich jetzt gehen, Sir?«

»Nein.« Carswell hatte den Aktendeckel wieder aufgeschlagen, während Rebus sich bemühte, seine Herzfrequenz zu senken. Carswell las eine Notiz, sprach, ohne den Blick zu heben.

»Was hatten Sie heute Vormittag in Ratho zu suchen?«

»Sir?«

»Eine Leiche wurde aus dem Kanal gezogen. Ich habe erfahren, dass Sie da waren. Nicht direkt Craigmillar, stimmt's?«

»Ich war zufällig in der Gegend.«

»Und haben offenbar die Leiche identifiziert?«

»Ja, Sir.«

»Sie sind ja ein richtiger Tausendsassa.« Hohntriefend. »Woher kannten Sie ihn?«

Beichten oder keinen Piep mehr sagen? Weder noch. Heucheln. »Ich habe ihn als einen unserer Spitzel wiedererkannt, Sir.«

Carswell hob die Augen. »Wessen speziell?«

»DI Flowers.«

»Wollten Sie ihm ins Handwerk pfuschen?« Rebus hielt den Mund und überließ es Carswell, seine Schlüsse zu ziehen. »Und das genau an dem Morgen, an dem er in den Kanal plumpst... seltsamer Zufall, wie?«

Rebus zuckte die Achseln. »So was kommt vor, Sir.« Er starrte Carswell in die Augen. Sie versuchten, sich gegenseitig zum Wegsehen zu zwingen.

»Wegtreten, Inspector«, sagte Carswell.

Rebus blinzelte erst, als er die Tür hinter sich geschlossen hatte.

Er rief von Fettes aus St. Leonard's an; seine Hand zitterte. Aber Gill war nicht da, und kein Mensch schien zu wissen, wo sie sich aufhielt. Rebus bat die Telefonzentrale, sie anzupiepen, ließ sich dann mit dem CID verbinden. Siobhan nahm ab.

»Ist Brian da?«

»Ich hab ihn seit ein paar Stunden nicht mehr gesehen. Kochen Sie beide was aus?«

»Das Einzige, was hier kocht, ist der Schweiß in meinen Schuhen. Wenn Sie ihn sehen, sagen Sie ihm, er möchte anrufen. Und richten Sie das Gleiche Gill Templer aus.«

Er legte auf, bevor sie ein Wort sagen konnte. Wahrscheinlich hätte sie ihre Hilfe angeboten, und das Letzte, was Rebus im Augenblick brauchte, war ein weiterer Beteiligter. Er log, um sich zu schützen... log, um Gill Templer zu schützen... Gill... er musste ihr ein paar Fragen stellen, dringende Fragen. Er versuchte, sich an ihre Privatnummer zu erinnern, hinterließ ihr eine Nachricht auf dem AB, probierte es dann mit Holmes' Privatnummer. Wieder ein Anrufbeantworter, gleiche Nachricht: Bitte sofort anrufen.

Warte. Denk nach.

Er hatte Holmes gebeten, sich mit dem Spaven-Fall vertraut zu machen, und das bedeutete, die Akten zu studieren. Als die Wache an der Great London Road abgebrannt war, hatte es auch einen Haufen Akten erwischt, aber nicht die älteren, denn zu dem Zeitpunkt waren diese bereits aus Platzmangel ausgelagert worden. Sie wurden zusammen mit den uralten Fällen, all den klappernden, morschen Skeletten, in einer Lagerhalle in der Nähe von Granton Harbour aufbewahrt. Rebus war davon ausgegangen, dass Holmes die Unterlagen mitnehmen würde, aber vielleicht hatte er's ja nicht getan ...

Von Fettes zum Lager waren es zehn Minuten. Rebus schaffte es in sieben. Als er Holmes' Auto auf dem Parkplatz erkannte, gestattete er sich ein Grinsen. Er ging zum Haupteingang, zog die Tür auf und trat in einen riesigen dunklen, hallenden Raum. In Reih und Glied stehende grüne Metallregale zogen sich über die ganze Länge der Lagerhalle hin, voll gestellt mit robusten Pappkartons, in denen die Geschichte der Polizei von Lothian und Borders – und, bis zu deren Auflösung, der Polizei von Edinburgh –, von den Fünfziger- bis zu den Siebzigerjahren vor sich hin moderte. Es kamen immer noch Dokumente an: Kisten mit daran befestigten Schildchen warteten darauf, ausgepackt zu werden, und es sah so aus, als zeichnete sich allmählich ein Wechsel ab: An die Stelle der Pappkartons traten immer häufiger verschließbare Plastikboxen. Ein kleiner, älterer Mann, sehr gepflegt, mit einem schwarzen Schnurrbart und dicken Brillengläsern, kam Rebus entgegenmarschiert.

»Ja, kann ich Ihnen behilflich sein?«

Der Mann war der Inbegriff des Verwaltungsmenschen. Wenn er nicht zu Boden sah, starrte er an Rebus' rechtem Ohr vorbei in die Ferne. Er trug einen grauen Nylonkittel über einem weißen Hemd mit abgewetztem Kragen und grüner Tweed-Krawatte. Aus seiner Brusttasche ragten Kulis und Bleistifte hervor.

Rebus zeigte seinen Dienstausweis. »Ich suche nach einem Kollegen, DS Holmes, ich glaube, er sieht sich irgendwelche alten Akten an.«

Der Mann prüfte den Dienstausweis eingehend. Dann ging er zu einem Klemmbrett und notierte Rebus' Namen und Dienstgrad sowie Datum und Uhrzeit seiner Ankunft.

»Ist das unbedingt nötig?«, fragte Rebus.

Der Mann machte ein Gesicht, als habe man ihm seiner Lebtag noch keine solche Frage gestellt. »Papierkram!«, bellte er und sah auf die ringsum gestapelten Kisten und Kartons. »Es ist alles nötig, sonst wäre ich nicht hier.«

Und dann lächelte er, und seine Brille reflektierte das Licht der Deckenlampen. »Hier lang.«

Er führte Rebus durch eine Kartongasse, bog dann nach rechts ab und schließlich, nach kaum merklichem Zögern, nach links. Sie gelangten zu einer Lichtung, wo Brian Holmes an einer alten Schulbank saß, noch komplett mit Tintenfass. Ein Stuhl war nicht verfügbar, also benutzte er stattdessen eine hochkant gestellte Kiste. Er hielt die Ellbogen auf das Pult gestützt, den Kopf in die Hände. Auf dem Pult stand eine Lampe, die die Szene in Licht tauchte. Der Lagerist räusperte sich.

»Jemand möchte Sie sprechen.«

Holmes drehte sich um, stand auf, als er sah, wer es war. Rebus wandte sich schnell zum Lageristen.

»Danke für Ihre Hilfe.«

»Keine Ursache. Ich bekomm nicht oft Besuch.«

Das Männlein schlurfte davon, seine Schritte verhallten in der Ferne.

»Keine Sorge«, sagte Holmes. »Ich hab Brotkrumen gestreut, so finden wir jederzeit wieder heraus.« Er blickte sich um. »Ist das nicht der gruseligste Ort, den Sie je erlebt haben?«

»Gehört auf jeden Fall in die engere Auswahl. Passen Sie auf, Brian, es gibt ein Problem.« Er hielt die rechte Hand zur Faust geballt hoch. »Kacke.« Dann die Linke darüber, und ließ die Finger polypenartig wimmeln. »Dampf. Und zwar jede Menge davon.«

»Ich höre.«

»Der CC Rider ordnet eine Untersuchung des Spaven-Falls an, bevor der Fall selbst noch einmal aufgerollt wird. Und er hat's geschafft, die Sache jemandem zu übergeben, dem ich erst kürzlich auf den Schlips getreten bin.«

»Dumm gelaufen.«

»Allerdings. Es ist also bestimmt nur eine Frage von wenigen Tagen, bis die hier aufkreuzen und die Unterlagen abholen. Und ich möchte nicht, dass die Sie gleich mit einsacken.«

Holmes warf einen Blick auf die prallen Aktenordner, die verblasste schwarze Tinte auf den Deckeln. »Die Akten könnten doch verloren gehen, oder?«

»Könnten sie. Zwei Probleme. Erstens, es würde äußerst verdächtig aussehen. Zweitens nehme ich an, dass Mr. Klemmbrett weiß, welche Akten Sie sich speziell angesehen haben.«

»Das stimmt«, räumte Holmes ein. »Er hat alles aufgeschrieben.«

»Mitsamt Ihrem Namen.«

»Wir könnten es mit einem kleinen Geldgeschenk versuchen.«

»So sieht er nicht aus. Das macht er hier nicht wegen des Geldes, oder?«

Holmes schaute nachdenklich drein – und fürchterlich aus: schlecht rasiert, die Haare ungekämmt und schon lang nicht mehr geschnitten. In die Säcke unter seinen Augen hätte ein Zentner Kohle gepasst.

»Also«, sagte er schließlich, »ich bin zur Hälfte fertig… mehr als zur Hälfte. Wenn ich die Nacht durchmache, beim Lesen vielleicht noch einen Zahn zulege, könnte ich bis morgen durch sein.«

Rebus nickte. »Was halten Sie bislang von der Sache?« Er hatte fast Angst, die Akten zu berühren, sie durchzublättern. Das war nicht bloß Geschichte, das war schon Archäologie.

»Ihre Tippkünste sind seither nicht besser geworden. Ehrliche Antwort: Da ist irgendwas nicht koscher, so viel kann ich zwischen den Zeilen lesen. Ich erkenne genau, wo Sie was vertuschen, die wahre Geschichte umschreiben, damit sie sich mit Ihrer Version deckt. Damals waren Sie noch nicht sehr geschickt. Geddes' Version klingt glatter, überzeugender. Aber eins frage ich mich: Was war das eigentlich für eine Geschichte mit ihm und Spaven? Ich weiß von Ihnen, dass die beiden zusammen gedient hatten, in Burma oder sonstwo; aber wie kam's, dass sie sich zerstritten haben? Wenn wir das wüssten, könnten wir beurteilen, wie viel ihm Geddes nachtrug und vielleicht auch, wie weit er deswegen gegangen wäre.«

Rebus klatschte lautlos Beifall.

»Das war schnell.«

»Dann geben Sie mir noch einen Tag, mal sehen, was ich sonst noch ausgrabe. John, ich *will* das für Sie tun.«

»Und wenn Sie erwischt werden?«

»Ich red mich schon raus, keine Bange.«

Rebus' Beeper piepste. Rebus sah Holmes an.

»Je eher Sie weg sind«, meinte Holmes, »desto eher kann ich weitermachen.«

Rebus klopfte ihm auf die Schulter und machte sich auf den Weg zum Ausgang. Brian Holmes: Freund. Schwer mit dem Mann gleichzusetzen, der Macken-Minto aufgemischt hatte. Schizophrenie, des Polizisten Freundin und Helferin: Eine gespaltene Persönlichkeit kam bei dem Job gut zupass...

Er fragte den Lageristen, ob er telefonieren könne. Ein Telefon hing an der Wand. Er rief St. Leonard's an.

»DI Rebus.«

»Ja, Inspector, Sie haben anscheinend versucht, DCI Templer zu erreichen.«

»Richtig.«

»Also, wir haben sie lokalisiert. Sie ist in Ratho, in einem Restaurant.«

Rebus knallte den Hörer auf die Gabel und verfluchte sich, dass er nicht selbst darauf gekommen war.

Der Holzsteg, auf dem McLures Leichnam gelegen hatte, war vom Wind getrocknet worden, und nichts deutete noch darauf hin, dass hier vor kurzem ein Mensch gestorben war. Die Enten durchpflügten das Wasser; einer der Dampfer hatte gerade mit einem halben Dutzend Fahrgästen abgelegt; die Restaurantgäste kauten an ihrem Essen und starrten auf die zwei Gestalten am Ufer des Kanals.

»Ich war den halben Tag in Besprechungen«, erklärte Gill. »Ich hab erst vor einer Stunde davon erfahren. Was ist passiert?«

Sie hatte die Hände in die Taschen ihres cremefarbenen Burberrys vergraben und sah traurig aus.

»Frag den Pathologen. McLure hatte eine Platzwunde am Kopf, aber das sagt noch nicht viel. Er könnte ausgerutscht und irgendwo angestoßen sein.«

»Oder jemand könnte ihm einen Schlag verpasst und ihn dann reingestoßen haben.«

»Oder er könnte gesprungen sein.« Rebus überlief ein Schauder; der Tod erinnerte ihn an Mitchisons Optionen. »Ich nehme an, dass die Obduktion lediglich ergeben wird, ob er noch lebte, als er ins Wasser fiel. Ich würde sagen, ja, aber das beantwortet noch lange nicht die Frage: Unfall, Selbstmord oder Schlag und Schubs?« Gill wandte sich ab und ging los, den Treidelpfad entlang. Er folgte ihr und holte sie ein. Es fing wieder an zu regnen, kleine, vereinzelte Tropfen. Er beobachtete, wie sie auf ihrem Mantel landeten, ihn nach und nach dunkler färbten.

»Das war's ja dann wohl mit meiner großen Festnahme«, sagte sie mit Enttäuschung in der Stimme. Rebus klappte ihren Mantelkragen hoch, und sie lächelte über die fürsorgliche Geste.

»Es werden andere kommen«, entgegnete er. »Trotzdem ist ein Mann gestorben – vergiss das nicht.« Sie nickte. »Hör mal«, sagte er, »der ACC hat mich heute Nachmittag zusammengestaucht.«

»Wegen der Spaven-Sache?«

Er nickte. »Außerdem wollte er wissen, was ich heute Morgen hier draußen zu suchen hatte.«

Sie warf ihm einen kurzen Blick zu. »Was hast du geantwortet?«

»Gar nichts. Aber der Haken ist... McLure hängt mit Spaven zusammen.«

»Was?« Jetzt hatte er ihre ungeteilte Aufmerksamkeit.

»Sie waren vor Jahren dicke Freunde.«

»Herrgott, warum hast du mir das nicht gleich gesagt?«

Rebus zuckte die Achseln. »Schien nicht wichtig zu sein.«

Gill dachte angestrengt nach. »Aber wenn Carswell McLure mit Spaven in Verbindung bringt...?«

»Dann könnte die Tatsache, dass ich genau an dem Morgen hier war, an dem Fergie den Löffel abgegeben hat, *schon* ein Spürchen verdächtig aussehen.«

»Du musst es ihm sagen.«

»Da bin ich anderer Meinung.«

Sie stellte sich ihm in den Weg und packte ihn an den Jackenaufschlägen. »Du willst verhindern, dass ich auch was abbekomme.«

Der Regen wurde allmählich stärker, Tropfen funkelten in ihrem Haar. »Sagen wir einfach, ich vertrag mehr«, erwiderte er, nahm sie bei der Hand und führte sie in die Bar.

Sie aßen eine Kleinigkeit, beide ohne rechten Appetit. Rebus spülte mit einem Whiskey nach; Gill mit Highland-Quellwasser. Sie hatten einander gegenüber in einer Nische Platz genommen. Das Lokal war nur zu einem Drittel besetzt, niemand saß so nah, dass er hätte mithören können.

»Wer wusste sonst noch Bescheid?«, fragte Rebus.

»Du warst der Einzige, dem ich es erzählt habe.«

»Na ja, vielleicht haben sie's selbst rausgefunden. Vielleicht hat Fergie Schiss gekriegt, vielleicht hat er gebeichtet. Vielleicht haben sie es sich einfach zusammengereimt.«

»Eine Menge Vielleichts.«

»Was haben wir sonst schon?« Er schwieg, kaute. »Was ist mit den anderen Spitzeln, die du geerbt hast?«

»Was soll mit denen sein?«

»Spitzel kriegen allerlei mit, vielleicht war Fergie nicht der Einzige, der von dieser Drogensache wusste.«

Gill schüttelte den Kopf. »Ich hatte ihn das auch gefragt. Er schien davon überzeugt zu sein, dass die Sache *sehr* diskret gehandhabt wurde. Du gehst davon aus, dass er ermordet wurde. Aber vergiss nicht, er hatte schon immer schlechte Nerven, psychische Probleme. Möglicherweise hat er die Angst einfach nicht mehr ausgehalten.«

»Tu uns beiden einen Gefallen, Gill, bleib an den Ermittlungen dran. Stell fest, was die Nachbarn sagen: Hatte er heute Morgen Besuch? Von jemand Ungewöhnlichem oder

Verdächtigem? Versuch, die Liste seiner Anrufe zu bekommen. Das wird garantiert als Unfall verbucht, was bedeutet, dass keiner sich deswegen ein Bein ausreißen wird. *Mach Dampf*, sag bitte-bitte, wenn's sein muss. Ging er normalerweise immer morgens spazieren?«

Sie nickte die ganze Zeit. »Noch was?«

»Ja... wer hat seine Hausschlüssel?«

Gill erledigte die Anrufe. Dann tranken sie Kaffee, bis ein Detective Constable mit den Schlüsseln eintraf, frisch aus dem Leichenschauhaus. Gill hatte sich nach dem Spaven-Fall erkundigt und von Rebus nur ausweichende Antworten erhalten. Dann hatten sie über Johnny Bible geredet, über Allan Mitchison... über rein Berufliches eben, und dabei einen großen Bogen um jedes persönliche Thema gemacht. Einmal aber hatten sie sich in die Augen gesehen, gelächelt und gewusst, dass die Fragen da waren, ob sie sie nun stellten oder nicht.

»Also«, sagte Rebus, »was unternimmst du jetzt?«

»In Sachen McLures Tipp?«, seufzte sie. »Damit lässt sich nichts anfangen, es war alles so unbestimmt – keine Namen oder Einzelheiten, kein Datum für die Übergabe... das war's.«

»Tja, kann sein.« Rebus hob die Schlüssel hoch, schüttelte sie. »Hängt davon ab, ob du mit schnüffeln kommen willst oder nicht.«

Die Bürgersteige in Ratho waren schmal. Um den nötigen Abstand zu wahren, ging Rebus auf der Fahrbahn. Sie sprachen kein Wort. Das war ihr zweiter gemeinsamer Abend; Rebus wäre problemlos mit allem fertig geworden, nur nicht mit körperlicher Nähe.

»Das ist sein Auto.«

Gill ging einmal um den Volvo herum und spähte durch die Fenster. Am Armaturenbrett blinkte ein rotes Lämpchen: die Alarmanlage. »Ledersitze. Sieht wie frisch aus dem Schaufenster aus.«

»Aber das typische Feardie-Fergie-Auto: brav und sicher.«

»Ich weiß nicht«, sagte Gill nachdenklich. »Das ist die Turbo-Ausführung.«

Das war Rebus nicht aufgefallen. Er dachte an seinen betagten Saab. »Was aus dem wohl wird …«

»Ist das sein Haus?«

Sie brauchten einen Steck- und einen Sicherheitsschlüssel, um die Tür zu öffnen. Rebus schaltete das Flurlicht an.

»Weißt du, ob schon jemand von uns hier drin gewesen ist?«, fragte Rebus.

»Soweit ich weiß, sind wir die Ersten. Warum?«

»Ich spiel nur ein paar Szenarios durch. Sagen wir mal, jemand stattet ihm einen Besuch ab und macht ihm ordentlich Angst. Sagen wir, er fordert ihn auf, mit ihm einen Spaziergang zu machen …«

»Ja?«

»Na ja, er hatte immer noch die Geistesgegenwart, die Tür doppelt abzuschließen. Also war die Angst entweder nicht so groß …«

»… oder der Besucher hat die Tür doppelt abgeschlossen, weil er annahm, dass McLure das normalerweise auch tat.«

Rebus nickte. »Noch eins. Die Alarmanlage.« Er zeigte auf einen Schaltkasten an der Wand, an dem ein grünes Lämpchen leuchtete. »Sie ist nicht eingeschaltet. Wenn er aufgeregt war, könnte er es vergessen haben. Wenn er annahm, dass er sowieso nicht mehr lebend zurückkommen würde, hätte er sich das gespart.«

»Vielleicht hätte er sich das wegen eines kurzen Spaziergangs aber auch gespart.«

Rebus ließ den Einwand gelten. »Letztes Szenario: Wer immer die Tür doppelt abschließt, vergisst die Alarmanlage oder weiß schlicht und einfach nicht, dass es sie gibt. Sieh mal, Tür doppelt abgeschlossen, aber Alarmanlage ausgeschaltet – das passt nicht zusammen. Und bei jemandem wie Fergie, einem Volvofahrer – also ich würde tippen, dass da immer *alles* zusammenpasste.«

»Schön, dann sehen wir mal nach, ob er was besaß, was sich zu klauen gelohnt hätte.«

Sie gingen ins Wohnzimmer. Es war voll gestopft mit Möbeln und Nippsachen, wovon einige modern, andere hingegen so wirkten, als wären sie von Generation zu Generation vererbt worden. Aber obwohl überfüllt, war das Zimmer ordentlich und blitzsauber, und die Teppiche sahen keineswegs nach abgebranntem Lager aus, sondern äußerst teuer.

»Angenommen, jemand *hat* ihm einen Besuch abgestattet«, sagte Gill. »Vielleicht sollten wir nach Fingerabdrücken suchen.«

»Aber natürlich. Setz die Spurensicherung als Erstes darauf an.«

»Ja, Sir.«

Rebus lächelte. »Verzeihung, Ma'am.«

Während sie sich im Zimmer umschauten, behielten sie die Hände in den Taschen: Der Reflex, Dinge anzufassen, war immer stark.

»Keine Spuren eines Kampfes, und nichts sieht so aus, als wäre es falsch wieder zurückgestellt worden.«

»Sehe ich auch so.«

Hinter dem Wohnzimmer führte ein weiterer, kürzerer Korridor zu einem Gästezimmer und etwas, das ursprünglich wohl der Salon gewesen war: dem Empfang von Gästen vorbehalten. Fergus McLure hatte den Raum zu einem Büro umfunktioniert: überall Ordner und Papierkram und auf einem ausklappbaren Esstisch ein neu aussehender Computer.

»Jemand wird sich wohl das ganze Zeug ansehen müssen«, sagte Gill wenig begeistert.

»Ich hasse Computer«, meinte Rebus. Er hatte einen di-
cken Notizblock neben der Tastatur entdeckt, nahm eine
Hand aus der Tasche, hob den Block mit spitzen Fingern am
Rand hoch und hielt ihn ins Licht. Auf dem Papier waren
Eindrücke vom letzten beschriebenen Blatt zu erkennen.
Gill trat zu ihm und blickte ihm über die Schulter.

»Sag bloß.«

»Ich kann nichts entziffern, und ich glaub nicht, dass der
Trick mit dem Bleistift was bringen würde.«

Sie sahen sich an, sprachen ihren Gedanken gleichzeitig
aus.

»Howdenhall.«

»Jetzt Papierkorb und Mülleimer?«, fragte Gill.

»Mach du das, ich schau mich oben um.«

Rebus ging zurück in die Diele, sah weitere Türen, öffnete sie: eine kleine altmodische Küche, Familienbilder an
den Wänden; eine Toilette; eine Abstellkammer. Als er die
Treppe hinaufstieg, versanken seine Füße in einem dick-
florigen Läufer, der jedes Geräusch verschluckte. Es war
ein stilles Haus; Rebus vermutete, dass es auch in Anwesenheit McLures still gewesen war. Ein weiteres Gästezimmer,
großes Badezimmer – ebenso wenig modernisiert wie die
Küche – und Schlafzimmer. Rebus nahm sich die üblichen
Stellen vor: unter dem Bett, den Matratzen und Kissen;
Nachttisch, Kommode, Kleiderschrank. Alles war zwanghaft ordentlich: Strickjacken tadellos gefaltet und nach Farben sortiert; Pantoffeln und Schuhe in Reih und Glied, alle
braunen zusammen, dann die schwarzen. In einem kleinen
Bücherregal prangte eine einfallslose Kollektion: Geschichten der Teppichweberei und asiatischen Kunst; eine fotogra-
fische Rundreise durch die Weinbaugebiete Frankreichs.

Ein Leben ohne Komplikationen.

Entweder das, oder der Dreck an Feardie Fergies Stecken
war anderswo versteckt.

»Was gefunden?«, rief Gill von unten. Rebus ging zum Treppenabsatz.

»Nein, aber vielleicht möchtest du jemanden losschicken, der seine Geschäftsräume unter die Lupe nimmt.«

»Morgen als Allererstes.«

Rebus stieg wieder nach unten. »Und du?«

»Nichts. Nur genau das, was man in Mülleimer und Papierkorb zu finden erwarten würde. Kein Zettel, wo draufsteht: ›Drogendeal, Freitag halb drei auf der Teppichauktion‹.«

»Zu schade«, sagte Rebus mit einem Lächeln. Er sah auf die Uhr. »Lust, noch was trinken zu gehen?«

Gill schüttelte den Kopf, streckte sich. »Ich fahr besser nach Hause. Es war ein langer Tag.«

»*Wieder* ein langer Tag.«

»Wieder ein langer Tag.« Sie legte den Kopf ein wenig schief und sah ihn an. »Was ist mit dir? Gehst du noch was trinken?«

»Soll heißen?«

»Soll heißen, dass du mehr trinkst als früher.«

»Soll heißen?«

Sie sah ihn nachdenklich an. »Dass ich das nicht so gut finde.«

»Wie viel *dürfte* ich denn Ihrer Meinung nach trinken, Frau Doktor?«

»So war's nicht gemeint.«

»Woher weißt du überhaupt, wie viel ich trinke? Wer hat gepetzt?«

»Wir waren gestern Abend zusammen aus, schon vergessen?«

»Ich hab nur zwei oder drei Whiskey getrunken.«

»Und nachdem ich weg war?«

Rebus schluckte. »Schnurstracks nach Hause und ins Bett.«

Sie lächelte traurig. »Du Lügner. Und du hast heute auch direkt damit weitergemacht. Eine Streife hat dich gesehen, wie du aus diesem Pub hinter dem Waverley kamst.«

»Ich werde überwacht!«

»Es gibt ein paar Leute, die sich deinetwegen Sorgen machen, das ist alles.«

»Das glaub ich einfach nicht.« Rebus riss die Haustür auf. »Wo willst du hin?«

»Ich brauch einen Drink. Wenn du willst, kannst du mitkommen.«

10

Als er in die Arden Street einbog, sah er eine Gruppe von Leuten vor seiner Haustür stehen. Sie scharrten mit den Füßen, rissen Witze, versuchten, die Moral der Truppe hochzuhalten. Ein, zwei von ihnen aßen Pommes aus Zeitungspapiertüten – eine hübsche Metapher, wenn man bedenkt, dass sie nach Reportern aussahen.

»Scheiße.«

Rebus fuhr vorbei und mit unvermindertem Tempo weiter. Er hätte sowieso nirgendwo parken können. An der Kreuzung bog er rechts ab, dann die nächste links, und fand schließlich eine Parklücke vor dem Thirlestane-Schwimmbad. Er schaltete den Motor aus und knallte ein paarmal mit der Faust aufs Lenkrad. Er konnte immer noch wegfahren, vielleicht zur M90, nach Dundee brettern und wieder zurück, aber er hatte keine Lust dazu. Er atmete ein paarmal tief durch, spürte, wie das Blut in ihm pochte, in den Ohren rauschte.

»Packen wir's an«, sagte er und stieg aus. Er ging über die Marchmont Crescent zu seinem Stamm-Fish-&-Chips-Laden und machte sich dann auf den Heimweg, während das heiße Fett ihm durch mehrere Papierschichten hindurch die Handfläche verbrannte. Auf der Arden Street ließ er sich Zeit. Sie hatten nicht erwartet, dass er zu Fuß kommen würde, und so war er schon fast am Ziel, bevor ihn jemand erkannte.

Ein Kamerateam war auch da: Redgauntlet TV – Kameramann, Kayleigh Burgess und Eamonn Breen. Überrumpelt schnippte Breen eine Zigarette auf die Straße und riss sein Mikrofon hoch. An der Fernsehkamera war ein Scheinwerfer befestigt. Scheinwerfer blendeten einen, so dass man die Augen zusammenkniff, wodurch man wiederum schuldbewusst aussah. Also hielt Rebus die Augen schön weit offen.

Ein Journalist stellte die erste Frage.

»Inspector, irgendein Kommentar zur Spaven-Untersuchung?«

»Ist es wahr, dass der Fall noch einmal aufgerollt wird?«

»Was haben Sie empfunden, als Sie erfuhren, dass Lawson Geddes Selbstmord begangen hatte?«

Bei dieser Frage warf Rebus einen Blick auf Kayleigh Burgess, die immerhin den Anstand besaß, die Augen niederzuschlagen. Er hatte schon fast den Hauseingang erreicht, war nur noch einen knappen Meter von der Tür entfernt, aber von Reportern umzingelt. Es kam ihm vor, als watete er durch dicke Suppe. Er blieb stehen und wandte sich der Meute zu.

»Meine Damen und Herren von der Presse, ich möchte eine kurze Erklärung abgeben.«

Sie sahen sich sichtlich überrascht an, hielten ihm dann ihre Rekorder entgegen. Ein paar ältere Schreiberlinge in den hinteren Reihen, die das alles schon zu oft mitgemacht hatten, um noch die geringste Begeisterung aufzubringen, zückten Stift und Notizblock.

Der Lärm verebbte. Rebus hielt seine eingepackten Fritten in die Höhe.

»Im Namen aller Frittenesser von Schottland möchte ich Ihnen dafür danken, dass Sie uns mit dem allabendlichen Einwickelpapier versorgen.«

Noch ehe sie ein Wort herausbringen konnten, hatte er die Tür hinter sich zugeschlagen.

In der Wohnung machte er kein Licht an, stellte sich ans Wohnzimmerfenster und spähte hinunter auf die Straße. Ein paar Reporter schüttelten die Köpfe, riefen mit ihren Handys in der Redaktion an, um zu hören, ob sie abziehen dürften. Ein, zwei von ihnen schlurften schon zu ihren Autos. Eamonn Breen redete vor der Kamera und wirkte so von sich eingenommen wie eh und je. Einer der jüngeren Journalisten hielt zwei Finger hinter Breens Kopf hoch und versah ihn so mit Häschenohren.

Als Rebus' Blick auf die andere Straßenseite fiel, erkannte er dort einen Mann, der mit verschränkten Armen an ein geparktes Auto gelehnt stand. Er starrte lächelnd zu Rebus' Fenster hinauf, spendete dann lautlos Beifall, stieg in sein Auto und ließ den Motor an.

Jim Stevens.

Rebus wandte sich vom Fenster ab, schaltete eine Lampe an und setzte sich in seinen Sessel, um die Pommes zu verspeisen. Doch er hatte immer noch keinen rechten Appetit. Er fragte sich, wer den Geiern die Information zugespielt haben mochte. Der CC Rider hatte es ihm erst an dem Nachmittag gesagt, und außer Brian Holmes und Gill Templer wusste niemand davon. Der Anrufbeantworter blinkte wie verrückt: vier Nachrichten. Er schaffte es, das Ding zum Laufen zu bringen, und freute sich über seinen Erfolg, bis er den Glasgower Akzent hörte.

»Inspector Rebus, hier ist CI Ancram.« Forsch und geschäftsmäßig. »Wollte Ihnen nur sagen, dass ich wahrscheinlich morgen nach Edinburgh komme, um die Untersuchung in Gang zu bringen; je eher wir anfangen, desto eher haben wir's hinter uns. Was für alle Beteiligten am besten sein dürfte, oder? Ich hatte in Craigmillar hinterlassen, Sie möchten mich zurückrufen, aber Sie scheinen es nicht mehr geschafft zu haben.«

»Danke und gute Nacht«, knurrte Rebus.

Piep. Zweite Nachricht.

»Inspector, ich bin's wieder. Es wäre sehr hilfreich zu wissen, wo Sie sich im Laufe der kommenden sieben, acht Tage voraussichtlich aufhalten werden, nur damit ich meine Zeit effektiv nutzen kann. Wenn Sie mir also eine möglichst detaillierte schriftliche Aufstellung geben könnten, wäre ich Ihnen verbunden.«

Innerlich kochend, ging Rebus wieder ans Fenster. Sie räumten das Feld. Die Redgauntlet-Kamera wurde gerade im Kombi verstaut. Dritte Nachricht. Als Rebus die Stimme hörte, fuhr er herum und starrte das Gerät mit offenem Mund an.

»Inspector, die Untersuchung wird in Fettes durchgeführt werden. Ich nehme wahrscheinlich einen meiner eigenen Männer mit, aber ansonsten werde ich mich der dortigen Beamten und nichtbeamteten Mitarbeiter bedienen. Ab morgen Vormittag bin ich für Sie also in Fettes zu erreichen.«

Rebus stellte sich vor das Gerät und starrte es drohend an. *Wag es ... wag es ...*

Piep. Vierte Nachricht.

»Morgen vierzehn Uhr für unser erstes Gespräch, Inspector. Lassen Sie mich wissen, ob –«

Rebus riss den AB hoch und schleuderte ihn gegen die Wand. Der Deckel flog auf und spuckte die Kassette aus.

Es klingelte an der Tür.

Er sah durch den Spion. Traute seinem Auge nicht. Riss die Tür auf.

Kayleigh Burgess trat einen Schritt zurück. »Jesus, Sie sehen ja gemeingefährlich aus.«

»Ich *fühle* mich gemeingefährlich. Was zum Teufel wollen Sie?«

Sie zog eine Hand hinter dem Rücken hervor, hielt eine Flasche Macallan hoch. »Friedensangebot«, sagte sie.

Rebus fixierte erst die Flasche, dann sie. »Ist das Ihre Vorstellung von Um-den-Finger-Wickeln?«

»Absolut nicht.«

»Irgendwelche versteckten Mikros oder Kameras?«

Sie schüttelte den Kopf. Gelocktes braunes Haar kringelte sich auf ihrer Wange und an den Schläfen. Rebus trat in den Flur zurück.

»Sie haben Glück, dass ich gerade einen Brand habe«, sagte er.

Sie ging vor ihm ins Wohnzimmer, so dass er Gelegenheit hatte, ihren Körper zu begutachten. Er war genauso makellos wie die Ordnung in Feardie Fergies Haus.

»Hören Sie«, sagte er, »es tut mir Leid wegen des Rekorders. Schicken Sie mir die Rechnung, im Ernst.«

Sie zuckte die Schultern, entdeckte dann den Anrufbeantworter. »Sie haben wohl ein grundsätzliches Problem mit der Technik, oder?«

»Zehn Sekunden und schon geht die Fragerei los. Warten Sie hier, ich hol Gläser.« Er verschwand in die Küche, schloss die Tür hinter sich, sammelte die Zeitungsausschnitte und Zeitungen vom Tisch ein und warf sie in einen Schrank. Dann spülte er zwei Gläser aus, trocknete sie in aller Ruhe ab und starrte währenddessen auf die Wand über der Spüle. Worauf war sie aus? Informationen natürlich. Er sah Gills Gesicht vor sich. Sie hatte ihn um einen Gefallen gebeten, und ein Mann war gestorben. Und Kayleigh Burgess... vielleicht war sie für Geddes' Selbstmord verantwortlich. Er kam mit den Gläsern ins Wohnzimmer zurück. Sie kauerte vor der Hi-Fi-Anlage, musterte LP-Rücken.

»Ich hab noch nie einen Plattenspieler besessen«, sagte sie.

»Die Dinger sollen ganz groß im Kommen sein.« Er öffnete den Macallan und schenkte ein. »Eiswürfel hab ich nicht, aber ich könnte wahrscheinlich von der Innenseite des Kühlfachs einen Brocken abschlagen.«

Sie stand auf, nahm ihm ein Glas ab. »Pur ist okay.«

Sie trug enge schwarze, an Po und Knien ausgeblichene Jeans und eine Jeansjacke mit Lammfellfutter. Über ihren, wie ihm auffiel, leicht vorstehenden Augen wölbten sich schön geformte Augenbrauen, und die Jochbeine sahen wie gemeißelt aus.

»Setzen Sie sich«, forderte er sie auf.

Sie nahm auf dem Sofa Platz, die Beine leicht gespreizt, Ellbogen auf den Knien, das Glas vor dem Gesicht.

»Das ist aber nicht Ihr Erster heute, oder?«, wollte sie wissen.

Er nahm einen Schluck, stellte das Glas auf der Armlehne seines Sessels ab. »Ich kann jederzeit damit aufhören.« Er breitete die Arme aus. »Sehen Sie?«

Sie lächelte, trank, beobachtete ihn über den Glasrand hinweg. Er versuchte, die Signale zu deuten: kokett, rotzfrech, entspannt, aufmerksam, berechnend, belustigt…

»Wer hat Ihnen das mit der Untersuchung gesteckt?«, fragte er.

»Sie meinen, den Medien im Allgemeinen, oder mir persönlich?«

»Suchen Sie sich's aus.«

»Ich weiß nicht, wer die Story in Umlauf gebracht hat, aber ein Journalist erzählte es einem anderen, und von da hat es sich ausgebreitet. Eine Freundin bei *Scotland on Sunday* hat mich angerufen; sie wusste, dass wir schon über den Spaven-Fall berichteten.«

Rebus dachte nach: Er sah wieder Jim Stevens vor sich,

am Spielfeldrand aufgepflanzt wie der Vereinsmanager. Stevens saß in Glasgow. Chick Ancram saß in Glasgow. Ancram wusste, dass Rebus und Stevens alte Bekannte waren, und plauderte die Story aus ...

Scheißkerl. Kein Wunder, dass er Rebus nicht aufgefordert hatte, ihn Chick zu nennen.

»Ich hör förmlich, wie die Zahnräder einrasten.«

Ein dünnes Lächeln. »Puzzleteilchen fügen sich zusammen.« Er griff nach der Flasche, die in Reichweite stand. Kayleigh Burgess lehnte sich im Sofa zurück, zog die Beine hoch, sah sich um.

»Hübsches Zimmer. Groß.«

»Müsste neu gestrichen werden.«

Sie nickte. »Die Gesimse auf jeden Fall, vielleicht auch um das Fenster rum. Das da würde ich allerdings rausschmeißen.« Sie meinte das Gemälde über dem Kamin: ein Fischerboot an einem Steg. »Wo soll das sein?«

Rebus zuckte die Achseln. »An einem Ort, den es nie gegeben hat.« Ihm gefiel das Bild auch nicht, aber es wegzuwerfen, kam für ihn nicht infrage.

»Sie könnten die Tür abbeizen«, fuhr sie fort, »soweit man's beurteilen kann, würde sie was hermachen.« Sie bemerkte seinen Blick. »Ich hab mir gerade in Glasgow eine Wohnung gekauft.«

»Schön für Sie.«

»Die Decken sind für meinen Geschmack zu hoch, aber –«

Sein Ton fiel ihr mit Verspätung auf. Sie verstummte.

»Tut mir Leid«, sagte Rebus, »was Smalltalk angeht, bin ich auch nicht mehr so gut, wie ich mal war.«

»Aber nicht, was Ironie betrifft.«

»Ich hab jede Menge Gelegenheit zu üben. Was macht die Sendung?«

»Ich dachte, Sie wollten nicht darüber reden.«

Rebus zuckte die Achseln. »Ist bestimmt interessanter

als Heimwerkertipps.« Er stand auf, um ihr nachzuschenken.

»Sie macht sich.« Sie hob ihren Blick; er hielt die Augen auf ihr Glas gerichtet. »Besser würde sie, wenn Sie sich zu einem Interview bereit erklärten.«

»Nein.« Er ging zurück zu seinem Sessel.

»Nein«, echote sie. »Nun ja, ob mit oder ohne O-Ton Rebus wird die Sendung ausgestrahlt. Sie ist schon fest eingeplant. Haben Sie Mr. Spavens Buch gelesen?«

»Belletristik ist nicht so mein Ding.«

Sie starrte demonstrativ auf die Stapel von Büchern, die sich neben der Hi-Fi-Anlage türmten und ihn Lügen straften.

»Ich hab bislang nur sehr wenige Häftlinge erlebt, die nicht ihre Unschuld beteuert hätten«, fuhr Rebus fort. »Es ist ein Selbsterhaltungsmechanismus.«

»Justizirrtümer haben Sie vermutlich auch noch keine erlebt, was?«

»Doch, jede Menge. Das Problem ist nur, dass der ›Irrtum‹ gewöhnlich darin bestand, dass der Straftäter ungeschoren davonkam. Das ganze Rechtssystem ist ein einziger Justizirrtum.«

»Darf ich Sie damit zitieren?«

»Dieses Gespräch ist streng vertraulich zu behandeln.«

»Normalerweise erklärt man das, *bevor* man etwas sagt.«

Er drohte ihr mit dem Finger. »Streng vertraulich.«

Sie nickte, hob ihr Glas. »Cheers! Auf die vertraulichen Äußerungen.«

Rebus führte sein Glas an die Lippen, trank aber nicht. Der Whiskey machte ihn locker, vermischte sich mit der Erschöpfung und einem Gehirn, das zum Bersten voll zu sein schien. Ein gefährlicher Cocktail. Er wusste, dass er vorsichtiger sein musste.

»Etwas Musik?«, fragte er.

»Ist das ein geschickter Themawechsel?«

»Fragen, Fragen.« Er ging zur Anlage, schob eine Kassette mit *Meddle* ein.

»Was ist das?«, fragte sie.

»Pink Floyd.«

»Oh, die mag ich. Ist das ein neues Album?«

»Nicht direkt.«

Er brachte sie dazu, von ihrem Job zu erzählen, wie sie da reingekommen war, ihr ganzes Leben, bis zu ihrer Kindheit. Gelegentlich brachte sie eine Frage über *seine* Vergangenheit an, aber er schüttelte jedes Mal den Kopf und führte sie wieder zu ihrer Lebensgeschichte zurück.

Sie braucht eine Auszeit, dachte er, eine Ruhepause. Aber sie schien von ihrer Arbeit besessen. Vielleicht war das jetzt das Äußerste, was sie sich an Atempause gönnte: Sie war mit *ihm* zusammen, also zählte das immer noch als Arbeit. Es lief letztlich wieder auf Schuldgefühle hinaus, Schuldgefühle und Arbeitsethik. Er dachte an eine Geschichte: Erster Weltkrieg, Weihnachten. Die gegnerischen Seiten tauchen aus ihren Schützengräben auf, um sich die Hände zu schütteln, eine Partie Fußball zu spielen, und anschließend geht's wieder zurück in die Schützengräben und an die Gewehre ...

Eine Stunde und vier Whiskeys später lag sie flach auf dem Sofa mit einer Hand hinter dem Kopf und einer auf dem Magen. Sie hatte ihre Jacke ausgezogen; darunter trug sie ein weißes Sweatshirt mit hochgekrempelten Ärmeln. Das Lampenlicht verwandelte die Härchen an ihren Armen in Goldgespinste.

»Besser ein Taxi rufen ...«, sagte sie leise zur Untermalung von *Tubular Bells*. »Wer ist das jetzt wieder?« Rebus schwieg. War gar nicht nötig: Sie schlief. Er konnte sie wecken, ihr in ein Taxi helfen. Er konnte sie auch nach Hause fahren; zu dieser nachtschlafenden Zeit war man in einer Stunde in Glasgow. Aber stattdessen breitete er seine Steppdecke über sie aus und drehte die Musik leise. Er hockte sich in seinen

Sessel am Fenster und deckte sich mit einem Mantel zu. Das Gasfeuer brannte und wärmte das Zimmer. Er würde warten, bis sie von selbst aufwachte. Dann würde er ihr ein Taxi oder seine Dienste als Chauffeur anbieten. Mochte sie selbst entscheiden.

Er musste nachdenken, planen – und das nicht zu knapp. Ihm war wegen morgen und Ancram und der Untersuchung eine Idee gekommen. Jetzt drehte und wendete er sie, gestaltete sie und verlieh ihr zusätzliche Dimensionen. Nachdenken, und nicht zu knapp...

Er wachte auf mit Straßenlaternenlicht im Gesicht und dem Gefühl, nicht lange geschlafen zu haben, sah zum Sofa und stellte fest, dass Kayleigh gegangen war. Er wollte schon wieder die Augen schließen, als er sah, dass ihre Jeansjacke noch immer da auf dem Boden lag, wo sie sie hingeschmissen hatte.

Er stand auf – noch groggy, was ihm plötzlich gar nicht recht war. Das Flurlicht war an. Die Küchentür stand offen. Drinnen brannte ebenfalls Licht...

Sie stand am Tisch, Paracetamol in der einen, ein Glas Wasser in der anderen Hand. Die Zeitungsausschnitte lagen vor ihr ausgebreitet. Als sie ihn bemerkte, fuhr sie zusammen und senkte den Blick.

»Ich hatte nach Kaffee gesucht, weil ich dachte, davon würd ich wieder nüchtern werden. Stattdessen hab ich die Sachen da gefunden.«

»Arbeitsunterlagen«, erklärte Rebus.

»Ich wusste nicht, dass Sie am Johnny-Bible-Fall mitarbeiten.«

»Tu ich auch nicht.« Er sammelte die Ausschnitte zusammen und legte sie in den Schrank zurück. »Es gibt keinen Kaffee, der ist alle.«

»Wasser reicht völlig.« Sie schluckte die Tabletten.

»Kater?«

Sie nahm einen großen Schluck Wasser, schüttelte den Kopf. »Ich denke, den kann ich vielleicht noch abwenden.« Sie sah ihn an. »Ich wollte nicht schnüffeln, es ist mir wichtig, dass Sie mir das glauben.«

Rebus zuckte die Achseln. »Wenn's irgendwie in der Sendung landet, werden wir's beide wissen.«

»Warum dieses Interesse an Johnny Bible?«

»Einfach so.« Er sah ihr an, dass sie ihm das nicht abnahm. »Ist schwer zu erklären.«

»Probieren Sie's einfach.«

»Ich weiß nicht... nennen Sie's das Ende der Unschuld.«

Er leerte ein paar Gläser Wasser, folgte ihr nicht, als sie ins Wohnzimmer ging. Als sie wieder herauskam, hatte sie ihre Jacke an und zog gerade ihre Haare unter dem Kragen hervor.

»Ich geh jetzt besser.«

»Soll ich Sie irgendwo hinfahren?« Sie schüttelte den Kopf. »Was ist mit der Flasche?«

»Vielleicht trinken wir sie ein andermal aus.«

»Ich kann nicht garantieren, dass sie dann noch da sein wird.«

»Ich werd's überleben.« Sie ging zur Wohnungstür, öffnete sie, drehte sich noch einmal um.

»Haben Sie von dem Ertrunkenen in Ratho gehört?«

»Ja«, sagte er mit ausdrucksloser Miene.

»Fergus McLure, ich hatte ihn vor kurzem interviewt.«

»Ach ja?«

»Er war mit Spaven befreundet gewesen.«

»Das wusste ich nicht.«

»Nein? Komisch, er erzählte, Sie hätten ihn während der damaligen Ermittlungen zur Vernehmung aufs Revier geschleift. Irgendwas dazu zu sagen, Inspector?« Sie lächelte kalt. »Dachte ich mir.«

Er schloss die Tür ab und hörte sie die Treppe hinunter-
steigen. Dann ging er ins Wohnzimmer, stellte sich neben
das Fenster und spähte hinunter. Sie wandte sich nach
rechts, in Richtung Meadows und Taxistand. Gegenüber
brannte ein Licht; von Stevens' Auto war nichts zu sehen.
Rebus fixierte den Blick auf sein eigenes Spiegelbild. Sie
wusste von der Verbindung Spaven-McLure, wusste, dass
Rebus McLure vernommen hatte. Das war genau die Sorte
Munition, die Ancram brauchen konnte. Rebus' Spiegelbild
starrte mit spöttisch-gleichmütiger Miene zurück. Er musste
seine ganze Willenskraft aufbieten, um nicht die Scheibe
einzuschlagen.

11

Rebus war auf der Flucht – machte einen auf bewegliches
Ziel –, und selbst der Morgenkater schaffte es nicht, ihn zu
bremsen. Er hatte als Allererstes gepackt, einen halb vollen
Koffer, und seinen Pager auf dem Kaminsims liegen lassen.
Die Werkstatt, bei der er gewöhnlich die Inspektion machen
ließ, schaffte es, den Saab rasch durchzuchecken: Reifen-
druck, Ölstand. Fünfzehn Minuten für fünfzehn Piepen.
Das einzige Problem, das sie fanden: Die Lenkung hatte zu
viel Spiel.

»Gilt auch für meine Fahrweise«, erklärte Rebus dem Me-
chaniker.

Er musste ein paar Anrufe erledigen, wollte die es jedoch
weder von seiner Wohnung noch von Fort Apache oder
sonst einer Polizeiwache aus tun. Er dachte an die früh öff-
nenden Pubs, aber die waren so gut wie Büros – es war
bekannt, dass er gern von dort aus operierte. Zu groß das
Risiko, dass Ancram ihn aufspüren würde. Also ging er in
seinen Waschsalon, lehnte mit einem Kopfschütteln das An-

gebot einer »Service-Wäsche« ab – diese Woche zehn Prozent Rabatt. Ein »Werbeangebot«. Seit wann hatten Waschsalons Werbeangebote nötig?

Er ließ sich vom Wechselautomaten einen Fünf-Pfund-Schein klein machen, holte sich aus einem anderen Automaten Kaffee und einen Schokokeks und zog einen Stuhl zum Wandtelefon. Erster Anruf: Brian Holmes zu Hause, eine letzte rote Karte für die »Ermittlung«. Niemand nahm ab. Er hinterließ keine Nachricht. Zweiter Anruf: Holmes in der Arbeit. Er verstellte seine Stimme und ließ sich von einem jungen Detective Constable aufklären, Brian habe sich bislang nicht blicken lassen.

»Soll ich ihm etwas ausrichten?«

Rebus legte auf, ohne was zu sagen. Vielleicht arbeitete Brian zu Hause an der »Ermittlung« und nahm nicht ab. Möglich war's ja. Dritter Anruf: Gill Templer in ihrem Büro.

»DCI Templer.«

»Ich bin's, John.« Rebus sah sich im Waschsalon um. Zwei Kunden mit Illustrierten vor der Nase. Leises Geräusch von Waschmaschinen und Wäschetrocknern. Geruch von Weichspüler. Die Geschäftsführerin schüttete gerade Waschpulver in eine Maschine. Im Hintergrund Radiogedudel: »Double Barrel«, Dave & Ansel Collins. Idiotischer Text.

»Du willst ein Update?«

»Warum sollte ich sonst wohl anrufen?«

»Sie sind ein ganz Gewiefter, DI Rebus.«

»Was du nicht sagst. Was hast du in Sachen Fergie unternommen?«

»Der Notizblock ist in Howdenhall, bislang keine Resultate. Die Spurensicherung schickt heute ein Team ins Haus, nach Abdrücken und Sonstigem suchen. Die haben sich gefragt, wozu wir welche brauchen.«

»Du hast es ihnen nicht gesagt?«

»Ich hab die Vorgesetzte rausgekehrt. Dafür gibt's doch schließlich Dienstgrade.«

Rebus lächelte. »Was ist mit dem Computer?«

»Ich fahr heute Nachmittag wieder raus, seh mir Festplatte und Disketten selbst an. Werde mich auch bei den Nachbarn umhören: Besucher, fremde Autos, all so was.«

»Und Fergies Geschäftsräume?«

»In einer halben Stunde fahre ich zu seinem Laden. Na, wie mache ich mich?«

»Bislang kann ich nicht klagen.«

»Gut.«

»Ich ruf später noch mal an, um zu hören, wie's läuft.«

»Du klingst komisch.«

»Wie, komisch?«

»Als ob du was im Schilde führst.«

»Ich doch nicht. Bye, Gill.«

Nächster Anruf: Fort Apache, Durchwahl in den Schuppen. Maclay nahm ab.

»Hallo, Heavy«, sagte Rebus. »Irgendwelche Nachrichten für mich?«

»Machen Sie Witze? Ich brauch Asbesthandschuhe für dieses Telefon.«

»DCI Ancram?«

»Wie haben Sie's erraten?«

»ASW. Ich hab versucht, ihn zu erreichen.«

»Wo sind Sie überhaupt?«

»Im Bett, Grippe oder so.«

»Besonders leidend klingen Sie nicht.«

»Ich lass mir nichts anmerken.«

»Sind Sie zu Haus?«

»Bei einer Freundin. Sie pflegt mich.«

»Ach ja? Erzählen Sie mehr.«

»Ein andermal, Heavy. Hören Sie, sollte Ancram noch mal anrufen …«

»Was er mit Sicherheit tut.«

»Sagen Sie ihm, ich versuch ihn zu erreichen.«

»Hat Ihre gute Samariterin auch eine Telefonnummer?«

Aber Rebus hatte schon aufgelegt. Er rief bei sich zu Hause an, um festzustellen, ob der AB nach der unsanften Behandlung noch funktionierte. Es gab zwei Nachrichten, beide von Ancram.

»Jetzt reicht's aber«, murmelte Rebus. Dann trank er seinen Kaffee aus, aß den Schokoladenkeks auf und starrte auf die Bullaugen der Wäschetrockner. Sein Kopf fühlte sich so an, als steckte er selbst in so einem Ding und guckte nach draußen.

Er erledigte noch zwei Anrufe – T-Bird Oil und CID Grampian – und beschloss dann, kurz zu Brian Holmes zu fahren in der Hoffnung, dass Nell nicht da sein würde. Es war ein schmales Reihenhaus, gutes Format für zwei Personen. Der taschentuchgroße Vorgarten war hoffnungslos verwahrlost. Beiderseits der Tür hingen Blumenampeln, die förmlich nach Wasser schrien. Er hatte Nell eigentlich für eine eifrige Gärtnerin gehalten.

Niemand öffnete. Er ging zum Fenster und schaute hinein. Sie hatten keine Gardinen; manche jüngeren Paare sahen das heutzutage nicht so eng. Das Wohnzimmer war ein Trümmerfeld, der Fußboden mit Zeitungen und Illustrierten, fettigem Einwickelpapier, Tellern, Bechern und leeren Pint-Gläsern übersät. Der Papierkorb quoll von leeren Bierdosen über. Der Fernseher spielte vor leerem Haus: irgendeine Vormittagssoap, ein braun gebranntes Paar, ins Gespräch vertieft. Sie wirkten überzeugender, wenn man sie nicht hören konnte.

Rebus beschloss, nebenan zu fragen. Ein kleiner Knirps machte ihm die Tür auf.

»Hallo, Cowboy, ist deine Mama da?«

Eine junge Frau kam schon aus der Küche, trocknete sich dabei die Hände mit einem Geschirrtuch.

»Entschuldigen Sie die Störung«, begann Rebus. »Ich wollte eigentlich zu Mr. Holmes, er wohnt nebenan.«

Sie sah nach draußen. »Sein Auto ist nicht da, er parkt immer an derselben Stelle.« Sie deutete dorthin, wo Rebus' Saab stand.

»Seine Frau haben Sie heute Morgen wohl nicht gesehen?«

»Schon seit Ewigkeiten nicht«, antwortete die Frau. »Sie kam früher immer wieder mal mit Süßigkeiten für Damon vorbei.« Sie strich dem Kind über das Haar. Er schüttelte ihre Hand ab und rannte ins Haus zurück.

»Tja, trotzdem danke«, sagte Rebus.

»Heute Abend müsste er wieder da sein, er geht nicht viel aus.«

Rebus nickte. Er nickte noch immer, als er in sein Auto stieg. Er saß da, rieb mit den Händen über das Lenkrad. Sie hatte ihn verlassen. Wie lange war das schon her? Warum hatte der sture Kerl nichts gesagt? Klar doch, Bullen waren ja dafür berühmt, dass sie ihren Emotionen freien Lauf ließen, ihre persönlichen Probleme ausdiskutierten, wofür Rebus selbst ein leuchtendes Beispiel war.

Er fuhr zur Lagerhalle. Von Holmes keine Spur, aber der gewissenhafte Mr. Klemmbrett sagte, er habe am Abend zuvor gearbeitet, bis das Lager geschlossen wurde.

»Sah er so aus, als sei er fertig?«

Der Mann schüttelte den Kopf. »Er sagte ›bis morgen‹.«

Rebus spielte mit dem Gedanken, eine Nachricht zu hinterlassen, entschied aber, dass dies zu riskant war. Er stieg wieder ins Auto und machte sich auf den Weg.

Er fuhr durch Pilton und Muirhouse, um die dicht befahrene Queensferry Road so lange wie möglich zu umgehen. Stadtauswärts lief der Verkehr einigermaßen – wenigstens stand er nicht. Er legte sich das Kleingeld für die Maut-station an der Forth Bridge zurecht.

Er war nach Norden unterwegs. Keine bloße Spritztour nach Dundee. Er fuhr nach Aberdeen. Er wusste nicht, ob er auf der Flucht oder auf dem Weg in den Kampf war.

Vielleicht beides. Feiglinge gaben manchmal gute Helden ab. Er schob eine Kassette ins Autoradio. Robert Wyatt, *Rock Bottom* – »Nullpunkt«.

»Da bin ich schon gewesen, Bob«, sagte er. Und später: »Kopf hoch, muss ja nicht unbedingt so kommen.«

Worauf er die Kassette wechselte. Deep Purple mit »Into the Fire«.

Der Wagen beschleunigte entsprechend.

Furry Boot Town

12

Es lag ein paar Jahre zurück, dass Rebus in Aberdeen gewesen war, und dann auch nur einen Nachmittag. Er hatte eine Tante besucht. Sie war inzwischen tot; das hatte er erst erfahren, als sie schon unter der Erde lag. Sie hatte in der Nähe des Pittodrie-Stadions gewohnt, in einem alten, von neuen Gebäuden umgebenen Haus. Wahrscheinlich war es inzwischen abgerissen worden. Trotz seines Rufs als Granitstadt vermittelte Aberdeen ein Gefühl von Unbeständigkeit. Heutzutage verdankte es fast alles, was es besaß, dem Erdöl, und das Erdöl würde nicht ewig reichen. In Fife aufgewachsen, hatte Rebus das Gleiche mit der Kohle erlebt: Niemand hatte für den Tag vorgesorgt, an dem die Gruben erschöpft sein würden. Und als sie es waren, war's auch mit der Hoffnung vorbei.

Linwood, Bathgate, der Clyde: Die Leute schienen nirgends je dazuzulernen.

Rebus erinnerte sich an die frühen Erdöljahre, das Getrappel der Lowlander, die auf der Suche nach hoch bezahlter harter Arbeit nordwärts hasteten: arbeitslose Werftarbeiter und Stahlkocher, Schulabgänger und Studenten. Es war Schottlands Eldorado. Man saß samstagnachmittags in einem Pub in Edinburgh oder Glasgow, die Rennseiten aufgeschlagen, Traumpferde umkringelt, und redete von der Chance, den großen Absprung zu machen. Es gab jede Menge freie Stellen, auf dem Boden eines Fischereihafens entstand etwas wie ein Mini-Dallas. Es war unglaublich, unvorstellbar, pure Zauberei.

Leute, die J.R. dabei zusahen, wie er sich durch eine weitere Folge intrigierte, hatten keine Probleme damit, sich vorzustellen, dass sich Entsprechendes jetzt auch an der Nordostküste abspielte. Es fand eine amerikanische Invasion statt, und die Amerikaner – *roustabouts, roughnecks*, raue Burschen – wollten keine friedliche, gesittete Küstenstadt; sie wollten die Puppen tanzen lassen, und sie machten Nägel mit Köpfen. So wurden aus den anfänglichen Mythen von einem Eldorado düstere Unterweltsgeschichten von Bordellen, Blutbädern, Schlägereien. Die Korruption blühte, die Spieler warfen mit Dollarmillionen um sich, und die Einheimischen nahmen ihnen die Invasion übel, ohne allerdings das Geld und die angebotenen Arbeitsplätze zu verschmähen. Männern aus der südschottischen Arbeiterklasse erschien Aberdeen wie das Fleisch gewordene Wort – nicht lediglich eine Männerwelt, sondern eine Welt für *harte* Männer, in der Respekt verlangt und mit Geld erkauft wurde. Es dauerte nur ein paar Wochen, bis der Stimmungsumschwung erfolgte: Kräftige Männer kehrten kopfschüttelnd zurück und murmelten was von Sklaverei, Zwölf-Stunden-Schichten und dem Albtraum Nordsee.

Und irgendwo in der Mitte zwischen Hölle und Eldorado lag etwas, was der Wahrheit nahe kam und nicht annähernd so spannend war wie die Mythen. Ökonomisch hatte der Nordosten vom Erdöl profitiert – noch dazu relativ schmerzlos. Wie in Edinburgh hatte man auch hier nicht zugelassen, dass die wirtschaftliche Entwicklung *zu·* tiefe Wunden ins Stadtzentrum riss. Aber in den Vororten entstanden die üblichen Gewerbe- und Industriegebiete, die flach gebauten Fabrikgebäude, von denen viele Namen trugen, die sie mit der Offshoretechnik in Verbindung brachten: On-Off, Grampian Oil, PlatTech…

Davor kam allerdings erst einmal die grandiose Anfahrt. Rebus hielt sich so lange wie möglich an die Küstenstraße und staunte über die Geisteshaltung einer Nation, die Golfplätze hart am Rand einer Steilklippe anlegte. Als er an einer Tankstelle Rast machte, besorgte er sich einen Stadtplan von Aberdeen und suchte die Zentrale der Grampian Police heraus. Sie lag an der Queen Street, mitten im Zentrum. Er hoffte, die Einbahnstraßen würden kein zu großes Problem darstellen. Er war in seinem ganzen Leben vielleicht ein halbes Dutzend Mal in Aberdeen gewesen, davon dreimal als Kind in den Ferien. Obwohl es inzwischen eine moderne Stadt war, witzelte er noch immer darüber, wie das viele in den Lowlands taten: Sie war voll von *teuchters*, hinterwäldlerischen Highlandern, und Fischköppen mit den seltsamsten Akzenten. Wenn die einen fragten, wo man herkam, klang es so, als sagten sie »*Furry boot ye frae?*«. Deswegen also »Furry Boot Town«, während die Aberdonier selbst bei »Granite City« blieben. Rebus wusste, dass er sich mit Witzeleien zurückhalten musste, jedenfalls so lange, bis er ein gewisses Gefühl für die Stadt entwickelt hatte.

Der Verkehr staute sich in Richtung Zentrum, was ihm ermöglichte, Stadtplan und Straßennamen im Auge zu behalten. Er fand die Queen Street und parkte, betrat das Polizeipräsidium und nannte seinen Namen.

»Ich habe heute Vormittag mit jemandem telefoniert, einem DC Shanks.«

»Ich werde mich beim CID erkundigen«, sagte die Uniformierte am Empfangsschalter. Sie bat ihn, Platz zu nehmen. Er setzte sich und beobachtete das Kommen und Gehen in der Eingangshalle. Er konnte die Zivilbeamten von den gewöhnlichen Bürgern leicht unterscheiden; wenn man ihnen in die Augen sah, wusste man Bescheid. Ein paar der Männer trugen typische CID-Schnurrbärte, buschig, aber sauber gestutzt. Sie waren jung und versuchten älter auszusehen. Ihm gegenüber saßen ein paar Kids mit eingeschüchterter Miene, aber einem Funkeln in den Augen. Sie hatten frische, sommersprossige Gesichter mit blutleeren Lippen. Zwei von ihnen waren blond, einer rothaarig.

»Inspector Rebus?«

Der Mann stand ein Stück abseits zu seiner Rechten – vielleicht schon seit ein paar Minuten oder länger. Rebus stand auf, und sie gaben sich die Hand.

»Ich bin DS Lumsden, DC Shanks hat Ihre Nachricht weitergeleitet. Es geht um eine Ölfirma?«

»Mit Sitz hier oben. Einer ihrer Mitarbeiter ist in Edinburgh aus einem zweiten Stock geflogen.«

»Gesprungen?«

Rebus zuckte die Achseln. »Es waren auch andere am Schauplatz, einer davon ist ein bekannter Krimineller namens Anthony Ellis Kane. Nach meinen Informationen arbeitet er zurzeit hier oben.«

Lumsden nickte. »Ja, ich hab davon gehört, dass das CID Edinburgh nach diesem Namen gefragt hatte. Sagt mir persönlich nichts, tut mir Leid. Normalerweise würde sich unser Erdöl-Verbindungsbeamter um Sie kümmern, aber der ist in Urlaub. Ich vertrete ihn, und damit bin ich für die Dauer Ihres Aufenthalts Ihr Fremdenführer.« Lumsden lächelte. »Willkommen in Silver City.«

»Silber« wegen des Flusses Dee, der durch die Stadt floss. Silber wegen der Farbe der Häuser bei Sonnenschein: grauer Granit, der sich in glitzerndes Licht verwandelte. Silber wegen des Geldes, das der Erdölboom gebracht hatte. Lumsden erklärte, während Rebus mit ihm zur Union Street zurückfuhr.

»Noch so ein Mythos über Aberdeen«, sagte Lumsden, »ist, dass die Leute knickrig seien. Warten Sie ab, bis Sie die Union Street an einem Samstagnachmittag erleben. Das dürfte die belebteste Einkaufsmeile in ganz Großbritannien sein.«

Lumsden trug einen blauen Blazer mit glänzenden Messingknöpfen, eine graue Hose, schwarze Slipper. Sein Hemd war elegant blau-weiß gestreift, seine Krawatte lachsrosa. Die Kleidung ließ ihn wie den Schriftführer eines exklusiven Golfklubs aussehen, aber Gesicht und Gestalt sprachen eine ganz andere Sprache. Er war eins fünfundachtzig, drahtig und hatte einen blonden Bürstenschnitt, der seinen spitzen Haaransatz besonders deutlich betonte. Seine Augen sahen nicht so sehr gerötet wie geradezu gechlort aus, und die Iris stach grellblau daraus hervor. Kein Ehering. Alter irgendwo zwischen dreißig und vierzig. Seinen Akzent konnte Rebus nicht so richtig einordnen.

»Engländer?«, fragte er.

»Ursprünglich aus Gillingham«, bestätigte Lumsden. »Meine Familie ist ziemlich viel herumgekommen. Mein Dad diente beim Militär. Sie haben ein gutes Ohr für Akzente, die meisten Leute halten mich für einen aus den Borders.«

Sie waren unterwegs zu einem Hotel, nachdem Rebus erklärt hatte, er würde wahrscheinlich über Nacht bleiben, vielleicht auch länger.

»Kein Problem«, hatte Lumsden gesagt. »Da weiß ich genau die richtige Adresse.«

Das Hotel lag an der Union Terrace, mit Blick auf die Gartenanlagen. Lumsden wies ihn an, außerhalb der Einfahrt zu parken. Er zog ein Stück Pappe aus der Tasche und drückte es von innen gegen die Windschutzscheibe. Das Schildchen behauptete POLIZEI GRAMPIAN IM EINSATZ. Rebus holte seinen Koffer aus dem Wagen, und Lumsden bestand darauf, ihn zu tragen. Er erledigte auch alles an der Rezeption. Ein Hotelboy brachte den Koffer nach oben, Rebus folgte ihm.

»Schauen Sie nur eben, ob Ihnen das Zimmer zusagt«, sagte Lumsden. »Sie finden mich dann in der Bar.«

Das Zimmer lag im ersten Stock. Es besaß die höchsten Fenster, die Rebus je gesehen hatte, und bot ihm eine Aussicht auf die Gartenanlagen. Außerdem herrschte eine Temperatur wie in einem Backofen. Der Boy zog die Vorhänge zu.

»Es ist immer so, wenn die Sonne scheint«, erklärte er. Rebus sah sich flüchtig um. Das war wahrscheinlich das eleganteste Hotelzimmer, in dem er je genächtigt hatte. Der Boy beobachtete ihn.

»Was denn, kein Schampus?«

Der Hotelboy verstand den Witz nicht, also schüttelte Rebus den Kopf und reichte ihm eine Einpfundnote. Der Boy erklärte, wie die Videoauswahl funktionierte, verlor ein paar Worte über Zimmerservice, Restaurant und sonstige Serviceleistungen und händigte Rebus dann den Schlüssel aus. Rebus folgte ihm wieder nach unten.

In der Bar war es ruhig, nachdem der mittägliche Ansturm vorüber war. Lumsden saß auf einem Hocker am Tresen, knabberte Erdnüsse und schaute MTV. Vor ihm stand ein Pint Bier.

»Hatte vergessen zu fragen, was Sie nehmen«, sagte er, als Rebus neben ihm Platz nahm.

»Ein Pint vom selben«, sagte Rebus zum Barkeeper.

»Wie ist das Zimmer?«

»Ein bisschen üppig für meinen Geschmack, wenn ich ehrlich sein soll.«

»Keine Sorge, um die Rechnung kümmert sich das CID Grampian.« Er zwinkerte. »Dienst am Kollegen.«

»Ich muss häufiger herkommen.«

Lumsden lächelte. »Na, dann erzählen Sie mal, was Sie hier so vorhaben.«

Rebus warf einen Blick auf den Bildschirm, sah die Stones, wie sie sich mit ihrem neuesten Stück ins Zeug legten. Herrgott, sahen die alt aus. Rolling Stonehenge mit einem Blues-Riff.

»Mit der Erdölfirma reden, vielleicht versuchen, ein paar Freunde des Toten aufzustöbern. Rausfinden, ob Tony El sich irgendwo hat blicken lassen.«

»Tony El?«

»Anthony Ellis Kane.« Rebus zog seine Zigaretten aus der Tasche. »Was dagegen?«

Lumsden schüttelte zweimal den Kopf: einmal, weil er nichts dagegen hatte, noch einmal, um die ihm angebotene Zigarette abzulehnen.

»Cheers«, sagte Rebus und nahm einen Schluck Bier. Es war okay. Bier war gut. Aber das optische Tohuwabohu versuchte unablässig, seine Aufmerksamkeit auf sich zu lenken. »Und, wie laufen die Ermittlungen in Sachen Johnny Bible?«

Lumsden schaufelte sich mehr Erdnüsse in den Mund. »Gar nicht. ›Kriechen‹ wäre noch geschmeichelt. Gehören Sie zur Edinburgher Soko?«

»Nur indirekt. Ich hab ein paar Spinner vernommen.«

Lumsden nickte. »Ich auch. Einigen von denen würde ich gern die Gurgel zudrücken. Ein paar unserer RPS musste ich auch vernehmen.« Er verzog das Gesicht. RPS: registrierter potentieller Straftäter. Das waren die »üblichen Verdächtigen«, eine Liste von aktenkundigen Perversen, Sexualtätern, Exhibitionisten und Spannern. In einem Fall wie Johnny Bible mussten sie alle vernommen und ihre Alibis überprüft werden.

»Ich hoffe, Sie haben anschließend ein Bad genommen.«

»Mindestens ein halbes Dutzend.«

»Also keine neuen Anhaltspunkte?«

»Nichts.«

»Glauben Sie, er ist von hier?«

Lumsden zuckte die Achseln. »Ich glaube gar nichts: Man muss offen bleiben. Warum dieses Interesse?«

»Was?«

»Ihr Interesse an Johnny Bible.«

Jetzt war es an Rebus, mit den Schultern zu zucken. Sie saßen einen Augenblick schweigend da, bis Rebus eine Frage einfiel. »Was tut ein Erdöl-Verbindungsbeamter eigentlich?«

»Kurz und bündig: pflegt die Kontakte zur Erdölindustrie. Die spielt hier oben eine *ziemlich* wichtige Rolle. Es ist nämlich so, dass die Grampian Police nicht lediglich fürs Festland zuständig ist; zu unserem Revier gehören auch die Offshore-Einrichtungen. Wird auf einer Plattform was geklaut oder gibt's da eine Schlägerei oder sonst was – wofür die sich die Mühe einer Anzeige machen –, müssen wir uns einschalten. Da kann einem durchaus ein dreistündiger Flug durch die Hölle in einem Paraffin-Wellie blühen.«

»Paraffin-Wellie?«

»Hubschrauber. Drei Stunden hin, sich während des ganzen Flugs die Seele aus dem Leib kotzen, nur um dann irgend so eine Popelsache zu untersuchen. Gott sei Dank werden wir in der Regel nicht reingezogen. Das ist echtes Grenzland da draußen, mit eigener Grenzpolizei.«

Einer der Glasgower Polizisten hatte über Uncle Joes Siedlung das Gleiche gesagt.

»Sie meinen, die haben eigene Sicherheitskräfte?«

»Ist nicht ganz astrein, aber wirkungsvoll. Und wenn's mir einen sechsstündigen Hin- und Rückflug erspart, werde ich bestimmt nichts dagegen einzuwenden haben.«

»Und wie ist Aberdeen selbst?«

»Recht ruhig, außer an den Wochenenden. Die Union Street kann samstagnachts das reinste Downtown-Saigon sein. Wir haben haufenweise frustrierte Kids hier. Sie sind mit Geld und Geschichten von Geld aufgewachsen. Jetzt wollen sie ihr Stück vom Kuchen haben, bloß dass nichts mehr da ist. Herrgott, das war flott.« Rebus bemerkte, dass er sein Pint ausgetrunken hatte; von Lumsdens Bier fehlten erst zwei Fingerbreit. »Ich mag Männer, die keine Angst vorm Saufen haben.«

»Die geht jetzt auf mich«, sagte Rebus. Der Barkeeper stand schon bereit. Lumsden wollte kein zweites, also bestellte Rebus für sich nur ein sittsames Halbes. Erster Eindruck und so...

»Das Zimmer gehört Ihnen, solange Sie's brauchen«, sagte Lumsden. »Zahlen Sie für dieses Bier nicht in bar, lassen Sie es auf die Zimmerrechnung setzen. Mahlzeiten sind nicht eingeschlossen, aber ich kann Ihnen ein paar Adressen geben. Sagen Sie, dass Sie Polizist sind, und Sie werden feststellen, dass die Preise sich sehr in Grenzen halten.«

»Ts-ts«, machte Rebus.

Wieder lächelte Lumsden. »Manchen Kollegen würde ich das nicht sagen, aber irgendwie habe ich das Gefühl, dass wir auf derselben Wellenlänge liegen. Hab ich Recht?«

»Könnte sein.«

»Ich irre mich selten. Wer weiß, vielleicht werde ich ja demnächst nach Edinburgh versetzt. Ein freundliches Gesicht ist immer von Vorteil.«

»Wobei mir einfällt: Ich möchte nicht, dass meine Anwesenheit an die große Glocke gehängt wird.«

»Aha?«

»Die Medien sind hinter mir her. Die machen eine Sendung über einen Fall, Ur- und Frühgeschichte, und wollen mich interviewen.«

»Ich verstehe.«

»Die könnten versuchen, mich aufzuspüren, hier anrufen und behaupten, sie wären Kollegen...«

»Also, außer mir und DC Shanks weiß niemand, dass Sie hier sind. Ich werd dafür sorgen, dass es nach Möglichkeit auch so bleibt.«

»Sie täten mir einen großen Gefallen. Die könnten übrigens den Namen Ancram benutzen. Das ist der Reporter.«

Lumsden zwinkerte und leerte das Schüsselchen Erdnüsse. »Ihr Geheimnis ist bei mir gut aufgehoben.«

Sie tranken aus. Lumsden sagte, er müsse zurück aufs Revier, gab Rebus seine dienstliche und private Telefonnummer und schrieb sich Rebus' Zimmernummer auf.

»Wenn ich irgendwas tun kann, Anruf genügt«, sagte er.

»Danke.«

»Wissen Sie, wie Sie zu T-Bird Oil hinfinden?«

»Ich habe einen Stadtplan.«

Lumsden nickte. »Was ist mit heute Abend? Lust, essen zu gehen?«

»Gern.«

»Ich bin um halb acht hier.«

Sie gaben sich wieder die Hand. Rebus sah ihm nach und bestellte sich dann einen Whiskey. Wie empfohlen, ließ er ihn auf die Zimmerrechnung setzen und nahm ihn mit nach oben. Bei zugezogenen Vorhängen war es im Zimmer kühler, aber immer noch ziemlich stickig. Er prüfte, ob sich die Fenster öffnen ließen, aber es ging nicht. Sie waren bestimmt gute dreieinhalb Meter hoch. Er legte sich aufs Bett, streifte die Schuhe ab und rekapitulierte dann noch einmal sein Gespräch mit Lumsden. Das machte er immer so und fand in den meisten Fällen Dinge, die er hätte sagen sollen oder besser formulieren können. Plötzlich fuhr er hoch. Lumsden hatte T-Bird Oil erwähnt, aber Rebus konnte sich nicht erinnern, den Namen der Firma genannt zu haben. Vielleicht hatte er es ja… oder vielleicht hatte er ihn DC Shanks gegenüber am Telefon erwähnt, und Lumsden wusste es von ihm.

Mit Relaxen war es jetzt vorbei, also stöberte er im Zimmer herum. In einer Schublade fand er Informationsmaterial über Aberdeen, Touristenkram, PR-Zeugs. Er setzte sich an die Frisierkommode und nahm sich die Broschüren vor. Da schienen wahre Faktenfanatiker am Werk gewesen zu sein.

In Grampian arbeiteten fünfzigtausend Menschen – zwanzig Prozent aller Beschäftigten der Region – in der Erdöl- und Erdgasindustrie. Seit Anfang der Siebzigerjahre war die Bevölkerung in dem Gebiet um sechzigtausend gestiegen, der Bestand an Wohnbauten um ein Drittel, wodurch rund um Aberdeen größere neue Vororte entstanden waren, dazu Industrie- und Gewerbegebiete mit einer Gesamtfläche von siebenhundert Hektar. Der Flughafen Aberdeen hatte während dieser Zeit eine Verzehnfachung des Passagieraufkommens erlebt und war jetzt der größte Heliport weltweit. In dem gesamten Infomaterial fand sich nicht *eine* negative Bemerkung – wenn man von der beiläufigen Erwähnung eines Fischerdorfes namens Old Torry absah, das drei Jahre nach der Entdeckung Amerikas das Marktrecht erhalten hatte. Als das Erdöl den Nordosten erreichte, musste Old Torry einer Speichertankanlage der Shell weichen und wurde platt gemacht. Rebus hob sein Glas und trank auf das Andenken des Dorfes.

Er duschte, zog sich frische Sachen an und ging hinunter in die Bar. Eine nervös aussehende Frau in langem Schottenrock und weißer Bluse kam ihm geschäftig entgegen.

»Sind Sie Konferenzteilnehmer?«

Er schüttelte den Kopf und erinnerte sich, darüber gelesen zu haben: Verschmutzung der Nordsee oder was in der Richtung. Schließlich begleitete die Frau drei korpulente Geschäftsleute aus dem Hotel. Rebus ging ins Foyer und beobachtete, wie sie von einer Limousine abgeholt wurden. Er sah auf seine Uhr. Zeit zu gehen.

Dyce zu finden war leicht, er folgte einfach den Schildern zum Flughafen. Am Himmel waren eindeutig Hubschrauber zu sehen. Das Gebiet um den Flughafen war eine Mischung aus Ackerland, neuen Hotels und Industriekomplexen. T-Bird Oil hatte seine Zentrale in einem bescheidenen dreistöckigen Hexagon, das größtenteils aus Rauchglas bestand. Davor befand sich ein Parkplatz und dann eine landschaftlich gestaltete Gartenanlage, durch die ein Fußweg bis zum Gebäude führte. In der Ferne sah man Kleinflugzeuge starten und landen.

Der Empfangsbereich sah geräumig und hell aus. In Vitrinen waren Modelle der Nordsee-Ölfelder und einiger Produktionsplattformen von T-Bird Oil ausgestellt. Bannock war die zugleich älteste und größte. Daneben machte sich die maßstabsgerechte Nachbildung eines Doppeldeckerbusses geradezu winzig aus. An den Wänden hingen riesige Farbfotos und Diagramme samt einem Haufen gerahmter Auszeichnungen. Die Empfangsdame sagte ihm, er werde erwartet und möge mit dem Lift in den ersten Stock fahren. In der mit Spiegeln ausgekleideten Aufzugkabine überprüfte Rebus sein Aussehen. Dann zerbiss er ein weiteres Pfefferminzbonbon.

Ein hübsches Mädchen erwartete ihn und bat ihn, ihr zu folgen, was ihn keine große Überwindung kostete. Sie durchquerten ein Großraumbüro, dessen Schreibtische nur zur Hälfte besetzt zu sein schienen. Fernsehgeräte waren auf Teletextnachrichten, Aktienkurse, CNN eingestellt. Vom Großraumbüro gelangten sie in einen weiteren Korridor, einen sehr viel ruhigeren und mit dickem Teppichboden ausgelegten. An der zweiten, offen stehenden Tür forderte das Mädchen Rebus mit einer Geste auf, einzutreten.

An der Tür prangte Stuart Minchells Name, also nahm Rebus an, der Mann, der jetzt aufstand und ihm die Hand reichte, sei Minchell.

»Inspector Rebus? Freut mich, Sie endlich persönlich kennen zu lernen.«

Es stimmte, was man über Stimmen sagte: Man konnte ihnen selten das richtige Gesicht und den richtigen Körper zuordnen. Minchell sprach mit Autorität, sah aber dafür zu jung aus – maximal Mitte zwanzig. Er hatte ein glänzendes Gesicht, rote Wangen und kurzes, streng nach hinten gekämmtes Haar. Er trug eine runde Nickelbrille und besaß dichte dunkle Augenbrauen, was ihm einen irgendwie spitzbübischen Ausdruck verlieh. Er trug breite rote Hosenträger. Als er sich halb abwandte, sah Rebus, dass sein Nackenhaar zu einem symbolischen Pferdeschwanz zusammengebunden war.

»Kaffee oder Tee?«, fragte das Mädchen.

»Keine Zeit, Sabrina«, sagte Minchell. Er breitete entschuldigend die Arme aus. »Programmänderung, Inspector. Ich muss zur Nordsee-Konferenz. Ich habe versucht, Sie telefonisch zu erreichen, um Sie vorzuwarnen.«

»Kein Problem.« Gleichzeitig dachte Rebus: *Scheiße. Wenn er in Fort Apache angerufen hat, dann wissen die jetzt, dass ich hier oben bin.*

»Ich dachte, wir könnten mein Auto nehmen und uns während der Fahrt zum Zentrum unterhalten. Ich müsste in einer knappen halben Stunde fertig sein. Wenn Sie dann noch Fragen haben, könnten wir anschließend weiterreden.«

»Sehr gut.«

Minchell schlüpfte in sein Jackett.

»Akten«, erinnerte ihn Sabrina.

»Gecheckt.« Er nahm ein halbes Dutzend Hefter und stopfte sie in einen Diplomatenkoffer.

»Geschäftskarten.«

Er öffnete seinen Filofax, sah, dass er einen Vorrat hatte. »Gecheckt.«

»Handy.«

Er klopfte sich auf die Brusttasche, nickte. »Ist der Wagen bereit?«

Sabrina sagte, sie würde nachfragen, und ging an ihr Telefon.

»Wir können genauso gut unten warten«, meinte Minchell.

»Gecheckt«, sagte Rebus.

Sie warteten auf den Lift. Als er kam, standen schon zwei Männer drin. Minchell zögerte, aber Rebus war schon eingestiegen, und so folgte er ihm, mit einer leichten Verbeugung vor dem älteren der beiden Männer.

Rebus' Blick fiel in den Spiegel. Er bemerkte, dass der ältere Mann ihn anstarrte. Er hatte langes gelb-silbernes, glatt nach hinten gekämmtes Haar, stützte sich mit den Händen auf einen Stock mit Silberknauf und trug einen ausgebeulten Leinenanzug. Er sah aus wie eine Gestalt aus einem Stück von Tennessee Williams: strenges, scharf geschnittenes Gesicht, trotz seiner Jahre nur leicht gebeugte Haltung. Rebus schaute nach unten und bemerkte, dass der Mann abgetragene Turnschuhe anhatte. Er zog einen Notizblock aus der Tasche, kritzelte etwas darauf, ohne den Stock loszulassen, riss das Blatt ab und reichte es dem zweiten Mann; der las es und nickte.

Der Fahrstuhl öffnete sich im Parterre. Minchell hielt Rebus zurück, bis die anderen beiden Fahrgäste ausgestiegen waren. Rebus beobachtete, wie sie zum Ausgang marschierten, der Mann mit der Notiz vorher abschwenkte und am Empfang zum Telefon griff. Direkt vor der Tür des Gebäudes parkte ein roter Jaguar. Ein Chauffeur in Uniform hielt Big Daddy die hintere Tür auf.

Minchell rieb sich mit den Fingern einer Hand über die Stirn.

»Wer war das?«, fragte Rebus.

»Das war Major Weir.«

»Wenn ich das eher gewusst hätte, dann hätte ich ihn gefragt, warum ich beim Tanken keine Rabattmarken mehr kriege.«

Minchell war nicht zu Späßen aufgelegt.

»Was sollte das mit dem Zettel?«, fragte Rebus.

»Der Major redet nicht viel. Er kommuniziert lieber

schriftlich.« Rebus lachte: *Communication Breakdown.* »Kein Witz«, sagte Minchell. »Ich glaube, so lange ich für ihn arbeite, habe ich ihn nicht mehr als ein paar Dutzend Worte sprechen hören.«

»Probleme mit den Stimmbändern?«

»Nein, die Stimme klingt ganz normal, ein bisschen krächzend, aber das ist nicht weiter verwunderlich. Das Problem ist sein Akzent: Der ist nämlich amerikanisch.«

»Und?«

»Und er hätte gern einen schottischen.«

Nachdem der Jaguar verschwunden war, gingen sie zum Parkplatz. »Er ist von Schottland geradezu besessen«, fuhr Minchell fort. »Seine Eltern waren schottische Einwanderer, haben ihm andauernd von der ›alten Heimat‹ erzählt. Er ist süchtig danach geworden. Verbringt immer nur ein knappes Drittel des Jahres hier – T-Bird Oil hat Niederlassungen in der ganzen Welt –, aber es kommt ihn immer sichtlich hart an, abzureisen.«

»Sonst noch etwas, das ich wissen sollte?«

»Er ist strikter Antialkoholiker, die leichteste Fahne aus dem Mund eines Mitarbeiters, und er ist gefeuert.«

»Ist er verheiratet?«

»Verwitwet. Seine Frau ist auf Islay begraben oder irgendwo in der Richtung. Da ist mein Auto.«

Es war ein mitternachtsblauer Mazda, Modell Rennflunder, in den gerade zwei Schalensitze hineinpassten. Minchells Diplomatenkoffer beanspruchte praktisch den ganzen Fond. Bevor er den Anlasser betätigte, schloss Minchell sein Handy an die Freisprechanlage an.

»Er hatte einen Sohn«, nahm Minchell den Faden wieder auf, »aber ich glaube, er ist ebenfalls gestorben oder enterbt worden. Der Major redet nicht über ihn. Wollen Sie die gute oder die schlechte Nachricht hören?«

»Probieren wir's mit der schlechten.«

»Noch immer kein Lebenszeichen von Jake Harley, er ist von seinem Wanderurlaub noch nicht zurück. Er wird erst in ein paar Tagen erwartet.«

»Ich würde sowieso gern rauf nach Sullom Voe«, sagte Rebus. Besonders wenn es Ancram gelingen sollte, seine Spur bis nach Aberdeen zurückzuverfolgen.

»Das ist kein Problem. Wir fliegen Sie mit einem Heli hin.«

»Was ist die gute Nachricht?«

»Die gute Nachricht ist: Ich habe Ihnen einen Heli nach Bannock organisiert, damit Sie sich mit Willie Ford unterhalten können. Und da es nur ein Tagestrip ist, brauchen Sie kein Überlebenstraining zu absolvieren. Und glauben Sie mir, das ist eine gute Nachricht. Bei dem Training wird man unter anderem in einen Simulator gesteckt, angeschnallt und mitsamt dem Ding in einen Swimmingpool getaucht.«

»Haben Sie das mal mitgemacht?«

»O ja. Ist für jeden Vorschrift, der mehr als zehn Tagestrips pro Jahr macht. Ich hatte einen Heidenbammel.«

»Aber die Hubschrauber, die sind doch wohl sicher?«

»Machen Sie sich darüber keine Sorgen. Und Sie haben auch noch Glück: ein hübsches Fenster.« Er sah Rebus' verständnislosen Blick. »Ein Wetterfenster, keine schwereren Stürme im Anmarsch. Sehen Sie, Erdöl ist zwar eine Ganzjahresindustrie, aber sie unterliegt doch auch saisonalen Schwankungen. Wir können nicht jederzeit auf die Plattformen oder von da aufs Festland, das hängt vom Wetter ab. Wenn wir eine Bohrinsel aufs offene Meer schleppen wollen, müssen wir ein Fenster abwarten und dann das Beste hoffen. Das Wetter da draußen...« Minchell schüttelte den Kopf. »Manchmal kann einem das schon den Glauben an den Allmächtigen einflößen.«

»Den alttestamentarischen?«, tippte Rebus. Minchell lächelte und nickte, dann wählte er eine Nummer auf seinem Handy.

Sie verließen Dyce und kamen nach Bridge of Don, immer den Schildern zum Aberdeen Exhibition and Conference Centre nach. Rebus wartete, bis Minchell mit dem Telefonieren fertig war, und fragte dann: »Wo wollte Major Weir eben hin?«

»Da, wo wir auch hinwollen. Er muss dort eine Rede halten.«

»Ich dachte, er redet nicht.«

»Tut er auch nicht. Dieser Mann, der bei ihm war, ist sein PR-Guru, Hayden Fletcher. Er wird die Rede vorlesen. Der Major wird neben ihm sitzen und zuhören.«

»Läuft das unter ›exzentrisch‹?«

»Nicht, wenn man hundert Millionen Dollar besitzt.«

13

Der Parkplatz des Konferenzzentrums war voll von Topmanagerfabrikaten: Mercedesse, BMWs, Jaguars, das Ganze aufgelockert durch einen gelegentlichen Bentley oder Rolls. Ein Trupp von Chauffeuren stand Zigaretten rauchend und Anekdoten tauschend herum.

»Wär PR-mäßig vielleicht besser gewesen, wenn sie alle auf Fahrrädern gekommen wären«, meinte Rebus, als er die Demonstranten sah, die den von einer prismenförmigen Kuppel überragten Eingang ins Zentrum umringten. Jemand hatte ein riesiges Spruchband vom Dach entrollt, Grün auf Weiß gemalt: LASST UNSERE OZEANE LEBEN! Sicherheitsleute waren hochgeklettert und versuchten, das Ding einzuholen und dabei weder das Gleichgewicht noch ihre Würde zu verlieren. Ein Megaphon gab die Texte für die Sprechchöre vor. Man sah Demonstranten in voller

Kampfmontur mit Strahlenschutzhaube, andere, die als Meerjungfrauen und Meermänner verkleidet waren, und dazu einen aufblasbaren Wal, der, vom Wind hin und her gezerrt, sich von seinen Haltetauen loszureißen drohte. Uniformierte Polizeibeamte beobachteten die Demo, sprachen in ihre Funkgeräte. Rebus vermutete, dass irgendwo in der Nähe ein Einsatzwagen mit der schwereren Artillerie wartete: Schutzschilden, Schutzhelmen, Schlagstöcken American Style... Nach so einer Demo sah es allerdings nicht aus – noch nicht.

»Wir müssen zwischen denen durch«, sagte Minchell. »Das *hasse* ich. Wir geben Millionen für den Umweltschutz aus. Ich bin sogar Mitglied bei Greenpeace, Oxfam, was Sie nur wollen. Aber jedes Jahr ist es wieder die gleiche Scheiße.« Er griff sich Aktenkoffer und Handy, schloss mit der Fernbedienung den Wagen ab, aktivierte die Alarmanlage und marschierte in Richtung Eingang los.

»An sich kommt man nur mit dem offiziellen Teilnehmerschildchen rein«, erklärte er. »Aber zeigen Sie einfach Ihre Dienstmarke oder sonstwas. Wird schon keine Probleme geben.«

Sie näherten sich jetzt der Hauptdemo. Eine tragbare Verstärkeranlage lieferte Hintergrundmusik, ein Song über Wale. Rebus erkannte den Gesangsstil: die Dancing Pigs. Mehrere Leute hielten ihm Flugblätter hin. Er nahm von jedem eins und bedankte sich. Eine junge Frau lief wie ein eingesperrter Panther vor ihm auf und ab. Sie war die Herrin des Megaphons. Ihre Stimme klang nasal und nordamerikanisch.

»Was heute entschieden wird, müssen unsere Urenkel ausbaden! Die Zukunft ist nicht verkäuflich! Sie gehört uns allen!«

Als Rebus an ihr vorüberging, sah sie ihn an. Ihr Gesicht war ohne jeden Ausdruck: weder hasserfüllt noch vorwurfsvoll, nur bei der Sache. Das gebleichte Haar trug sie zu

Ethnozöpfen geflochten, durch die sich bunte Schnüre wanden; eine davon hing ihr mitten auf die Stirn.

»Tötet die Meere, und ihr tötet den Planeten! Für Mutter Erde, gegen die Profitgier!«

Rebus war überzeugt, noch ehe er die Tür erreicht hatte.

Im Eingangsbereich stand ein Papierkorb für die Flugblätter bereit. Rebus aber faltete seine zusammen und steckte sie sich in die Tasche. Zwei Sicherheitsbeamte baten ihn um seinen Teilnehmerausweis, aber seine Dienstmarke erwies sich tatsächlich als ausreichend. Etliche weitere Wachleute patrouillierten im Foyer – privater Sicherheitsdienst, uninformiert. Sie hatten wahrscheinlich einen eintägigen Crashkurs in einschüchternder Höflichkeit absolviert. Ansonsten wimmelte es im Foyer von Anzügen und Kostümen. Lautsprecher gaben laufend Informationen durch. Es gab Modelle, Tische mit Stapeln von Informationsliteratur, Stände, die weiß der Geier was verkauften. Einige davon schienen gute Geschäfte zu machen. Minchell entschuldigte sich und sagte, er würde sich mit Rebus in einer halben Stunde am Ausgang treffen, denn er müsse jetzt ein bisschen *shmoozen*. Offenbar bedeutete das, Leuten die Hand zu schütteln, sie anzulächeln, ein paar Worte mit ihnen zu wechseln, ihnen in bestimmten Fällen seine Geschäftskarte zu überreichen und dann weiterzugehen. Rebus verlor ihn schnell aus den Augen.

Rebus sah nicht viele Bilder von Bohrinseln, und die paar, die er entdeckte, waren nur Hubplattformen und Halbtaucher. Der eigentliche Knaller schienen die FPSOs zu sein – Floating Production, Storage and Offloading Systems –, schwimmende, aber fest verankerte Riesentanker, durch die man auf Plattformen überhaupt verzichten konnte. Das geförderte Öl wurde direkt in die Tanks des FPSO geleitet und konnte dort in Mengen von bis zu dreihunderttausend Barrels zwischengelagert werden.

»Eindrucksvoll, nicht wahr?«, fragte ihn ein Skandinavier in Vertreteranzug. Rebus nickte.

»Keine Plattform mehr nötig.«

»Und leichter zu verschrotten, wenn's so weit ist. Billig und umweltfreundlich.« Der Mann hielt kurz inne. »Interessiert, eines zu leasen?«

»Wo könnte ich's schon parken?« Er ging weiter, bevor der Vertreter übersetzen konnte.

Vielleicht war es seine Spürhundnase, aber er fand die Bar ohne jede Schwierigkeit und machte es sich am hinteren Ende des Tresens mit einem Whiskey und einem Schälchen Knabberzeug gemütlich. Sein Mittagessen hatte aus einem Tankstellen-Sandwich bestanden, also langte er zu. Ein Mann näherte sich und blieb neben ihm stehen, wischte sich das Gesicht mit einem riesigen weißen Taschentuch ab und bat um ein Glas Sodawasser mit viel Eis.

»Warum bloß tu ich mir das immer noch an?«, knurrte der Mann mit einem irgendwie zentralatlantischen Akzent. Er war groß und mager, sein rötliches Haar schon etwas schütter. Die schlaffe Haut an seinem Hals entlarvte ihn als Anfang der Fünfzig, obwohl er ansonsten für fünf Jahre jünger hätte durchgehen können. Rebus hatte keine Antwort für ihn parat, blieb also stumm. Als das Wasser kam, kippte der Mann es in einem Zug hinunter und bestellte dann ein zweites. »Einen Drink?«, fragte er.

»Nein, danke.«

Jetzt fiel dem Mann auf, dass Rebus keine Ausweiskarte am Revers trug. »Sind Sie ein Delegierter?«

Rebus schüttelte den Kopf. »Beobachter.«

»Von der Presse?«

Wieder schüttelte Rebus den Kopf.

»Dachte ich mir. Erdöl ist nur dann eine Meldung wert, wenn irgendwas schief läuft. Ist größer als die Nuklearindustrie, erhält aber von den Medien nicht halb so viel Beachtung.«

»Das ist doch gut – wenn sowieso nur schlechte Nachrichten gedruckt werden…«

Der Mann ließ sich das durch den Kopf gehen und lachte dann, wobei makellose Zähne zum Vorschein kamen. »Da haben Sie auch wieder Recht.« Er wischte sich noch einmal das Gesicht ab. »Was beobachten Sie denn nun genau?«

»Momentan habe ich dienstfrei.«

»Sie Glücklicher.«

»Und was tun Sie?«

»Ich racker mich ab. Aber ich muss Ihnen sagen, meine Firma hat's so gut wie aufgegeben, der Erdölindustrie was verkaufen zu wollen. Die Ölheinis machen lieber Geschäfte mit den Yanks oder Skandinaviern. Na, scheiß auf die. Kein Wunder, dass Schottland im Eimer ist… und wir wollen die Unabhängigkeit!« Der Mann schüttelte den Kopf, lehnte sich dann über den Tresen. Rebus tat es ihm nach: Mitverschwörer. »Mein Job besteht größtenteils darin, an langweiligen Kongressen wie diesem hier teilzunehmen. Und dann fahr ich abends nach Haus und frag mich, was das Ganze soll. Bestimmt keinen Drink?«

»Meinetwegen.«

Also ließ sich Rebus von dem Mann einen ausgeben. So wie er »scheiß auf die« gesagt hatte, schien er nicht besonders häufig zu fluchen. Er tat es nur, um das Eis zu brechen, um zu zeigen, dass er von Mann zu Mann sprach; inoffiziell sozusagen, nicht fürs Protokoll. Rebus bot ihm eine Zigarette an, aber sein Freund schüttelte den Kopf.

»Hab's mir vor Jahren abgewöhnt. Nicht, dass ich nicht immer noch versucht wäre…« Er verstummte, sah sich in der Bar um. »Wissen Sie, wer ich gern wär?« Rebus zuckte die Schultern. »Na los, raten Sie.«

»Ich hab nicht die leiseste Ahnung.«

»Sean Connery.« Der Mann nickte. »Denken Sie mal drüber nach, bei dem, was er pro Film verdient, könnte er jedem Mann, jeder Frau und jedem Kind in diesem Land ein Pfund schenken und hätte dann *immer* noch ein paar Milliönchen übrig. Ist das nicht unglaublich?«

»Wenn Sie also Sean Connery wären, würden Sie jedem ein Pfund schenken?«

»Ich wär so was von sexy, was bräuchte ich da noch Geld?«

Das war ein gutes Argument, also stießen sie darauf an. Blöd war nur, dass Rebus bei diesen Reden über Sean an Seans Doppelgänger erinnert wurde, Ancram. Er sah auf seine Uhr, stellte fest, dass er gehen musste.

»Kann ich Ihnen noch einen spendieren, bevor ich gehe?«

Der Mann schüttelte den Kopf, zückte dann, wie ein Zauberkünstler, mit einer geschmeidigen Bewegung seine Visitenkarte. »Für den Fall, dass Sie die je brauchen sollten. Ich heiße übrigens Ryan.« Rebus las die Karte: Ryan Slocum, Sales Manager, Abteilung Maschinenbau, und dann ein Firmenname: Eugene Construction.

»John Rebus«, sagte er und reichte Slocum die Hand.

»John Rebus«, wiederholte Slocum nickend. »Keine Visitenkarte, John?«

»Ich bin Polizeibeamter.«

Slocums Augen weiteten sich. »Habe ich irgendwas für mich Belastendes gesagt?«

»Selbst wenn, würd's mich nicht kümmern. Mein Revier ist Edinburgh.«

»Fern der Heimat. Geht's um Johnny Bible?«

»Wie kommen Sie darauf?«

»Er hat doch in beiden Städten getötet, oder?«

Rebus nickte. »Nein, es geht nicht um Johnny Bible. Machen Sie's gut, Ryan.«

»Sie auch. Die Welt ist groß und schlecht.«

»Das können Sie laut sagen.«

Stuart Minchell erwartete ihn schon am Ausgang. »Möchten Sie sonst noch etwas besichtigen, oder sollen wir zurückfahren?«

»Fahren wir.«

Lumsden rief ihn in seinem Zimmer an, und Rebus kam herunter. Lumsden war gut, aber leger angezogen. Anstelle des Blazers trug er ein cremefarbenes Jackett, dazu ein gelbes Hemd mit offenem Kragen.

»So«, sagte Rebus, »nenne ich Sie jetzt den ganzen Abend lang Lumsden?«

»Mein Vorname ist Ludovic.«

»Ludovic Lumsden?«

»Meine Eltern hatten Sinn für Humor. Meine Freunde nennen mich Ludo.«

Der Abend war warm und noch hell. In den Gartenanlagen machten die Vögel Radau, und fette Möwen spazierten auf den Bürgersteigen.

»Bis zehn, vielleicht elf, bleibt's hell«, erklärte Lumsden.

»Das sind die fettesten Möwen, die ich je gesehen habe.«

»Ich kann die nicht ausstehen. Gucken Sie sich bloß an, wie die Bürgersteige aussehen.«

Es stimmte, das Pflaster war mit Vogelscheiße übersät. »Wo gehen wir hin?«, fragte Rebus.

»Lassen Sie sich überraschen. Es ist alles bequem zu Fuß zu erreichen. Mögen Sie Überraschungstouren?«

»Ich mag es, einen Führer zu haben.«

Ihre erste Station war ein italienisches Restaurant, in dem Lumsden gut bekannt war. Jeder schien ihm die Hand geben zu wollen, und der Besitzer nahm ihn, nachdem er sich bei Rebus entschuldigt hatte, auf ein kurzes vertrauliches Gespräch beiseite.

»Die Italiener hier oben sind zahm«, erklärte Lumsden

223

später. »Sie haben's nie richtig geschafft, die Stadt zu regieren.«

»Wer tut's dann?«

Lumsden dachte über die Frage nach. »Eine gemischte Gesellschaft.«

»Amerikaner dabei?«

Lumsden nickte. »Denen gehören ein Großteil der Nachtklubs und ein paar von den neueren Hotels. Dienstleistungsgewerbe eben. Die sind in den Siebzigern hergekommen und dageblieben. Möchten Sie später in einen Klub?«

Rebus zuckte die Achseln. »Das klingt ja fast respektabel.«

Lumsden lachte. »Ach, Sie wollen es *schäbig*? Das erwartet man von Aberdeen, stimmt's? Da machen Sie sich völlig falsche Vorstellungen. Die Stadt ist durch und durch respektabel. Wenn Sie wirklich wollen, kann ich Sie später zum Hafen bringen: Stripperinnen und richtige Säufer, sind aber eine winzige Minderheit.«

»Wenn man im Süden wohnt, hört man so allerlei Geschichten.«

»Natürlich: Luxusbordelle, Drogen und Porno, Glücksspiel und Alkohol. Wir hören die Geschichten auch. Aber zu sehen…« Lumsden schüttelte den Kopf. »Tatsächlich ist die Ölindustrie ziemlich brav. Die *roughnecks*, die wirklich harten Burschen, sind so gut wie verschwunden. Das Erdöl ist gesellschaftsfähig geworden.«

Rebus war schon fast überzeugt, aber Lumsden trug zu dick auf, hörte nicht auf zu reden, und je mehr er sagte, desto weniger glaubte ihm Rebus. Der Besitzer kam noch einmal auf ein kurzes Gespräch vorbei, zog Lumsden in eine Ecke des Restaurants. Lumsden klopfte dem Mann beruhigend auf den Rücken.

»Sein Sohn schlägt über die Stränge«, erklärte Lumsden, als er sich wieder setzte. Er zuckte die Achseln, als gebe es

nichts mehr zu sagen, und empfahl Rebus, die Hackfleisch-
bällchen zu probieren.

Später landeten sie in einem Nachtklub, wo Geschäftsleute mit jungen Türken um die Aufmerksamkeit von zu
Lycra-Schlampen mutierten Ladenmädchen wetteiferten.
Die Musik war laut und die Kleidung schrill. Lumsden
nickte im Rhythmus des Beats, schien sich aber sonst nicht
besonders zu amüsieren. Er sah aus wie ein Fremdenführer. Ludo: Homo ludens, der Spielchenspieler. Rebus wusste, dass er ein nettes Märchen aufgetischt bekam, dasselbe
Märchen, das man hier jedem Touristen aus dem Süden
auftischte: Das hier war das Land der Baxter's-Suppen,
der Männer in Faltenröckchen und der markig-sentimen-
talen Balladen; das Erdöl war eine Industrie wie jede andere
auch, die Stadt und ihre Menschen hatten sich von ihr
emanzipiert. Es herrschte noch immer ein bisschen das Le-
bensgefühl der Highlands.

Es gab keine dunkle Kehrseite.

»Ich dachte, dieser Klub könnte Sie interessieren!«, versuchte Lumsden die Musik zu überbrüllen.

»Wieso?«

»Hier hat Michelle Strachan Johnny Bible kennen gelernt.«

Rebus schluckte. Er hatte auf den Namen des Klubs nicht
geachtet. Er blickte sich jetzt mit anderen Augen um, sah
Tanzende und Trinkende, sah besitzergreifende Arme sich
um widerstrebende Nacken legen. Sah hungrige Blicke und
erkaufte Paarungsbereitschaft. Er stellte sich vor, wie Johnny
Bible ruhig an der Bar stand, Möglichkeiten im Geist abhak-
te, die Auswahl immer weiter einengte und zuletzt Michelle
Fifer zum Tanz aufforderte ...

Als Rebus einen Ortswechsel vorschlug, erhob Lumsden
keine Einwände. Bis dahin hatten sie lediglich eine Runde
Drinks bezahlt. Das Essen im Restaurant »war schon erle-

digt« gewesen, und der Rausschmeißer des Klubs hatte sie durchgenickt und an der Kasse vorbeigeschleust.

Als sie das Lokal verließen, gingen sie an einem Mann vorbei, der eine junge Frau hineinbegleitete. Rebus drehte sich halb um.

»Jemand, den Sie kennen?«, fragte Lumsden.

Rebus zuckte die Achseln. »Das Gesicht kam mir irgendwie bekannt vor.« Er hatte es erst am Nachmittag gesehen: dunkles lockiges Haar, Brille, olivfarbene Haut. Hayden Fletcher, Major Weirs »PR-Guru«. Er sah so aus, als habe er einen erfolgreichen Tag hinter sich. Fletchers Begleiterin warf Rebus einen Blick über die Schulter zu und lächelte.

Am Himmel hingen noch violettrote Lichtstreifen. Auf dem Friedhof auf der anderen Straßenseite ließen sich Stare scharenweise auf einem Baum nieder.

»Wohin jetzt?«, fragte Lumsden.

Rebus straffte den Rücken. »Um ehrlich zu sein, Ludo, würde ich jetzt am liebsten ins Hotel zurück. Tut mir Leid, dass ich einfach so kneife.«

Lumsden versuchte, nicht erleichtert zu wirken. »Und was steht morgen bei Ihnen auf dem Plan?«

Plötzlich wollte Rebus nicht, dass er es erfuhr. »Ein weiteres Treffen mit dem Arbeitgeber des Toten.« Lumsden schien mit der Antwort zufrieden zu sein.

»Und dann wieder nach Haus?«

»In ein paar Tagen.«

Lumsden bemühte sich, seine Enttäuschung nicht zu zeigen. »Na dann«, sagte er, »schlafen Sie gut. Finden Sie allein zurück?«

Rebus nickte, und sie gaben sich die Hand. Lumsden ging in die eine, Rebus in die andere Richtung. Rebus ließ sich Zeit, sah sich die Schaufenster an und warf gelegentlichen einen Blick nach hinten. Dann blieb er stehen und schlug seinen Stadtplan auf, entdeckte, dass der Hafen fast zu Fuß zu erreichen war. Doch als ein Taxi auftauchte, hielt er es an.

»Wohin?«, fragte der Fahrer.

»Wo ich was Anständiges zu trinken kriege. Irgendwo unten am Hafen.« Er dachte: *Down Where the Drunkards Roll.*

»Wie wüst darf's sein?«

»Kann gar nicht wüst genug sein.«

Der Mann nickte, fuhr los. Rebus beugte sich nach vorn. »Ich dachte, in der Stadt würde mehr los sein.«

»Ach, ist noch etwas früh. Und am Wochenende ist die Hölle los. Da kommen die Lohntüten von den Bohrinseln.«

»Da wird gesoffen, hm?«

»Da wird alles.«

»Ich hab gehört, dass die Klubs von Amis geführt werden.«

»Yanks«, korrigierte ihn der Fahrer. »Die haben ihre Finger überall drin.«

»Auch in nicht so legalen Sachen?«

Der Fahrer starrte ihn im Rückspiegel an. »An was hatten Sie speziell so gedacht?«

»Vielleicht was zum Antörnen.«

»Danach sehen Sie gar nicht aus.«

»Wie *sieht* man danach aus?«

»Nicht wie ein Bulle.«

Rebus lachte. »Nicht im Dienst und fern der Heimat.«

»Und wo ist die Heimat?«

»Edinburgh.«

Der Fahrer nickte nachdenklich. »Wenn *ich* mich antörnen wollte«, sagte er, »würd ich's vielleicht im Burke's Club auf der College Street probieren. Da wären wir.«

Er hielt am Straßenrand. Das Taxameter zeigte knapp über zwei Pfund; Rebus gab dem Mann fünf und sagte, der

Rest sei für ihn. Der Fahrer streckte den Kopf aus dem Fenster.

»Wo ich Sie aufgelesen habe, waren Sie keine hundert Meter vom Burke's entfernt.«

»Ich weiß.« Natürlich wusste er es: Burke's war der Klub, in dem Johnny Bible Michelle angesprochen hatte.

Als das Taxi weitergefahren war, sah er sich die Umgebung an. Direkt auf der anderen Straßenseite lag der Hafen: vertäute Kähne, hier und da ein Licht, wo noch Leute arbeiteten – Wartungsmannschaften vermutlich. Die wasserabgewandte Seite der Straße war eine Mischung aus Mietshäusern, Läden und Kneipen. Ein paar Mädchen hielten nach Freiern Ausschau, aber es schien nicht viel los zu sein. Rebus stand vor einem Lokal namens Yard-arm. Es versprach Karaoke-Nächte, exotische Tänzerinnen, eine Happyhour, verschiedene Biersorten, Sat-TV und »einen warmen Empfang«.

Die Wärme spürte Rebus, kaum dass er die Tür geöffnet hatte. Drinnen war es brüllend heiß. Er brauchte eine geschlagene Minute, um sich bis zum Tresen vorzuarbeiten, und noch ehe er da ankam, brannten sogar seine abgehärteten Augen vom Qualm. Ein Teil der Gäste sah wie Fischer aus – hochrote Gesichter, angeklatschtes Haar, dicke Pullover. Andere hatten schwarzölige Hände – Hafenmechaniker. Frauen, mit entweder zu wenig oder zu stark geschminkten Gesichtern, waren so betrunken, dass ihnen die Augen zufielen. Am Tresen angelangt, bestellte er einen doppelten Whiskey. Seitdem sich das metrische System durchgesetzt hatte, versuchte er sich immer erfolglos zu erinnern, ob 3,5 cl mehr oder weniger als ein Viertel Gill waren. So viele Betrunkene auf einen Haufen hatte er zuletzt in Edinburgh nach einem Lokalderby gesehen, Hibernian gegen Heart of Midlothian. Er war in einer Kneipe auf der Easter Road gewesen, und die Hibs hatten gewonnen. Urchaos.

Er brauchte fünf Minuten, um mit seinem Tresennachbarn, der früher auf den Bohrinseln gearbeitet hatte, ins Gespräch zu kommen. Er war klein und drahtig, noch keine vierzig und schon völlig kahl und trug eine Buddy-Holly-Brille mit fingerdicken Gläsern. Er hatte in der Kantine gearbeitet.

»Eins-A-Fraß, jeden Tag. Drei Menüs, zwei Schichten. Topqualität. Die Neueingänge stopften sich immer voll, aber dann hatten sie's bald raus.«

»Haben Sie auch im Zweiwochenwechsel gearbeitet?«

»Haben alle gemacht. Und das waren Siebentagewochen.« Während der Mann redete, hing sein Kopf über dem Tresen, als wäre er zu schwer zum Heben. »Da wurde man süchtig von. An Land, da konnte ich mich nie eingewöhnen, ich konnt's nie erwarten, wieder auf See zu kommen.«

»Und was ist dann passiert?«

»Die Geschäfte liefen schlechter. Ich wurd nicht mehr benötigt.«

»Auf den Bohrinseln soll's ja Dope in Massen geben. Haben Sie damals was davon zu sehen gekriegt?«

»Scheiße, und ob! Überall. Nur für'n Feierabend, klar? Keiner war so bescheuert, zugedröhnt auf Maloche zu gehen. Eine falsche Bewegung, und ein Rohr hackt dir die Hand ab. Ich weiß das, hab's selbst miterlebt. Oder wenn du das Gleichgewicht verlierst, das sind fünfzig beschissene Meter bis runter zum Wasser. Aber es gab jede Menge Stoff, jede Menge Sprit. Und ich sag dir was, Frauen gab's vielleicht keine, aber wir hatten Wichshefte und -videos bis zum Abwinken. Für jeden Geschmack was, und 'n paar von denen, da konntest du echt von kotzen. Und das sag ich jetzt als Mann von Welt, da weißt du also wohl, was ich meine.«

Rebus konnte es sich denken. Er spendierte dem Knirps einen Drink. Wenn sich sein Kumpel noch ein Stückchen tiefer über den Tresen gebeugt hätte, wäre er mit der Nase im Glas gelandet. Als jemand ankündigte, dass in fünf Minuten das Karaoke losgehen würde, wusste Rebus, dass es Zeit war zu verschwinden. Genug gesehen, genug erlebt. Mithilfe des Stadtplans pirschte er sich wieder in die Gegend der Union Street. Die Nacht kam langsam in Fahrt. Gruppen von Teenagern streiften durch die Straßen, während Einsatzwagen – schlichte blaue Transits – sie im Auge behielten. Es gab eine starke Präsenz von uniformierter Polizei, aber das schien niemanden einzuschüchtern. Die Leute grölten, sangen, klatschten. Aberdeen unter der Woche war wie Edinburgh in einer üblen Samstagnacht. Ein paar Trachtengruppler diskutierten mit zwei jungen Männern, während deren Freundinnen dabeistanden und Kaugummi kauten. Direkt daneben parkte ein Einsatzwagen mit offener Hecktür.

Ich bin hier bloß ein Tourist, sagte sich Rebus und ging weiter.

Irgendwo bog er falsch ab, so dass er sich seinem Hotel von der entgegengesetzten Richtung näherte und dabei an einem großen Standbild von William »Braveheart« Wallace mit gezücktem Highlanderschwert vorbeikam.

»'n Abend, Mel«, sagte Rebus.

Er stieg die Treppe zum Hoteleingang hinauf, entschied sich für einen Schlummertrunk, einen zum Mit-aufs-Zimmer-Nehmen. Die Bar war voller Konferenzteilnehmer, zum Teil noch mit Ansteckschildchen am Revers. Sie saßen an Tischen, die voll von leeren Gläsern waren. Eine einzelne Frau hockte am Tresen, rauchte eine schwarze Zigarette, blies den Rauch zur Decke. Sie trug eine Menge Gold. Ihr Kostüm war purpurrot, ihre Strumpfhose – nein, doch eher Strümpfe? – schwarz. Sie besaß ein hartes Gesicht. Ihre wasserstoffblonden Haare waren straff nach hinten gekämmt und wurden von einer großen goldenen Spange zusammengehalten. Sie hatte Puder auf den Wangen, und ihr Mund schimmerte von dunklem Lippengloss. Sie mochte in Rebus' Alter sein, vielleicht sogar ein, zwei Jährchen älter – der Typ Frau, den Männer als »gut aussehend« bezeichnen. Sie hatte schon ein paar Gläser intus, was vielleicht der Grund war, warum sie lächelte.

»Gehören Sie zur Konferenz?«, fragte sie.

»Nein.«

»Dem Herrn sei Dank. Ehrenwort, jeder Einzelne von denen hat versucht, mich anzubaggern, aber alles, worüber die reden können, ist *roh.*« Sie legte eine Kunstpause ein. »So nennen die Rohöl – ›totes‹ und ›lebendiges‹ Rohöl: *live* und *dead crude.* Wussten Sie, dass es die zwei Sorten gibt?«

Rebus lächelte, schüttelte den Kopf und bestellte einen Drink. »Möchten Sie noch was trinken, oder zählt das als Anbaggern?«

»Tut's und ich möchte.« Sie bemerkte, dass er ihre Zigarette betrachtete. »Sobranie.«

»Schmecken die durch das schwarze Papier besser?«

»Durch den *Tabak* schmecken sie besser.«

Rebus holte sein eigenes Päckchen heraus. »Ich bin mehr so der Sägespänetyp.«

»Das sehe ich.«

Die Drinks kamen. Rebus unterschrieb den Bon, damit sie auf sein Zimmer gesetzt wurden.

»Sind Sie geschäftlich hier?« Sie hatte eine tiefe Stimme – Westküste oder so, Arbeiterklasse mit Schulbildung.

»So in der Art. Und Sie?«

»Geschäftlich. Also, was machen Sie?«

Denkbar schlechteste Antwort auf eine Anmache: »Ich bin Polizeibeamter.«

Sie hob eine Augenbraue; interessiert. »CID?«

»Ja.«

»Arbeiten Sie am Johnny-Bible-Fall?«

»Nein.«

»Nach dem, was die Zeitungen schreiben, hatte ich gedacht, jeder Polizist in Schottland arbeitet daran.«

»Ich bin die Ausnahme.«

»Ich erinnere mich an Bible John«, sagte sie und zog an ihrer Zigarette. »Ich bin in Glasgow aufgewachsen. Wochenlang hat mich meine Mum nicht aus dem Haus gelassen. Ich kam mir vor wie im Knast.«

»So ging's einer Menge Frauen damals.«

»Und jetzt geht alles wieder von vorn los.« Sie schwieg. »Als ich sagte, ich würde mich an Bible John erinnern, hätte Ihr Text lauten müssen: ›Dazu sehen Sie nicht alt genug aus.‹«

»Was beweist, dass ich Sie nicht anzubaggern versuche.«

Sie starrte ihn an. »Schade«, sagte sie und streckte die Hand nach ihrem Drink aus. Auch Rebus nahm Zuflucht bei seinem Glas; schindete Zeit. Sie hatte ihm alle nötigen Informationen geliefert. Jetzt musste er entscheiden, ob er entsprechende Maßnahmen ergreifen sollte oder nicht. Sie zu sich aufs Zimmer einladen? Oder sich auf... ja, was genau berufen? Schuldbewusstsein? Angst? Selbstverachtung?

Angst.

Ihm war klar, wie die Nacht weitergehen könnte: mit dem Versuch, aus der Bedürftigkeit Schönheit zu schöpfen, Leidenschaft aus einer gewissen Verzweiflung.

»Ich fühle mich geschmeichelt«, sagte er endlich.

»Tun Sie's nicht«, entgegnete sie rasch. Womit er wieder am Zug war, ein Amateur gegen eine Großmeisterin.

»Was tun *Sie* denn nun?«

Sie wandte sich ihm zu. Ihre Augen verrieten, dass sie dieses Spiel aus dem Effeff beherrschte. »Ich bin im Verkauf. Produkte für die Erdölindustrie.« Sie neigte den Kopf in Richtung der übrigen Männer in der Bar. »Arbeiten muss ich vielleicht mit denen, aber noch lange nicht meine Freizeit mit ihnen verbringen.«

»Wohnen Sie in Aberdeen?«

Sie schüttelte den Kopf. »Ich geb Ihnen noch einen aus.«

»Ich muss morgen früh raus.«

»Ein Glas mehr wird nicht schaden.«

»Vielleicht doch«, erwiderte Rebus, ohne den Blick abzuwenden.

»Tja«, sagte sie, »das wär dann der vollkommene Ausklang eines vollkommen beschissenen Tages.«

»Tut mir Leid.«

»Machen Sie sich nichts draus.«

Als er die Bar verließ und an die Rezeption ging, spürte er ihren Blick auf sich. Auf dem Weg zu seinem Zimmer musste er sich jede einzelne Stufe abringen. Ihr Sog war stark. Ihm wurde bewusst, dass er nicht einmal ihren Namen *kannte*.

Während er sich auszog, ließ er den Fernseher laufen. Irgend so ein drittklassiger Hollywooddreck: Die Frauen sahen wie Skelette mit Lippenstift aus; die Männer spielten aus dem Nacken heraus; er hatte schon Friseure mit mehr dramatischem Talent erlebt. Er dachte wieder an die Frau. War das eine Professionelle? Bestimmt nicht. Aber sie war zielstrebig vorgegangen. Er hatte ihr gesagt, er fühle sich geschmeichelt; tatsächlich war er verwirrt. Rebus hatte Beziehungen zum anderen Geschlecht schon immer als schwierig empfunden. Er war in einem Bergarbeiterdorf aufgewachsen, in dem man, was Dinge wie sexuelle Freizügigkeit anging, ein wenig hinter der Zeit herhinkte. Man steckte einem Mädchen die Hand in die Bluse, und schon lief einem ihr Vater mit einem Ledergürtel hinterher.

Dann war er zum Militär gegangen, wo Frauen entweder Phantasiegeschöpfe oder Unberührbare waren: Schlampen und Madonnen, ein Mittelding schien es nicht zu geben. Nach seiner Entlassung aus der Armee heuerte er bei der Polizei an. Mittlerweile verheiratet, hatte sich sein Beruf als faszinierender, vereinnahmender erwiesen als die Beziehung – als *jede* Beziehung. Seitdem dauerten seine Liebschaften höchstens Monate oder Wochen, manchmal nur Tage. Jetzt, spürte er, war es zu spät für etwas Dauerhafteres. Die Frauen schienen ihn zu mögen, das war nicht das Problem. Das Problem lag irgendwo in ihm, und Dinge wie der Johnny-Bible-Fall, Frauen, die missbraucht und dann getötet wurden, hatten es nicht gerade verkleinert. Bei Vergewaltigung ging es um Macht; beim Töten in gewisser Weise auch. Und war Macht nicht die ultimative Männerphantasie? Und träumte nicht manchmal auch er davon?

Er hatte die Obduktionsfotos von Angie Riddell gesehen, und sein erster Gedanke – der Gedanke, an dem er sich hatte vorbeimogeln müssen – war gewesen: *toller Körper*. Das hatte ihm zu schaffen gemacht, denn in dem Moment war sie zu einem bloßen Objekt geworden. Dann hatte sich der Pathologe ans Werk gemacht, und sie war nicht einmal mehr das gewesen.

Er schlief ein, kaum dass sein Kopf das Kissen berührte. Wie jede Nacht hatte er darum gebetet, von Träumen verschont zu bleiben. Er wachte im Dunkeln auf, mit schweißnassem Rücken, und hörte ein Ticken. Es war keine Uhr, nicht einmal seine Armbanduhr. Die lag auf der Kommode. Das war viel näher, viel intimer. Kam es aus der Wand? Aus dem Kopfteil des Bettes? Er schaltete das Licht ein, aber das Geräusch war verstummt. Vielleicht ein Holzwurm? Er konnte in der Holzumrandung des Kopfteils keinerlei Löcher entdecken. Er schaltete das Licht wieder aus und schloss die Augen. Da war's wieder: eher Geigerzähler als Metronom. Er versuchte, es zu ignorieren, aber dazu war es zu nah. Er konnte ihm nicht entrinnen. Es war das Kissen, sein Federkissen. Irgendetwas musste drin sein, was Lebendiges. Würde es ihm ins Ohr krabbeln? Dort Eier ablegen? Metamorphosieren oder sich verpuppen? Im Zimmer war überhaupt keine Luft. Zu müde, um aufzustehen, zu nervös, um einzuschlafen, tat er, was er tun musste, und schleuderte das Kissen in Richtung Tür.

Kein Ticken mehr, aber einschlafen konnte er trotzdem nicht. Das Klingeln des Telefons empfand er als Erlösung. Vielleicht war es die Frau aus der Bar. Er würde ihr sagen: Ich bin ein Alkoholiker, ein Haufen Scheiße, ich kann mich keinem anderen Menschen zumuten.

»Ja?«

»Hier ist Ludo, tut mir Leid, Sie zu wecken.«

»Ich hab nicht geschlafen. Was gibt's?«

»Ein Streifenwagen holt Sie gleich ab.« Rebus verzog das Gesicht. Hatte Ancram ihn schon aufgespürt?

»Wozu?«

»Ein Selbstmord in Stonehaven. Ich dachte, das könnte Sie interessieren. Der Betreffende scheint Anthony Ellis Kane zu heißen.«

Rebus schoss aus dem Bett. »Tony El? Selbstmord?«

»Sieht so aus. Der Wagen müsste in fünf Minuten da sein.«

»Ich bin gleich unten.«

Jetzt, wo John Rebus in Aberdeen war, wurde die Sache gefährlicher.

John Rebus.

Der Name war erstmals auf der Liste des Bibliothekars aufgetaucht, samt einer Adresse in der Arden Street, Edinburgh EH9. Rebus hatte mit einer Tagesbenutzerkarte die *Scotsman*-Nummern von Februar 1968 bis Dezember 1969 eingesehen. Vier andere Personen hatten im Laufe der letzten sechs Monate dasselbe getan. Zwei von ihnen waren Bible John als Journalisten bekannt, der dritte – ein Sachbuchautor – hatte für ein Werk über schottische Mörder ein Kapitel über den Fall geschrieben. Was den vierten anbelangte … der hatte seinen Namen mit Peter Manuel angegeben. Der Bibliothekar dachte sich wohl nichts dabei, als er eine weitere Tagesbenutzerkarte ausstellte. Aber der echte Peter Manuel hatte in den Fünfzigerjahren bis zu einem Dutzend Menschen getötet und war dafür im Barlinnie-Gefängnis gehängt worden. Für Bible John war klar: Der Parvenü hatte über berühmte Mörder recherchiert und war im Verlauf seiner Studien auf Manuel und Bible John gestoßen. Dann hatte er beschlossen, seine Recherchen auf Bible John zu konzentrieren, und sich durch Lektüre von Zeitungen aus der Zeit gründlicher über den Fall informiert. »Peter Manuel« hatte nicht nur vom *Scotsman*, sondern auch vom *Glasgow Herald* die Jahrgänge 1968–1970 angefordert.

Er war zweifellos gründlich in seinen Recherchen. Und die Adresse auf seiner Benutzerkarte war ebenso falsch wie sein Name: Lanark Terrace, Aberdeen. Der echte Peter Manuel hatte seine Morde in der früheren Grafschaft Lanark begangen.

Aber auch wenn der Straßenname mit Sicherheit nicht stimmte, bei Aberdeen war sich Bible John keineswegs so sicher. Schon seine eigenen Nachforschungen hatten ihn dazu bewogen, den Parvenü im Großraum Aberdeen anzusiedeln. Diese Adressangabe schien eine weitere Bestätigung zu sein. Und jetzt hielt sich John Rebus ebenfalls in Aberdeen auf... Bible John hatte sich schon Gedanken über John Rebus gemacht, als er noch gar nichts über ihn wusste. Er war anfangs ein Rätsel gewesen und jetzt ein Problem. Bible John hatte die neuesten Artikel über den Parvenü in seinen Computer eingescannt und ging sie jetzt auf dem Bildschirm durch, während er sich fragte, was er wegen des Polizisten unternehmen sollte. Er las die Worte eines anderen Polizisten: »Dieser Mensch braucht Hilfe, und wir möchten ihn bitten, sich zu melden, damit wir ihm helfen können.« Gefolgt von weiteren wilden Spekulationen. Sie versuchten lediglich, ihre Angst zu überspielen.

Bloß dass einer von ihnen in Aberdeen war.

Und Bible John hatte ihm seine Visitenkarte gegeben.

Er hatte von Anfang an gewusst, dass es gefährlich sein würde, dem Parvenü nachzuspüren, aber er hätte nicht damit gerechnet, dabei auf einen Polizisten zu stoßen. Und nicht einen x-beliebigen Beamten, sondern jemanden, der den Bible-John-Fall kannte. John Rebus, Polizist in Edinburgh, wohnhaft in der Arden Street, zurzeit in Aberdeen... Er beschloss, eine neue Datei anzulegen, diesmal über Rebus. Er hatte ein paar neuere Zeitungen durchgesehen und glaubte zu wissen, warum Rebus sich in Aberdeen aufhielt: In Edinburgh war ein Erdölarbeiter aus dem Fenster eines mehrstöckigen Hauses gefallen, Fremdverschulden nicht ausgeschlossen. Plausibel anzunehmen, dass Rebus an dem Fall arbeitete. Blieb allerdings immer noch die Tatsache bestehen, dass Rebus über den Bible-John-Fall recherchiert hatte. Warum? Was ging der ihn an?

Und eine zweite, noch problematischere Tatsache: Rebus besaß jetzt seine Visitenkarte. Die durfte, *konnte* für ihn keinerlei Bedeutung haben – vorerst. Aber möglicherweise würde irgendwann der Zeitpunkt kommen... je mehr er sich dem Parvenü näherte, desto größer würde das Risiko werden. Irgendwann in der Zukunft könnte die Karte für den Polizisten *doch* etwas bedeuten. Durfte Bible John das riskieren? Er schien zwei Optionen zu haben: seine Jagd nach dem Parvenü beschleunigen oder den Polizisten aus dem Spiel nehmen.

Er würde darüber nachdenken. Einstweilen musste er sich auf den Parvenü konzentrieren.

Sein Kontaktmann in der National Library hatte ihm erklärt, dass eine Benutzerkarte nur gegen Vorlage eines amtlichen Ausweises ausgestellt wurde – eines Führerscheins oder etwas in der Art. Vielleicht hatte sich der Parvenü eine vollständige neue Identität als »Peter Manuel« zugelegt, aber

Bible John bezweifelte das. Aller Voraussicht nach war es ihm gelungen, sich an der Ausweiskontrolle vorbeizumogeln. Er konnte bestimmt gut reden, sich einschmeicheln, Leute beschwatzen und sah nicht aus wie ein Ungeheuer. Sein Gesicht musste bei Frauen und auch bei Männern Vertrauen erwecken. Schließlich schaffte er es, Frauen aus Nachtklubs abzuschleppen, die er erst ein, zwei Stunden kannte. Eine Ausweiskontrolle zu umgehen dürfte für ihn ein eher geringes Problem dargestellt haben.

Er stand auf und betrachtete sein Gesicht im Spiegel. Die Polizei hatte eine Serie von computergenerierten Phantombildern veröffentlicht, die Bible Johns ursprüngliches Phantombild jeweils unterschiedlich gealtert zeigten. Auf einem davon war er gar nicht schlecht getroffen, aber es stellte nur eines von vielen dar. Niemand hatte ihn auch nur ein zweites Mal angesehen und keiner seiner Kollegen die geringste Ähnlichkeit festgestellt. Nicht mal dem Polizisten war etwas aufgefallen. Er rieb sich das Kinn. Rote Stoppeln verrieten, dass er sich nicht rasiert hatte. Im Haus herrschte Stille. Seine Frau befand sich woanders. Er hatte sie geheiratet, weil es ihm zweckdienlich erschienen war: ein weiterer Punkt, der sein Profil widerlegte. Er schloss die Tür seines Arbeitszimmers auf, ging zur Haustür und vergewisserte sich, dass sie abgeschlossen war. Dann stieg er hinauf zum oberen Flur und zog die Schiebeleiter herunter, die zum Dachboden führte. Er hielt sich gern dort oben auf: ein Ort, den nur er aufsuchte. Er richtete den Blick auf einen Schrankkoffer, auf dem ein paar alte Kartons standen – Tarnung. Sie waren nicht verrückt worden. Er stellte sie jetzt auf den Boden, zog einen Schlüssel aus der Tasche, sperrte den Schrankkoffer auf und ließ die zwei schweren Messinglaschen aufschnappen. Er horchte noch einmal, hörte außer dem dumpfen Schlag seines Herzens keinen Laut, hob dann den Deckel des Koffers.

238

Darin befanden sich lauter Schätze: Handtaschen, Schuhe, Kopftücher, Schmuckstücke, Uhren und Portemonnaies – und daran nichts, was es ermöglicht hätte, die ursprünglichen Eigentümerinnen zu identifizieren. Die Handtaschen und Geldbörsen waren ausgeleert, gründlich nach verräterischen Initialen oder selbst charakteristischen Verschmutzungen oder Schäden untersucht worden. Jeder Brief und alles, was einen Namen oder eine Adresse trug, war verbrannt worden. Er setzte sich auf den Boden vor dem offenen Koffer, ohne etwas anzurühren. Er brauchte nichts anzurühren. Er erinnerte sich gerade an ein fast gleichaltriges Mädchen, das in seiner Straße gewohnt hatte, als er acht oder neun gewesen war. Sie hatten ein Spiel gespielt. Abwechselnd musste einer von ihnen ganz reglos, mit geschlossenen Augen, auf dem Boden ausgestreckt liegen, während der andere versuchte, ihm so viel wie möglich auszuziehen, ohne dass er etwas merkte.

Bible John hatte immer sehr rasch die Hände des Mädchens an seinem Körper gespürt – und sich an die Spielregeln gehalten. Aber wenn das Mädchen dalag und er begonnen hatte, sich an Knöpfen und Reißverschlüssen zu schaffen zu machen... hatten ihre Lider geflattert und ihre Lippen sich zu einem Lächeln verzogen. Doch sie war liegen geblieben, ohne einen Mucks zu sagen, obwohl er wusste, dass sie seine ungeschickten Finger fühlen musste.

Sie hatte natürlich geschummelt.

Jetzt fiel ihm seine Großmutter mit ihren ständigen Warnungen ein: Hüte dich vor Frauen, die zu viel Parfüm tragen; spiel nicht mit Fremden im Zug Karten...

Die Polizei hatte nichts davon verlauten lassen, dass der Parvenü Souvenirs mitnahm. Sie wollte es bestimmt aus nur ihr bekannten Gründen geheim halten. Aber es war *klar*, dass der Parvenü Souvenirs mitnahm. Drei bislang. Und er bewahrte sie in Aberdeen auf. Es war nur ein kleiner Patzer gewesen, auf seiner Benutzerkarte als Adresse Aberdeen anzugeben… Bible John stand plötzlich auf. Jetzt erkannte er es, erkannte die Interaktion zwischen dem Bibliothekar und »Peter Manuel«. Der Parvenü erklärt, er müsse die Präsenzbibliothek benutzen. Der Bibliothekar fragt nach seinen Personalien, nach irgendeiner Art von Ausweis… Der Parvenü ist verwirrt, erklärt, er habe nichts dabei, habe alle seine Papiere zu Haus gelassen. Könnte er sie nicht rasch holen und dann wiederkommen? Unmöglich, er sei heute Morgen aus Aberdeen angereist und nur heute in der Stadt. Eine lange Fahrt. Also hatte sich der Bibliothekar erweichen lassen und die Karte ausgestellt. Doch jetzt war der Parvenü gezwungen, als seinen Wohnort Aberdeen anzugeben.

Er war in Aberdeen.

Ermutigt schloss Bible John den Schrankkoffer ab, stellte die Kartons genauso zurück, wie sie vorher gestanden hatten, und ging wieder nach unten. Es betrübte ihn, dass er sich wegen John Rebus gezwungen sehen könnte, den Koffer woanders unterzubringen… und sich selbst gleich mit. Er nahm wieder an seinem Schreibtisch Platz. Lass den Parvenü seinen Wohnsitz in Aberdeen haben, aber mobil sein. Lass ihn aus seinen ersten Fehlern lernen. Also plant er jetzt jeden Mord von langer Hand. Werden die Opfer zufällig ausgewählt, oder liegt da ein gewisses System zugrunde? Es war leichter, eine nicht vom Zufall bestimmte Beute auszuwählen; aber andererseits hatte es dann auch die Polizei leichter, ein Muster zu erkennen und einen früher oder später zu schnappen. Aber der Parvenü schien jung zu sein. Vielleicht war das ja gerade die eine Lektion, die er noch *nicht* gelernt hatte. Seine Wahl des Namens »Peter Manuel« verriet eine gewisse nassforsche Selbstsicherheit, den Wunsch, jeden zu verspotten, der imstande wäre, seiner Spur so weit zu folgen. Entweder er kannte seine Opfer, oder er kannte sie nicht. Zwei mögliche Marschrichtungen.

Erstens: Angenommen, er *kannte* sie, angenommen, es existierte ein Muster, das alle drei Opfer mit dem Parvenü in Verbindung brachte.

Erstes Profil: Der Parvenü war von Berufs wegen viel unterwegs – als Fernfahrer, Vertreter, etwas in der Art. Reiste viel in Schottland herum. Männer mit solchen Berufen waren nicht selten einsam; bisweilen griffen sie auf die Dienstleistungen von Prostituierten zurück. Das Edinburgher Opfer war eine solche Frau gewesen. Sie wohnten oft in Hotels. Das Glasgower Opfer hatte als Zimmermädchen gearbeitet. Das erste Opfer passte nicht in dieses Muster.

Oder vielleicht doch? Hatte die Polizei möglicherweise etwas übersehen, etwas, das er finden könnte? Er wählte die Nummer der Auskunft.

»Ich bräuchte eine Nummer in Glasgow«, sagte er der Stimme am anderen Ende der Leitung.

14

Mitten in der Nacht lag Stonehaven nur zwanzig Minuten südlich von Aberdeen; besonders mit einem Irren am Lenkrad.

»Er ist bestimmt noch tot, wenn wir da ankommen, Kumpel«, sagte Rebus zum Fahrer.

Und das war er: tot im Badezimmer einer Pension, ein Arm à la Marat über dem Badewannenrand hängend. Er hatte sich die Pulsadern *comme il faut* aufgeschlitzt – nicht quer, sondern der Länge nach. Das Wasser in der Wanne sah kalt aus. Rebus hielt Abstand, denn der heraushängende Arm hatte den ganzen Fußboden voll geblutet.

»Die Wirtin wusste nicht, wer sich im Bad befand«, erklärte Lumsden. »Sie wusste nur, dass der Betreffende sich lang genug da drin aufgehalten hatte. Sie bekam keine Antwort, also ging sie einen ihrer ›Jungs‹ holen; hier steigen nur Erdölarbeiter ab. Sie hat ausgesagt, sie hätte Mr. Kane auch für einen gehalten. Wie auch immer, einer ihrer Pensionsgäste bekam die Tür auf, und da haben sie das vorgefunden.«

»Und keiner hat was gesehen oder gehört?«

»Selbstmord ist in der Regel eine diskrete Angelegenheit. Kommen Sie mit.«

Sie gingen enge Korridore entlang und zwei kurze Treppen hinauf und waren in Tony Els Schlafzimmer. Es sah recht ordentlich aus. »Die Wirtin putzt und staubsaugt zweimal die Woche, Laken und Handtücher werden ebenfalls zweimal wöchentlich gewechselt.« Es stand eine offene Flasche billiger Whiskey herum, nur noch zu knapp einem Fünftel voll. Daneben ein leeres Glas. »Schauen Sie mal.«

Rebus schaute. Auf der Frisierkommode lag ein vollständiges Besteck: Spritze, Löffel, Watte, Feuerzeug und ein Zellophanbeutelchen mit einem braunen Pulver.

»Heroin soll wieder groß im Kommen sein«, bemerkte Lumsden.

»Ich hab keine Einstichstellen an seinen Armen gesehen«, sagte Rebus. Lumsden nickte, doch, es seien welche da. Rebus marschierte trotzdem ins Bad zurück, um sich zu vergewissern. Ja, es gab ein paar Nadelstiche an der Innenseite des linken Unterarms. Als er wieder ins Zimmer kam, saß Lumsden auf dem Bett und blätterte eine Illustrierte durch.

»Er drückte noch nicht lang«, sagte Rebus. »Seine Arme sind ziemlich sauber. Das Messer habe ich nicht gefunden.«

»Gucken Sie sich das Zeug hier an«, sagte Lumsden. Er hielt Rebus die aufgeschlagene Seite hin. Eine Frau mit einer Plastiktüte über dem Kopf wurde von hinten penetriert. »Es gibt schon abartige Leute.«

Rebus nahm ihm die Illustrierte aus der Hand. Sie hieß *Snuff Babes*. Auf der Innenseite des Umschlags stand zu lesen, sie sei »voll Stolz« in den USA gedruckt. Der Inhalt war nicht lediglich Hardcore, sondern der härteste Core, den Rebus je gesehen hatte. Seitenweise simulierte Morde, mit realem Sex kombiniert.

Lumsden zog einen Asservatenbeutel aus seiner Tasche. Darin befand sich ein blutverschmiertes Messer. Kein gewöhnliches Messer: ein Stanley.

»Ich bin mir nicht so sicher, dass das ein Selbstmord war«, sagte Rebus leise.

Also musste er seine Gründe darlegen: seinen Besuch bei Uncle Joe, wie dessen Sohn an seinen Spitznamen gekommen war und die Tatsache, dass Tony El früher einer von Uncle Joes Männern fürs Grobe gewesen war.

»Die Tür war von innen abgeschlossen«, sagte Lumsden.

»Und als ich eintraf, war sie nicht aufgebrochen worden.«

»Also?«

»Also, wie ist Frau Wirtins ›Junge‹ reingekommen?« Er ging zusammen mit Lumsden wieder ins Badezimmer, und sie untersuchten die Tür. Das Schloss ließ sich mit einem einfachen Schraubenzieher von außen öffnen und schließen.

»Sie wollen das als Mord behandeln?«, fragte Lumsden. »Sie glauben, dieser Stanley ist hier reinspaziert, hat Mr. Kane eine Spritze verpasst, ihn ins Bad geschleift und ihm die Handgelenke aufgeschlitzt? Wir sind gerade an einem halben Dutzend Zimmer vorbeigekommen und zwei Treppen rauf- und runtergestiegen. Glauben Sie nicht, dass irgendjemand was bemerkt haben müsste?«

»Haben Sie herumgefragt?«

»Ich sag's Ihnen, John, kein Mensch hat was gesehen.«

»Und ich sag Ihnen, dass die Sache meilenweit gegen den Wind nach Joseph Toal stinkt.«

Lumsden schüttelte den Kopf. Er hatte die Illustrierte aufgerollt und in seine Jacketttasche gesteckt. »Was ich sehe, ist ein Selbstmord. Und nach allem, was Sie mir erzählt haben, bin ich heilfroh, den Wichser kalt zu sehen, Ende der Geschichte.«

Derselbe Streifenwagen fuhr Rebus in die Stadt zurück; wieder vermied es der Fahrer konsequent, das Tempolimit zu unterschreiten.

Rebus fühlte sich hellwach. Er wanderte in seinem Zimmer auf und ab, rauchte drei Zigaretten. Die Stadt draußen war endlich eingeschlafen. Der Pay-TV-Pornokanal sendete noch. Ansonsten wurde nur noch Beachvolleyball aus Kalifornien geboten. In Ermangelung sonstiger Ablenkungen nahm er sich die Flugblätter von der Demo vor. Eine deprimierende Lektüre. Makrele und andere Fischarten waren in der Nordsee mittlerweile »kommerziell ausgestorben«, während andere, darunter der Schellfisch – der Fish-and-Chips-Fisch schlechthin – das Ende des Jahrtausends nicht mehr erleben würde. Gleichzeitig waren in der Nordsee vierhundert Ölplattformen in Betrieb, die eines Tages überflüssig werden würden, und wenn sie dann einfach mitsamt ihren Schwermetallen und Chemikalien versenkt würden... ade, ihr Fischlein.

Natürlich war es ohne weiteres möglich, dass die Fische ohnehin bald den Weg allen Irdischen gehen würden: nitrat- und phosphathaltige Abwässer, dazu die Kunstdünger aus der Landwirtschaft... alles gelangte letztlich ins Meer. Rebus fühlte sich mieser denn je und schmiss die Flugblätter in den Papierkorb. Eins davon landete daneben, und er hob es wieder auf. Es war die Ankündigung, dass am Samstag eine Protestkundgebung mit anschließendem Benefizkonzert mit den Dancing Pigs als Hauptact stattfinden würde. Rebus traf diesmal den Korb und beschloss, seinen Anrufbeantworter abzuhören. Es gab zwei – aufgeregt bis wutschäumend klingende – Nachrichten von Ancram und eine von Gill, die ihn bat, sie, egal zu welcher Uhrzeit, zurückzurufen. Also tat er es.

»Hallo?« Sie klang so, als habe ihr jemand den Mund zugeklebt.

»Tut mir Leid, dass es so spät ist.«

»John.« Sie sah offenbar auf die Uhr. »Es ist so spät, dass es praktisch schon wieder früh ist.«

»Auf dem AB hast du gesagt…«

»Ich weiß.« Sie gähnte herzhaft. »Howdenhall hat sich diesen Notizblock vorgenommen, den ESDA-Test angewendet, du weißt schon, die elektrostatische Untersuchung.«

»Und?«

»Eine Telefonnummer entziffert.«

»Von wo?«

»Vorwahl Aberdeen.«

Rebus spürte ein Kribbeln entlang der Wirbelsäule. »Wo in Aberdeen?«

»Es ist das Münztelefon in einer Diskothek. Moment, ich hab den Namen hier… Burke's Club.«

Klickedi-klick.

»Sagt dir das was?«, fragte sie.

Ja, dachte er, das sagt mir, dass ich hier an mindestens zwei, vielleicht sogar drei verschiedenen Fällen arbeite.

»Sagtest du, ein Münztelefon?«

»Ein öffentlicher Fernsprecher. Ich weiß es, weil ich die Nummer angerufen habe. Wie es klang, nicht weit vom Tresen entfernt.«

»Gib mir die Nummer.« Sie tat es. »Sonst noch was?«

»Die einzigen auffindbaren Fingerabdrücke stammten von Fergie selbst. Auf seinem Haus-PC nichts Interessantes, außer dass er hier und da an seiner Steuererklärung zu drehen versuchte.«

»Und in seinen Geschäftsräumen?«

»Bislang nichts. John, ist alles in Ordnung?«

»Sicher, warum?«

»Du klingst so … ich weiß nicht, irgendwie weit weg.«

Rebus gestattete sich ein Lächeln. »Ich bin hier. Schlaf noch 'ne Runde, Gill.«

»Nacht, John.«

»Nacht, Nacht.«

Er beschloss, es mit Lumsden in der Zentrale zu probieren. Pflichtbewusst: fast drei Uhr nachts, und er war da.

»Sie sollten längst in Morpheus' Armen liegen«, sagte Lumsden.

»Was ich Sie schon vorhin hatte fragen wollen.«

»Ja?«

»Dieser Klub, in dem wir waren – der, wo Michelle Strachan Johnny Bible kennen gelernt hatte.«

»Burke's?«

»Ich hab mich gefragt«, sagte Rebus, »ob der Laden sauber ist.«

»Halbwegs.«

»Das heißt?«

»Gelegentlich schlittert er auf recht dünnem Eis. Eine Zeit lang wurde da ein bisschen gedealt. Die Besitzer haben versucht aufzuräumen. Ich glaube, sie haben's ganz gut hingekriegt.«

»Wer sind denn die Besitzer?«

»Zwei Yanks. John, worum geht's eigentlich?«

Rebus brauchte weniger als eine Sekunde, um seine Lüge zu fabrizieren. »Der Edinburgher Fensterhüpfer hatte ein Briefchen Streichhölzer in der Tasche. Aus dem Burke's.«

»Ist ein beliebtes Lokal.«

Rebus gab ein beipflichtendes Geräusch von sich. »Diese Besitzer, wie hießen die noch mal?«

»Das hatte ich nicht gesagt.« Plötzlich lauernd.

»Ist es ein Geheimnis?«

Ein freudloses Lachen. »Nein.«

»Vielleicht möchten Sie nicht, dass ich die belästige?«

»Herrgott, John…« Ein theatralischer Seufzer. »Erik-mit-K Stemmons, Judd Fuller. Ich wüsste nicht, was es bringen sollte, mit denen zu reden.«

»Ich ebenso wenig, Ludo. Ich wollte bloß wissen, wie die heißen.« Rebus versuchte sich an einem amerikanischen Akzent. »Ciao, Baby.« Als er auflegte, lag ein Lächeln auf seinen Lippen. Er sah auf die Uhr. Zehn nach drei. Zur College Street war es ein Spaziergang von fünf Minuten. Aber würde das Lokal jetzt noch offen haben? Er holte sich das Telefonbuch, schlug Burke's nach. Die eingetragene Nummer war dieselbe, die Gill ihm gegeben hatte. Er wählte sie: keine Antwort. Er beschloss, es auf sich beruhen zu lassen… jedenfalls für den Augenblick.

In einem immer enger werdenden Strudel kreisend: Allan Mitchison… Johnny Bible… Uncle Joe… Fergus McLures Drogendeal.

Die Beach Boys: »God Only Knows«. Überleitung zu Zappa und den Mothers: »More Trouble Every Day«. Rebus hob sein Kissen vom Fußboden auf, horchte eine geschlagene Minute lang hinein, warf es aufs Bett und legte sich dann schlafen.

Er wachte früh auf, verspürte keine Lust zu frühstücken und ging stattdessen spazieren. Es war ein herrlicher Morgen. Die Möwen waren eifrig damit beschäftigt, die Reste der vergangenen Nacht zu beseitigen, aber abgesehen davon herrschte auf den Straßen Ruhe. Er schlenderte zum Mercat Cross, bog dann nach links ab und ging weiter die King Street entlang. Er wusste, dass in ungefähr der Richtung das Haus seiner Tante lag, doch er bezweifelte, dass er zu Fuß dorthin gefunden hätte. Er kam zu einem Gebäude, das wie eine alte Schule aussah, sich aber »RGIT Offshore« nannte. Ihm fiel ein, dass RGIT »Robert Gordon's Institute of Technology« bedeutete und Allan Mitchison am RGIT-OSC einen Kurs besucht hatte. Außerdem hatte Johnny Bibles erstes Opfer an der Robert Gordon's University studiert, doch welche Fächer wusste er nicht. Hatte sie hier irgendwelche Veranstaltungen besucht? Er starrte die grauen Granitmauern an. Der erste Mord war in Aberdeen verübt worden. Erst später zog Johnny Bible nach Glasgow und Edinburgh weiter. Was folgte daraus? Besaß Aberdeen für den Mörder eine besondere Bedeutung? Er hatte das Opfer von einem Nachtklub zu Fuß zum Duthie Park begleitet, aber das hieß nicht automatisch, dass er hier zu Hause war: Michelle selbst könnte ihm ja den Weg dorthin gezeigt haben. Rebus holte wieder seinen Stadtplan hervor, fuhr dann mit dem Finger den Weg vom Burke's Club zum Duthie Park nach. Ein langer Spaziergang, nur durch Wohngebiete, und auf der ganzen Strecke hatte kein Mensch sie gesehen. Hatten sie besonders ruhige Nebenstraßen gewählt? Rebus faltete den Stadtplan zusammen und steckte ihn wieder ein.

Er passierte das City Hospital und landete schließlich auf der Esplanade: einer riesigen, lang gezogenen Rasenfläche mit Bowlingbahnen, Tennisplätzen und Puttingplatz. Es gab auch noch andere Vergnügungseinrichtungen, die aber zu dieser frühen Stunde noch geschlossen hatten. Es waren durchaus Leute auf der Esplanade: Jogger, Hundebesitzer, Morgenspaziergänger. Buhnen teilten den größtenteils sandigen Strand in reinliche Abschnitte ein. Das war der sauberste Teil der Stadt, den er bislang gesehen hatte, wenn man von den Graffiti absah. Ein Künstler namens Zero hatte sich schwer ins Zeug gelegt und hier seine persönliche Galerie geschaffen.

Zero the Hero: eine Gestalt aus ... *Bong!* Jesus, er hatte seit Jahren nicht mehr an die gedacht. Durchgeknallte Derwische mit zugedröhnten Synthis. Floatende Anarchie.

Am Ende der Esplanade, direkt am Hafen, lagen ein paar Blocks von Einfamilienhäuschen: ein Dorf innerhalb der Stadt. Jede Gruppe verfügte über einen eigenen Trockenplatz und Geräteschuppen. Als er vorüberging, bellten Hunde. Es erinnerte ihn an den Ostzipfel von Fife: Fischerhäuschen, knallbunt gestrichen, aber gleichzeitig unprätentiös. Ein Taxi fuhr die Hafenstraße entlang. Rebus hielt es an. Der Fronturlaub war vorbei.

Vor der Zentrale von T-Bird Oil fand eine Demo statt. Die junge Frau mit den Zöpfchen, die am Tag zuvor so überzeugend geredet hatte, schien gerade Pause zu machen. Sie saß mit gekreuzten Beinen auf dem Rasen und rauchte eine Selbstgedrehte. Der junge Mann, der sie jetzt am Megaphon vertrat, besaß nicht die Hälfte ihres heiligen Zorns und ihrer Eloquenz, aber seine Freunde feuerten ihn nach Kräften an. Vielleicht war er neu im Geschäft.

Zwei junge Trachtengruppler, nicht älter als die Aktivisten, verhandelten mit drei oder vier Umweltschützern in roten Overalls und Gasmasken. Die Polizisten meinten, dass sich die Unterhaltung ohne Gasmasken leichter gestalten ließe. Sie verlangten außerdem, dass die Demonstranten das Gelände der T-Bird Oil räumten, nämlich den Grünstreifen vor dem Haupteingang. Diese konterten mit einschlägigen Paragrafen. Juristische Kenntnisse gehörten heutzutage zum Geschäft. Sie waren wie die Regeln des unbewaffneten Nahkampfes für einen Soldaten.

Rebus bekam das gleiche Informationsmaterial wie am Vortag angeboten.

»Danke, ich hab schon«, sagte er lächelnd. Zopfköpfchen sah zu ihm auf und kniff die Augen zusammen, als wollte sie einen Schnappschuss von ihm machen.

In der Empfangshalle stand jemand am Fenster und nahm die Demo auf Video auf. Vielleicht für die Polizei, vielleicht auch für T-Birds hauseigenes Archiv. Stuart Minchell erwartete Rebus bereits.

»Das ist doch unglaublich!«, sagte er. »Anscheinend haben sich Gruppen wie diese da vor jeder der Sechs Schwestern versammelt, außerdem vor kleineren Betrieben wie unserem.«

»Sechs Schwestern?«

»Die Großen im Nordseegeschäft. Exxon, Shell, BP, Mobil... die letzten zwei fallen mir momentan nicht ein. Also, fertig zur Abreise?«

»Weiß ich nicht genau. Wie stehen meine Chancen, unterwegs ein Nickerchen zu machen?«

»Könnte ziemlich holprig werden. Die gute Nachricht ist, eine Maschine von uns fliegt hinauf, da bleibt Ihnen der Welli erspart – wenigstens heute. Sie fliegen direkt nach Scatsta. War früher ein Stützpunkt der Royal Air Force. Da brauchen Sie nicht in Sumburgh umzusteigen.«

»Und das ist nicht weit von Sullom Voe?«

»Grad um die Ecke. Jemand holt Sie ab.«

»Das ist sehr freundlich, Mr. Minchell.«

Minchell zuckte die Achseln. »Schon mal in Shetland gewesen?« Rebus schüttelte den Kopf. »Na ja, wahrscheinlich werden Sie davon nicht viel zu sehen bekommen, außer aus der Luft. Merken Sie sich nur eins: Sobald der Flieger abhebt, befinden Sie sich nicht mehr in Schottland. Dann sind Sie ein *soothmoother*, eine Südfresse, unterwegs nach meilenweit Nix & Nochmalnix.«

15

Minchell fuhr Rebus zum Flughafen Dyce. Der Flieger war eine zweimotorige Propellermaschine mit vierzehn Sitzplätzen, von denen an dem Tag allerdings lediglich ein halbes

Dutzend besetzt waren – ausschließlich von männlichen Passagieren. Vier von ihnen hatten Anzüge und nichts Eiligeres zu tun, als ihre Aktenkoffer zu öffnen und Papierstöße, ringgeheftete Berichte, Taschenrechner, Stifte und Laptops auszupacken. Einer trug eine Schaffelljacke; ihm mangelte es an dem, was die anderen vermutlich als »ein gepflegtes Äußeres« bezeichnet hätten. Er behielt die Hände in den Taschen und starrte aus dem Fenster. Rebus, der nichts gegen einen Gangplatz hatte, beschloss, sich neben ihn zu setzen.

Der Mann versuchte, ihn durch Anstarren zu verscheuchen. Seine Augen waren blutunterlaufen, Wangen und Kinn mit grauen Stoppeln bedeckt. Unbeeindruckt schnallte sich Rebus an. Der Mann knurrte, setzte sich dann aber so aufrecht hin, dass Rebus in den Genuss einer halben Armlehne kam. Dann drehte sich der Typ wieder zum Fenster. Draußen fuhr gerade ein Wagen vor.

Die Motoren sprangen an, die Propeller drehten sich. Eine Stewardess stand am hinteren Ende der engen Kabine. Sie hatte die Tür noch nicht geschlossen. Der Mann auf dem Fensterplatz wandte sich an die Anzugträger.

»Alles fertig machen zum Ins-Höschen-Machen.« Dann brach er in Gelächter aus. Abgestandene Whiskeydünste streiften Rebus und bewirkten, dass er froh war, nicht gefrühstückt zu haben. Noch jemand stieg ins Flugzeug ein. Rebus blickte nach hinten. Es war Major Weir, in Kilt und Felltasche. Die Anzugträger erstarrten zu Salzsäulen. Das Schaffell war noch immer am Kichern. Die Tür knallte zu. Sekunden später setzte sich die Maschine in Bewegung.

Rebus, ein Feind des Fliegens, versuchte sich vorzustellen, er säße in einem netten Intercity, mit festem Boden unter den Rädern und nicht der geringsten Absicht, sich plötzlich in die Luft zu erheben.

»Noch ein bisschen fester ziehen«, sagte sein Platznachbar, »und Sie haben die Armlehne in der Hand.«

Der Aufstieg war wie eine Fahrt über eine holprige Straße. Rebus meinte zu spüren, wie ihm einige Plomben aus
den Zähnen flogen, und zu hören, wie die Nieten ächzten
und die Schweißnähte des Flugzeugs platzten. Doch dann
pendelten sie in die Horizontale ein, und die Lage beruhigte
sich. Rebus begann wieder zu atmen, stellte fest, dass Handflächen und Stirn schweißnass waren. Er justierte die Lüf-
tungsdüse über seinem Sitz.

»Besser?«, fragte der Mann.

»Besser«, räumte Rebus ein. Das Fahrwerk wurde eingezogen, die Klappen schlossen sich. Das Schaffell erklärte,
was die verschiedenen Geräusche bedeuteten. Rebus bedankte sich durch Nickzeichen. Er hörte die Stewardess
hinter seinem Rücken reden.

»Es tut mir Leid, Major, wenn wir gewusst hätten, dass
Sie kommen, hätten wir für Kaffee gesorgt.«

Sie erntete dafür lediglich einen Grunzer. Die Anzugtypen
starrten auf ihre Arbeitsunterlagen, konnten sich aber nicht
konzentrieren. Die Maschine geriet in Turbulenzen, und Rebus' Hände krampften sich erneut um die Armlehnen.

»Angst vorm Fliegen«, stellte Schaffell mit einem Zwinkern fest.

Rebus wusste, dass er an was anderes als den Flug denken musste. »Arbeiten Sie in Sullom Voe?«

»Ich *schmeiß* den Laden praktisch.« Er nickte in Richtung
der Anzugtypen. »Ich arbeit nicht für die Bande da. Ich flieg
hier nur mit. Ich arbeite für das Konsortium.«

»Die Sechs Schwestern?«

»Und die anderen. Dreißig und ein paar Zerquetschte bei
der letzten Zählung.«

»Wissen Sie, von Sullom Voe hab ich keinen blassen
Schimmer.«

Schaffell warf ihm einen Seitenblick zu. »Sind Sie Reporter?«

»Ich bin Detective, vom CID.«

»Solang Sie kein Reporter sind … Ich bin die Ablösung des Wartungsmanagers. Wir kriegen ständig Druck von der Presse wegen geplatzter Rohre und ablaufendem Öl. Ich werd Ihnen was sagen: Die einzigen undichten Stellen in meinem Terminal sind die paar Arschlöcher, die mit der Presse plaudern!« Er starrte wieder aus dem Fenster und schwieg. Doch nach einer Minute wandte er sich wieder zu Rebus.

»Zwei Pipelines enden im Terminal – Brent und Ninian –, außerdem löschen wir Tanker. Vier Kais praktisch rund um die Uhr in Betrieb. Ich war von Anfang an da, seit 1973. Das ist bloß vier Jahre, nachdem das erste Suchschiff in Lerwick eintuckerte. Herrgott, ich hätt sonstwas dafür gegeben, die Visagen der Fischer zu sehen. Scheiße, die dachten wahrscheinlich, das sei der Anfang vom Ende. Aber das Öl kam, und das Öl blieb, und wir mussten uns mit den Inseln rumschlagen. Und die haben dem Konsortium jeden Penny aus dem Kreuz geleiert, den die kriegen konnten. Jeden gottverdammten Penny.«

Während Schaffell redete, begann sich sein Mund zu entspannen. Rebus fragte sich, ob er vielleicht noch immer betrunken war. Er sprach leise, meist mit dem Gesicht zum Fenster.

»Sie hätten das Ganze in den Siebzigern sehen müssen, Mann. Das war wie im Klondike – Wohnwagencamps, Barackensiedlungen, Straßen aus gequirltem Schlamm. Wir hatten dauernd Stromausfälle, nicht genügend Trinkwasser, und die Einheimischen hassten uns wie die Pest. Es gab für uns alle nur eine einzige Kneipe. Das Konsortium ließ Vorräte per Heli einfliegen, als ob wir im Krieg wären. Kacke, vielleicht waren wir das auch.«

Er wandte sich zu Rebus.

»Und das Wetter … der Wind zieht einem die Haut vom Gesicht.«

»Dann hätte ich also gar keinen Rasierer mitzunehmen brauchen?«

Der Hüne im Schafspelz schnaubte. »Was führt Sie nach Sullom Voe?«

»Ein verdächtiger Todesfall.«

»Auf Shetland?«

»In Edinburgh.«

»Wie verdächtig?«

»Vielleicht nicht sehr, aber wir müssen das überprüfen.«

»Kenn ich. Ist wie im Terminal. Da ziehen wir jeden Tag Hunderte von Sicherheitschecks durch, ob die nun nötig sind oder nicht. Im Flüssiggaskühlbereich, da hatten wir mal den Verdacht auf eine Störung, und ich betone: den *Verdacht*. Ich kann Ihnen sagen, wir hatten da mehr Männer in Bereitschaft, als weiß der Geier was. Ist ja von da nicht weit zu den Rohöltanks.«

Rebus nickte, etwas ratlos, worauf der Mann wohl hinauswollte. Er schien wieder abzuschweifen. Zeit, die Angel einzuholen.

»Der Tote hatte eine Zeit lang in Sullom Voe gearbeitet. Allan Mitchison.«

»Mitchison?«

»Er könnte zum Wartungspersonal gehört haben. Ich glaube, darauf war er spezialisiert.«

Schaffell schüttelte den Kopf. »Der Name sagt mir nix ... nein.«

»Wie ist es mit Jake Harley? Er arbeitet auch in Sullom Voe.«

»Ach ja, mit dem hab ich schon zu tun gehabt. Ich halt nicht viel von ihm, aber ich kenn ihn vom Sehen.«

»Warum halten Sie nicht viel von ihm?«

»Das ist so einer von diesen grünen Scheißern. Sie wissen schon, *Ökofreaks*.« Er kotzte das Wort förmlich aus. »Was zum Teufel hat die Ökologie je für *uns* getan?«

»Sie kennen ihn also.«

»Wen?«

»Jake Harley?«

»Hab ich doch grad gesagt, oder?«

»Er macht gerade Wanderurlaub.«

»Auf Shetland?« Rebus nickte. »Ja, passt irgendwie zu ihm. Der hat's ständig mit Altertümern und Orni… Dings, Vögel beobachten. Also mit Vögeln hab ich's ja auch, aber das hat weniger mit Kucken zu tun als mit Ficken.«

Rebus dachte: *Ich hab mich ja schon immer für einen miesen Typen gehalten, aber gegen den bin ich ein Waisenknabe.*

»Er ist also zum Vögelgucken unterwegs. Irgendeine Ahnung, wo man dazu hingeht?«

»Die üblichen Stellen. Es gibt 'n paar Vogelbeobachter auf dem Terminal. Ist so 'ne Art Umweltverschmutzungskontrolle: Wir wissen, solang die Vögel nicht plötzlich anfangen, den Löffel abzugeben, ist bei uns alles in Ordnung. Wie damals bei der *Negrita*.« Fast biss er das Ende des Wortes ab, schluckte krampfhaft. »Das Problem ist der Wind, und die Strömungen sind genauso übel. Dadurch wird alles verstreut, wie bei der *Braer*. Jemand hat mir mal gesagt, dass auf Shetland alle Viertelstunde ein vollständiger Luftaustausch stattfindet. Ideale Bedingungen für eine gleichmäßige Streuung. Und Kacke, das sind doch bloß Vögel. Mal im Ernst, wozu sind die schon gut?«

Er lehnte den Kopf an das Fenster.

»Wenn wir da sind, besorg ich Ihnen 'ne Karte und markier ein paar Stellen, wo er sein könnte…« Sekunden später waren seine Augen geschlossen. Rebus stand auf und ging zum Ende der Kabine, wo sich die Toiletten befanden. Als er an Major Weir vorbeikam, der in der allerletzten Reihe saß, sah er, dass dieser die *Financial Times* las. Die Toilette war kaum größer als ein Kindersarg. Wenn Rebus nur ein wenig breiter gewesen wäre, hätte man ihn da wieder raushungern müssen. Er spülte, dachte an seinen Urin, der jetzt in die Nordsee pladderte – in Sachen Umweltverschmutzung lediglich ein Tropfen auf dem heißen Stein –, und zog die Falttür auf. Er ließ sich in den Sitz neben dem Major, auf der anderen Seite des Ganges, gleiten. Vorhin hatte die Stewardess da gesessen, aber jetzt konnte er sie vorn im Cockpit stehen sehen.

»Meinen Sie, ich kann einen Blick auf die Rennergebnisse werfen?«

Major Weir hob den Blick, vollführte mit dem Kopf einen Schwenk und nahm diese merkwürdige neue Lebensform zur Kenntnis. Die ganze Prozedur nahm kaum mehr als eine halbe Minute in Anspruch. Er sagte nichts.

»Wir sind uns gestern schon begegnet«, sagte Rebus zu ihm. »Ich bin Detective Inspector Rebus. Ich weiß, dass Sie nicht viel reden…«, er klopfte sich aufs Jackett, »…ich hab einen Notizblock in der Tasche, falls Sie einen brauchen sollten.«

»Und betätigen Sie sich in Ihrer Freizeit als Komiker, Inspector?« Seine Stimme war gepflegt träge; »kultiviert« traf es vielleicht am ehesten. Sie klang aber auch trocken, ein bisschen eingerostet.

»Darf ich Sie was fragen, Major? Warum haben Sie Ihr Ölfeld nach einem Hafermehlkuchen benannt?«

Weirs Gesicht rötete sich vor Wut. »Das steht für Bannock*burn*!«

Rebus nickte. »Haben wir die gewonnen?«⁻

»Kennen Sie Ihre eigene Geschichte nicht, Jungchen?« Rebus zuckte die Achseln. »Ehrlich, manchmal könnte ich verzweifeln. Sie sind doch *Schotte*!«

»Und?«

»Und deswegen ist Ihre Vergangenheit wichtig! Sie müssen sie kennen, um aus ihr lernen zu können.«

»Was denn lernen, Sir?«

Weir seufzte. »Um mit dem Dichter, einem schottischen Dichter, zu sprechen – er redete über Wörter: Wir Schotten sind ›Geschöpfe, die nur Grausamkeit zähmt‹.«

»Ich glaube, ich habe irgendwie Konzentrationsschwierigkeiten.«

Weir runzelte die Stirn: »Trinken Sie?«

»›Antialkoholiker‹ ist mein Familienname.« Grunzend verlieh der Major seiner Zufriedenheit Ausdruck. »Das Problem ist«, fuhr Rebus fort, »dass ich mit Vornamen ›Alles-andere-als-ein‹ heiße.«

Er kapierte es zu guter Letzt und rang sich ein verkniffenes Lächeln ab – das Erste, das Rebus bei ihm sah.

»Die Sache ist die, Sir, ich bin hier oben, um –«

»Ich weiß, warum Sie hier oben sind, Inspector. Als ich Ihnen gestern begegnete, habe ich Hayden Fletcher beauftragt herauszufinden, wer Sie sind.«

»Darf ich fragen, warum?«

»Weil Sie mich im Fahrstuhl angestarrt haben. Ich bin solches Verhalten nicht gewöhnt. Es bedeutete, dass Sie nicht für mich arbeiten, und da Sie in Begleitung meines Personalchefs waren…«

»…dachten Sie, ich suchte einen Job?«

»Ich wollte sicherstellen, dass Sie keinen bekommen würden.«

»Ich fühle mich geschmeichelt.«

Der Major starrte ihn wieder an. »Warum fliegen Sie also auf Kosten meiner Firma nach Sullom Voe?«

»Ich möchte mich mit einem Freund von Mitchison unterhalten.«

»Allan Mitchison.«

»Sie kannten ihn?«

»Seien Sie nicht lächerlich. Ich habe mir gestern Abend von Minchell Bericht erstatten lassen. Ich weiß gern über alles Bescheid, was in meiner Firma passiert. Ich möchte Sie etwas fragen.«

»Nur zu.«

»Könnte Mitchisons Tod etwas mit T-Bird zu tun haben?«

»Momentan ... glaube ich das nicht.«

Major Weir nickte, hob die Zeitung wieder auf Augenhöhe. Die Audienz war beendet.

16

»Willkommen auf dem Festland«, sagte Rebus' Fremdenführer, der ihn auf der Rollbahn erwartete.

Major Weir war bereits in einen Range Rover verladen worden und brauste vom Flugplatz. Eine Reihe von Hubschraubern ruhte sich in der Nähe aus. Der Wind war ... na ja, er war *ernst zu nehmen*. Er klapperte mit den Rotorblättern der Hubschrauber und sang in Rebus' Ohren. Der Edinburgher Wind war ein Profi; manchmal verließ man das Haus, und es war so, als bekäme man eine voll ins Gesicht. Aber der Shetlander Wind ... der packte einen beim Revers und rüttelte einen durch.

Der Landeanflug war haarig gewesen, aber davor hatte Rebus zum ersten Mal Shetland gesehen. »Meilenweit Nix & Nochmalnix« wurde der Sache nicht gerecht. Kaum Bäume, aber jede Menge Schafe. Und eine spektakuläre wilde Küste, an der sich weiße Wellen brachen. Er fragte sich, ob Erosion ein Problem darstellte. Die Inseln schienen nicht eben groß zu sein. Rebus und sein Führer waren quer zum Ostende Lerwicks gefahren, hatten dann ein paar Schlafstädte passiert, die dem Schaffell zufolge in den Siebzigerjahren bloße Weiler gewesen waren. Inzwischen war er nämlich wieder aufgewacht und hatte ihn mit neuen Fakten und Phantasien unterhalten.

»Wissen Sie, was wir gemacht haben? Die Erdölindustrie, mein ich? Wir haben dafür gesorgt, dass Maggie Thatcher an der Macht blieb. Das Erdöl hat diese ganzen Steuersenkungen finanziert. Das Erdöl hat den Falklandkrieg finanziert. Erdöl hielt den Kreislauf ihres ganzen beschissenen Reichs in Gang. Und die hat sich nicht mal bei uns bedankt. Nicht *ein* Mal, die Dreckschlampe.« Er lachte. »Ich kann mir nicht helfen: Irgendwie mag ich die.«

»Da soll's Pillen gegen geben.« Aber Schaffell hörte gar nicht zu.

»Erdöl und Politik sind gar nicht voneinander zu trennen. Die Sanktionen gegen den Irak, die hatten überhaupt keinen anderen Zweck, als den Sack Saddam daran zu hindern, den Markt weiter mit billigem Öl zu überschwemmen.« Er verstummte. »Norwegen, der Dreckspuff.«

Rebus hatte das Gefühl, irgendwas nicht mitgekriegt zu haben. »Norwegen?«

»Die Norweger haben auch Öl, bloß die tun ihr Geld auf die Bank, benutzen es dazu, andere Industrien in Gang zu bringen. Maggie hat's dazu benutzt, einen Krieg und einen beschissenen Wahlkampf zu finanzieren…«

Als sie zum Landeanflug auf Lerwick weiter aufs Meer geschwenkt waren, hatte Schaffell auf ein paar Schiffe gedeutet – verdammt große Schiffe.

»Klondiker«, sagte er. »Fabrikschiffe. Die verarbeiten Fisch und richten dabei wahrscheinlich größere Umweltschäden an als die ganze Nordsee-Erdölindustrie zusammengenommen. Aber die Einheimischen lassen die machen, die geben keinen Furz drauf. Fischen hat bei ihnen Tradition… nicht so wie das Erdöl. Äch, scheiß auf das ganze Scheißpack.«

Als sie sich auf der Rollbahn trennten, wusste Rebus immer noch nicht, wie der Mann hieß. Jemand erwartete Rebus: ein schmächtiger, grinsender Mensch mit viel zu vielen Zähnen im Mund. Und er sagte: »Willkommen auf dem

Festland.« Was er damit meinte, erklärte er dann im Auto während der kurzen Fahrt zum Sullom-Voe-Terminal. »So nennen die Shetlander die Hauptinsel: *das* Mainland, und da *mainland* mit einem kleinen ›m‹ ›Festland‹ bedeutet...« Ein schnaubendes Lachen. Er musste sich anschließend die Nase am Jackettärmel abwischen. Er fuhr wie ein kleiner Junge, der sich in Papas Auto hatte setzen dürfen: vornübergebeugt, die Hände hektisch ums Lenkrad geklammert.

Er hieß Walter Rowbotham und war ein Neuzugang in der Abteilung für Öffentlichkeitsarbeit von Sullom Voe.

»Ich würde mich freuen, Sie herumführen zu dürfen, Inspector«, sagte er, noch immer grinsend, erheblich zu dienstbeflissen.

»Vielleicht, wenn die Zeit reicht«, räumte Rebus ein.

»Es wäre mir ein großes Vergnügen. Sie wissen natürlich, dass allein der Bau des Terminals dreizehnhundert Millionen verschlungen hat. Und ich meine Pfund, nicht Dollar.«

»Interessant.«

Rowbotham lebte förmlich auf und fuhr ermutigt fort: »Das erste Erdöl erreichte Sullom Voe im Jahr 1978. Es hat viele Arbeitsplätze geschaffen und maßgeblich zur niedrigen Arbeitslosenquote Shetlands beigetragen, die gegenwärtig um die vier Prozent, also die Hälfte des schottischen Durchschnitts, beträgt.«

»Verraten Sie mir eins, Mr. Rowbotham.«

»Walter, bitte. Oder Walt, wenn Sie möchten.«

»Walt.« Rebus lächelte. »Hat's eigentlich noch weitere Probleme im Flüssiggaskühlbereich gegeben?«

Rowbothams Gesicht nahm schlagartig die Farbe eingelegter Roter Bete an. Gottchen, dachte Rebus, die Medien werden ihn lieben...

Am Ende mussten sie durch die halbe Anlage fahren, um dort hinzugelangen, wo Rebus hinwollte. So kam er doch noch in den Genuss der angedrohten Führung und erfuhr mehr über Debutanisierung, Deäthanisierung und Depropanisierung, als er je wissen zu müssen erwartet hatte. Ganz zu schweigen von so rätselhaften Dingen wie Schwallräumen und Integritätsmessern. Wäre es nicht toll, dachte er, wenn man auch Menschen mit Integritätsmessern ausstatten könnte?

Im Hauptverwaltungsgebäude hatte man ihnen gesagt, Jake Harley arbeite in der Prozessleitwarte und seine Kollegen dort wüssten, dass ein Polizeibeamter kam, um sich mit ihnen zu unterhalten. Sie passierten die Pipelines für das einlaufende Rohöl, die Reinigungsstationen und den Endauffangtank. An einem Punkt befürchtete Walt, sich verfahren zu haben, aber er hatte einen kleinen Orientierungsplan dabei.

Zum Glück, denn Sullom Voe war gigantisch. Der Bau der Anlage hatte sieben Jahre gedauert, wobei die verschiedensten Rekorde gebrochen worden waren (die Walt alle beim Namen nennen konnte). Rebus musste zugeben, dass ihn das alles ziemlich beeindruckte. Er war schon Dutzende Male an Grangemouth und Mossmorran vorbeigefahren, aber die verblassten einfach dagegen. Und wenn man über die Rohöltanks und die Kais des Anlandehafens hinwegblickte, sah man Wasser: nach Süden zu die *voe* oder Bucht selbst; dann weiter im Westen die Insel Gluss, die einen Eindruck unverdorbener Wildnis vermittelte. Das Ganze wirkte wie eine in die Urzeit versetzte Science-Fiction-Stadt.

Trotz alledem war die Prozessleitwarte einer der ruhigsten Orte, die Rebus je erlebt hatte. In der Mitte des Raums saßen zwei Männer und eine Frau an Computerkonsolen, während die Wände von elektronischen Anzeigetafeln bedeckt waren, an denen sanft blinkende Lämpchen den Öl- und Gasdurchfluss dokumentierten. Die einzigen Geräusche waren das Tippen der Finger auf den Tastaturen und ein gelegentlicher gedämpfter Wortwechsel. Walt hatte entschieden, dass es seine Aufgabe sei, Rebus vorzustellen. Die Atmosphäre hatte ihn stiller gemacht, als sei er mitten in einen Gottesdienst hineingeplatzt. Er trat an die mittlere Konsole und sprach die dort thronende Trinität in leisen Tönen an.

Der ältere der beiden Männer stand auf und kam Rebus mit ausgestreckter Hand entgegen.

»Inspector, ich heiße Milne. Was können wir für Sie tun?«

»Mr. Milne, eigentlich wollte ich mit Jake Harley sprechen. Aber da er nicht hier ist, dachte ich, Sie könnten mir vielleicht etwas über ihn erzählen. Genauer gesagt, über seine Freundschaft mit Allan Mitchison.«

Milne trug ein kariertes Hemd mit hochgekrempelten Ärmeln. Während Rebus sprach, kratzte er sich am Arm. Er war etwa Mitte dreißig, hatte einen roten Struwwelkopf und ein von Pubertätsakne gezeichnetes Gesicht. Er nickte, halb zu seinen zwei Kollegen gewandt, und übernahm die Rolle des Sprechers.

»Na ja, wir arbeiten alle an Jakes Seite, also können wir Ihnen auch etwas über ihn sagen. Allan kannte ich persönlich nicht besonders gut, obwohl Jake uns miteinander bekannt gemacht hatte.«

»Ich glaube nicht, dass ich je mit ihm gesprochen habe«, warf die Frau ein.

»Ich einmal«, fügte der andere Mann hinzu.

»Allan arbeitete nur zwei oder drei Monate hier«, fuhr Milne fort. »Ich weiß, dass er sich mit Jake angefreundet hat.« Er zuckte die Achseln. »Das wär's im Prinzip auch schon.«

»Wenn sie Freunde waren, müssen sie irgendwelche gemeinsamen Interessen gehabt haben. War es die Ornithologie?«

»Ich glaube nicht.«

»Grüne Interessen«, sagte die Frau.

»Das stimmt«, pflichtete Milne ihr bei. »Natürlich kommt man an einem Ort wie diesem früher oder später immer auf Ökologie zu sprechen – ein heikles Thema.«

»Ist Jake sehr engagiert?«

»So würde ich das nicht nennen, nein.« Milne sah seine Kollegen Bestätigung heischend an. Sie schüttelten beide den Kopf. Rebus wurde bewusst, dass niemand viel lauter als im Flüsterton sprach.

»Jake arbeitet hier?«, fragte er.

»Ja. Wir arbeiten in wechselnden Schichten.«

»Das heißt, manchmal arbeiten Sie zusammen ...«

»Und manchmal nicht.«

Rebus nickte. Er erfuhr hier nichts; wusste nicht, ob er je *geglaubt* hatte, hier etwas zu erfahren. Mitchison hatte es also mit dem Umweltschutz gehabt – na toll. Aber es war angenehm hier, entspannend. Edinburgh und seine sämtlichen Probleme waren weit, weit weg.

»Das sieht wie ein ruhiger, netter Job aus«, sagte er. »Kann sich da jeder bewerben?«

Milne lächelte. »Da müssten Sie sich aber beeilen. Wer weiß, wie lang das Erdöl noch reicht?«

»Doch sicher noch ein Weilchen?«

Milne zuckte die Achseln. »Der Knackpunkt ist die Wirtschaftlichkeit der Gewinnungsmethoden. Die Unternehmen fangen schon an, sich nach Westen zu orientieren – Atlantikerdöl. Und Öl, das westlich von Shetland kommt, wird in Flotta angelandet.«

»Auf Orkney«, erklärte die Frau.

»Die haben uns den Auftrag abgeluchst«, fuhr Milne fort. »In fünf bis zehn Jahren könnte die Gewinnspanne dort höher als hier sein.«

»Und dann wird die Nordsee eingemottet?«

Alle drei nickten.

»Haben Sie mit Briony schon gesprochen?«, fragte die Frau plötzlich.

»Wer ist Briony?«

»Jakes ... ich weiß nicht, seine Frau ist sie doch nicht, oder?« Sie sah Milne an.

»Nur seine Freundin, glaube ich.«

»Wo wohnt sie?«, fragte Rebus.

»Mit Jake zusammen«, antwortete Milne. »Sie haben ein Haus irgendwo in Brae. Sie arbeitet im Schwimmbad.«

Rebus wandte sich an Walt. »Wie weit ist das von hier?«

»Zehn, elf Kilometer.«

»Fahren Sie mich hin?«

Sie versuchten es erst im Schwimmbad, aber es war nicht ihre Schicht, also machten sie sich auf die Suche nach ihrem Haus.

Brae sah so aus, als mache es eine Identitätskrise durch, als sei es völlig unvorbereitet ins Dasein geplumpst und wisse nicht recht, was es mit sich anfangen sollte. Die Häuser waren neu, aber anonym, ohne Charakter; an Geld fehlte es offensichtlich nicht, aber alles konnte man damit auch nicht kaufen. Jedenfalls konnte man Brae damit nicht in das Dorf zurückverwandeln, das es in den Zeiten vor Sullom Voe gewesen war.

Sie fanden das Haus. Rebus bat Walt, im Auto zu warten. Auf sein Klopfen hin öffnete eine Frau Anfang zwanzig die Tür. Sie trug eine Jogginghose und ein weißes, ärmelloses Trikot und nichts an den Füßen.

»Briony?«, fragte Rebus.

»Ja.«

»Tut mir Leid, ich kenne nur Ihren Vornamen. Darf ich reinkommen?«

»Nein. Wer sind Sie?«

»Ich bin Detective Inspector John Rebus.« Rebus zeigte seine Dienstmarke. »Ich bin wegen Allan Mitchison hier.«

»Mitch? Was ist mit ihm?«

Auf diese Frage passte eine ganze Reihe Antworten. Rebus suchte sich eine aus. »Er ist tot.« Dann beobachtete er, wie ihr alle Farbe aus dem Gesicht wich. Sie klammerte sich an die Tür, wie um sich aufrecht zu halten, ließ ihn aber immer noch nicht eintreten.

»Möchten Sie sich vielleicht hinsetzen?«, fragte Rebus.

»Was ist mit ihm passiert?«

»Wir wissen es nicht genau, deswegen möchte ich mich ja mit Jake unterhalten.«

»Sie wissen es nicht genau?«

»Könnte ein Unfall gewesen sein. Ich versuche, ein paar Hintergrundinformationen zu sammeln.«

»Jake ist nicht da.«

»Ich weiß, ich hab schon versucht, ihn zu erreichen.«

»Von der Personalabteilung ruft ständig jemand an.«

»In meinem Auftrag.«

Sie nickte. »Tja, er ist immer noch nicht da.« Sie hatte die Hand nicht vom Türrahmen genommen.

»Könnten Sie eine Nachricht an ihn weiterleiten?«

»Ich weiß nicht, wo er ist.« Während sie sprach, begann die Farbe in ihre Wangen zurückzukehren. »Armer Mitch.«

»Sie haben keine Ahnung, wo sich Jake befindet?«

»Er geht manchmal einfach so los und weiß dann selbst nicht, wo er schließlich landen wird.«

»Ruft er Sie nicht an?«

»Er braucht seinen Freiraum. Ich auch, aber ich habe meinen, wenn ich schwimme. Jake wandert.«

»Aber er wird doch morgen zurückerwartet, nicht? Oder übermorgen?«

Sie zuckte die Achseln. »Wer weiß?«

Rebus zog seinen Notizblock aus der Tasche, schrieb etwas auf, riss das Blatt ab und gab es ihr. »Hier sind ein paar Telefonnummern. Könnten Sie ihm sagen, dass er mich anrufen möchte?«

»Klar.«

»Danke.« Sie starrte auf das Stück Papier, den Tränen nah. »Briony, gibt es etwas, das Sie mir über Mitch erzählen könnten? Irgendetwas, das uns vielleicht weiterhelfen würde?«

Sie sah zu ihm auf.

»Nein«, sagte sie. Dann schloss sie langsam die Tür. In diesem letzten Moment, bevor die Tür ihm den Blick versperrte, hatte Rebus ihre Augen gesehen und etwas darin wahrgenommen. Nicht nur Erschütterung oder Kummer.

Etwas, das eher wie Angst aussah. Und dahinter eine Spur von Berechnung.

Ihm wurde bewusst, dass er Hunger hatte und Durst auf Kaffee. Also gingen sie in der Kantine von Sullom Voe essen. Es war ein sauberer, weißer Raum mit Topfpflanzen und Rauchen-verboten-Schildern. Walt dozierte über den eher skandinavischen als schottischen Charakter Shetlands; fast alle Ortsnamen seien norwegisch. Rebus kam sich wie am Ende der Welt vor, und es gefiel ihm. Er erzählte Walt vom Mann mit dem Schaffell.

»Ah, das klingt nach Mike Sutcliffe.«

Rebus bat, zu ihm gebracht zu werden.

Mike Sutcliffe hatte sein Schaffell gegen blütenfrische Arbeitskleidung gewechselt. Als sie ihn endlich bei den Ballastwassertanks fanden, war er wild am Palavern. Zwei Untergebene hörten sich an, wie er ihnen vorhielt, man könnte sie durch zwei Gibbons ersetzen und keiner würde was merken. Er deutete nach oben auf die Tanks, dann hinüber zu den Kaimauern. An einer hatte ein Tanker festgemacht, der wohl so groß wie ein halbes Dutzend Fußballfelder war. Sutcliffe sah Rebus und verlor den Faden seiner Philippika. Er entließ die Arbeiter und marschierte davon; bloß musste er dazu erst an Rebus vorbei.

Rebus lächelte. »Mr. Sutcliffe, haben Sie mir diese Karte besorgt?«

»Was für 'ne Karte?« Sutcliffe ging ungerührt weiter.

»Sie hatten gemeint, Sie könnten sich vielleicht vorstellen, wo ich Jake Harley finde.«

»Hatte ich?«

Rebus musste beinahe laufen, um mit ihm Schritt zu halten. Das Lächeln war ihm inzwischen vergangen. »Ja«, sagte er kalt, »hatten Sie.«

Sutcliffe blieb abrupt stehen. »Hören Sie, Inspector, ich steh im Moment bis zu den Eiern in den Nesseln. Ich hab für so was keine Zeit.«

Und rannte wieder los. Rebus hielt schweigend mit ihm Schritt. Nach hundert Metern blieb er stehen. Sutcliffe marschierte weiter und sah ganz so aus, als ob er notfalls auch noch bis zum Ende der Mole und dann weiter übers Wasser gelaufen wäre.

Rebus ging den Weg zu Walt zurück. Er ließ sich dabei Zeit, dachte nach. Rausschmiss war das Mindeste. Was oder wer hatte Sutcliffe umgestimmt? Rebus schwebte das Bild eines alten weißhaarigen Mannes in Kilt und *sporran* vor Augen. Schien irgendwie zu passen.

Walt chauffierte Rebus wieder zum Hauptverwaltungsgebäude, wo sich auch sein Büro befand. Er zeigte Rebus, wo das Telefon stand, und verschwand, um zwei Kaffee zu holen. Rebus schloss die Tür hinter ihm und setzte sich an den Schreibtisch. Er war von Erdölplattformen, Tankern, Pipelines und Sullom Voe selbst umgeben – riesige gerahmte Fotos an den Wänden; stapelweise PR-Literatur; auf dem Schreibtisch ein maßstabgetreues Modell eines Tankschiffs.

Rebus ließ sich eine Amtsleitung geben und rief Edinburgh an; während er auf die Verbindung wartete, wog er Diplomatie gegen puren blauen Dunst ab und gelangte zu dem Schluss, es könnte zeitsparender sein, einfach die Wahrheit zu sagen.

Mairie Henderson war zu Hause.

»Mairie, John Rebus.«

»O je«, sagte sie.

»Arbeiten Sie nicht?«

»Noch nie was vom tragbaren Büro gehört? Faxmodem und ein Telefon, mehr braucht man nicht. Hören Sie, Sie schulden mir was.«

»Wie das?« Rebus versuchte, gekränkt zu klingen.

»Erst darf ich mich für Sie dumm und dämlich recherchieren und am Ende keine Story. Das kann man nicht gerade als Quidproquo bezeichnen, oder? Und Journalisten haben ein noch längeres Gedächtnis als Elefanten.«

»Ich hab Ihnen Sir Iains Rücktritt geliefert.«

»Ganze neunzig Minuten bevor jeder andere Zeitungsschreiber auch davon wusste. Und überhaupt war das auch nicht gerade das Jahrhundertverbrechen. Ich *weiß*, dass Sie mir Entscheidendes verschwiegen haben.«

»Mairie, das trifft mich tief.«

»Prima. Und jetzt erzählen Sie mir, das wär ein rein privater Anruf.«

»Absolut. Wie geht's denn so?«

Ein Seufzer. »Also, was wollen Sie?«

Rebus wirbelte im Drehsessel um neunzig Grad herum. Es war ein bequemer Sessel, gut genug zum Schlafen. »Sie müssten ein bisschen für mich buddeln.«

»Darauf wäre ich nie und nimmer gekommen.«

»Er heißt Weir. Nennt sich Major Weir, aber der Dienstgrad könnte auch erfunden sein.«

»T-Bird Oil?«

268

Mairie war eine *sehr* gute Journalistin. »Genau der.«

»Er hat gerade eine Rede auf dieser Konferenz gehalten.«

»Na ja, er hat sie von jemand anderem vorlesen lassen.«

Eine Pause. Rebus zuckte innerlich zusammen. »John, sind Sie in Aberdeen?«

»So ungefähr«, gestand er.

»Erzählen Sie.«

»Später.«

»Und wenn's 'ne Story gibt ...?«

»Starten Sie aus der Poleposition.«

»Mit etwas mehr als neunzig Minuten Vorsprung?«

»Garantiert.«

Schweigen in der Leitung. Sie wusste, dass das ohne weiteres gelogen sein konnte. Sie war Journalistin: Sie kannte sich aus.

»Also gut, was wollen Sie über Weir wissen?«

»Alles. Die interessanten Dinge.«

»Geschäftlich oder privat?«

»Beides, hauptsächlich geschäftlich.«

»Sind Sie in Aberdeen irgendwie zu erreichen?«

»Mairie, ich bin *nicht* in Aberdeen. Besonders, wenn jemand fragt. Ich meld mich wieder.«

»Es heißt, dass der Spaven-Fall neu aufgerollt wird.«

»Eine interne Untersuchung, das ist alles.«

»Als Vorbereitung für eine Wiederaufnahme?«

Walt öffnete die Tür und kam mit zwei Bechern Kaffee herein. Rebus stand auf. »Ich muss jetzt leider weg.«

»Die Sprache verloren?«

»Bis dann, Mairie.«

»Ich hab mich erkundigt«, sagte Walt, »Ihre Maschine fliegt in einer Stunde.« Rebus nickte und nahm den Kaffee. »Ich hoffe, Sie haben Ihren Aufenthalt genossen.«

Du lieber Himmel, dachte Rebus, das meint er tatsächlich ernst.

17

An dem Abend aß Rebus, nachdem er sich vom Rückflug nach Dyce erholt hatte, im selben indischen Restaurant, das Allan Mitchison frequentiert hatte – nicht zufällig. Er wusste nicht, warum er das Lokal mit eigenen Augen sehen wollte, aber es war so. Das Essen war anständig, ein Hühnchen *Do-piaza*, wie man es in Edinburgh auch nicht besser oder schlechter bekam. Die Gäste waren Paare, teils jung, teils mittleren Alters, ihre Stimmen gedämpft. Das sah nicht wie die Sorte Restaurant aus, in dem man nach sechzehn Tagen auf einer Bohrinsel die Sau rauslassen würde. Wenn überhaupt, so war es ein Ort der Beschaulichkeit – immer vorausgesetzt, man aß allein. Als die Rechnung kam, rief sich Rebus die Beträge auf Mitchisons Kreditkartenauszug ins Gedächtnis: Sie entsprachen rund dem Doppelten dessen, was er jetzt zu zahlen hatte.

Rebus zeigte seinen Dienstausweis und bat, mit dem Geschäftsführer zu sprechen. Der Mann kam, ein nervöses Lächeln auf den Lippen, an seinen Tisch gehastet.

»Gibt es irgendein Problem, Sir?«

»Nein«, sagte Rebus.

Der Geschäftsführer nahm die Rechnung und wollte sie schon zerreißen, als Rebus ihn aufhielt.

»Ich würde lieber zahlen«, sagte er. »Ich wollte nur ein paar Fragen stellen.«

»Natürlich, Sir.« Der Geschäftsführer nahm ihm gegenüber Platz. »Wie kann ich Ihnen behilflich sein?«

»Ein junger Mann namens Allan Mitchison kam hier regelmäßig zum Essen, ungefähr einmal alle zwei Wochen.«

Der Geschäftsführer nickte. »Ein Polizist war hier und hat mich nach ihm gefragt.«

CID Aberdeen: Bain hatte sie gebeten, sich nach Mitchison zu erkundigen; das Resultat war so ziemlich gleich null gewesen.

»Erinnern Sie sich an ihn? An den Gast, meine ich.«

Der Geschäftsführer nickte. »Sehr angenehmer Mann, sehr ruhig. Er war vielleicht zehnmal hier.«

»Allein?«

»Manchmal allein, manchmal mit einer Dame.«

»Können Sie sie beschreiben?«

Der Geschäftsführer schüttelte den Kopf. Aus der Küche war ein Scheppern zu hören, das ihn ablenkte. »Ich erinnere mich nur, dass er nicht immer allein war.«

»Warum haben Sie das dem anderen Polizisten nicht auch gesagt?«

Der Mann schien die Frage nicht zu verstehen. Er stand auf, mit dem Kopf schon halb in der Küche. »Aber das habe ich doch«, erklärte er im Weggehen.

Das hatte das CID Aberdeen also der Bequemlichkeit halber zu erwähnen vergessen...

An der Tür des Burke's Club stand ein anderer Rausschmeißer, und Rebus zahlte für den Eintritt wie jeder andere auch. Drinnen war Seventies Night, mit Preisen für die besten Kostüme. Rebus betrachtete den Aufmarsch von Plateausohlen, Oxfordhosen, Midis und Maxis und handbreiten, knalligen Krawatten. Stoff für Albträume. Das alles erinnerte ihn an die Fotos seiner eigenen Hochzeit. Es gab einen *Saturday-Night-Fever*-Travolta und ein Mädchen, das eine passable Imitation von Jodie Foster in *Taxi Driver* hinlegte.

Die Musik war eine Mischung aus Diskokitsch und Retrorock: Chic, Donna Summer, Mud, Showaddywaddy, Rubettes, dazwischen etwas Rod Stewart, Stones, Status Quo, ein Hauch Hawkwind und das gottverdammte »Hi-Ho Silver Lining«.

Jeff Beck an die Wand: *sofort!*

Gelegentlich kam ein Song, bei dem es funkte, der ihn mit einem Schlag um Jahrzehnte zurückkatapultierte. Der DJ hatte irgendwo noch ein Exemplar von Montroses »Connection« aufgetrieben, einer der besten Coverversionen eines Stones-Songs überhaupt. Beim Militär hatte Rebus es sich jede Nacht in seiner Unterkunft auf einem frühen Sanyo-Kassettenrekorder angehört, mit Ohrstöpsel, um die anderen nicht zu stören. Am nächsten Morgen war er dann immer auf dem einen Ohr taub gewesen. Durch mehr oder weniger regelmäßiges Umstöpseln vermied er bleibende Schäden.

Er setzte sich an die Bar. Das schien der Ort zu sein, an dem sich die männlichen Singles zur stummen Betrachtung des Dancefloors versammelten. Die Nischen und Tische waren Paaren und Bürogesellschaften vorbehalten, heiser gackernden Frauen, die sich wirklich zu amüsieren schienen. Sie trugen tief ausgeschnittene Tops und kurze enge Röcke. Im schmeichelhaften Halblicht sahen sie durch die Bank umwerfend aus.

Rebus stellte fest, dass er zu schnell trank, goss sich mehr Wasser in den Whiskey und bat den Barkeeper auch um mehr Eis. Er saß an der Ecke des Tresens, anderthalb Meter vom Münztelefon entfernt. Unmöglich, es zu benutzen, solange die Musik dröhnte, und bisher hatte es keine nennenswerte Pause gegeben. Was Rebus zu denken gab – die einzige reelle Möglichkeit, das Telefon zu benutzen, konnte nur außerhalb der Öffnungszeiten sein, wenn es im Lokal still war. Dann waren aber keine Gäste da, nur Personal...

Rebus glitt von seinem Hocker hinunter und ging um die Tanzfläche herum. Er folgte dem TOILETTEN-Schild einen kurzen Gang entlang, trat ein und hörte, wie sich jemand in einer der Kabinen etwas durch die Nase reinzog.

Dann wusch er sich die Hände und wartete. Die Klospülung rauschte, der Riegel klickte, und ein junger Mann im Anzug kam heraus. Rebus hatte schon seine Dienstmarke parat.

»Sie sind festgenommen«, sagte er. »Alles, was Sie von jetzt an sagen –«

»He, Moment mal!« Der Mann hatte noch immer weiße Puderränder an den Nasenlöchern. Er war Mitte zwanzig, unteres Management, krampfhaft bemüht, nach mittlerem auszusehen. Sein Jackett sah nicht sehr teuer aus, aber zumindest war es neu. Rebus stieß ihn gegen die Wand, drehte den elektrischen Handtrockner herum und schaltete ihn ein, so dass der heiße Luftstrahl dem Mann ins Gesicht blies.

»Hier«, sagte er, »föhnen Sie sich den Babypuder aus der Nase.«

Der Mann wandte das Gesicht ab. Er zitterte, schlapp wie ein nasser Sack, geschlagen, noch bevor es richtig losgegangen war.

»Eine Frage«, sagte Rebus, »und dann spazieren Sie hier raus… wie heißt es doch so schön? Frei wie ein Vögelein. Eine einzige Frage.« Der Mann nickte. »Wo haben Sie ihn her?«

»Wen?«

Rebus drückte ein bisschen fester. »Den Koks.«

»Das mache ich nur freitagabends!«

»Letztes Mal: Wo haben Sie das Zeug her?«

»Von irgendso'm Typen. Der ist manchmal hier.«

»Ist er heute Abend hier?«

»Ich hab ihn nicht gesehen.«

»Wie sieht er aus?«

»Nichts Auffälliges. Durchschnittstyp. Sie sagten, *eine* Frage.«

Rebus ließ den Mann los. »Ich hab gelogen.«

Der Mann schniefte, zog das Jackett zurecht. »Kann ich jetzt gehen?«

»Sie sind schon weg.«

Rebus wusch sich die Hände, lockerte den Krawatten-knoten, so dass er den obersten Hemdknopf aufbekam. Der Kokser konnte sich jetzt wieder in seine Nische verkriechen. Er konnte beschließen, das Lokal zu verlassen. Er konnte sich bei der Geschäftsleitung beschweren. Vielleicht zahlte der Laden ja was dafür, dass die Bullen keinen Ärger mach-ten. Er verließ die Toilette und machte sich auf die Suche nach dem Büro, konnte aber keins finden. Draußen im Foyer gab's eine Treppe. Davor parkte der Rausschmeißer. Rebus sagte dem ausgestopften Smoking, dass er mit dem Geschäftsführer reden wolle.

»Geht nich.«

»Es ist wichtig.«

Der Rausschmeißer schüttelte langsam den Kopf. Seine Augen blieben dabei auf Rebus' Gesicht geheftet. Rebus wusste, was der Typ sah: einen Säufer mittleren Alters, eine Mitleid erregende Figur in einem billigen Anzug. Es war höchste Zeit, ihn aufzuklären. Er zeigte ihm seinen Dienst-ausweis.

»CID«, erklärte er dem Smoking. »In diesem Lokal wird mit Drogen gehandelt, und ich steh *ganz* kurz davor, die Dro-genfahndung zu rufen. Kann ich *jetzt* mit dem Boss reden?«

»Ich heiße Erik Stemmons.« Der Mann kam hinter sei-nem Schreibtisch hervor, um Rebus die Hand zu geben. Es war ein kleines Büro, aber gut eingerichtet. Auch gut schall-isoliert. Die Bässe waren alles, was man akustisch von der Disko mitbekam. Es gab allerdings Monitore, sechs an der Zahl. Drei zeigten die Tanzfläche, zwei die Bar und einer eine Gesamtansicht der Nischen.

»Sie sollten eine Kamera im Klo installieren«, schlug Rebus vor, »da läuft die Show. Sie haben zwei auf die Bar ge-richtet: Probleme mit dem Personal?«

»Seitdem wir die Kameras haben, nicht mehr.« Stemmons trug Jeans und ein weißes T-Shirt mit bis zu den Schultern aufgekrempelten Ärmeln. Er hatte lange Ringellocken, aber das Haar lichtete sich bereits, und über sein Gesicht zogen sich verräterische Furchen. Er war nicht viel jünger als Rebus, und je jünger er auszusehen versuchte, desto älter wirkte er.

»Sind Sie vom CID Grampian?«

»Nein.«

»Hab ich mir gedacht. Die meisten Beamten bekommen wir bei uns regelmäßig zu sehen, Stammgäste praktisch. Wollen Sie sich nicht setzen?«

Rebus nahm Platz. Stemmons machte es sich hinter seinem Schreibtisch bequem. Die Arbeitsfläche war mit Papierkram bedeckt.

»Offen gesagt, verwundert mich Ihre Behauptung«, fuhr er fort. »Wir kooperieren uneingeschränkt mit der hiesigen Polizei, und dieser Klub ist der sauberste in der Stadt. Natürlich wissen Sie selbst, dass es unmöglich ist, Betäubungsmittel vollkommen draußen zu halten.«

»Eben hat sich jemand auf der Toilette eine Nase reingezogen.«

Stemmons zuckte die Schultern. »Meine Rede. Was können wir dagegen tun? Jeden Gast am Eingang filzen? Einen Drogenhund rumlaufen lassen?« Er stieß ein kurzes Lachen aus. »Sie sehen das Problem.«

»Wie lang leben Sie schon hier, Mr. Stemmons?«

»Ich bin 78 rübergekommen. Es hat mir gefallen, und ich bin geblieben. Das sind fast zwanzig Jahre. Ich bin praktisch naturalisiert.« Ein weiteres Lachen; wieder keine Reaktion von Rebus. Stemmons legte die Hände flach auf die Schreibtischplatte. »Wo immer die Amerikaner hinkommen – Vietnam, Deutschland, Panama –, ziehen Unternehmer nach. Und solange die Profite stimmen, bleiben wir auch.« Er sah auf seine Hände. »Was wollen Sie *wirklich*?«

»Ich will wissen, was Sie mir über Fergus McLure erzählen können.«

»Fergus McLure?«

»Sie wissen schon: ein Toter, lebte in der Nähe von Edinburgh.«

Stemmons schüttelte den Kopf. »Tut mir Leid, der Name sagt mir nichts.«

Sagt mir nichts, o sagt mir nichts von Lie-hi-hi-be, hätte Rebus um ein Haar gesungen.

»Sie scheinen hier drinnen kein Telefon zu haben.«

»Bitte?«

»Telefon.«

»Ich besitze ein Handy.

»Das tragbare Büro.«

»Rund um die Uhr geöffnet. Hören Sie, wenn Sie irgendein Problem haben, gehen Sie damit zu den hiesigen Bullen. Ich kann solchen Ärger nicht gebrauchen.«

»Sie wissen noch gar nicht, was Ärger heißt, Mr. Stemmons.«

»Hey.« Stemmons richtete einen Finger auf ihn. »Wenn Sie was zu sagen haben, sagen Sie's. Ansonsten ist die Tür das Ding hinter Ihnen mit dem blank polierten Griff.«

»Und Sie sind das Ding vor mir mit der gleich polierten Fresse.« Rebus stand auf und beugte sich über den Schreibtisch. »Fergus McLure hatte Informationen über einen Drogenring. Er starb ganz plötzlich. Auf seinem Schreibtisch lag die Telefonnummer Ihres Klubs. McLure war nicht gerade der Diskotyp.«

»Und?«

Rebus sah Stemmons in einem Gerichtssaal vor sich, wie er genau dasselbe erwiderte. Er sah die Geschworenen, die sich genau dieselbe Frage stellten.

»Hören Sie«, sagte Stemmons einlenkend. »Wenn ich dabei wäre, einen Drogendeal aufzuziehen, würde ich diesem McLure dann die Nummer unseres Münztelefons, bei dem *jeder* abnehmen könnte, oder eher meine Handynummer geben? Sie sind Detective – was meinen Sie?«

Rebus sah einen Richter, der das Verfahren einstellte.

»Johnny Bible hat sein erstes Opfer hier kennen gelernt, richtig?«

»Herrgott, fangen Sie nicht damit wieder an! Was sind Sie, pervers oder was? Das CID hat uns deswegen wochenlang schikaniert.«

»Sie haben seine Beschreibung nicht wiedererkannt?«

»Niemand hat sie wiedererkannt, nicht mal die Rausschmeißer, und ich bezahl sie dafür, dass sie sich Gesichter merken. Ich hab's Ihren Kollegen gesagt: Vielleicht hat er sie erst angesprochen, nachdem sie den Klub verlassen hatte. Wer weiß das schon?«

Rebus ging zur Tür, blieb stehen.

»Wo ist Ihr Partner?«

»Judd? Heute Abend nicht da.«

»Hat er ein Büro?«

»Nächste Tür.«

»Kann ich es sehen?«

»Ich hab keinen Schlüssel.«

Rebus öffnete die Tür. »Hat er auch ein Handy?«

Er hatte Stemmons kalt erwischt. Der Amerikaner hustete nervös.

»Haben Sie meine Frage nicht gehört?«

»Judd hat kein Handy. Er hasst Telefone.«

»Was tut er also in Notfällen? Rauchsignale steigen lassen?«

Aber Rebus wusste verdammt gut, was Judd Fuller in so einem Fall tun würde.

Ein Münztelefon benutzen.

Er meinte, sich noch einen letzten Drink gönnen zu müssen, bevor es heimging, erstarrte aber auf halbem Weg zum Tresen. In einer der Nischen saß ein neues Paar, und Rebus erkannte beide wieder. Die Frau war die Blonde aus der Bar seines Hotels. Der Mann, der neben ihr saß, die Arme über die Rückenlehne ihrer Polsterbank gelegt, war ungefähr zwanzig Jahre jünger als sie. Er trug ein Hemd mit offenem Kragen und jede Menge Goldketten um den Hals. Wahrscheinlich hatte er mal jemanden in einer solchen Aufmachung in einem Film gesehen. Oder vielleicht nahm er auch am Kostümwettbewerb teil: als Siebzigerjahreloddel. Rebus erkannte das warzige Gesicht auf den ersten Blick.

Mad Malky Toal.

Stanley.

Rebus stellte Verbindungen her. Er fühlte sich benommen und merkte, dass er sich an das Münztelefon gelehnt hatte. Also nahm er den Hörer ab und rammte eine Münze in den Schlitz. Die Telefonnummer hatte er in seinem Notizblock. Polizeiwache Partick. Er verlangte DI Jack Morton, wartete eine Ewigkeit. Er steckte mehr Geld hinein, nur um von jemandem zu erfahren, Morton sei nicht mehr im Haus.

»Es ist dringend«, sagte Rebus. »Mein Name ist DI John Rebus. Haben Sie seine Privatnummer?«

»Ich kann ihn bitten, Sie zurückzurufen«, sagte die Stimme. »Ginge das, Inspector?«

Ginge das? Glasgow war Ancrams Revier. Wenn Rebus seine Nummer angab, konnte Ancram davon erfahren und würde dann wissen, wo er sich befand … Ach, scheiß drauf, er war nur noch einen Tag hier. Er gab die Nummer durch und legte auf; Gott sei Dank hatte der DJ ein langsames Stück aufgelegt: Python Lee Jackson, »In a Broken Dream«.

Geplatzte Träume hatte Rebus mehr als genug.

Er setzte sich mit dem Rücken zu Stanley und seiner Puppe an die Bar. Aber er konnte die beiden, verzerrt, im Spiegel hinter dem Tresen im Auge behalten. Dunkle, ferne Gestalten, die sich knäuelten und wieder entwirrten. Natürlich war Stanley in der Stadt: Hatte er nicht Tony El getötet? Aber warum? Und zwei wichtigere Fragen: War er zufällig hier im Burke's Club? Und was trieb er da mit der Blonden aus dem Hotel?

Allmählich kamen Rebus gewisse Ahnungen. Er spitzte weiterhin die Ohren nach dem Telefon, betete um ein weiteres langsames Stück. Bowie, »John, I'm Only Dancing«. Eine Gitarre, die sich wie durch Metall fräste. Egal, das Telefon klingelte nicht.

»Jetzt kommt ein Stück, das wir alle am liebsten vergessen würden«, verkündete der DJ gedehnt ins Mikro. »Aber ich will euch trotzdem dazu tanzen sehen, sonst fühle ich mich vielleicht genötigt, es gleich noch einmal aufzulegen.«

Lieutenant Pigeon: »Mouldy Old Dough«. Es klingelte. Rebus war mit einem Satz am Telefon.

»Hallo?«

»John? Geht's nicht *noch* ein bisschen lauter?«

»Ich bin in einer Disko.«

»In Ihrem Alter? Ist das der Notfall – soll ich Sie da rausholen?«

»Nein, ich möchte, dass Sie mir Eve beschreiben.«

»Eve?«

»Uncle Joe Toals Puppe.«

»Ich kenn sie nur von Fotos her.« Jack Morton dachte nach. »Chemieblond, ein Gesicht, auf dem man Nägel verbiegen könnte. Vor zwanzig, dreißig Jahren *könnte* sie wie Madonna ausgesehen haben, aber wahrscheinlich bin ich zu großzügig.«

Eve, Uncle Joes Alte, baggerte Rebus in einem Hotel in Aberdeen an. Zufall? Kaum. Vorspiel zu einer Aushorch-aktion? Nicht unwahrscheinlich. Und jetzt hier mit Stanley, richtig gemütlich und relaxt... Ihm fielen ihre Worte wieder ein: »*Ich bin im Verkauf. Produkte für die Erdölindustrie.*« Ja, jetzt konnte sich Rebus schon denken, was für eine Sorte Produkte...

»John?«

»Ja, Jack?«

»Diese Telefonnummer, ist die Vorwahl Aberdeen?«

»Behalten Sie's für sich. Verpfeifen Sie mich nicht bei An-cram.«

»Nur eine Frage...?«

»Was?«

»Ist das wirklich ›Mouldy Old Dough‹, was ich da höre?«

Rebus beendete das Gespräch, leerte sein Glas und ging. Auf der anderen Straßenseite parkte ein Wagen. Der Fah-rer kurbelte das Fenster herunter, so dass Rebus ihn sehen konnte. Es war DS Ludovic Lumsden.

Rebus lächelte, winkte, begann die Straße zu überqueren. Er dachte: Ich trau dir nicht.

»Hi, Ludo«, sagte er. Wie ein Mann eben, der auf einen Drink und ein Tänzchen ausgegangen war. »Was führt Sie her?«

»Sie waren nicht im Hotel, da hab ich mir gedacht, Sie könnten hier sein.«

»Helles Köpfchen.«

»Sie haben mich angelogen, John. Sie sagten was von einem Streichholzbriefchen vom Burke's Club.«

»Stimmt.«

»Der Klub hat keine eigenen Streichhölzer.«

»Dumm gelaufen.«

»Kann ich Sie mitnehmen?«

»Zum Hotel sind's nur zwei Minuten.«

»John.« Lumsdens Augen waren kalt. »Kann ich Sie mitnehmen?«

»Klar, Ludo.« Rebus ging auf die Beifahrerseite und stieg ein.

Sie fuhren zum Hafen, hielten auf einer menschenleeren Straße. Lumsden stellte den Motor ab und drehte sich zu Rebus herum.

»Also?«

»Also was?«

»Also sind Sie heute nach Sullom Voe geflogen und haben's nicht für nötig gehalten, mich darüber zu informieren. Wie kommt's, dass mein Revier plötzlich *Ihr* Revier geworden ist? Wie würde es Ihnen gefallen, wenn ich anfinge, hinter Ihrem Rücken durch Edinburgh zu schleichen?«

»Stehe ich hier unter Arrest? Ich dachte, ich bin einer von den Guten.«

»Das ist nicht Ihre Stadt.«

»Das wird mir allmählich auch klar. Aber vielleicht ist es auch nicht *Ihre* Stadt.«

»Wie meinen Sie das?«

»Ich meine: Wer schmeißt den Laden *wirklich*, hinter den Kulissen? Sie haben hier Jugendliche, die vor Frust ausflippen, Sie haben massenweise potentielle Abnehmer für Drogen und was immer sonst ihrem Leben einen Kick gibt. Heute Abend hab ich in diesem Klub den Irren gesehen, von dem ich Ihnen erzählt hatte, Stanley.«

»Toals Sohn?«

»Genau den. Jetzt sagen Sie mir eins: Ist er wegen der Blumenschau hier?«

»Haben Sie ihn gefragt?«

Rebus steckte sich eine Zigarette an, kurbelte das Fenster

herunter, um die Asche auf die Straße schnippen zu können. »Er hat mich nicht gesehen.«

»Sie meinen, wir sollten ihn wegen Tony El vernehmen.« Eine Feststellung; Antwort nicht erforderlich. »Was würde er uns wohl sagen – ›Klar, ich war's‹? Jetzt kommen Sie schon, John.«

Eine Frau klopfte an Lumsdens Fenster. Er kurbelte es herunter, und sie legte los.

»Gleich zwei, also, normalerweise steh ich ja nicht auf Dreiernummern, aber ihr seht wie nette… Oh, hallo, Mr. Lumsden.«

»'n Abend, Cleo.«

Sie musterte Rebus, dann wieder Lumsden. »Wie ich sehe, hat sich Ihr Geschmack geändert.«

»Verzieh dich, Cleo.« Lumsden kurbelte das Fenster wieder hoch. Die Frau verschwand in der Dunkelheit.

Rebus wandte sich zu Lumsden. »Hören Sie, ich weiß nicht, wie weit Sie die Hand aufhalten. Ich weiß nicht, von wessen Geld meine Hotelrechnung bezahlt werden wird. Ich weiß so einiges nicht, aber allmählich habe ich das Gefühl, dass ich diese Stadt *kenne*. Ich kenne sie, weil sie nicht viel anders als Edinburgh ist. Ich weiß, dass man jahrelang hier leben könnte, ohne jemals mitzubekommen, was sich unter der Oberfläche tut.«

Lumsden fing an zu lachen. »Sie sind – wie lange? Anderthalb Tage? – hier? Sie sind ein Tourist, bilden Sie sich nicht ein, die Stadt zu *kennen*. Ich wohne weiß Gott verdammt viel länger hier, und nicht einmal ich könnte das von mir behaupten.«

»Trotzdem, Ludo…«, sagte Rebus ruhig.

»Wozu soll das ganze Gerede gut sein?«

»Ich dachte, Sie wären derjenige, der reden wollte.«

»Und Sie sind derjenige, der redet.«

Rebus seufzte, sprach dann langsam, wie zu einem Kind.

»Uncle Joe kontrolliert Glasgow, einschließlich – meine Vermutung – eines anständigen Stücks vom Drogenhandel. Jetzt ist sein Sohn hier oben und zischt einen im Burke's Club. Ein Edinburgher Spitzel hatte was von einer Lieferung nach Norden erzählt. Er hatte außerdem die Telefonnummer vom Burke's. Jetzt ist er tot.« Rebus hob einen Finger in die Höhe. »Das ist der eine Handlungsstrang. Tony El foltert einen Erdölarbeiter, der anschließend stirbt. Tony El flitzt wieder hier rauf, segnet aber dann ebenfalls das Zeitliche. Das sind bislang drei Todesfälle, einer verdächtiger als der andere, und niemand legt sich deswegen allzu schwer ins Zeug.« Ein zweiter Finger. »Der zweite Handlungsstrang. Hängen die beiden miteinander zusammen? Ich weiß es nicht. Momentan verbindet sie nichts anderes als Aberdeen selbst. Aber das ist ein Anfang. Sie kennen mich nicht, Ludo, ein Anfang ist alles, was ich brauche.«

»Darf ich das Thema geringfügig wechseln?«

»Nur zu.«

»Hat Ihnen der Abstecher nach Shetland irgendwas gebracht?«

»Nur ein mieses Gefühl. Ein kleines Hobby von mir, ich sammel die.«

»Und morgen geht's nach Bannock?«

»Sie sind fleißig gewesen.«

»Ein paar Anrufe, mehr war gar nicht nötig. Wissen Sie was?« Lumsden ließ den Motor an. »Wenn ich Sie erst von hinten sehe, mach ich drei Kreuze. Bis Sie gekommen sind, war mein Leben einfach.«

»Keinen Augenblick Langeweile«, sagte Rebus und öffnete die Tür.

»Wo wollen Sie hin?«

»Ich geh zu Fuß. Hübscher Abend dafür.«

»Machen Sie, was Sie wollen.«

»Mach ich immer.«

Rebus sah dem Auto nach, bis es um eine Ecke bog. Er hörte das Geräusch des Motors immer leiser werden, schnippte seine Zigarette auf den Asphalt und marschierte los. Das erste Lokal, an dem er vorbeikam, war der Yardarm. Heute wurden exotische Tänzerinnen angepriesen, und eine Vogelscheuche kassierte an der Tür Eintrittsgeld. Rebus hatte das alles schon erlebt. Die Blütezeit der »exotischen Tänzerinnen« waren die späten Siebziger gewesen, jeder Pub in Edinburgh schien welche zu haben: Männer, die hinter Pintgläsern verbarrikadiert zuschauten, während die Stripperin sich ihre drei Songs auf der Jukebox aussuchte. Anschließend gab's eine Kollekte, wenn man wollte, dass sie ein bisschen mehr zeigte.

»Nur zwei Lappen, Kumpel!«, rief die Vogelscheuche, aber Rebus schüttelte den Kopf und ging weiter.

Ringsum waren dieselben nächtlichen Geräusche zu hören: grölende Betrunkene, Pfiffe, und die Vögel, die nicht kapierten, wie spät es war. Eine Streife interviewte gerade zwei Jugendliche. Rebus schlenderte an ihnen vorbei, ein einfacher Tourist. Vielleicht hatte Lumsden Recht, aber Rebus glaubte das nicht. Aberdeen fühlte sich zu sehr wie Edinburgh an. Manchmal kam man in eine Stadt und kriegte sie einfach nicht in den Griff; aber Aberdeen war nicht so.

Auf der Union Terrace trennte ihn eine niedrige Steinmauer von den tief in einem Graben liegenden Gartenanlagen. Er sah sein Auto, das noch immer direkt vor dem Hotel, auf der anderen Straßenseite, parkte. Er wollte gerade die Fahrbahn überqueren, als Hände seine Arme packten und ihn nach hinten zerrten. Er spürte, wie sein Kreuz gegen die Mauer stieß, wie er hintenüber kippte, einen Purzelbaum rückwärts schlug.

Und fiel und rollte... den steilen Hang hinunter in den

Garten, unfähig, sich festzuhalten, also bewusst rollend und kugelnd. Er schlug gegen Sträucher, spürte, wie sie an seinem Hemd rissen. Seine Nase pflügte den Boden auf, Tränen schossen ihm in die Augen. Dann lag er in der Talsohle. Kurz getrimmter Rasen. Atemlos auf dem Rücken liegend. Weitere Geräusche: Krachen im Gebüsch. Sie folgten ihm. Er richtete sich halb auf den Knien auf, aber ein Fuß erwischte ihn, streckte ihn nieder. Dann knallte ihm der Fuß auf den Hinterkopf, nagelte ihn fest, so dass er Gras zwischen die Zähne bekam und seine Nase sich so anfühlte, als könnte sie jeden Augenblick brechen. Jemand drehte ihm die Hände auf den Rücken und dann nach oben, und zwar mit genau dem richtigen Druck: Der durchdringende Schmerz konnte das Wissen nicht ausblenden, dass die leiseste Bewegung genügte, um sich einen Arm auszukugeln.

Zwei Männer, mindestens zwei. Einer mit dem Fuß. Einer mit den Armen zugange. Die alkoholisierten Straßen schienen ganz weit weg, der Verkehr war nur noch ein fernes Summen. Jetzt etwas Kaltes an seiner Schläfe. Er kannte das Gefühl – eine Pistole, kälter als Trockeneis.

Dicht an einem Ohr eine zischende Stimme. Gerade dort hämmerte das Blut, so dass er Mühe hatte, sie zu hören. Ein Zischen, fast ein Flüstern, schwer zu identifizieren.

»Eine Botschaft für dich – ich hoffe also, dass du zuhörst.«

Rebus konnte nicht sprechen. Sein Mund war voller Erde.

Er wartete auf die Botschaft, aber sie kam nicht. Dann kam sie doch.

Seitlich gegen den Kopf geknallt, direkt über dem Ohr. Eine Lichtexplosion hinter den Augäpfeln. Dann Dunkelheit.

Er wachte auf, als es noch Nacht war. Rappelte sich hoch und sah sich um. Die Augen schmerzten, wenn er sie bewegte.

Er fasste sich an den Kopf – kein Blut. Das war nicht die Sorte Schlag gewesen. Nicht scharf, stumpf. Und nur der eine. Sobald er das Bewusstsein verloren hatte, waren sie gegangen. Er durchsuchte seine Taschen, fand Geld, Autoschlüssel, Dienstausweis und sonstige Dokumente. Aber klar, es war ja kein Raubüberfall gewesen, sondern eine Botschaft. Hatten sie das nicht selbst gesagt?

Er gab sich alle Mühe aufzustehen. Eine Seite tat ihm weh. Er sah nach, stellte fest, dass er sie sich beim Herunterrollen aufgeschürft hatte. Auch die Stirn wies eine Schramme auf, und aus der Nase blutete er ein bisschen. Er suchte den Boden um sich herum ab, aber er konnte nichts entdecken. Trotzdem versuchte er, so gut es ging herauszufinden, wo genau sie heruntergeschlittert waren, nur für den Fall, dass sie doch etwas zurückgelassen hatten.

Nichts. Er stemmte sich über die Mauer. Ein Taxifahrer sah ihn angewidert an und gab Gas. Er hatte einen Betrunkenen, einen Penner, einen Verlierer gesehen.

Last Year's Man.

Rebus humpelte über die Straße und ins Hotel. Die Frau an der Rezeption streckte schon die Hand nach dem Telefonhörer aus, bereit, Hilfe anzufordern, erkannte ihn aber dann wieder.

»Was ist denn mit *Ihnen* passiert?«

»Ich bin die Treppe runtergefallen.«

»Brauchen Sie einen Arzt?«

»Nur meinen Schlüssel, bitte.«

»Wir haben einen Erste-Hilfe-Kasten.«

Rebus nickte. »Lassen Sie ihn mir raufbringen.«

Er stieg in die Badewanne, blieb schön lange drin liegen, trocknete sich dann ab und machte eine Bestandsaufnahme der Schäden. Seine Schläfe war vom Schlag mit dem Pistolenknauf geschwollen, und der Kopf tat ihm schlimmer weh als von einem halben Dutzend durchzechter Nächte. Ein paar Dornen hatten sich ihm in die Seite gebohrt, aber er schaffte es, sie mit den Fingernägeln herauszuziehen. Er reinigte die Schürfwunde; es war kein Pflaster nötig. Mit dem Erste-Hilfe-Kasten war auch ein doppelter Brandy gekommen. Er trank ihn in kleinen Schlucken. Seine Hand zitterte. Dann legte er sich aufs Bett, wählte seine Nummer und hörte den AB ab. Ancram, Ancram, Ancram. Mairie konnte er um diese Uhrzeit nicht mehr anrufen, aber er probierte es bei Brian Holmes. Nach einer ganzen Weile nahm Holmes ab.

»Ja?«

»Brian, ich bin's.«

»Womit kann ich dienen?«

Rebus hatte die Augen zugekniffen; schwierig, am Schmerz vorbeizudenken. »Warum haben Sie mir nicht gesagt, dass Nell ausgezogen ist?«

»Woher wissen Sie das?«

»Ich bin bei Ihnen vorbeigefahren. Ich erkenne eine Junggesellenbude, wenn ich eine sehe. Möchten Sie darüber reden?«

»Nein.«

»Ist es immer noch dasselbe Problem?«

»Sie will, dass ich bei der Polizei aufhöre.«

»Und?«

»Und vielleicht hat sie Recht. Aber ich hab es schon mal versucht, und es ist schwer.«

»Ich weiß.«

»Na ja, es gibt verschiedene Arten aufzuhören.«

»Was meinen Sie damit?«

»Nichts.« Und mehr war nicht aus ihm rauszubekommen. Er wollte über den Spaven-Fall reden. Sein Resümee nach Lektüre der Aufzeichnungen: Ancram würde Absprache wittern, einen sparsamen Umgang mit der Wahrheit;

was keineswegs hieß, dass er deswegen etwas würde unternehmen können.

»Mir ist auch aufgefallen, dass Sie damals einen von Spavens Freunden vernommen hatten, Fergus McLure. Der ist gerade gestorben.«

»Ach nein.«

»Im Kanal ertrunken, drüben bei Ratho.«

»Was hat die Obduktion ergeben?«

»Er hat, bevor er ins Wasser gelangt ist, einen bösen Schlag auf den Kopf bekommen. Wird als verdächtig eingestuft, deswegen …«

»Deswegen?«

»Deswegen würde ich an Ihrer Stelle einen großen Bogen um die Sache machen. Sie wollen Ancram ja nicht noch mehr Munition liefern.«

»Apropos Ancram …«

»Er sucht Sie.«

»Irgendwie hab ich unsere erste Verabredung verpasst.«

»Wo sind Sie?«

»Lieg auf der Nase.« Mit geschlossenen Augen und drei Paracetamol im Magen.

»Ich glaube nicht, dass er die Sache mit Ihrer Grippe geschluckt hat.«

»Sein Problem.«

»Vielleicht.«

»Dann sind Sie also mit Spaven durch?«

»Sieht so aus.«

»Was ist mit diesem Häftling? Der als Letzter mit Spaven gesprochen hatte?«

»Ich bin dran, aber ich glaube, er hat keinen festen Wohnsitz, könnte eine Weile dauern.«

»Ich bin Ihnen wirklich dankbar, Brian. Haben Sie eine Story parat, falls Ancram davon Wind bekommt?«

»Kein Problem. Machen Sie's gut, John.«

»Sie auch, mein Sohn.« *Mein Sohn?* Wo war *das* denn hergekommen? Rebus legte auf, griff nach der TV-Fernbedienung, Beachvolleyball würde ihm für heute Nacht vollauf genügen…

Dead Crude

18

Erdöl: schwarzes Gold. Die Rechte an der Exploration und Ausbeutung der Nordseefelder waren schon vor langer Zeit aufgeteilt worden. Die Erdölfirmen investierten einen Haufen Geld in diese erste Phase der Erforschung. Es kam durchaus vor, dass sich in einem Block überhaupt kein Öl oder Gas fand. Schiffe voll wissenschaftlichem Gerät wurden hinausgeschickt, die gewonnenen Daten untersucht und diskutiert – alles bevor auch nur eine einzige Probebohrung durchgeführt wurde. Die Lagerstätten konnten ohne weiteres dreitausend Meter unter dem Meeresboden liegen; Mutter Natur riss sich nicht gerade darum, ihre verborgenen Schätze preiszugeben. Aber ihre Zurückhaltung wurde von den technischen Möglichkeiten der Plünderer noch übertroffen: Wassertiefen von zweihundert Metern stellten für sie kein Problem mehr dar. Ja, die jüngsten Funde – Atlantiköl, zweihundert Kilometer westlich von Shetland – lagen sogar in einer Wassertiefe von vier- bis sechshundert Metern.

War die Probebohrung erfolgreich und erwies sich eine Lagerstätte als der Investition wert, wurde eine Produktionsplattform samt aller dazugehörigen Module errichtet. In manchen Teilen der Nordsee war das Wetter zu unberechenbar für die Beladung von Tankern, und so mussten Pipelines verlegt werden; die Brent- und Ninian-Pipelines beförderten Rohöl direkt nach Sullom Voe, während andere Pipelines Erdgas nach Aberdeenshire transportierten. Trotz alledem zeigte sich das Öl immer noch widerspenstig. Auf vielen Feldern konnte man lediglich damit rechnen, vierzig bis fünfzig Prozent der vorhandenen Bestände fördern zu können, aber andererseits konnten sich diese Bestände durchaus auf anderthalb Milliarden Barrel belaufen.

Dann war da die Plattform selbst – manchmal bis zu dreihundert Meter hoch, ein Stahlmantel von vierzigtausend Tonnen Gewicht, bedeckt mit achthundert Tonnen Farbe, wozu noch Module und Gerät mit einem Gesamtgewicht von weiteren dreißigtausend Tonnen hinzukamen. Das waren astronomische Zahlen. Rebus versuchte, sie sich vorzustellen, gab es aber bald auf und begnügte sich damit, ehrfurchtsvoll zu staunen. Er hatte bisher nur ein einziges Mal eine Bohrinsel gesehen, als er Verwandte in Methil besucht hatte. Die von Fertigbungalows gesäumte Straße führte hinunter zur Werft, wo ein dreidimensionales Stahlgitter auf der Seite lag und dabei turmhoch in den Himmel ragte. Schon aus anderthalb Kilometern Entfernung war es ein spektakulärer Anblick gewesen. Er erinnerte sich jetzt daran, als er die Hochglanzfotos in der Broschüre anstarrte: eine ganze Broschüre ausschließlich über Bannock. Die Plattform, las er, enthielt fünfzehnhundert Kilometer verlegte Elektrokabel und konnte fast zweihundert Arbeiter aufnehmen. Sobald das Stahlgehäuse zum Ölfeld geschleppt und dort verankert worden war, wurden darauf mehr als ein Dutzend verschiedene Module montiert: von den Unterkünften bis hin zur Erdöl-und-Gas-Trennanlage. Die ganze Konstruktion war so konzipiert, dass sie Windgeschwindigkeiten von bis zu hundert Knoten und Stürmen mit dreißig Meter hohen Wellen standhalten konnte.

Rebus hoffte heute auf ruhige See.

Er saß in einem Warteraum des Dyce Airport, nur ein bisschen nervös wegen des bevorstehenden Flugs. Die Broschüre versicherte ihm, dass in »solch einer potentiell gefährlichen Umwelt« der allergrößte Wert auf Sicherheit gelegt wurde, und zeigte ihm Fotos von Feuerlöschteams, einem im ständigen Einsatz befindlichen Rettungs- und Versorgungs-schiff und voll ausgerüsteten Rettungsbooten. »Piper Alpha war uns eine Lehre.« Die Piper-Alpha-Plattform, nordöst-lich von Aberdeen gelegen, war in einer Sommernacht des Jahres 1988 explodiert, über hundertsechzig Tote.

Sehr beruhigend.

Der Hilfsarbeiter, der ihm die Broschüre gab, hatte ge-meint, er hoffe, Rebus habe sich etwas zum Lesen mitge-nommen.

»Warum?«

»Weil der Flug insgesamt drei Stunden dauern kann und es die meiste Zeit über zu laut zum Reden ist.«

Drei Stunden. Rebus war in den Flughafenladen gegan-gen und hatte sich ein Buch gekauft. Er wusste, dass der Flug zwei Etappen umfasste: zuerst nach Sumburgh und dann mit einem Helikopter vom Typ Super Puma raus nach Bannock. Drei Stunden hin, drei Stunden zurück. Er gähn-te, sah auf die Uhr. Es war noch nicht acht. Das Frühstück hatte er ausfallen lassen; ihm gefiel die Vorstellung nicht, es während des Flugs wieder loszuwerden. Sein Verzehr an dem Morgen: vier Paracetamol und ein Glas Orangensaft. Er hielt die Hände ausgestreckt vor sich; den Tatterich konnte er auf die Nachwirkungen des Schocks schieben.

In der Broschüre las er zwei Anekdoten, die ihm gefielen: Er erfuhr, dass ein *derrick*, wie ein Bohrturm auch genannt wurde, seinen Namen von einem englischen Henker des 17. Jahrhunderts hatte; und dass das erste Erdöl in der Cru-den Bay an Land gekommen war, wo Bram Stoker einmal Ferien gemacht hatte. Von einer Form von Vampirismus zur anderen ... bloß, dass die Broschüre es nicht so darstellte.

Vor ihm stand ein Monitor, auf dem ein Sicherheitsvideo lief. Es zeigte, was man tun sollte, falls der Hubschrauber in die Nordsee fiel. Auf dem Video sah das alles sehr profimäßig aus: Niemand geriet in Panik. Die Passagiere glitten aus ihren Sitzen, zogen die aufblasbaren Rettungsinseln hervor und ließen sie auf den glatten Fluten eines Hallenschwimmbads zu Wasser.

»Lieber Himmel, was ist denn mit *Ihnen* passiert?«

Er hob den Blick. Ludovic Lumsden stand vor ihm, eine zusammengefaltete Zeitung in der Jacketttasche, einen Becher Kaffee in der Hand.

»Ein Überfall«, sagte Rebus. »Sie wissen nicht zufällig was darüber?«

»Ein Überfall?«

»Zwei Männer haben mir gestern Nacht vor dem Hotel aufgelauert. Haben mich über die Mauer in den Garten geworfen, mir anschließend eine Kanone an den Kopf gehalten.« Rebus rieb sich die Beule an seiner Schläfe. Sie fühlte sich schlimmer an, als sie aussah.

Lumsden nahm ein paar Sitze weiter Platz, sah ihn entgeistert an. »Haben Sie die erkannt?«

»Nein.«

Lumsden stellte seinen Kaffee auf den Boden. »Haben die Ihnen etwas abgenommen?«

»Sie wollten nichts von mir. Sie hatten nur eine Botschaft für mich.«

»Was?«

Rebus tippte sich an die Schläfe. »Ein Schlag da drauf.«

Lumsden runzelte die Stirn. »Das war die Botschaft?«

»Vermutlich erwartete man von mir, dass ich zwischen den Zeilen lese. Sie könnten mir das nicht zufällig in Klartext übersetzen?«

»Was wollen Sie damit sagen?«

»Nichts.« Rebus starrte ihn durchdringend an. »Was machen Sie hier?«

Lumsdens Blick war auf den Steinfußboden gerichtet. »Ich begleite Sie.«

»Warum?«

»Als Verbindungsbeamter. Sie besuchen eine Bohrinsel. Ich muss dabei sein.«

»Um mich im Auge zu behalten?«

»Es ist Vorschrift.« Er sah auf den Bildschirm. »Machen Sie sich wegen einer Notwasserung keinen Kopf, ich hab das Training mitgemacht. Letztlich läuft's darauf hinaus, dass einem ab dem Aufprall noch zirka fünf Minuten Zeit bleiben.«

»Und danach?«

»Exitus durch Unterkühlung.« Lumsden nahm seinen Kaffee auf, trank einen Schluck. »Also beten wir, dass wir da draußen nicht in einen Sturm geraten.«

Nach dem Flughafen Sumburgh kam nur noch die See und der weiteste Himmel, den Rebus je gesehen hatte. Der zweimotorige Puma flog niedrig und laut. In der Kabine war es beklemmend eng, und in den Überlebensanzügen, die sie hatten anziehen müssen, nicht minder. Rebus steckte in einem knallorangefarbenen Einteiler mit Haube. Man hatte ihm befohlen, den Reißverschluss bis hinauf zum Kinn geschlossen zu halten. Der Pilot wollte eigentlich auch, dass er die Haube aufbehielt, aber wie Rebus feststellte, spannte das Teil im Sitzen dann so, dass der Schritt des Anzugs ihm den Hodensack zu halbieren drohte. Er hatte schon früher, während seiner Militärzeit, in Helis gesessen, aber immer nur für ganz kurze Strecken. Designmäßig mochte sich im Lauf der Jahre einiges geändert haben, aber leiser als die alten Eimer, die die Army seinerzeit eingesetzt hatte, war der Puma nicht. Allerdings trugen jetzt alle Kopfhörer, durch die der Pilot zu ihnen sprechen konnte. Außer ihnen flogen noch zwei weitere Männer mit, Maschineningenieure. Von da oben wirkte die Nordsee ruhig, ein sanftes Steigen und Fallen zeigte die Strömungen an. Das Wasser sah schwarz aus, aber das kam nur von den Wolkenschatten. Die Broschüre hatte sich in aller Ausführlichkeit über Maßnahmen gegen die Umweltverschmutzung verbreitet. Rebus versuchte, sein Buch zu lesen, aber ohne Erfolg. Es vibrierte auf seinen Knien, so dass die Worte verschwammen, und auf die Handlung konnte er sich ohnehin nicht konzentrieren. Lumsden blickte aus dem Fenster, schielte in das grelle Licht. Rebus wusste, dass er ihn im Auge behielt, und zwar deshalb, weil Rebus vergangene Nacht einen wunden Punkt berührt hatte. Lumsden tippte ihm auf die Schulter, deutete nach draußen.

Schräg unter ihnen, ein Stück nach Osten zu, waren drei Bohrinseln zu erkennen. Ein Tanker entfernte sich gerade von einer von ihnen. Hohe Schlote sandten grellgelbe Flammenzungen in den Himmel. Der Pilot erklärte ihnen, dass sie auf dem Weg nach Bannock westlich an den Ölfeldern Ninian und Brent vorbeifliegen würden. Später meldete er sich noch einmal über Bordfunk.

»Da hinten kommt Bannock in Sicht.«

Rebus schaute über Lumsdens Schulter hinweg, sah die einzelne Plattform langsam aus dem Meer auftauchen. Von den Aufbauten ragte der Fackelschlot am weitesten in die Höhe, aber Flammen waren keine auszumachen. Das lag daran, dass Bannock sich dem Ende seiner wirtschaftlichen Nutzungsdauer näherte. Es verfügte nur noch über sehr geringe Gas- und Ölreserven. Neben dem Schlot erhob sich ein Turm, eine Kreuzung aus Fabrikschornstein und Weltraumrakete. Wie das Fackelrohr war er mit roten und weißen Streifen bemalt. Wahrscheinlich der Bohrturm. Rebus konnte auf dem Inselkörper darunter die Worte T-Bird Oil lesen sowie die Blocknummer 211/7. An einer Kante der Plattform standen drei große Kräne, während eine ganze Ecke von einem Heli-Landeplatz eingenommen wurde: grün gestrichen, in der Mitte ein gelber Kreis und darin der Buch-

stabe H. Rebus dachte: Eine einzige Bö könnte uns über Bord
fegen. Ein Sturz von über fünfzig Metern. An der Unterseite
des Inselkörpers hingen orangefarbene Rettungsboote, und
in einer anderen Ecke stapelten sich mehrere weiße Wohn-
container. Längsseits der Plattform lag ein Kahn: das Ret-
tungs- und Versorgungsschiff.

»Hallo«, sagte der Pilot, »was ist denn das?«

Er hatte ein weiteres Fahrzeug entdeckt, das die Plattform in einem Abstand von sieben-, achthundert Metern
umkreiste.

»Demonstranten«, sagte er. »Blöde Idioten.«

Lumsden guckte aus seinem Fenster und zeigte nach
unten: ein schlankes Boot, orange gestrichen, mit eingehol-
ten Segeln. Es schien dem Rettungsschiff bedenklich nah zu
kommen.

»Die könnten draufgehen«, sagte Lumsden. »Was kein Verlust wäre.«

»Es geht doch nichts über Bullen mit einer ausgewogenen
Weltsicht.«

Sie schwenkten wieder hinaus aufs Meer, gingen in Quer-
lage und flogen dann den Landeplatz an. Als sie knapp
fünfzehn Meter über dem Deck bös ins Schlingern zu geraten schienen, sandte Rebus ein Stoßgebet gen Himmel.
Er konnte den Landeplatz unter sich sehen, dann weiße
Schaumkronen, dann wieder den Landeplatz. Und dann
waren sie auch schon unten, auf einer Art Fischernetz, das
über das große weiße H ausgebreitet lag. Die Türen öffneten sich, und Rebus nahm die Kopfhörer ab. Die letzten
Worte, die er hörte, waren: »Beim Aussteigen Kopf unten
halten!«

Er hielt beim Aussteigen den Kopf unten. Zwei Männer in orangefarbenen Overalls, mit gelben Schutzhelmen
und Ohrenschützern geleiteten sie vom Heli-Landeplatz
und verteilten Schutzhelme. Die Ingenieure wurden in die

eine, Rebus und Lumsden in die andere Richtung geführt.

»Jetzt können Sie wahrscheinlich einen Becher Tee brauchen«, sagte ihr Führer. Er bemerkte, dass Rebus Probleme mit seinem Schutzhelm hatte. »Sie können den Riemen innen verstellen.« Er zeigte ihm, wie. Es wehte eine steife Brise, und Rebus äußerte sich entsprechend. Der Mann lachte.

»Das nennen wir Totenflaute!«, brüllte er in den Wind.

Rebus verspürte das dringende Bedürfnis, sich an irgendwas festzuhalten. Es war nicht nur der Wind, es war das Gefühl von Fragilität, das die ganze Konstruktion vermittelte. Er hatte erwartet, Öl zu sehen und zu riechen, aber das augenfälligste Element hier draußen war nicht Erdöl, sondern Meerwasser. Die Nordsee umgab ihn von allen Seiten, wuchtig im Vergleich zu diesem Krümel aus zusammengeschweißtem Metall. Sie drängte sich ihm in die Lunge; ihre salzigen Böen brannten an seinen Wangen. Sie türmte sich zu gewaltigen Wogen auf, als wollte sie ihn verschlingen. Sie wirkte weiter als der Himmel, der sie überspannte, eine Gewalt, wie sie in der Natur nicht bedrohlicher zu finden war. Der Führer lächelte.

»Ich weiß, was Sie denken. Als ich zum ersten Mal hier rauskam, habe ich das Gleiche gedacht.«

Rebus nickte. Die Nationalisten sagten, es sei Schottlands Erdöl, die Erdölfirmen besäßen nur die Nutzungsrechte, aber die Realität erzählte eine ganz andere Geschichte: Das Erdöl gehörte der See, und die See hatte nicht vor, es kampflos herzugeben.

Sie folgten ihrem Führer in die relative Sicherheit der Kantine. Es war ein sauberer, stiller Raum mit gemauerten Blumenkästen und langen weißen Tischen, die schon auf die nächste Schicht warteten. An einem Tisch saßen ein paar Arbeiter in orangefarbenen Overalls und tranken Tee, während an einem anderen drei Männer in karierten Hemden Schokoriegel und Joghurt aßen.

»Zu den Essenszeiten ist hier die Hölle los«, sagte der Führer und griff sich ein Tablett. »Ist Tee recht?«

Lumsden und Rebus nickten. Sie sahen eine lange Durchreiche und an deren hinterem Ende eine Frau, die sie anlächelte.

»Hallo, Thelma«, sagte ihr Führer. »Drei Tee. Essen riecht gut.«

»Ratatouille, Steak und Pommes oder Chili.« Thelma schenkte aus einer riesigen Kanne Tee ein.

»Die Kantine hat rund um die Uhr geöffnet«, erklärte der Führer zu Rebus gewandt. »In ihrer ersten Zeit hier überfressen sich die meisten hoffnungslos. Die Desserts sind mörderisch.« Er schlug sich auf den Magen und lachte. »Hab ich Recht, Thelma?« Rebus erinnerte sich, dass der Mann im Yard-arm so ziemlich das Gleiche erzählt hatte.

Selbst jetzt im Sitzen hatte Rebus wackelige Beine. Er schob es auf den Flug. Ihr Führer stellte sich als Eric vor und erklärte, dass sie, da sie doch Polizeibeamte seien, das Sicherheitsvideo überspringen könnten.

»Obwohl ich von Rechts wegen verpflichtet wäre, es Ihnen zu zeigen.«

Lumsden und Rebus schüttelten den Kopf, und Lumsden fragte, wie kurz die Plattform vor der Stilllegung stehe.

»Das letzte Öl ist schon abgepumpt worden«, antwortete Eric. »Noch eine letzte Ladung Meerwasser in den Tank, und die meisten von uns gehen von Bord. Dann nur noch Wartungspersonal, bis die da oben sich entschieden haben, was aus dem Ding werden soll. Und die täten besser dran, sich möglichst rasch zu entscheiden, schon eine bloße Notbesetzung ist eine teure Angelegenheit. Man muss weiterhin Vorräte auf die Insel schaffen, die Schichten ein- und ausfliegen, und das Rettungsschiff muss ebenfalls vor Ort bleiben. Das kostet alles Geld.«

»Was schön und gut ist, solang Bannock Öl produziert …«

»Genau«, sagte Eric. »Aber wenn nicht … tja, da kriegen die Buchhalter allmählich Herzflattern. Letzten Monat haben wir ein paar Tagesproduktionen verloren, irgendein Problem mit den Wärmeaustauschern. Prompt standen die auf der Matte und wedelten mit ihren Taschenrechnern …« Eric lachte.

Er hatte nicht die geringste Ähnlichkeit mit dem *roustabout* der Legende, dem mythischen Muskelmann am Bohrloch. Er war ein Hänfling von eins fünfundsechzig, mit einem spitzen Kinn und einer scharfen Nase, auf der eine Nickelbrille saß. Rebus musterte die übrigen Männer in der Kantine und versuchte, sie mit dem Bild des Öl-»Bären« in Einklang zu bringen, der, das Gesicht schwarz von Rohöl, mit schwellendem Bizeps darum ringt, eine Springquelle zu fassen. Eric folgte seinem Blick.

»Die drei da drüben« – also die drei Karohemden – »arbeiten in der Leitzentrale. Heutzutage ist nahezu alles computerisiert: Logikschaltungen, Computerüberwachung … Sie sollten sich ein bisschen rumführen lassen, man kommt sich hier vor wie bei der NASA, und mehr als drei, vier Leute sind nicht nötig, um die ganze Anlage zu steuern. Wir haben uns seit den Zeiten des ›Texas Tea‹ ein ganzes Stück weiterentwickelt.«

»Wir haben Demonstranten in einem Boot gesehen«, sagte Lumsden, während er sich Zucker in seinen Becher löffelte.

»Die sind völlig übergeschnappt. Das sind gefährliche Gewässer für einen Kahn von der Größe. Außerdem kreisen sie zu dicht, eine Bö reicht, und sie rammen die Plattform.«

Rebus wandte sich zu Lumsden. »Sie sind für die Polizei

von Grampian der hier Zuständige. Vielleicht sollten Sie was unternehmen.«

Lumsden schnaubte verächtlich und wandte sich zu Eric. »Noch haben die doch nichts Illegales getan, oder?«

»Bislang verstoßen sie lediglich gegen die ungeschriebenen Gesetze der Seefahrt. Wenn Sie Ihren Tee ausgetrunken haben, möchten Sie doch Willie Ford sprechen, stimmt's?«

»Stimmt«, sagte Rebus.

»Ich habe ihm gesagt, dass wir uns im Freizeitraum treffen würden.«

»Allan Mitchisons Zimmer möchte ich auch sehen.«

Eric nickte. »Willies Zimmer: Wir haben hier nur Doppelkabinen.«

»Sagen Sie«, fragte Rebus, »das mit der Stilllegung – haben Sie eine Ahnung, was T-Bird Oil mit der Plattform anfangen wird?«

»Kann sein, dass es auf Versenken hinausläuft.«

»Nach dem ganzen Ärger mit der Brent Spar?«

Eric zuckte die Achseln. »Die Buchhalter sind dafür. Die brauchen nur zwei Dinge: den Segen der Regierung und eine gute PR-Kampagne. Letztere ist schon in vollem Gange.«

»Mit Hayden Fletcher an der Spitze?«

»Exakt.« Eric setzte seinen Schutzhelm auf. »Ausgetrunken?«

Rebus leerte seinen Becher. »Gehen Sie vor.«

Draußen hatte es inzwischen »aufgefrischt«, wie Eric es formulierte. Rebus hielt sich beim Gehen an einem Geländer fest. Ein paar Arbeiter beugten sich über den Rand der Plattform. Hinter ihnen sah Rebus einen gigantischen Wasserstrahl. Er ging an die Reling. Das Versorgungsschiff beschoss das Boot der Aktivisten mit Wasserkanonen.

»Versuchen, die zu verscheuchen«, erklärte Eric. »Dass sie nicht zu nah an die Beine rankommen.«

Herrgott, dachte Rebus, warum gerade heute? Er sah förmlich, wie das Aktivistenboot die Plattform rammte, deren Evakuierung erzwang... Die Wasserwerfer, vier an der Zahl, spritzten munter weiter. Jemand reichte Rebus ein Fernglas. Orangerotes Ölzeug, ein halbes Dutzend Gestalten an Deck. An der Reling hingen Spruchbänder: MÜLL ABLADEN VERBOTEN. RETTET UNSERE OZEANE.

»Der Kahn sieht mir nicht sonderlich gesund aus«, sagte jemand.

Gestalten verschwanden unter Deck, kamen wieder hervor, schwenkten die Arme und schienen etwas zu rufen.

»Blöde Ärsche, haben wahrscheinlich die Maschine absaufen lassen.«

»Man kann die nicht einfach so treiben lassen.«

»Könnte ein Trojanisches Pferd sein, Jungs.«

Alle lachten. Eric ging weiter; Rebus und Lumsden folgten ihm. Sie kletterten Leitern hinauf und hinunter. An manchen Stellen konnte Rebus durch das Stahlgitter, das den Fußboden bildete, ins tosende Wasser sehen. Überall Kabel und Schläuche, aber nirgendwo so, dass man hätte darüber stolpern können. Schließlich öffnete Eric eine Tür und führte sie einen Korridor entlang. Es war eine Erholung, dem Wind entronnen zu sein; Rebus stellte fest, dass sie ganze acht Minuten draußen gewesen waren.

Sie kamen an Zimmern mit Billard- und Tischtennistischen, Dartscheiben sowie Videospielen vorbei. Die Videospiele schienen beliebt zu sein. Tischtennis spielte niemand.

»Auf manchen Plattformen gibt es Swimmingpools«, sagte Eric, »aber nicht bei uns.«

»War das nur Einbildung«, fragte Rebus, »oder hat sich der Fußboden eben wirklich bewegt?«

»Doch, klar«, antwortete Eric, »ist ein bisschen elastisch, muss so sein. Bei Seegang könnte man schwören, dass sie sich gleich losreißt.« Er lachte wieder. Sie gingen weiter den

Korridor entlang und kamen an einer – menschenleeren – Bibliothek und einem TV-Raum vorbei.

»Wir haben drei Fernsehzimmer«, erklärte Eric. »Nur Sat-TV, aber insgesamt sind den Jungs Videos lieber. Willie müsste hier drin sein.«

Sie traten in einen großen Raum mit einigen dutzend Stühlen und einem großformatigen Fernseher. Es gab keine Fenster, und die Beleuchtung war gedimmt. Acht oder neun Männer saßen mit verschränkten Armen vor dem Bildschirm. Sie maulten über irgendetwas. Ein Mann stand am Videorekorder, hielt eine Kassette in der Hand, drehte sie hin und her. Er zuckte die Achseln.

»Tut mir Leid«, sagte er.

»Das ist Willie«, erklärte Eric.

Willie Ford war Anfang vierzig, gut gebaut, wenn auch etwas krumm, und militärisch kurz geschoren: bis runter auf die Schwarte. Seine Nase nahm ein Viertel seines Gesichts ein; ein Bart schützte den größten Teil des Rests. Ein bisschen mehr Bräune, und er hätte für einen islamischen Fundamentalisten durchgehen können. Rebus ging auf ihn zu.

»Sind Sie der Polizist?«, fragte Willie Ford. Rebus nickte.

»Die Eingeborenen scheinen unruhig zu sein.«

»Das liegt am Video. Es sollte *Black Rain* sein, Sie wissen schon, Michael Douglas. Aber stattdessen ist das irgend so'n Japsenstreifen, mit demselben Titel, der aber von Hiroshima handelt. Knapp daneben ist auch vorbei.« Er wandte sich an die Zuschauer. »Haut nicht immer hin, Jungs. Ihr werdet euch was anderes aussuchen müssen.« Zuckte dann die Schultern und verließ, gefolgt von Rebus, den Raum. Die vier Männer gingen zurück in die Bibliothek.

»Sie sind also für die Unterhaltung zuständig, Mr. Ford?«

»Nein, ich seh mir bloß gern Videos an. In Aberdeen gibt's einen Laden, da kann man Kassetten vierzehntageweise ausleihen. Ich nehme meist ein paar mit hier raus.« Er hatte noch immer das Video in der Hand. »Ich glaub's einfach nicht. Der letzte fremdsprachige Film, den die Bande gesehen hat, dürfte *Emmanuelle* gewesen sein.«

»Gibt's hier auch Pornos?«, fragte Rebus in einem Ton, als mache er lediglich Konversation.

»Jede Menge.«

»Wie hart?«

»Unterschiedlich.« Ein amüsierter Blick. »Inspector, sind Sie den ganzen Weg hier rausgeflogen, bloß um mich nach dreckigen Videos zu fragen?«

»Nein, Sir, ich bin hergekommen, um Sie nach Allan Mitchison zu fragen.«

Fords Gesicht verfinsterte sich wie der Himmel draußen. Lumsden stand am Fenster und fragte sich vielleicht, ob sie über Nacht würden bleiben müssen...

»Armer Mitch«, sagte Ford. »Ich kann's immer noch nicht glauben.«

»Sie waren Zimmergenossen?«

»Die letzten sechs Monate.«

»Mr. Ford, wir haben nicht viel Zeit, Sie werden also entschuldigen, wenn ich's kurz und bündig mache.« Rebus ließ ihm einen Augenblick Zeit, das zu verdauen. Seine Gedanken waren halb bei Lumsden. »Mitch wurde von einem Mann namens Anthony Kane getötet, einem Auftragskiller. Kane arbeitete früher für einen Glasgower Gangsterboss, betätigte sich in letzter Zeit aber offenbar als freier Unternehmer mit Sitz in Aberdeen. Vorletzte Nacht wurde auch Mr. Kane tot aufgefunden. Wissen Sie, *warum* Kane Mitch umbringen sollte?«

Ford sah wie betäubt drein, blinzelte ein paarmal, und die Kinnlade fiel ihm herunter. Auch Eric machte ein ungläubiges Gesicht, während Lumsden eine Miene aufsetzte, die lediglich professionelles Interesse verriet.

»Ich … ich habe keine Ahnung«, antwortete er. »Könnte es eine Verwechslung gewesen sein?«

Rebus zuckte die Achseln. »Es könnte alles sein. Deswegen versuche ich ja, mir ein Bild von Mitchs Leben zu machen. Dazu brauche ich die Hilfe seiner Freunde. Werden Sie mir helfen?«

Ford nickte. Rebus ließ sich auf einem Stuhl nieder. »Dann können Sie damit gleich den Anfang machen«, sagte er, »indem Sie mir von ihm erzählen, und zwar alles, jede Kleinigkeit, die Ihnen einfällt.«

Irgendwann gingen Eric und Lumsden essen. Lumsden kam anschließend mit Sandwiches für Rebus und Willie Ford zurück. Ford redete und unterbrach sich nur, um gelegentlich einen Schluck Wasser zu trinken. Er erzählte Rebus, was Allan Mitchison ihm über seine Kindheit und Jugend erzählt hatte – über die Eltern, die nicht seine richtigen Eltern waren; die besondere Schule mit ihren Schlafsälen. Das war, was Mitch an den Bohrinseln gefallen hatte: das Gefühl von Zusammengehörigkeit und die Mehrbettzimmer. Allmählich begriff Rebus, warum er seine Wohnung in Edinburgh nicht gemocht hatte. Ford wusste eine ganze Menge über Mitch, wusste, dass zu seinen Hobbys Bergwandern und Ökologie gehört hatten.

»Hat er sich deswegen mit Jake Harley angefreundet?«

»Ist das der in Sullom Voe?« Rebus nickte. »Ja, Mitch hatte mir von ihm erzählt. Das waren beide echte Ökofreaks.«

»Wie ernst war ihm die Sache?«

»Er war ziemlich aktiv. Ich meine, bei dem Arbeitsrhythmus hier draußen kann man nicht die ganze Zeit aktiv sein. Von jedem Monat verbrachte er sechzehn Tage offshore. Fernsehnachrichten kriegen wir hier rein, aber mit Zeitungen sieht es eher dürftig aus – jedenfalls was solche angeht, die Mitch gern las. Aber das hat ihn nicht davon abgehalten, dieses Konzert zu organisieren. Das arme Schwein hatte sich so darauf gefreut.«

Rebus runzelte die Stirn. »Was für ein Konzert?«

»Im Duthie Park. Heute Abend, glaube ich, wenn das Wetter mitspielt.«

»Das Protestkonzert?« Ford nickte. »Allan Mitchison hat es *organisiert*?«

»Na ja, mit anderen zusammen. Hat ein paar der Gruppen angeschrieben, um zu hören, ob sie spielen würden.«

Rebus schwirrte der Kopf. Bei dem Konzert traten die Dancing Pigs auf. Mitchison war ein großer Fan von ihnen. Trotzdem hatte er keine Eintrittskarte für ihren Gig in Edinburgh gehabt… Nein, weil er keine brauchte – *er hätte auf der Gästeliste gestanden*! Woraus wiederum *was* genau folgte?

Antwort: ein Scheißdreck.

Außer dass Michelle Strachan im Duthie Park ermordet worden war…

»Mr. Ford, hatten Mitchs Arbeitgeber keine Bedenken wegen seiner… Loyalität?«

»Man braucht die Vergewaltigung der Erde nicht unbedingt gutzuheißen, um einen Job in dieser Branche zu bekommen. Aber tatsächlich gibt es erheblich schmutzigere Branchen als die Erdölindustrie.«

Rebus ließ sich das durch den Kopf gehen. »Mr. Ford, dürfte ich mich in Ihrer Kabine umsehen?«

»Klar.«

Die Kabine war klein. Nachts war es bestimmt von Vorteil, wenn man nicht an Klaustrophobie litt. Zwei schmale Einzelbetten. Über Fords Bett waren Bilder angepinnt; über dem anderen sah man lediglich Löcher, wo die Reißzwecken gesteckt hatten.

»Ich hab seine ganzen Sachen zusammengepackt«, erklärte Ford. »Wissen Sie, ob's jemanden gibt, der…?«

»Es gibt niemanden.«

»Dann vielleicht Oxfam.«

»Ganz wie Sie möchten, Mr. Ford. Sagen wir einfach, Sie sind der inoffizielle Nachlassverwalter.«

Das gab ihm den Rest. Ford ließ sich auf sein Bett plumpsen, stützte den Kopf in die Hände. »Lieber Gott«, sagte er und wiegte sich vor und zurück. »Lieber Gott, lieber Gott.«

Immer taktvoll, John. Der wortgewandte Überbringer schlechter Nachrichten. Mit Tränen in den Augen entschuldigte sich Ford und verließ das Zimmer.

Rebus machte sich an die Arbeit.

Er zog Schubladen auf und öffnete den kleinen Wandschrank, fand das Gesuchte aber schließlich unter Mitchisons Bett. Einen Müllsack und mehrere Plastiktüten: die irdischen Güter des Verstorbenen.

Viel war es nicht. Vielleicht hatte das mit Mitchisons Jugend zu tun. Wenn man sich nicht mit Krempel befrachtete, konnte man jederzeit abhauen. Etwas Kleidung, ein paar Bücher – Science Fiction, Volkswirtschaft, *Die tanzenden Wu-Li-Meister*. Letzteres klang für Rebus nach einem Lehrbuch für Gesellschaftstänze. Er fand zwei Umschläge mit Fotos, sah sie durch. Die Plattform. Arbeitskollegen. Der »Wellie« und dessen Besatzung. Dann weitere Leute, diesmal an Land: im Hintergrund Bäume. Nur, dass diese nicht wie Arbeitskollegen aussahen: lange Haare, gebatikte T-Shirts, Reggae-Mützen. Freunde? Freunde der Erde? Der zweite Umschlag kam ihm leicht vor. Rebus zählte die Abzüge: vierzehn. Dann zog er die Negative heraus: fünfundzwanzig Aufnahmen. Fehlten elf. Er hielt die Negative ans Licht, konnte aber nicht allzu viel erkennen. Die fehlenden Abzüge schienen auch nichts grundsätzlich anderes zu zeigen; Gruppenbilder, auf ein paar davon nur drei oder vier Leute. Rebus steckte sich die Negative gerade in dem Augenblick in die Jacketttasche, als Willie Ford wieder ins Zimmer kam.

»Tut mir Leid wegen eben.«

»War meine Schuld, Mr. Ford. Ich hab geredet, ohne nachzudenken. Wissen Sie noch, wie ich Sie vorhin nach Pornos fragte?«

»Ja.«

»Wie sieht's mit Drogen aus?«

»Ich nehm keine.«

»Aber wenn Sie welche nähmen...«

»Es ist ein geschlossener Kreis, Inspector. Ich nehm keine, und keiner hat mir jemals welche angeboten. Wahrscheinlich könnte sich jemand hinter der nächsten Ecke einen Schuss setzen, und ich würde nichts davon merken, einfach weil ich nicht auf dem Laufenden bin.«

»Aber *laufen* tut schon was?«

Ford lächelte. »Vielleicht. Aber nur während der Freizeit. Ich würde es *spüren*, wenn ich neben jemand arbeitete, der sich was reingezogen hat. Ist auch keiner so blöd. Wenn man auf einer Plattform arbeitet, braucht man einen klaren Kopf – so klar, wie's nur irgend geht.«

»Hat es je Unfälle gegeben?«

»Ein, zwei, aber unsere Statistik ist insgesamt gut. Die hatten auch nichts mit Drogen zu tun.«

Rebus machte ein nachdenkliches Gesicht. Ford schien etwas einzufallen.

»Sie sollten sehen, was draußen los ist.«

»Was?«

»Sie bringen die Demonstranten an Bord.«

Tatsächlich. Rebus und Ford gingen hinaus. Ford setzte seinen Schutzhelm auf, Rebus behielt seinen in der Hand: Er schaffte es nicht, den Riemen richtig einzustellen, und das Einzige, was momentan vom Himmel zu fallen drohte, war Regen. Lumsden und Eric waren schon da, ebenso ein paar andere Männer. Sie sahen zu, wie die triefenden Gestalten die letzten Sprossen heraufkletterten. Trotz ihres Ölzeugs sahen sie – wohl dank der Wasserkanonen – pitschnass aus. Rebus erkannte eine von ihnen: Es war wieder Ethnozöpfchen. Sie schien sauer bis fuchsteufelswild zu sein. Er ging auf sie zu, bis sie auf ihn aufmerksam wurde.

»Warum treffen wir uns eigentlich immer unter solchen Umständen?«

Aber sie schenkte ihm keinerlei Beachtung. Stattdessen schrie sie »JETZT!« und machte einen Ausfall nach rechts, wobei sie die Hand aus der Tasche zog. Der eine Ring der Handschelle war schon um ihr Handgelenk geschlossen; den anderen Ring ließ sie jetzt um die Reling zuschnappen. Zwei ihrer Kampfgenossen taten es ihr nach und fingen an, lauthals Protestsprüche zu skandieren. Zwei weitere wurden zurückgerissen, bevor sie die Aktion vollenden konnten. Die Handschellen schnappten leer zu.

»Wer hat die Schlüssel?«, schrie ein Erdölarbeiter dazwischen.

»Die haben wir auf dem Festland gelassen!«

»Scheiße.« Der Ölmann wandte sich zu einem Kollegen. »Geh den Schweißbrenner holen.« Dann zu Ethnozöpfchen gewandt: »Keine Sorge, die Funken brennen vielleicht ein bisschen, aber wir haben euch in null Komma nichts da los.«

Ohne auf ihn zu achten, skandierte sie weiter mit den anderen ihre Sprüche. Rebus lächelte: Das war schon bewundernswert. Trojanisches Pferd mit Titten.

Der Schneidbrenner kam. Rebus konnte nicht glauben, dass die Ölarbeiter es ernst meinten. Er sah Lumsden an.

»Halten Sie ja den Mund«, warnte ihn der Polizist. »Denken Sie daran, was ich Ihnen über die Grenzjustiz gesagt habe. Wir halten uns da schön raus.«

Die Acetylenflamme fauchte auf, eine Miniaturfackel. Oben dröhnte ein Hubschrauber. Rebus spielte mit dem Gedanken, vielleicht den Schweißbrenner über die Reling zu werfen.

»Herrgott, das ist das Fernsehen!«

Alle sahen nach oben. Der Helikopter schwebte in geringer Höhe über ihren Köpfen, eine Fernsehkamera war direkt auf sie gerichtet.

»Die Scheißnachrichten!«

Na, ist ja toll, dachte Rebus. Richtig prima. Unauffälliger geht's gar nicht, John. Die nationalen Fernsehnachrichten. Vielleicht sollte er Ancram ja einfach eine Postkarte schicken ...

19

Noch in Aberdeen meinte er, das Deck unter sich schwanken zu spüren. Lumsden war heimgefahren, nachdem Rebus ihm versprochen hatte, am nächsten Morgen zu verschwinden.

Rebus hatte nicht erwähnt, dass er möglicherweise wiederkommen würde.

Es war früher Abend, kühl, aber hell, die Straßen wimmelten von letzten Passanten, die heimwärts trotteten, und ersten Kneipenbummlern, die den Samstagabend gar nicht früh genug beginnen konnten. Er schlenderte zum Burke's Club. Wieder ein anderer Rausschmeißer, also von der Seite kein Problem. Rebus zahlte brav und ging zum Tresen. Das Lokal hatte noch nicht lange geöffnet. Die wenigen Gäste, die da waren, sahen so aus, als ob sie gleich weiterziehen würden, wenn sich nicht bald etwas tat. Rebus bestellte sich einen sündteuren Kurzen mit viel Eis und warf einen Blick in den Spiegel hinter der Flaschenbatterie. Keine Spur von

312

Eve und Stanley. Auch nicht, soweit erkennbar, von Dealern. Aber was das anging, hatte Willie Ford Recht: Wie sahen Dealer schon aus? Wie jeder andere auch. Ihr Verkaufsgespräch bestand in einem bloßen Blickkontakt, in einem unausgesprochenen Einverständnis mit ihrem Gegenüber. Es war ein Mittelding zwischen einer geschäftlichen Transaktion und einer Anmache.

Rebus stellte sich vor, wie Michelle Strachan hier getanzt, die vorletzten Schritte ihres Lebens getan hatte. Während er die Eiswürfel in seinem Glas kreisen ließ, beschloss er, vom Klub zum Duthie Park zu laufen. Das würde vielleicht nicht der genaue Weg sein, den *sie* genommen hatte, und er bezweifelte, dass irgendetwas Brauchbares dabei herauskommen würde, aber er wollte es tun – genauso wie er nach Leith gefahren war, um Angie Riddell seinen Respekt zu erweisen. Er bog erst einmal in die South College Street ein, sah auf seinem Stadtplan, dass er, wenn er diese Route nahm, eine Hauptverkehrsstraße am Ufer des Dee entlanggehen musste. Er entschied, dass Michelle nach Ferryhill ausgewichen wäre, und tat es ihr nach. Hier waren die Straßen schmaler und ruhiger; es gab große, efeubewachsene Häuser. Eine behagliche gutbürgerliche Enklave. Ein paar Läden hatten noch offen, verkauften Milch, Eis am Stiel, Abendzeitungen. Er hörte Kinder in den Gärten spielen. Michelle und Johnny Bible mussten hier um zwei Uhr nachts entlanggegangen sein. Da waren die Straßen bestimmt wie ausgestorben gewesen. Wenn sie auch nur das leiseste Geräusch gemacht hätten, wäre es hinter den Gardinen zur Kenntnis genommen worden. Doch offenbar hatte niemand etwas gehört. Michelle konnte unmöglich betrunken gewesen sein. Betrunken, hatten ihre Kommilitonen gesagt, wurde sie laut. Vielleicht war sie ein bisschen angeheitert, gerade genug, um ihren Selbsterhaltungstrieb einzubüßen. Und Johnny Bible ... er war still gewesen, nüchtern; auf den Lippen ein Lächeln, das nichts von seinen Absichten verriet.

Rebus schwenkte in die Polmuir Road ein. Hier hatte Michelle gewohnt. Johnny Bible schien sie aber überredet zu haben, bis zum Park weiterzugehen. Wie hatte er das geschafft? Rebus schüttelte den Kopf, um ihn etwas klarer zu bekommen. Vielleicht hatte sie eine strenge Vermieterin gehabt, so dass sie ihn nicht hineinbitten konnte. Sie wohnte dort gern und wollte keinen Rausschmiss riskieren. Oder vielleicht hatte Johnny Bible auch was von der schönen lauen Nacht geschwafelt, und dass sie noch nicht enden dürfe, weil er Michelle doch so sympathisch finde. Sollten sie nicht noch bis zum Park und dort ein bisschen spazieren gehen, nur sie beide? Wäre das nicht wunderschön?

Kannte Johnny Bible den Duthie Park?

Rebus hörte so was wie Musik, dann Stille, dann Beifall. Ach ja, das Protestkonzert. Dancing Pigs und Konsorten. Rebus betrat den Park, kam an einem Kinderspielplatz vorbei. Michelle und ihre Bekanntschaft waren hier entlanggegangen. Ihre Leiche wurde ganz in der Nähe aufgefunden, nicht weit vom Wintergarten und der Teestube... Im Herzen des Parks befand sich eine riesige freie Fläche, auf der man eine Bühne aufgebaut hatte. Das Publikum bestand aus ein paar hundert Jugendlichen. Verkäufer von Raubkopien aller Art hatten ihre Ware auf dem Rasen ausgebreitet; neben ihnen saßen Tarotkartenlegerinnen, Zöpfchenflechter und Kräuterkundige. Rebus musste lächeln: Das war das Ingliston-Konzert im Kleinformat. Leute schlenderten durch die Menge und klapperten mit Sammelbüchsen. Das Spruchband, das das Dach des Konferenzzentrums geziert hatte – LASST UNSERE OZEANE LEBEN! – flatterte jetzt über der Bühne. Selbst der aufblasbare Wal fehlte nicht. Ein fünfzehn-, sechzehnjähriges Mädchen kam auf Rebus zu.

»Andenken-T-Shirts? Programme?«

Rebus schüttelte den Kopf, überlegte es sich dann aber anders. »Gib mir ein Programm.«

»Drei Pfund.«

Es war eine zusammengeheftete Xerokopie mit einem farbigen Umschlag. Das Papier war recycelt, ebenso der Text. Rebus blätterte das Heftchen durch. Ganz hinten befand sich eine Danksagung. Auf Drittelhöhe der Seite blieben seine Augen an einem Namen hängen: Mitch, »in Liebe und Dankbarkeit«. Allan Mitchison hatte bei der Organisation des Konzerts seinen Teil beigetragen, und hier war sein Lohn – und sein Nachruf.

»Ich werd sehen, ob ich ein wenig mehr für dich tun kann«, sagte Rebus und steckte sich das Programmheft in die Tasche.

Er schlenderte zum Backstagebereich, der durch halbkreisförmig geparkte Laster und Lieferwagen abgesperrt worden war und den Musikern und Roadies ein wenig Auslauf bot. Die Dienstmarke verschaffte ihm nicht nur Zutritt, sondern brachte ihm auch ein paar böse Blicke ein.

»Sind Sie der Boss hier?«, fragte er den übergewichtigen Mann, der vor ihm stand. Der Typ war in den Fünfzigern, eine Art Andy Garcia mit roten Haaren und Kilt, dazu mit einem durchgeschwitzten, fleckigen weißen Unterhemd. Schweiß tropfte ihm auch von den buschigen Augenbrauen.

»Bosse gibt's hier keine«, erklärte er Rebus.

»Aber Sie haben bei der Organisation –«

»Hey, was ist dein Problem, Mann? Das Konzert ist genehmigt, das Letzte, was wir brauchen können, ist Ärger.«

»Ich mach auch keinen. Ich habe nur eine Frage wegen der Organisation.«

»Was ist damit?«

»Allan Mitchison – Mitch.«

»Ja?«

»Kannten Sie ihn?«

»Nein.«

»Anscheinend hat er dafür gesorgt, dass die Dancing Pigs hier auftreten.«

Der Mann überlegte, nickte. »Mitch, richtig. Ich kenn ihn nicht, ich meine, nur so vom Sehen.«

»Jemand, den ich nach ihm fragen könnte?«

»Warum, Mann, was hat er angestellt?«

»Er ist tot.«

»Üble Sache.« Er zuckte die Schultern. »Da kann ich leider nicht helfen.«

Rebus ging wieder vor die Bühne. Die Lautsprecheranlage war dürftig, und die Band klang nicht annähernd so gut wie auf ihrem Studioalbum. Hut ab vor dem Produzenten. Plötzlich verstummte die Musik, und die eintretende Stille war schöner als jede Melodie. Der Sänger trat ans Mikrofon.

»Es sind ein paar Freunde da, die wir gern auf die Bühne holen würden. Noch vor ein paar Stunden kämpften sie für die gute Sache, für die Rettung unserer Meere. Heißt sie herzlich willkommen, Leute.«

Applaus, Beifallsrufe. Rebus sah, wie zwei Gestalten, noch immer in orangefarbenem Ölzeug, die Bühne betraten. Er erkannte sie von Bannock her wieder und wartete. Aber Ethnozöpfchen ließ sich nicht blicken. Als sie zu reden begannen, wandte er sich ab. Er sah noch eine letzte Sammelbüchse, der es aus dem Weg zu gehen galt, überlegte es sich dann aber anders, faltete einen Fünfer zusammen und steckte ihn in den Schlitz. Dann beschloss er, sich ein Abendessen in seinem Hotel zu genehmigen – und natürlich auf die Zimmerrechnung setzen zu lassen.

Penetranter Lärm.

Rebus baute ihn in seinen Traum ein, gab es dann auf.

Ein Auge aufgeklappt: schmale Lichtstreifen zwischen den schweren Vorhängen. Scheiße, wie spät war's denn? Nachttischlampe an. Er krallte sich seine Uhr, blinzelte. Sechs. Was? Hatte Lumsden es *so* eilig, ihn loszuwerden?

Er schwang sich aus dem Bett, ging steifbeinig zur Tür, lockerte unterwegs seine Muskeln. Er hatte ein tolles Abendessen mit einer Flasche Wein runtergespült. Für sich genommen wäre der Wein kein Problem gewesen, aber zur *Verdauung* hatte er noch vier Malts geschluckt und damit gegen die eiserne Säuferregel verstoßen: Misch niemals die Traube mit dem Korn.

Bumm, bumm, bumm.

Rebus riss die Tür auf. Zwei Trachtenheinis, so frisch, als wären sie schon seit Stunden auf.

»Inspector Rebus?«

»Soweit ich mich erinnern kann.«

»Würden Sie sich bitte anziehen, Sir?«

»Was gegen meine Aufmachung?« Slip und T-Shirt.

»Ziehen Sie sich einfach an.«

Rebus starrte sie an, beschloss zu gehorchen. Sie folgten ihm ins Zimmer und sahen sich dabei um, wie Bullen das so zu tun pflegen.

»Was habe ich getan?«

»Erzählen Sie's auf der Wache.«

Rebus musterte ihn. »Sagen Sie, dass das ein beschissener Scherz ist.«

»Nicht solche Ausdrücke, Sir«, sagte der andere Uniformierte.

Rebus setzte sich aufs Bett, zog sich saubere Strümpfe an. »Ich würde trotzdem gern wissen, was das hier soll. Sie wissen schon, inoffiziell, von Bulle zu Bulle.«

»Nur ein paar Fragen, Sir. Wenn Sie sich bitte beeilen könnten.«

Der zweite Uniformierte zog die Vorhänge auf, so dass

sich Lichtspeere in Rebus' Augäpfel bohrten. Die Aussicht schien ihn zu beeindrucken.

»Vor ein paar Nächten hatten wir eine Schlägerei in den Anlagen. Weißt du noch, Bill?«

Sein Kollege trat ebenfalls ans Fenster. »Und vor zwei Wochen ist einer von der Brücke gehüpft. Voll auf die Denburn Road geklatscht.«

»Die Autofahrerin hat sich ganz schön ins Hemd gemacht.«

Sie lächelten bei der Erinnerung.

Rebus stand auf, unschlüssig, was er mitnehmen sollte.

»Dürfte nicht allzu lange dauern, Sir.«

Jetzt lächelten sie *ihn* an. Rebus' Magen vollführte einen Salto rückwärts. Er bemühte sich, nicht an Haggis-Timbale zu denken... *cranachan* an Fruchtsuppe... Wein und Whiskey...

»Nicht ganz auf dem Damm, Sir?«

In etwa so mitfühlend wie eine Rasierklinge.

20

»Mein Name ist Chief Inspector Edward Grogan. Wir hätten ein paar Fragen an Sie, Inspector Rebus.«

Das habe ich jetzt schon ein paarmal gehört, dachte Rebus. Aber er sagte nichts, saß bloß so da, mit verschränkten Armen und dem aggressiven Blick eines Mannes, dem Unrecht geschieht. Ted Grogan: Rebus hatte schon von ihm gehört. Knallharter Mistkerl. Und so sah er auch aus: stiernackig und glatzköpfig, vom Typ her eher Frazier als Ali. Schmale Augen und breite Lippen; ein Fighter, der das Kämpfen auf der Straße gelernt hatte. Dicke Augenbrauenwülste; affenartig.

»DS Lumsden kennen Sie ja bereits.« Der saß neben der

Tür, geneigter Kopf, gespreizte Beine. Er sah erschöpft aus, verlegen. Grogan nahm Rebus gegenüber am Tisch Platz. Sie saßen in einer »Keksdose«, obwohl die in Furry Boot Town wahrscheinlich eine andere Bezeichnung dafür hatten.

»Reden wir nicht um den heißen Brei herum«, sagte Grogan. Er schien sich auf seinem Stuhl in etwa so wohl zu fühlen wie sich ein preisgekröntes Angusrind gefühlt hätte. »Wo haben Sie die blauen Flecken her?«

»Das habe ich Lumsden schon erzählt.«

»Erzählen Sie es mir.«

»Zwei Schläger haben mich überfallen. Ihre Botschaft war ein Hieb mit dem Pistolenknauf.«

»Sonst noch Verletzungen?«

»Sie haben mich über eine Mauer gestoßen, auf dem Weg nach unten bin ich in einen Dornenstrauch geraten. Ich hab mir die Seite aufgeschürft.«

»Ist das alles?«

»Das ist alles. Hören Sie, ich weiß Ihre Anteilnahme zu schätzen, aber –«

»Aber es ist nicht das, was uns Kopfzerbrechen bereitet, Inspector. DS Lumsden sagt, er habe Sie vorletzte Nacht am Hafen abgesetzt.«

»Das stimmt.«

»Soweit ich weiß, hatte er Ihnen angeboten, Sie zu Ihrem Hotel zu fahren.«

»Wahrscheinlich.«

»Aber Sie wollten nicht.«

Rebus warf einen Blick zu Lumsden hinüber. *Was zum Teufel läuft hier ab?* Aber Lumsden starrte weiterhin konzentriert auf den Fußboden. »Mir war nach einem Spaziergang.«

»Zurück zu Ihrem Hotel?«

»Genau.«

»Und unterwegs sind Sie zusammengeschlagen worden?«

»Mit einer Pistole.«

Ein Lächeln, halb mitleidig, halb ungläubig. »In *Aberdeen*, Inspector?«

»Es gibt mehr als nur ein Aberdeen. Ich wüsste auch nicht, was das mit irgendwas zu tun haben sollte.«

»Geduld. Dann sind Sie also zu Fuß heimgegangen?«

»Zum teuren Hotel, in dem die Polizei von Grampian mich einquartiert hat.«

»Ach ja, das Hotel. Wir hatten ein Zimmer für einen auswärtigen Chief Constable gebucht, der dann in letzter Minute abgesagt hat. Wir hätten so oder so zahlen müssen. Ich glaube, DS Lumsden hat eigenmächtig entschieden, dass Sie ebenso gut da wohnen könnten. Highland-Höflichkeit, Inspector.«

Wohl eher Highland-Märchen.

»Wenn das Ihre Geschichte ist…«

»Was hier zählt, ist nicht *meine* Geschichte. Haben Sie während dieses gemütlichen Abendspaziergangs jemanden gesehen, mit jemandem gesprochen?«

»Nein.« Rebus hielt inne. »Ich habe einen Trupp Ihrer schmucken Jungs gesehen, die mit ein paar Kids diskutierten.«

»Haben Sie sie angesprochen?«

Rebus schüttelte den Kopf. »Ich wollt mich nicht einmischen. Das hier ist nicht mein Revier.«

»Nach dem, was ich von DS Lumsden höre, haben Sie sich aber durchaus so verhalten.«

Rebus sah in Lumsdens Augen. Sie starrten glatt durch ihn hindurch.

»Hat ein Arzt sich Ihre Verletzungen angesehen?«

»Ich hab mich selbst verarztet. An der Rezeption hatten die einen Erste-Hilfe-Kasten.«

»Man hat Sie gefragt, ob Sie einen Arzt wollten.« Eine Feststellung.

»Ich hab gesagt, das sei nicht nötig. Lowland-Selbstständigkeit.«

Ein kaltes Lächeln von Seiten Grogans. »Soweit ich weiß, haben Sie den gestrigen Tag auf einer Bohrinsel verbracht.«

»Mit DS Lumsden an meinem Rockzipfel.«

»Und letzten Abend?«

»Ich hab was getrunken, einen Spaziergang gemacht, in meinem Hotel zu Abend gegessen. Das habe ich übrigens auf die Rechnung setzen lassen.«

»Wo haben Sie was getrunken?«

»Im Burke's Club, einem Dealer-Paradies auf der College Street. Jede Wette, dass meine Angreifer von dort kamen. Was zahlt man hier oben momentan für einen Auftragsschläger? Fünfzig für einmal aufmischen? Fünfundsiebzig pro gebrochenen Knochen?«

Grogan schniefte, stand auf. »Das dürfte erheblich billiger zu haben sein.«

»Hören Sie, bei allem Respekt, in rund zwei Stunden bin ich hier weg. Wenn das eine Warnung sein soll, kommt sie viel zu spät.«

Grogan sprach sehr leise. »Das ist keine Warnung, Inspector.«

»Was dann?«

»Sie sagen, nach dem Burke's hätten Sie einen Spaziergang gemacht?«

»Ja.«

»Wohin?«

»Zum Duthie Park.«

»Ein ganz schöner Marsch.«

»Ich bin ein großer Fan der Dancing Pigs.«

»Dancing Pigs?«

»Eine Band, Sir«, antwortete Lumsden, »die hatten gestern Abend dort einen Auftritt.«

»Es redet.«

»Das war unangebracht, Inspector.« Grogan stand jetzt hinter Rebus. Der unsichtbare Vernehmungsbeamte: Drehte man sich zu ihm um, oder starrte man auf die Wand? Rebus hatte den Trick selbst schon häufig angewandt. Ziel: den Gefangenen zu zermürben.

Den Gefangenen – Herrgott.

»Wie Sie sich erinnern werden, Sir«, sagte Lumsden mit fast tonloser Stimme, »ist das der Weg, den Michelle Strachan gegangen war.«

»Das stimmt, Inspector, oder? Das war Ihnen doch bestimmt bekannt.«

»Was wollen Sie damit sagen?«

»Na ja, Sie bekunden in letzter Zeit ein auffälliges Interesse an dem Johnny-Bible-Fall, habe ich Recht?«

»Ich hatte peripher damit zu tun, Sir.«

»Oh, *peripher*?« Grogan kam wieder in Sicht, bleckte gelbe Zähne, die so aussahen, als habe man sie kurzgefeilt. »Na ja, so kann man das auch ausdrücken. DS Lumsden sagt, dass Sie sich sehr für die Aberdeener Seite des Falls zu interessieren schienen, ihm jede Menge Fragen gestellt haben.«

»Bei allem Respekt, Sir, das ist DS Lumsdens Version.«

»Und wie lautet Ihre?« Über den Tisch gebeugt, auf die Fäuste gestützt. Näher heranrückend. Ziel: den Verdächtigen einzuschüchtern, ihm zu zeigen, wer der Boss ist.

»Was dagegen, wenn ich rauche?«

»Beantworten Sie die Frage!«

»*Verdammte Scheiße, hören Sie auf, mich wie einen Verdächtigen zu behandeln!*«

Rebus bedauerte sein Aufbrausen sofort – Zeichen von Schwäche, Zeichen von Verunsicherung. Während der Militärausbildung hatte er tagelang Verhörtechniken über sich ergehen lassen, ohne zusammenzuklappen. Ja, aber damals war sein Kopf leerer gewesen; er hatte nicht so viele Gründe gehabt, sich schuldig zu fühlen.

»Aber Inspector«, sagte Grogan in einem Ton, als habe ihn Rebus' Ausbruch verletzt, »genau das sind Sie doch.«

Rebus klammerte sich mit beiden Händen an die Tischkante, spürte das raue Metall. Er versuchte aufzustehen, aber seine Beine ließen ihn im Stich. Er sah wahrscheinlich so aus, als kackte er sich gerade in die Hose. Also zwang er seine Hände, den Tisch wieder loszulassen.

»Gestern Abend«, fuhr Grogan ungerührt fort, »wurde am Hafen eine Frauenleiche in einer Kiste aufgefunden. Der Pathologe schätzt, dass sie irgendwann im Lauf der vorigen Nacht getötet wurde. Erdrosselt. Vergewaltigt. Einer ihrer Schuhe ist nicht auffindbar.«

Rebus schüttelte den Kopf. Mein Gott, dachte er, nicht noch eine.

»Keine Anzeichen dafür, dass sie Widerstand geleistet hat, keine Haut unter den Fingernägeln. Aber sie könnte mit den Fäusten um sich geschlagen haben. Sie sah wie eine kräftige Frau aus, zäh.«

Unwillkürlich berührte Rebus die Beule an seiner Schläfe.

»Sie waren in der Nähe des Hafens, Inspector, und nach DS Lumsdens Aussage in schlechter Stimmung.«

Rebus war aufgesprungen. »Er versucht, mir was anzuhängen!« Angriff, hieß es ja, sei die beste Verteidigung. Was nicht unbedingt stimmte, aber wenn Lumsden unfair spielen wollte, würde Rebus ihm keinen Tiefschlag schuldig bleiben.

»Setzen Sie sich, Inspector.«

»Er versucht, seine Scheißkunden zu beschützen! Wie viel beziehen Sie pro Woche, Lumsden? Wie viel stecken die Ihnen zu?«

»*Ich sagte hinsetzen!*«

»Leck mich«, erwiderte Rebus. Es war so, als wäre ein Furunkel aufgeplatzt; jetzt kam alles herausgequollen. »Sie versuchen, mir einzureden, ich wär Johnny Bible! Herrgott, vom Alter her könnte ich eher Bible John sein!«

»Sie befanden sich zur Tatzeit am Hafen. Als Sie in Ihrem Hotel ankamen, waren Sie voller Schrammen und blauer Flecken und vollkommen verdreckt.«

»Das ist gequirlte Scheiße! Das brauch ich mir nicht anzuhören!«

»O doch.«

»Dann stellen Sie mich unter Anklage.«

»Wir haben noch ein paar Fragen, Inspector. Das kann ganz nett und schmerzlos ablaufen oder eine verdammt beschissene Tortur werden, ganz wie Sie möchten. Sie haben die Wahl, aber bevor Sie sich entscheiden – *setzen Sie sich hin*!«

Rebus rührte sich nicht. Sein Mund stand offen. Er wischte sich Speichel vom Kinn und richtete den Blick auf Lumsden, der immer noch auf seinem Stuhl saß, aber jetzt sichtlich angespannt wirkte, bereit aufzuspringen, sollten aus Worten Taten werden. Die Genugtuung wollte Rebus ihm nicht verschaffen. Er setzte sich.

Grogan atmete tief ein. Die Luft im Raum begann allmählich zu miefen. Es war noch nicht einmal halb acht.

»Bei Halbzeit Erfrischungen?«, fragte Rebus.

»Könnte noch eine Weile dauern.« Grogan ging zur Tür, öffnete sie und streckte den Kopf nach draußen. Dann hielt er die Tür weit auf, damit jemand eintreten konnte.

Chief Inspector Chick Ancram.

»Hab Sie in den Nachrichten gesehen, John. Besonders telegen kommen Sie ja nicht gerade rüber.« Ancram schlüpfte aus seinem Jackett und hängte es sorgfältig über eine Stuhllehne. Er machte ein Gesicht, als dürfte es für ihn gleich amüsant werden. »Sie hatten Ihren Schutzhelm nicht auf, vielleicht hätte ich Sie sonst gar nicht erkannt.« Grogan ging in die Ecke, in der Lumsden saß, wie ein Team-Wrestler, der den Ring verlässt. Ancram fing an, sich die Ärmel hochzukrempeln.

»Wird heiß werden, hm, John?«

»Bullenheiß«, murmelte Rebus. Jetzt wusste er, warum das CID so gern am frühen Morgen zugriff: Er war schon jetzt erschöpft. Erschöpfung spielte dem Verstand üble Streiche, bewirkte, dass man Fehler machte. »Wär ein Kaffee drin?«

Ancram sah zu Grogan. »Ich wüsste nicht, was dagegen spräche. Was meinen Sie, Ted?«

»Ich könnte selbst eine Tasse gebrauchen.« Er wandte sich an Lumsden. »Laufen Sie, mein Sohn.«

»Scheißlaufbursche«, konnte sich Rebus nicht verkneifen zu sagen.

Lumsden sprang auf, aber Grogan hatte schon eine Hand gebieterisch ausgestreckt.

»Ruhe, mein Sohn, holen Sie einfach Kaffee, ja?«

»Und DS Lumsden?«, rief Ancram. »Dass mir Inspector Rebus koffeinfreien bekommt – wir wollen ja nicht, dass er zu zappelig wird.«

»Noch ein bisschen zappeliger, und ich hüpf aus dem Netz. Lumsden? Ich möchte koffeinfreien pur, also nicht reinpissen oder reinrotzen, okay?«

Lumsden verließ schweigend den Raum.

»Also dann.« Ancram ließ sich Rebus gegenüber nieder. »Sie sind nicht leicht zu schnappen.«

»Sie haben keine Mühen gescheut.«

»Ich glaube, die sind Sie wert, was meinen Sie? Erzählen Sie mir was über Johnny Bible.«

»Was denn so?«

»Was auch immer. Vorgehensweise, Werdegang, Profil.«

»Das könnte den ganzen Tag dauern.«

»Wir haben den ganzen Tag Zeit.«

»Sie vielleicht, aber ich muss mein Zimmer bis spätestens elf räumen, sonst kostet es einen Tag mehr.«

»Ihr Zimmer ist schon geräumt«, warf Grogan ein. »Ihre Sachen befinden sich in meinem Büro.«

»Als Beweismaterial nicht zulässig; Sie hätten einen Durchsuchungsbefehl gebraucht.«

Ancram fiel in Grogans Lachen ein. Rebus wusste, warum. Er hätte es auch getan, wenn er an ihrer Stelle gewesen wäre. Aber er war's nicht. Er war an der Stelle, an der sich schon viele Männer und Frauen vor ihm befunden hatten. Selber Stuhl, selbes nach Schweiß stinkendes Zimmer, selbe Situation. Hunderte und Tausende von Verdächtigen. In den Augen des Gesetzes unschuldig bis zum Nachweis ihrer Schuld. In den Augen des Vernehmungsbeamten genau umgekehrt. Manchmal musste man, um sich selbst zu beweisen, dass ein Verdächtiger unschuldig war, ihn regelrecht fertig machen. Manchmal musste man so weit gehen, um sich Gewissheit zu verschaffen. Rebus wusste nicht, an wie vielen Sitzungen dieser Art er schon teilgenommen hatte... an Hunderten, mit Sicherheit. Er hatte vielleicht ein Dutzend Verdächtige richtig fertig gemacht, nur um herauszufinden, dass sie unschuldig waren. Er wusste, wo er war, wusste, warum er da war, aber das machte die Sache nicht leichter.

»Dann werde *ich* Ihnen was über Johnny Bible erzählen«, sagte Ancram. »Zu seinem Profil passen mehrere Berufe, und einer davon ist Polizeibeamter, aktiv oder im Ruhestand – jemand, der unsere Methoden kennt und darauf achtet, keine Spuren zu hinterlassen.«

»Wir haben eine Personenbeschreibung von ihm. Ich bin zu alt.«

Ancram verzog das Gesicht. »Personenbeschreibungen, John, wir wissen doch, was man davon zu halten hat.«

»Ich bin nicht Johnny Bible.«

»Was nicht ausschließt, dass Sie ein Nachahmungstäter

sind. Wohlgemerkt, wir sagen nicht, dass Sie das sind. Wir sagen lediglich: Es gibt ein paar Fragen, die geklärt werden müssen.«

»Na, dann klären Sie.«

»Sie sind nach Partick gekommen.«

»Korrekt.«

»Angeblich, um von mir etwas über Uncle Joe Toal zu erfahren.«

»Messerscharf erkannt.«

»Aber wenn ich mich recht entsinne, haben Sie mir stattdessen unzählige Fragen über Johnny Bible gestellt. Und Sie schienen eine Menge über den Bible-John-Fall zu wissen.« Ancram wartete für den Fall, dass Rebus eine weitere Frechheit auf Lager hätte. Es kam keine. »In Partick haben Sie viel Zeit in dem Raum verbracht, in dem die alten Bible-John-Akten noch einmal durchgearbeitet wurden.« Ancram legte wieder eine kurze Pause ein. »Und jetzt erfahre ich von einer TV-Journalistin, dass Sie in Ihren Küchenschränken Zeitungsausschnitte und Notizen über Bible John und Johnny Bible bunkern.«

Dreckschlampe!

»Also jetzt mal langsam!«, sagte Rebus.

Ancram lehnte sich zurück. »Ich warte.«

»Alles, was Sie gesagt haben, stimmt. Ich *interessiere* mich für die zwei Fälle. Bible John ... da müsste ich etwas weiter ausholen. Und Johnny Bible ... na ja, ich kannte eines seiner Opfer.«

Ancram beugte sich vor. »Welches?«

»Angie Riddell.«

»In Edinburgh?« Ancram und Grogan tauschten einen Blick. Rebus wusste, was sie jetzt dachten: eine weitere Verbindung.

»Ich gehörte zum Team, das sie einmal aufgegriffen hat. Ich hab sie danach wieder getroffen.«

»Sie getroffen?«

»Bin nach Leith rausgefahren, hab hallo gesagt.«

Grogan schnaubte. »Das ist ein Euphemismus, den ich noch nicht kannte.«

»Wir haben uns unterhalten, mehr war nicht. Ich habe ihr eine Tasse Kaffee und ein *bridie* spendiert.«

»Und keinem was davon gesagt? Wissen Sie, wie das aussieht?«

»Ein weiterer schwarzer Fleck auf meinem Führungszeugnis. Ich hab schon so viele davon, dass ich glatt als Varieténeger auftreten könnte.«

Ancram stand auf. Er wollte im Zimmer auf und ab gehen, aber dafür war es zu klein. »Das ist schlecht«, stellte er fest.

»Wie kann die Wahrheit schlecht sein?« Aber Rebus war klar, dass Ancram Recht hatte. Er wollte mit Ancram in *nichts* einer Meinung sein – das hätte bedeutet, in die Empathiefalle zu tappen –, aber er schaffte es beim besten Willen nicht, in dem einen Punkt anderer Ansicht zu sein. Das *war* schlecht. Sein Leben verwandelte sich allmählich in einen Kinks-Song: »Dead End Street«. Sackgasse.

»Sie stecken achseltief in der Scheiße, Freundchen«, sagte Ancram.

»Danke für die Erinnerung.«

Grogan zündete sich eine Zigarette an, bot dann Rebus eine an, der den Köder lächelnd ablehnte. Wenn er eine wollte, hatte er seine eigenen.

Er wollte eine, aber noch nicht dringend genug. Stattdessen kratzte er sich die Handflächen, bohrte sich die Nägel hinein, um seine Nervenenden aufzuwecken. Eine Minute lang herrschte Schweigen im Zimmer. Ancram lehnte sich mit dem Hinterteil an den Tisch.

»Herrgott, muss er die Kaffeebohnen erst noch pflücken oder was?«

Grogan zuckte die Schultern. »Schichtwechsel, da ist in der Kantine wohl viel los.«

»Man bekommt heutzutage einfach kein anständiges Personal mehr«, sagte Rebus. Mit hängendem Kopf lächelte Ancram in sich hinein. Dann warf er Rebus einen Seitenblick zu.

Und los geht's, dachte Rebus: die Sympathienummer. Vielleicht las Ancram seine Gedanken, jedenfalls änderte er seine Taktik.

»Reden wir noch ein bisschen über Bible John«, begann er wieder.

»Von mir aus.«

»Ich habe mir inzwischen die Aufzeichnungen zum Spaven-Fall vorgenommen.«

»Ach ja?« War er Brian Holmes auf die Spur gekommen?

»Faszinierende Lektüre.«

»Ja, ein paar Verlage hatten damals Interesse bekundet.«

Dafür kein Lächeln. »Ich wusste gar nicht«, sagte der Inquisitor leise, »dass Lawson Geddes am Bible-John-Fall gearbeitet hatte.«

»Nein?«

»Auch nicht, dass man ihn mit einem Arschtritt aus den Ermittlungen ausschloss. Haben Sie eine Ahnung, warum?«

Rebus schwieg. Ancram erkannte den Haarriss in seinem Panzer, stand auf und beugte sich über ihn.

»Das hatten Sie nicht gewusst?«

»Ich wusste, dass er an dem Fall gearbeitet hatte.«

»Aber Sie wussten nicht, dass er davon abgezogen wurde. Nein, weil er Ihnen das nicht erzählt hat. Ich habe diese interessante Information in den Bible-John-Akten gefunden. Aber kein Wort zum Warum.«

»Wird das vielleicht irgendwann mal mehr als ein bloßes Partygeplauder?«

»Hat er mit Ihnen über Bible John geredet?«

»Vielleicht ein-, zweimal. Er redete viel über seine alten Fälle.«

»Das kann ich mir vorstellen, Sie beide standen sich nah. Und nach dem, was ich höre, hat Geddes gern das Maul aufgerissen.«

Rebus starrte ihn böse an. »Er war ein guter Bulle.«

»Tatsächlich?«

»Glauben Sie's mir.«

»Aber selbst gute Bullen machen Fehler, John. Selbst gute Bullen können *einmal* in ihrem Leben die Grenze überschreiten. Das eine oder andere Vögelchen hat mir gezwitschert, dass Sie diese bestimmte Grenze selbst schon mehrmals überschritten haben.«

»Vögelchen täten besser daran, nicht ins eigene Nest zu scheißen.«

Ancram schüttelte den Kopf. »Es geht hier nicht um frühere Verstöße gegen die Dienstvorschrift.« Er richtete sich auf und wandte sich ab, damit die Bemerkung ihre Wirkung entfalten konnte. Als er weitersprach, kehrte er Rebus noch immer den Rücken zu. »Wissen Sie was? Dieses Interesse der Medien an dem Spaven-Fall fiel zeitlich mit dem ersten Johnny-Bible-Mord zusammen. Ist Ihnen klar, auf was für Ideen das die Leute bringen könnte?« Jetzt drehte er sich um, hielt einen Finger in die Höhe. »Ein von Bible John besessener Bulle erinnert sich an Geschichten, die ihm sein ehemaliger Partner über den Fall erzählt hatte.« Zweiter Finger. »Der Dreck am Spaven-Fall steht kurz davor, aufgedeckt zu werden, Jahre nachdem besagter Bulle ihn für endgültig begraben gehalten hatte.« Dritter Finger. »Bulle dreht durch. Er hatte diese Zeitbombe im Gehirn, und jetzt ist sie aktiviert worden...«

Rebus stand auf. »Sie wissen, dass das nicht stimmt«, sagte er ruhig.

»Überzeugen Sie mich.«

»Ich glaube nicht, dass das nötig ist.«

Ancram sah ihn an, als sei er von ihm enttäuscht. »Wir werden Ihnen Proben abnehmen müssen: Speichel, Blut, Fingerabdrücke.«

»Wozu? Johnny Bible hat keinerlei Spuren hinterlassen.«

»Ich möchte auch, dass Ihre Garderobe ins Labor kommt und ein Team von der Spurensicherung Ihre Wohnung unter die Lupe nimmt. Wenn Sie nichts getan haben, dürften Sie keine Einwände dagegen haben.« Er wartete auf eine Antwort, die jedoch ausblieb. Die Tür öffnete sich. »Wurde auch langsam Zeit«, sagte er.

Lumsden mit einem Tablett, das von verschüttetem Kaffee schwamm.

Kaffeepause. Ancram und Grogan zogen sich zu einem Plausch auf den Korridor zurück. Lumsden blieb mit verschränkten Armen an der Tür stehen, als hätte er Wachdienst und als wäre Rebus nicht wütend genug, um ihm den Kopf abzureißen.

Rebus aber saß einfach nur da und trank das, was von seinem Kaffee übrig geblieben war. Er schmeckte widerlich, war also anscheinend *wirklich* kastriert. Er zündete sich eine Zigarette an, inhalierte, als könnte es seine letzte sein. Er hielt die Zigarette senkrecht in die Höhe, fragte sich, wie etwas so Kleines und Zerbrechliches eine solche Macht über ihn haben konnte. Nicht viel anders als dieser Fall ... Die Zigarette wackelte: Seine Hände zitterten.

»Das habe ich Ihnen zu verdanken«, sagte er zu Lumsden. »Sie haben Ihrem Boss ein Märchen aufgetischt. Ich kann damit leben, aber glauben Sie nicht, dass ich Ihnen das vergesse.«

Lumsden starrte ihn an. »Sehe ich ängstlich aus?«

Rebus starrte zurück, rauchte seine Zigarette, schwieg. Ancram und Grogan kamen zurück: kühl und sachlich.

»John«, begann Ancram, »CI Grogan und ich haben entschieden, dass die Angelegenheit in Edinburgh am besten aufgehoben wäre.«

Im Klartext hieß das, dass sie ihm nichts nachweisen konnten. Wenn er auch nur die geringste Chance gesehen hätte, wäre Grogan nicht so dumm gewesen, sich die Festnahme entgehen zu lassen.

»Wir haben hier ein paar Disziplinarvergehen«, fuhr Ancram fort. »Aber die können im Rahmen meiner Untersuchung des Spaven-Falls abgehandelt werden.« Er hielt inne. »Schade das mit DS Holmes.«

Rebus biss an, konnte nicht anders. »Was ist mit ihm?«

»Als wir die Aufzeichnungen zum Spaven-Fall abholten, meinte der Lagerbeamte, in letzter Zeit hätten die Akten großes Interesse erweckt. Holmes hatte sie drei Tage hintereinander studiert, jeweils ein paar Stunden am Stück – während seiner regulären Dienstzeiten.« Eine weitere Pause. »Ihr Name stand ebenfalls auf der Liste. Anscheinend haben Sie ihn besucht. Können Sie mir verraten, was er vorhatte?«

Schweigen.

»Beweise beseitigen?«

»Leck mich.«

»So sieht es aber aus. Dämlicher Schachzug, was immer es war. Er weigert sich zu reden, muss mit einem Disziplinarverfahren rechnen. Er könnte fliegen.«

Rebus verzog keine Miene. Sein Herz war nicht so leicht unter Kontrolle zu halten.

»Kommen Sie«, sagte Ancram, »verschwinden wir von hier. Mein Fahrer kann Ihren Wagen nehmen, wir nehmen meinen, plaudern unterwegs vielleicht ein bisschen.«

Rebus stand auf, ging auf Grogan zu, der prompt seine Schultern straffte, als erwarte er einen tätlichen Angriff. Lumsden ballte kampfbereit die Fäuste. Rebus blieb erst stehen, als sein Gesicht nur noch wenige Zentimeter von Grogans Nase entfernt war.

»Lassen Sie sich schmieren, Sir?« Es war amüsant zu beobachten, wie sich der Ballon mit Blut füllte und geplatzte Äderchen und Falten plastisch hervortraten.

»John«, warnte Ancram.

»Die Frage ist ernst gemeint«, fuhr Rebus fort. »Sehen Sie, wenn Sie sich *nicht* schmieren lassen, dann wäre es alles andere als eine blöde Idee, zwei Glasgower Gangster, die hier oben Ferien zu machen scheinen, überwachen zu lassen – Eve und Stanley Toal, nur dass der Junge in Wirklichkeit Malky heißt. Sein Papa ist Joseph Toal, Uncle Joe, und er regiert Glasgow, wo CI Ancram arbeitet, wohnt, mit Geld um sich schmeißt und seine Anzüge kauft. Eve und Stanley verkehren im Burke's Club, wo man unter Coke keine braune Limo versteht. DS Lumsden war mit mir dort, und es sah ganz so aus, als wäre er nicht zum ersten Mal da. DS Lumsden erinnerte mich daran, dass Johnny Bible sein erstes Opfer dort kennen gelernt hatte. DS Lumsden fuhr mich an dem Abend runter zum Hafen, *ich* hatte ihn nicht darum gebeten.« Rebus warf Lumsden einen Blick zu. »Das ist ein ganz Gewiefter, der DS Lumsden. Bei den Spielchen, die er treibt, ist es kein Wunder, dass er Ludo heißt.«

»Ich dulde keine böswilligen Bemerkungen über meine Männer.«

»Eve und Stanley unter Beobachtung stellen«, betonte Rebus. »Und wenn die Sache auffliegt, wissen Sie, bei wem Sie sich bedanken können.« Bei dem, den er jetzt anstarrte.

Lumsden sprang auf, ging ihm an die Kehle. Rebus stieß ihn zurück.

»Sie sind so dreckig wie eine Feldlatrine, Lumsden, und bilden Sie sich nicht ein, ich wüsste das nicht!«

Lumsden schlug zu; traf daneben. Ancram und Grogan trennten die beiden. Grogan deutete auf Rebus, sprach aber zu Ancram.

»Vielleicht sollten wir ihn besser doch hier behalten.«

»Ich nehme ihn mit.«

»Das würde ich mir noch mal überlegen.«

»Ich sagte, ich nehme ihn mit, Ted.«

»Ist lange her, dass zuletzt zwei Männer um mich ge-kämpft haben«, meinte Rebus lächelnd.

Die zwei Aberdeener Beamten sahen aus, als hätten sie ihn gern ungespitzt in den Boden gerammt. Ancram schlug ihm besitzergreifend auf die Schulter.

»Inspector Rebus«, sagte er, »ich glaube, wir gehen jetzt besser.«

»Tun Sie mir einen Gefallen«, sagte Rebus.

»Welchen?« Sie saßen im Fond von Ancrams Wagen, fuh-ren zum Hotel, um Rebus' Auto zu holen.

»Einen kurzen Abstecher runter zu den Docks.«

Ancram warf ihm einen Blick zu. »Warum?«

»Ich will sehen, wo sie gestorben ist.«

Ancram sah ihn wieder an. »Wozu?«

Rebus zuckte die Achseln. »Um ihr die letzte Ehre zu er-weisen.«

Ancram wusste nur ungefähr, wo man die Leiche ge-funden hatte, aber sie brauchten nicht lange, um die grell-farbenen Kunststoffstreifen zu entdecken, mit denen die Polizei den Tatort abgesperrt hatte. Die Docks wirkten men-schenleer, von der Kiste, in der die Leiche gelegen hatte, keine Spur. Die befand sich jetzt vermutlich in einem krimi-naltechnischen Labor. Rebus blieb außerhalb der Absper-rung stehen, sah sich um. Riesige weiße Möwen staksten in sicherer Entfernung auf und ab. Der Wind war frisch. Rebus hätte nicht sagen können, wie weit sie von der Stelle entfernt waren, an der Lumsden ihn abgesetzt hatte.

»Was wissen Sie über die Frau?«, fragte er Ancram, der, die Hände in den Taschen, reglos dastand und ihn beob-achtete.

»Hieß Holden, glaub ich. Siebenundzwanzig, achtundzwanzig.«

»Hat er was von ihr mitgenommen?«

»Nur einen ihrer Schuhe. Hören Sie, Rebus … Ihr ganzes Interesse rührt nur daher, dass Sie einmal einer Prostituierten eine Tasse Tee spendiert haben?«

»Sie hieß Angie Riddell.« Rebus schwieg einen Moment. »Sie hatte schöne Augen.« Er starrte auf den Rumpf eines abgetakelten Schiffs, der am Kai vor sich hinrostete. »Da ist eine Sache, die ich mich schon mehrmals gefragt habe. Lassen wir zu, dass es passiert, oder lassen wir es passieren?« Er sah Ancram an. »Was meinen Sie?«

Ancram runzelte die Stirn. »Ich weiß nicht genau, ob ich die Frage verstehe.«

»Ich auch nicht«, gab Rebus zu. »Sagen Sie Ihrem Fahrer, er soll mit meinem Auto aufpassen. Die Lenkung schlackert ein bisschen.«

Die Panik der Träume

21

Sie verfolgten ihn Araukarien-Leitern hinauf und hinunter, hoch über der tobenden See, die ermüdetes Metall verbog. Rebus verlor den Halt, polterte Stufen hinab, riss sich die Seite auf, und als er sie berührte, hatte er Erdöl statt Blut an den Fingern. Sie waren fünf, sechs Meter über ihm und lachten, ließen sich Zeit: Wo sollte er schon hin? Vielleicht konnte er fliegen, mit den Armen flattern und sich ins Leere schwingen. Das Einzige, wovor er Angst haben musste, war der Aufprall.

Als landete man auf Beton.

War es besser oder schlimmer als auf Zaunspießen zu landen? Er musste sich entscheiden; seine Verfolger waren ihm dicht auf den Fersen. Sie waren immer dicht hinter ihm, dennoch blieb er stets vor ihnen, selbst wenn er verletzt war. Ich könnte es hier rausschaffen, dachte er.

Ich könnte es hier rausschaffen!

Eine Stimme direkt hinter ihm: »Im Traum vielleicht.« Dann ein Stoß, hinaus ins Leere.

Rebus schreckte so abrupt aus dem Schlaf auf, dass er mit dem Kopf gegen das Wagendach knallte. In seinem Körper brodelte es vor Angst und Adrenalin.

»Herrgott«, sagte Ancram, als er die Kontrolle über den Wagen wiedergewonnen hatte, »was ist passiert?«

»Wie lange hab ich geschlafen?«

»Haben Sie? Hatte ich gar nicht gemerkt.«

Rebus sah auf die Uhr: vielleicht nur ein paar Minuten. Er rieb sich übers Gesicht, erklärte seinem Herz, es dürfe sich jetzt beruhigen. Er konnte Ancram sagen, dass es ein Albtraum oder eine Panikattacke gewesen war. Aber er dachte nicht daran, ihm irgendwas zu sagen. Bis zum Nachweis des Gegenteils war Ancram nicht weniger der Feind als ein x-beliebiger knarreschwingender Killer.

»Wovon hatten Sie eben gesprochen?«, fragte er also stattdessen.

»Ich war dabei, den Deal zu skizzieren.«

»Richtig, der Deal.« Die Sonntagszeitungen waren Rebus vom Schoß gefallen. Er hob sie wieder auf. Johnny Bibles jüngste Gräueltat hatte es nur auf eine Titelseite geschafft; die anderen waren zu früh in Druck gegangen.

»Im Augenblick habe ich genug gegen Sie in der Hand, um Sie vom Dienst suspendieren zu lassen«, erklärte Ancram. »Was für Sie keine besonders ungewohnte Situation sein dürfte, Inspector.«

»Nicht besonders, nein.«

»Selbst wenn ich die Johnny-Bible-Sache außer Acht lasse, bleibt noch immer Ihre entschieden mangelnde Bereitschaft, bei meiner Untersuchung des Spaven-Falls zu kooperieren.«

»Ich hatte Grippe.«

Ancram ignorierte die Bemerkung. »Wir wissen beide zwei Dinge: Erstens setzt sich ein guter Bulle von Zeit zu Zeit zwangsläufig in die Nesseln. Die Dienstaufsicht hatte in der Vergangenheit auch Beschwerden gegen *mich* zu bearbeiten. Zweitens fördern diese TV-Sendungen so gut wie nie neues Beweismaterial zutage. Es sind alles nur Spekulationen und Mutmaßungen, während die Polizei sorgfältig ermittelt und die Informationen, die sie zusammenträgt, an die Staatsanwaltschaft weitergereicht und dort von einigen der angeblich besten Strafrechtler des Landes geprüft werden.«

Rebus fragte sich, worauf Ancram hinauswollte. Im Rückspiegel konnte er sein Auto sehen, das von Ancrams Fahrer mit gebührender Sorgfalt gesteuert wurde. Ancram hielt die Augen auf die Straße gerichtet.

»Sehen Sie, John, ich meine damit lediglich: Wozu weglaufen, wenn man nichts zu befürchten hat?«

»Wer sagt, dass ich nichts zu befürchten habe?«

Ancram lächelte. Die Alte-Kumpel-Nummer war genau das: eine einstudierte Nummer. Rebus traute Ancram nicht weiter, als er einem Pädophilen auf einem Kinderspielplatz getraut hätte. Andererseits, als Uncle Joe in Hinsicht auf Tony El gelogen hatte, war es Ancram gewesen, der ihm den Tipp mit Aberdeen gegeben hatte ... Auf wessen Seite stand der Mann? Trieb er ein doppeltes Spiel? Oder hatte er lediglich angenommen, Rebus würde ohnehin nichts herausfinden, ob mit oder ohne Info? War das ein Trick gewesen, um die Tatsache zu verschleiern, dass er auf Uncle Joes Gehaltsliste stand?

»Wenn ich Sie richtig verstehe«, fuhr Rebus fort, »sagen Sie, ich hätte im Zusammenhang mit dem Spaven-Fall nichts zu befürchten?«

»Wär möglich.«

»Sie würden es möglich *machen*?« Ancram zuckte die Achseln. »Als Gegenleistung für was?«

»John, Sie sind mehr Leuten auf die Füße getreten als ein Elefant in der U-Bahn, und Sie sind dabei auch in etwa so subtil vorgegangen.«

»Sie möchten, dass ich ab jetzt subtiler vorgehe?«

Ancrams Stimme wurde schärfer. »Ich will, dass Sie zur Abwechslung auf Ihrem Arsch sitzen bleiben.«

»Und die Ermittlungen in Sachen Mitchison sein lasse?«

Ancram gab keine Antwort. Rebus wiederholte die Frage.

»Sie könnten feststellen, dass Sie sich damit einen großen Gefallen tun.«

»Und Sie hätten Uncle Joe gleichfalls einen Gefallen getan, hm, Ancram?«

»Wachen Sie endlich auf. Die Realität besteht nicht aus großen schwarzen und weißen Feldern.«

»Nein, aus grauen Seidenanzügen und druckfrischen grünen Scheinen.«

»Es ist ein Geben und Nehmen. Leute wie Uncle Joe verschwinden nicht: Man zieht den einen aus dem Verkehr, und sofort rückt der Nächste nach und meldet Ansprüche an.«

»Besser der Teufel, den man kennt?«

»Kein schlechtes Motto.«

John Martyn: »I'd Rather Be the Devil«.

»Hier haben Sie noch eins«, sagte Rebus: »Alles schön beim Alten lassen. Klingt so, als wollten Sie mir genau das sagen.«

»Ich gebe Ihnen nur einen *Rat* – zu Ihrem eigenen Besten.«

»Glauben Sie nicht, ich wüsste das nicht zu schätzen.«

»Herrgott, Rebus, allmählich wird mir klar, warum Sie immer allein dastehen: Sie machen's einem nicht gerade leicht, Sie zu mögen.«

»Sechs Jahre am Stück Mister Sympathieträger gewesen.«

»Das kann ich mir nicht vorstellen.«

»Ich hab sogar bei der Preisverleihung geheult.« Eine Pause. »Haben Sie Jack Morton über mich ausgefragt?«

»Jack hat eine bizarr hohe Meinung von Ihnen, was ich auf seine sentimentale Ader zurückführe.«

»Nobel von Ihnen.«

»So kommen wir keinen Schritt weiter.«

»Nein, aber wir vertreiben uns die Zeit.« Rebus sah ein Raststättenschild. »Halten wir zum Mittagessen?«

Ancram schüttelte den Kopf.

»Wissen Sie, *eines* haben Sie mich nicht gefragt.«

Ancram spielte mit dem Gedanken, nicht nachzufragen, tat es aber dann doch. »Und zwar?«

»Sie haben nicht gefragt, was Stanley und Eve in Aberdeen zu suchen hatten.«

Ancram trat hart auf die Bremse und bog auf das Raststättengelände ein. Der Fahrer in Rebus' Saab erwischte die Ausfahrt erst im letzten Moment und mit quietschenden Reifen.

»Versuchen Sie, ihn abzuhängen?« Rebus amüsierte sich über Ancrams Verwirrung.

»Kaffeepause«, knurrte Ancram und stieg aus.

Rebus saß am Tisch und las das Neueste über Johnny Bible. Das jüngste Opfer war eine gewisse Vanessa Holden, siebenundzwanzig und verheiratet – verheiratet war bislang keine gewesen. Sie hatte als Direktorin einer Firma gearbeitet, die »Unternehmenspräsentationen« organisierte. Rebus war sich nicht hundertprozentig sicher, was er sich darunter vorstellen sollte. Das Foto in der Zeitung war der übliche Cheese-Schnappschuss. Sie hatte schulterlanges gewelltes Haar, schöne Zähne und wahrscheinlich nicht vorgehabt, vor ihrem achtzigsten Geburtstag zu sterben.

»Wir müssen dieses Ungeheuer fassen«, wiederholte Rebus den letzten Satz des Artikels. Dann knüllte er die Zeitung zusammen und griff nach seinem Kaffeebecher. Als er den Blick nach unten richtete, sah er Vanessa Holden noch einmal aus dem Augenwinkel und hatte plötzlich das Gefühl, ihr schon mal begegnet zu sein: nur ganz flüchtig, im Vorübergehen. Er deckte ihre Haare mit der Hand ab. Altes Foto. Vielleicht hatte sie sich inzwischen eine andere Frisur zugelegt. Er versuchte, sich ihr Gesicht mit den Spuren von ein paar Jährchen mehr vorzustellen. Ancram war abgelenkt, redete gerade mit dem Fahrer, und so bemerkte er nicht, wie der Schock des Wiedererkennens Rebus blass werden ließ.

»Ich muss eben mal telefonieren«, sagte Rebus und stand

auf. Das Münztelefon befand sich neben dem Eingang; er würde vom Tisch aus zu sehen sein. Ancram nickte.

»Gibt es ein Problem?«, fragte er.

»Heute ist Sonntag, da hätte ich in die Kirche gesollt. Der Herr Pastor wird sich Sorgen machen.«

»Die Geschichte ist noch schwerer zu schlucken als dieser Speck.« Ancram stach mit seiner Gabel in das inkriminierte Objekt. Aber er ließ Rebus ziehen.

Rebus wählte und hoffte, dass sein Kleingeld reichen würde: immerhin Sonntag, günstiger Tarif. Im Präsidium der Polizei Grampian nahm jemand ab.

»DCI Grogan, bitte«, sagte Rebus, die Augen auf Ancram gerichtet. Das Restaurant war voll von Sonntagsausflüglern und deren Familien; keine Gefahr, dass Ancram ihn hören konnte.

»Er ist im Augenblick leider beschäftigt.«

»Es geht um Johnny Bibles jüngstes Opfer. Ich stehe in einer Telefonzelle, und das Geld ist knapp.«

»Einen Augenblick bitte.«

Dreißig Sekunden. Ancram beobachtete ihn mit gerunzelter Stirn. Dann: »DCI Grogan.«

»Hier ist Rebus.«

Grogan schnappte hörbar nach Luft. »Was zum Teufel wollen Sie?«

»Ich will Ihnen einen Gefallen tun.«

»Ach ja?«

»Könnte Ihnen eine Beförderung einbringen.«

»Ist das Ihre Vorstellung von Humor? Denn eins kann ich Ihnen sagen –«

»Kein Witz. Haben Sie gehört, was ich über Eve und Stanley Toal gesagt habe?«

»Ja.«

»Werden Sie da was unternehmen?«

»Vielleicht.«

»Machen Sie ein ›bestimmt‹ daraus… tun Sie mir den Gefallen.«

»Und dann tun Sie *mir* Ihrerseits diesen Superluxusgefallen?«

»Genau.«

Grogan hustete, räusperte sich. »In Ordnung«, sagte er.

»Im Ernst?«

»Ich halte meine Versprechen.«

»Dann hören Sie zu. Ich habe gerade ein Foto von Johnnys jüngstem Opfer gesehen.«

»Und?«

»Ich habe die Frau vorher schon mal gesehen.«

Ein kurzes Schweigen. »Wo?«

»Sie kam eines Abends in den Burke's Club, als Lumsden und ich gerade am Gehen waren.«

»Und?«

»Und sie hing am Arm eines Mannes, den ich kannte.«

»Sie kennen eine Menge Leute, Inspector.«

»Was nicht bedeutet, dass ich was mit Johnny Bible zu tun habe, wohl aber vielleicht der Mann an ihrem Arm.«

»Hat der Mann auch einen Namen?«

»Hayden Fletcher, arbeitet für T-Bird Oil, Public Relations.«

Grogan schrieb mit. »Ich geh der Sache nach«, sagte er.

»Vergessen Sie Ihr Versprechen nicht.«

»Hab ich was versprochen? Kann mich nicht erinnern.« Die Verbindung wurde getrennt. Rebus hätte am liebsten den Hörer als Vorschlaghammer benutzt, doch Ancram beobachtete ihn, und außerdem waren Kinder in der Nähe. Also legte er wie ein ganz normaler Mensch auf und kehrte zum Tisch zurück. Der Fahrer stand auf und ging hinaus, ohne Rebus eines Blickes zu würdigen, woraus Rebus schloss, dass er irgendwelche Instruktionen erhalten hatte.

»Alles in Ordnung?«, erkundigte sich Ancram.

»In allerbester.« Rebus ließ sich Ancram gegenüber nieder. »Wann geht die Inquisition also los?«

»Sobald wir eine leere Folterkammer gefunden haben.« Schließlich mussten beide lächeln. »Hören Sie, Rebus, persönlich kümmert's mich einen Dreck, was vor zwanzig Jahren zwischen Ihrem Freund Geddes und diesem Lenny Spaven gelaufen ist. Ich hab's schon vorher erlebt, dass Ganoven was angehängt kriegen: Man kann sie nicht wegen dem festnageln, von dem man *weiß*, dass sie es getan haben, also nagelt man sie wegen etwas anderem fest, das sie *nicht* getan haben.« Er zuckte die Achseln. »Das passiert.«

»Es wurde gemunkelt, genau das sei Bible John passiert.«

Ancram schüttelte den Kopf. »Ich glaub's nicht. Aber sehen Sie, das ist jetzt der eigentliche Haken an der Sache. *Wenn* Spaven für Geddes zur fixen Idee wurde und Ihr Kumpel ihm – mit Ihrer Hilfe, ob bewusst oder unbewusst – etwas anhängte… Na ja, dann wissen Sie ja wohl, was das bedeutet.«

Rebus nickte, konnte es aber nicht aussprechen. Die Worte schnürten ihm schon seit einiger Zeit die Kehle zu. Sie hatten sie ihm auch damals ein paar Wochen lang zugeschnürt.

»Das bedeutet«, fuhr Ancram fort, »dass der wahre Mörder entkommen ist. Niemand hat je versucht, ihn zu finden. Er ist frei wie ein Vogel.« Er lächelte und lehnte sich in seinem Stuhl zurück. »Jetzt werde ich Ihnen was von Uncle Joe erzählen.« Rebus war sofort ganz Ohr. »Er ist wahrscheinlich in Drogengeschäfte verwickelt. Da steckt viel Geld drin – unwahrscheinlich, dass er nicht auch ein Stück vom Kuchen haben wollte. Aber Glasgow ist schon vor Jahren aufgeteilt worden, und wir glauben, dass er, um keinen Krieg zu riskieren, seine Netze ein bisschen weiter ausgeworfen hat.«

»Bis rauf nach Aberdeen?«

Ancram nickte. »Wir erstellen ein Dossier, bevor wir gemeinsam mit den SC-Squaddies eine Überwachung aufziehen.«

»Und jede Überwachung, die Sie in der Vergangenheit aufgezogen haben, ist aufgeflogen.«

»Diese hat eine doppelte Absicherung: Wenn jemand Uncle Joe warnt, werden *wir* wissen, wo die undichte Stelle ist.«

»So dass Sie am Ende entweder Uncle Joe oder den Spitzel haben? Das könnte funktionieren … wenn Sie das nicht jedem auf die Nase binden.«

»Ich vertraue Ihnen.«

»Warum?«

»Weil Sie alles vermasseln könnten, schlicht und einfach.«

»Wissen Sie, das habe ich schon mehrmals erlebt, dass Leute mir sagen, ich sollte mich raushalten und alles ihnen überlassen.«

»Und?«

»In der Regel hatten die was zu verbergen.«

Ancram schüttelte den Kopf. »Diesmal nicht. Aber *anzubieten* habe ich etwas. Wie gesagt, *persönlich* ist mir der Spaven-Fall völlig gleichgültig, aber als Polizeibeamter bin ich verpflichtet, meinen Job zu tun. Nun kann man einen Bericht so oder so abfassen. Ich könnte Ihre Rolle in der Angelegenheit herunterspielen, könnte Sie überhaupt völlig herauslassen. Ich verlange nicht, dass Sie irgendwelche Ermittlungen einstellen; ich bitte Sie nur, sie vielleicht eine Woche lang auf Eis zu legen.«

»Und zuzusehen, wie die Spur kalt wird, so dass vielleicht noch genügend Zeit für ein paar Selbstmorde und Unfälle mit tödlichem Ausgang bleibt?«

Ancram machte ein entnervtes Gesicht.

»Tun Sie Ihren Job, Chief Inspector«, sagte Rebus. »Und ich tu meinen.« Rebus stand auf, griff nach der Zeitung mit dem Johnny-Bible-Artikel und stopfte sie sich in die Tasche.

»Hier ist mein Angebot«, sagte Ancram mit unterdrückter Wut. »Ich stell einen Mann auf Sie ab, der Sie rund um die Uhr bewacht und mir direkt unterstellt ist. Entweder das oder die Suspendierung.«

Rebus deutete mit dem Daumen zum Fenster. »Den da draußen?« Der Fahrer rauchte in aller Ruhe eine Zigarette in der Sonne.

»Jemanden, der Sie besser kennt.«

Rebus wusste die Antwort eine Sekunde bevor Ancram weitersprach.

»Jack Morton.«

Er wartete draußen vor Rebus' Haus. Wasser rann vom Bordstein, wo die Nachbarn ihre Autos wuschen. Jack hatte bei heruntergekurbelten Fenstern in seinem Wagen gesessen, die Zeitung mit der Kreuzworträtselseite auf den Knien. Jetzt stand er mit verschränkten Armen draußen und hielt den Kopf schräg ins Sonnenlicht. Er trug ein kurzärmliges Hemd und ausgeblichene Jeans, dazu recht neu aussehende Turnschuhe.

»Tut mir Leid, Ihnen das Wochenende zu versauen«, sagte Rebus, als er aus Ancrams Auto ausgestiegen war.

»Nicht vergessen!«, rief Ancram Jack zu. »Lassen Sie ihn nicht aus den Augen. Wenn er kacken geht, will ich, dass Sie durchs Schlüsselloch schauen. Wenn er sagt, er bringt den Müll raus, will ich, dass Sie in einer der Tüten sitzen. Kapiert?«

»Ja, Sir«, antwortete Jack.

Der Polizeifahrer wollte von Rebus wissen, wo er den Saab parken sollte. Rebus zeigte auf die Halteverbotszone am Ende der Straße. An seiner Windschutzscheibe prangte noch immer das Pappschild POLIZEI GRAMPIAN IM EINSATZ. Rebus hatte es nicht eilig, das Ding zu entfernen. Ancram stieg aus und öffnete die hintere Tür. Sein Fahrer händigte Rebus die Schlüssel des Saab aus und holte seinen Koffer aus dem Wagen; dann setzte er sich in das Auto seines Chefs und stellte Sitz und Rückspiegel ein. Rebus und Jack sahen zu, wie Ancram davonchauffiert wurde.

»So«, sagte Rebus, »Sie sind also neuerdings in der Schnapskirche?«

Jack rümpfte die Nase. »Vom Christengesülze kann man halten, was man will, aber die haben mir geholfen, vom Stoff wegzukommen.«

»Toll.«

»Wie kommt's, dass ich nie weiß, wann Sie's ernst meinen?«

»Jahrelange Übung.«

»Hübschen Urlaub gehabt?«

»›Hübsch‹ ist die Untertreibung des Jahrhunderts.«

»Wie ich sehe, haben Sie eine Macke abbekommen.«

Rebus fasste sich an die Schläfe. Die Schwellung ging allmählich zurück. »Manche Leute reagieren ungehalten, wenn man ihnen den Liegestuhl vor der Nase wegschnappt.«

Sie stiegen die Treppe hinauf, Jack ein paar Stufen hinter Rebus.

»Haben Sie wirklich vor, mich nicht aus den Augen zu lassen?«

»So will es der Chef.«

»Und was er will, das kriegt er auch?«

»Wenn ich weiß, was gut für mich ist. Ich hab viele Jahre gebraucht, um zu der Erkenntnis zu gelangen, dass ich *will*, was für mich gut ist.«

»Also sprach der Philosoph.« Rebus steckte den Schlüssel ins Schloss, öffnete die Tür. In der Diele lag Post auf dem Teppich. »Ihnen ist doch klar, dass das wahrscheinlich gegen ein paar Dutzend Gesetze verstößt. Ich meine, Sie können mir nicht einfach überall nachlaufen, wenn ich das nicht will.«

»Dann gehen Sie damit zum Gerichtshof für Menschenrechte.« Jack folgte Rebus ins Wohnzimmer. Der Koffer blieb in der Diele stehen.

»Wie wär's mit einem Drink?«, fragte Rebus.

»Ha, ha.«

Rebus zuckte die Schultern, fand ein sauberes Glas und schenkte sich etwas von Kayleigh Burgess' Whiskey ein. Das Zeug ging runter wie Öl. Rebus atmete geräuschvoll aus. »Aber es fehlt Ihnen doch bestimmt, oder?«

»Vierundzwanzig Stunden am Tag«, gestand Jack und ließ sich aufs Sofa fallen.

Rebus goss sich noch einen ein. »Würd mir auch so gehen.«

»Das ist schon die halbe Miete.«

»Was?«

»Zugeben, dass man ohne das Zeug ein Problem hätte.«

»Das hab ich nicht gesagt.«

Jack zuckte die Schultern, stand wieder auf. »Darf ich telefonieren?«

»Fühlen Sie sich ganz wie zu Haus.«

Jack ging zum Telefon. »Sie scheinen ein paar Nachrichten bekommen zu haben. Wollen Sie die abhören?«

»Sind bestimmt alle von Ancram.«

Jack nahm den Hörer ab, tippte sieben Ziffern. »Ich bin's«, sagte er schließlich. »Wir sind jetzt da.« Dann legte er wieder auf.

Rebus sah ihn über den Rand des Glases an.

»Ein Team ist unterwegs«, erklärte Jack. »Um die Wohnung zu durchsuchen. Chick hatte gemeint, er würd's Ihnen sagen.«

»Hat er auch. Ohne Durchsuchungsbefehl, vermute ich?«

»Wenn Sie einen wollen, besorgen wir einen. Aber an Ihrer Stelle würde ich mich einfach zurücklehnen und die Leute machen lassen – kurz und schmerzlos. Außerdem…

sollte je etwas vor Gericht kommen, könnten Sie der Anklage wegen des Formfehlers einen Strich durch die Rechnung machen.«

Rebus lächelte. »Stehen Sie auf meiner Seite, Jack?« Jack nahm wieder Platz, sagte aber nichts. »Sie haben Ancram von meinem Anruf erzählt, stimmt's?«

Jack schüttelte den Kopf. »Ich hab die Klappe gehalten, obwohl es vielleicht falsch war.« Er beugte sich vor. »Chick weiß, dass wir alte Bekannte sind, Sie und ich, deswegen bin ich jetzt hier.«

»Kapier ich nicht.«

»Es ist ein Treuetest, er stellt meine Loyalität auf die Probe, legt die Vergangenheit – unsere gemeinsame Vergangenheit – gegen *meine* Zukunft in die Waagschale.«

»Und, wie loyal sind Sie, Jack?«

»Sie sollten besser nicht versuchen, das herauszufinden.«

Rebus leerte sein Glas. »Das werden ein paar interessante Tage. Was passiert, wenn ich eine Braut aufreiße? Wollen Sie sich dann unter dem Bett verstecken, wie ein Pisspott oder ein Paar ausgelatschte Pantoffeln?«

»John, jetzt werden Sie nicht –«

Aber Rebus war aufgesprungen. »Das ist mein Zuhause, Herrgott! Der einzige Ort, an dem ich mich vor der ganzen Scheiße da draußen verstecken kann. Soll ich hier einfach so rumsitzen und es über mich ergehen lassen? Während Sie Wache schieben und die Spurensicherung rumschnüffelt wie ein Rudel Straßenköter an einem Laternenmast – soll ich da nur rumsitzen und euch machen lassen?«

»Ja.«

»Scheiß drauf, Jack, und scheiß auf *Sie*.« Es klingelte an der Tür. »Sie machen auf«, befahl Rebus. »Das sind Ihre Hunde.«

Mit beleidigter Miene verließ Jack den Raum. Rebus marschierte in die Diele, schnappte sich seinen Koffer und ging damit ins Schlafzimmer. Er warf den Koffer aufs Bett und öffnete ihn. Wer immer gepackt hatte, hatte wahllos Sauberes und Schmutziges hineingestopft. Er würde alles in den Waschsalon schleppen müssen. Er holte seinen Kulturbeutel heraus. Darunter lag ein zusammengefalteter Zettel, der ihm mitteilte, »bestimmte Kleidungsstücke« seien von der Polizei von Grampian »zwecks forensischer Untersuchung« zurückbehalten worden. Rebus sah nach: Es fehlten die grasfleckige Hose und das zerrissene Hemd von der Nacht, in der er überfallen worden war. Grogan ließ sie analysieren, nur für den Fall, dass Rebus Vanessa Holden *doch* getötet haben sollte. Scheiß auf ihn, scheiß auf die ganze Bagage. Scheiß auf die gottverdammte beschissene Bande. Rebus schmiss den offenen Koffer quer durchs Zimmer, gerade als Jack in der Tür erschien.

»John, sie meinen, es wird nicht lange dauern.«

»Sagen Sie ihnen, sie können sich so viel Zeit lassen, wie sie wollen.«

»Und morgen Vormittag sind Blutuntersuchungen und eine Speichelprobe fällig.«

»Letzteres wird kein Problem sein. Da braucht Ancram sich lediglich vor mich hinzustellen.«

»Er hat um diesen Job nicht gebeten.«

»Verpissen Sie sich, Jack.«

»Ich wollte, ich könnt's.«

Rebus drängte sich an ihm vorbei in die Diele. Er warf einen Blick ins Wohnzimmer. Da waren mehrere Männer, von denen er einige kannte, zugange. Alle in weißen Overalls und Gummihandschuhen. Sie hoben die Kissen von seinem Sofa, blätterten seine Bücher durch. Verständlich, dass Ancram sich hiesiger Leute bediente. Es war einfacher, als eine Lieferung von der Westküste anzufordern. Der eine, der vor dem Eckschrank kauerte, stand auf, drehte sich um. Ihre Blicke begegneten sich.

»*Et tu*, Siobhan?«

»Tag, Sir«, sagte Siobhan Clarke mit hochroten Ohren. Das reichte. Rebus schnappte sich sein Jackett und stürmte aus der Tür.

»John?«, rief ihm Jack Morton nach.

»Fangen Sie mich, wenn Sie können«, erwiderte Rebus. Jack brauchte keine halbe Treppe, um genau das zu tun.

»Wo gehen wir hin?«

»In einen Pub«, antwortete Rebus. »Wir nehmen mein Auto. Sie trinken ja nicht, da können Sie mich anschließend heimfahren. So bleiben Recht und Ordnung gewahrt.« Rebus zog die Haustür auf. »Jetzt wollen wir mal sehen, wie viel Ihre Schnapskirche tatsächlich taugt.«

Draußen kollidierte Rebus um ein Haar mit einem groß gewachsenen Mann mit grau gesträhnten schwarzen Locken. Er sah das Mikrofon, hörte den Mann eine Frage runterhaspeln. Eamonn Breen. Rebus senkte den Kopf gerade tief genug, um Breen am Nasenrücken zu erwischen: kein richtiger »Glasgower Kuss«, nur ein kleiner Nasenstüber, damit Rebus freie Bahn bekam.

»Scheißkerl!«, fauchte Breen, während er das Mikro fallen ließ und sich beide Hände vor die Nase hielt. »Hast du sie nicht mehr alle?«

Rebus blickte zurück, sah Blut zwischen Breens Fingern durchsickern, sah den Kameramann nicken, sah Kayleigh Burgess, die, einen Stift im Mund, etwas abseits stand und ihn mit einem halben Lächeln musterte.

»Sie glaubte wahrscheinlich, es wäre Ihnen lieber, auch ein bekanntes Gesicht um sich zu haben«, erklärte Jack Morton.

Sie standen in der Oxford Bar, und Rebus hatte ihm gerade von Siobhan erzählt.

»*Mir* wäre es das unter den gegebenen Umständen bestimmt.« Jack hatte ein Glas mit frisch gepresstem Orangen-

und Zitronensaft vor sich stehen, das zur Hälfte leer war. Als er das Glas neigte, klirrten darin Eiswürfel. Rebus war bei seinem zweiten Pint Belhaven Best angelangt und glitt im fünften Gang dahin: glatt und ruhig. Sonntagabend im Ox; der Laden erst seit zwanzig Minuten geöffnet und entsprechend ruhig. Drei Stammgäste standen neben ihnen am Tresen, den Blick auf den Fernseher gerichtet, in dem irgendeine Quizsendung lief. Die Frisur des Quizmasters sah aus wie eine barocke Buchskugel und die Zähne wie von einem Steinway transplantiert. Seine Aufgabe bestand darin, eine Karte bis knapp unter Gesichtshöhe hochzuhalten, die Frage abzulesen, in die Kamera zu starren und sie dann mit einer Miene zu wiederholen, als ob von der Antwort die nukleare Abrüstung abhinge.

»Also, Barry«, fragte er, »für zweihundert Punkte: Wo würde man bei Shakespeare Ariel antreffen?«

»In der Waschküche«, sagte der erste Stammgast.

»Im *Sturm*«, sagte der zweite.

»Tschüs, Barry«, sagte der dritte und machte winke, winke zum Fernseher, wo Barry sichtlich in der Patsche saß. Ein Summer ertönte. Der Quizmaster gab die Frage an die zwei anderen Kandidaten weiter.

»Nein?«, fragte er. »Keiner weiß es?« Er schien überrascht zu sein, musste die Antwort aber selbst von der Karte ablesen. »Im *Sturm*«, sagte er, die Augen auf das glücklose Trio gerichtet, wiederholte es dann noch einmal, damit sie es sich für das nächste Mal einprägten. Eine andere Karte. »Jasmine, für hundertfünfzig Punkte: In welchem amerikanischen Bundesstaat liegt die Stadt Akron?«

»Ohio«, sagte der zweite Stammgast.

»Ist das nicht einer aus *Star Trek*?«, fragte der Erste.

»Tschüs, Jasmine«, sagte der dritte.

»Also«, wollte Jack wissen, »reden wir miteinander?«

»Man muss schon mehr tun, als in meinen vier Wänden

eine Razzia veranstalten, meine Klamotten konfiszieren und mich des mehrfachen Mordes verdächtigen, damit *ich* einschnappe. Klar reden wir miteinander.«

»Na dann ist ja alles in Ordnung.«

Rebus grunzte in sein Glas, musste sich anschließend Schaum von der Nase wischen. »Ich kann Ihnen gar nicht sagen, was für ein Hochgenuss es war, diesem Wichser eins auf den Rüssel zu geben.«

»Ihm war es wahrscheinlich ein Hochgenuss, dass die Kamera dabei lief.«

Rebus zuckte die Achseln, zog Zigaretten und Feuerzeug aus der Tasche.

»Na dann los«, sagte Jack, »geben Sie mir eine.«

»Sie haben's aufgegeben, wissen Sie noch?«

»Klar, aber es gibt keine AA für Raucher. Kommen Sie schon.«

Aber Rebus schüttelte den Kopf. »Ich weiß die Geste zu würdigen, Jack, aber Sie haben Recht.«

»Womit?«

»Dass Sie an Ihre Zukunft denken. Sie haben absolut Recht. Also knicken Sie nicht ein, bleiben Sie hart. Kein Alkohol, keine Kippen, und erzählen Sie Chick Ancram brav alles, was ich tue.«

Jack sah ihn an. »Meinen Sie das im Ernst?«

»Jedes Wort.« Rebus leerte sein Glas. »Außer der Passage mit Ancram natürlich.«

Dann bestellte er eine weitere Runde.

»Die Antwort lautet Ohio«, sagte der Quizmaster, was keinen in der Bar weiter überraschte.

»Ich fürchte«, begann Jack ein Weilchen später, mittlerweile mit seinem zweiten Glas Saft zur Hälfte fertig, »uns steht die erste Vertrauenskrise bevor.«

»Sie müssen pissen?« Jack nickte. »Vergessen Sie's«, sagte Rebus, »ich geh da nicht mit Ihnen rein.«

»Geben Sie mir Ihr Wort, dass Sie sich nicht von der Stelle rühren.«

»Wo sollte ich schon hin?«

»John...«

»Okay, okay. Würde ich Sie je in Schwierigkeiten bringen, Jack?«

»Ich weiß nicht. Würden Sie?«

Rebus zwinkerte ihm zu. »Ab in den Lokus, und finden Sie's selbst heraus.«

Jack harrte so lange aus, wie er konnte, dann ergriff er die Flucht. Rebus stützte die Ellbogen auf den Tresen und rauchte eine Zigarette. Er fragte sich, was Jack wohl getan hätte, wenn er jetzt abgehauen wäre: Würde er Ancram Meldung machen oder die Sache für sich behalten? Würde er sich überhaupt einen Gefallen tun, wenn er sie meldete? Schließlich würde ihn das in ein ungünstiges Licht setzen, und das wäre ihm bestimmt nicht recht. Also würde er vielleicht den Mund halten. Rebus könnte tun, was ihm passte, ohne dass Ancram etwas davon erfuhr.

Nur dass Ancram es doch erfahren würde. Der Mann war nicht auf Jack Morton angewiesen. Nichtsdestoweniger fand er es eine interessante Frage: eine Glaubensfrage, genau das Richtige für einen Sonntagabend. Vielleicht würde Rebus Jack später zu Pater Conor Leary schleppen. Jack war früher ein richtiger Puritaner gewesen, ein Katholenfresser; möglicherweise war er's noch. Ein Drink mit einem katholischen Geistlichen würde ihm wahrscheinlich den Rest geben. Rebus drehte sich um und sah Jack sichtlich erleichtert – in jeder Hinsicht – die Treppe herunterkommen.

Armes Schwein, dachte Rebus. Ancram behandelte ihn unfair. Man sah die Stressfalten um Jacks Mund. Plötzlich fühlte Rebus sich müde. Er war seit sechs auf den Beinen und seitdem ununterbrochen durch die Mangel gedreht worden. Er leerte sein Glas und nickte in Richtung Tür. Jack schien froh zu sein, das Lokal verlassen zu können.

Draußen fragte ihn Rebus: »Wie viel hat eben gefehlt?«

»Zu was?«

»Dass Sie sich einen *richtigen* Drink bestellen.«

»So gut wie nichts.«

Rebus lehnte sich an das Dach des Autos, während er darauf wartete, dass Jack aufschloss. »Tut mir Leid, dass ich Ihnen das angetan habe«, sagte er leise.

»Was?«

»Sie hierher gebracht.«

»Ich sollte die Willenskraft aufbringen, in ein Pub zu gehen, ohne was zu trinken.«

Rebus nickte. »Danke«, sagte er.

Er lächelte in sich hinein. Mit Jack würde es klargehen. Der würde ihn nicht verpfeifen. Der Mann hatte schon so zu viel Selbstachtung verloren.

»Es gäbe ein Gästezimmer«, meinte Rebus, während er einstieg, »aber keine Laken und so. Wenn's Ihnen recht ist, richten wir das Sofa her.«

»Kein Problem«, erwiderte Jack.

Kein Problem für Jack, wohl aber für Rebus. Denn das bedeutete, dass er in seinem Bett würde schlafen müssen. Schluss mit den Nächten im Sessel am Fenster, halb angezogen unter der Steppdecke. Schluss mit den Stones um zwei Uhr nachts. Er wusste, dass er etwas unternehmen musste, die Situation – so oder so – so rasch wie möglich zu beenden.

Und gleich morgen damit anfangen.

Als sie vom Ox losfuhren, entschied sich Rebus zu einem Umweg und dirigierte Jack nach Leith, ließ ihn dort eine Weile herumfahren und deutete schließlich auf einen dunklen Ladeneingang.

»Das war ihr Stammplatz«, sagte er.

»Wessen Stammplatz?« Jack brachte den Wagen zum Stehen. Die Straße war wie ausgestorben, die Mädchen gingen anderweitig ihren Geschäften nach.

»Angie Riddells. Ich kannte sie, Jack. Ich meine, ich hatte sie ein paarmal getroffen. Das erste Mal war's dienstlich, da habe ich sie aufgegriffen. Aber dann bin ich extra hier rausgefahren, um sie zu sehen.« Er warf Jack einen Blick zu, erwartete eine scherzhafte Bemerkung, aber Jacks Miene blieb ernst. Er hörte ihm zu. »Wir setzten uns zusammen und redeten. Und dann erfahre ich, dass sie tot ist. Wenn man jemanden kennt, ist es was anderes. Man erinnert sich an die Augen. Ich meine nicht an die Farbe oder sonst was, ich meine an all die Dinge, die einem die Augen über den Menschen verraten hatten.« Er schwieg kurz. »Wer immer sie getötet hat, kann ihr nicht in die Augen gesehen haben.«

»John, wir sind keine Seelsorger. Ich meine, das ist ein Job, oder? Man muss auch in der Lage sein, gelegentlich abzuschalten.«

»Halten Sie das so, Jack? Sobald die Schicht rum ist, ab nach Hause, und plötzlich ist alles okay? Egal, was Sie da draußen gesehen haben – eine feste Burg ist mein Zuhaus?«

Jack zuckte die Achseln, rieb mit den Händen über das Lenkrad. »Das ist nicht mein Leben, John.«

»Erfreulich für Sie, Kumpel.« Er richtete den Blick erneut auf den Eingang in der Hoffnung, dort irgendetwas von ihr zu sehen, die Spur eines Schattens, etwas, das sie zurückgelassen haben mochte. Aber er sah nur Dunkelheit.

»Fahren Sie mich heim«, sagte er zu Jack und drückte sich mit den Daumen die Augen zu.

Das Fairmont-Hotel lag im Glasgower Westend, in der Nähe der Ausfallstraßen. Von außen war es ein unauffälliger Betonklotz, innen eine typische Herberge fürs mittlere Management, das sein Hauptgeschäft unter der Woche machte. Bible John buchte nur für die Nacht auf den Montag.

Die Nachricht über das jüngste Opfer des Parvenüs war am Sonntagmorgen bekannt geworden – zu spät, als dass die seriöse Presse noch darüber hätte berichten können. So hatte er sich stattdessen in seinem Zimmer die stündlichen Radionachrichten von einem halben Dutzend Sendern angehört, an Fernsehnachrichten angesehen, was er hereinbekam, und zwischendurch Notizen gemacht. Der Teletext brachte nur ganz kurze Meldungen. Mehr, als dass das Opfer, eine verheiratete Frau Ende zwanzig, in der Nähe des Hafens von Aberdeen aufgefunden worden war, wusste er bislang nicht.

Wieder Aberdeen. Es passte alles zusammen. Gleichzeitig durchbrach der Parvenü – falls er es war – damit sein Muster: sein erstes verheiratetes Opfer und vielleicht sein ältestes. Was darauf hindeuten konnte, dass er diesem Muster von vornherein nicht gefolgt war. Damit wurde nicht unbedingt die Existenz eines Musters an sich ausgeschlossen; es bedeutete lediglich, dass sich dieses Muster erst noch abzeichnen musste.

Und genau darauf baute Bible John.

Als Erstes öffnete er in seinem Laptop die PARVENÜ-Datei und las die Notizen über das dritte Opfer durch. Judith Cairns, im Freundeskreis Ju-Ju genannt. Einundzwanzig Jahre alt, hatte zur Miete in Hillhead gewohnt, direkt hinter dem Kelvingrove Park; Hillhead konnte er fast von seinem Fenster aus sehen. Judith Cairns war zwar arbeitslos gemeldet, hatte aber schwarz gejobbt: mittags als Bedienung in einer Bar, abends in einem Fish-and-Chips-Laden und an den Wochenenden vormittags als Zimmermädchen im Fairmont-Hotel. Wo der Parvenü, wie Bible John vermutete, sie auch kennen gelernt hatte. Wer von Berufs wegen viel unterwegs war, übernachtete in Hotels. Davon wusste er ja ein

Lied zu singen. Er fragte sich, wie sehr er dem Parvenü ähneln mochte – nicht physisch, sondern geistig. Er wollte sich diesem dreisten Eindringling, diesem Usurpator, in nichts verwandt fühlen. Er wollte einmalig sein.

Er lief unruhig im Zimmer auf und ab, konnte es nicht erwarten, wieder nach Aberdeen zu fahren, wo die jüngsten Ermittlungen gerade in Gang kamen. Aber er hatte hier in Glasgow noch etwas zu tun, etwas, das er erst in der Nacht würde erledigen können. Er starrte aus dem Fenster und stellte sich Judith Cairns vor, wie sie den Kelvingrove Park durchquerte: Sie musste das x-mal getan haben. Und einmal tat sie es mit dem Parvenü. Das eine Mal hatte genügt.

Im Lauf des Nachmittags und Abends gelangten weitere Einzelheiten über das jüngste Opfer an die Öffentlichkeit. Jetzt war von einer »erfolgreichen siebenundzwanzigjährigen Firmenchefin« die Rede. In Bible Johns Kopf gellte das Wort *Geschäftsmann*. Kein Fernfahrer oder etwas in der Richtung; ein einfacher Geschäftsmann. Der Parvenü. Er setzte sich an seinen Laptop und ging zu seinen Aufzeichnungen über das erste Opfer zurück, das Mädchen, das an der Robert Gordon's University Geologie studiert hatte. Er musste mehr über sie herausfinden, aber er wusste beim besten Willen nicht, wie er das anstellen sollte. Und jetzt war da noch ein viertes Opfer, das ihn beschäftigte. Vielleicht würde die Analyse von Nummer vier dazu führen, dass sich die Nummer eins für die Vollendung des Bildes als überflüssig erwies. Die heutige Nacht konnte ihm den Weg weisen.

Er machte einen Spaziergang. Die Nachtluft war angenehm mild, und es herrschte nicht viel Verkehr. Glasgow war gar keine so knallharte Stadt. Er hatte in den Staaten Orte kennen gelernt, denen sie in puncto Brutalität nicht das Wasser reichen konnte. Er erinnerte sich an die Stadt seiner Jugend, an Geschichten von Rasiermessergangs und organisierten Boxkämpfen mit bloßen Fäusten. Glasgow hatte eine gewalttätige Vergangenheit, aber das war nur eine Seite der Medaille. Es konnte auch eine sehr schöne Stadt sein, eine Stadt für Fotografen und Künstler. Ein Ort für Liebende …

Ich wollte sie nicht töten. Er hätte dies Glasgow gerne gesagt, aber natürlich wäre es eine Lüge gewesen. In dem Moment … im letzten Moment … hatte er nichts anderes als ihren Tod gewollt. Er hatte Interviews mit Mördern gelesen, hatte auch ein paarmal Gerichtsverhandlungen beigewohnt in der Hoffnung, dass ihm jemand seine Empfindungen erklären könnte. Niemand hatte es auch nur entfernt geschafft. Es ließ sich weder erklären noch verstehen.

Viele hatten vor allem seine Wahl des dritten Opfers nicht verstanden. Er hätte ihnen sagen können, dass es *vorherbestimmt* war. Die Zeugin im Taxi hatte keine Rolle gespielt. Nichts hatte eine Rolle gespielt, alles war von einer höheren Macht vorbestimmt gewesen.

Oder einer niederen.

Oder lediglich von einem Zusammenwirken bestimmter chemischer Substanzen in seinem Gehirn, von einer genetischen Fehlschaltung.

Und danach hatte ihm sein Onkel den Job in den Staaten angeboten, so dass es ihm möglich gewesen war, Glasgow zu verlassen. Das ganze Leben hinter sich zu lassen und sich ein neues aufzubauen, eine neue Identität … als ob die Ehe und eine berufliche Laufbahn je das hätten ersetzen können, was er hinter sich gelassen hatte …

Er besorgte sich an einer Straßenecke die Morgenausgabe des *Herald* und kehrte in einer Bar ein, um sie dort zu lesen. Er setzte sich in eine Ecke und trank Orangensaft. Niemand schenkte ihm Beachtung. Es gab weitere Einzelheiten über das jüngste Opfer des Parvenüs. Sie hatte in der Unternehmenspräsentation gearbeitet, was bedeutete, Leistungspakete für die Industrie zusammenzustellen: Videos, Displays, Reden, Messestände ... Er sah sich das Foto noch einmal aufmerksam an. Sie hatte in Aberdeen gearbeitet, und dort gab es eigentlich nur *eine* Industrie. Erdöl. Sie kam ihm nicht bekannt vor, er konnte beschwören, dass er ihr noch niemals begegnet war. Trotzdem fragte er sich, warum der Parvenü gerade *sie* ausgewählt hatte: Konnte es sein, dass er Bible John damit eine Botschaft übermitteln wollte? Unmöglich: Dazu hätte er wissen müssen, wer Bible John war. Und das wusste niemand. Niemand.

Es war Mitternacht, als er zum Hotel zurückkehrte. Die Rezeption war nicht besetzt. Er ging hinauf in sein Zimmer, stellte den Wecker auf halb drei und döste ein paar Stunden. Dann stieg er die läuferbelegte Treppe hinunter zur Rezeption, die noch immer verlassen dalag. Er brauchte dreißig Sekunden, um ins Büro einzubrechen. Dann schloss er die Tür hinter sich und setzte sich im Dunkeln an den Computer. Er war eingeschaltet. Er bewegte die Maus, um den Bildschirmschoner zu deaktivieren, und machte sich an die Arbeit. Er ging die sechs Wochen vor dem Tag von Judith Cairns Ermordung durch, überprüfte Zimmerreservierungen und Zahlungsmodi. Er suchte nach Kreditkonten von Firmen mit Sitz in oder in der Nähe von Aberdeen. Sein Gefühl sagte ihm, dass der Parvenü nicht in diesem Hotel abgestiegen war, um ein Opfer zu suchen, sondern sich geschäftlich hier aufhielt und der Frau zufällig begegnete. Er suchte nach dem unsichtbaren Muster, wartete darauf, dass er zum Vorschein käme.

Eine Viertelstunde später besaß er eine Liste von zwanzig Firmen und den jeweiligen Personen, die mit einer Firmenkreditkarte bezahlt hatten. Vorerst war das alles, was er brauchte – blieb allerdings ein Dilemma: die Dateien aus dem Rechner löschen oder sie stehen lassen? Wenn er die Informationen löschte, war seine Chance groß, die Polizei

bei der Jagd auf den Parvenü zu schlagen. Trotzdem, irgendjemand vom Hotel würde es merken und neugierig werden,
möglicherweise die Polizei benachrichtigen. Wahrscheinlich
gab es von den Dateien auch Sicherungskopien auf Disket-
te. Auf diese Weise würde er der Polizei sogar eher helfen, sie
auf seine Anwesenheit aufmerksam machen ... Nein, besser
die Finger davon lassen. Nie mehr tun als unbedingt nötig.
Mit der Maxime war er auch in der Vergangenheit immer
gut gefahren.

Wieder in seinem Zimmer, studierte er die Liste. Es würde
leicht sein herauszufinden, wo jede Firma ihren Sitz hatte,
womit sie sich beschäftigte – Arbeit für später. Am nächsten Tag hatte er einen Termin in Edinburgh und würde die
Gelegenheit dazu nutzen, etwas in Sachen John Rebus zu
unternehmen. Er sah noch ein letztes Mal im Teletext nach,
bevor er sich zur Ruhe begab. Nachdem er das Licht ausgeschaltet hatte, zog er die Vorhänge auf und legte sich ins
Bett. Am Himmel standen Sterne, ein paar davon so hell,
dass sie trotz der Straßenbeleuchtung sichtbar waren. Viele
von ihnen längst erloschen, behaupteten jedenfalls die As-
tronomen. Tot. Bei so viel toten Dingen überall – was würde
ein weiteres schon für einen Unterschied machen?

Gar keinen. Nicht den geringsten.

22

Nach Howdenhall fuhren sie mit Jacks Auto; Rebus saß im
Fond und titulierte Jack als seinen »Chauffeur«. Es war ein
metallic-schwarzer Peugeot 405 Turbo, drei Jahre alt; Rebus
pfiff auf den Nichtraucheraufkleber und steckte sich eine
Zigarette an, ließ aber sein Fenster offen. Jack sagte nichts,
sah nicht einmal in den Rückspiegel. Rebus hatte im Bett
nicht gut geschlafen; Schweißausbrüche, ein Gefühl, wie in

der Zwangsjacke zu stecken. Verfolgungsträume, die ihn einmal die Stunde aus dem Schlaf rissen und aus dem Bett jagten, so dass er nackt und zitternd mitten im Zimmer zu sich kam.

Jack seinerseits hatte als Allererstes über einen steifen Nacken geklagt. Sein zweiter Klagegrund: die Küche, die gähnende Leere im Kühlschrank und überhaupt. Er konnte nicht einkaufen gehen, nicht ohne Rebus, also waren sie sofort aufgebrochen.

»Ich bin am Verhungern«, jammerte er.

»Dann halten Sie irgendwo an, und wir essen was.«

Sie blieben bei einer Bäckerei in Liberton stehen: Würstchen im Schlafrock, zwei Becher Kaffee, ein paar Makronen. Die verspeisten sie im Auto, im absoluten Halteverbot an einer Bushaltestelle. Busse donnerten haarscharf an ihnen vorbei und legten ihnen nahe, schleunigst von diesem Ort zu verschwinden. Bei manchen stand auf der Rückseite: Bitte Vorfahrt gewähren.

»Die Busse stören mich nicht«, meinte Jack. »Es sind die Fahrer, gegen die ich was habe. Die Hälfte von denen scheint den Personenbeförderungslappen in der Tombola gewonnen zu haben.«

»Es sind nicht die Busse, die dieser Stadt die Atemluft rauben«, gab Rebus seinen Senf dazu.

»Sie sind ja heute Morgen richtig gut drauf.«

»Jack, halten Sie einfach die Klappe und fahren Sie.«

In Howdenhall standen sie schon bereit. Am Abend zuvor hatte die Spurensicherung alle seine Schuhe aus der Wohnung mitgenommen, so dass die Labortechniker die Möglichkeit hätten, Abdrücke zu nehmen und keinerlei Übereinstimmungen mit den an den Schauplätzen der Johnny-Bible-Morde gesicherten Spuren festzustellen. Jetzt musste Rebus als Erstes seine Schuhe auszuziehen. Man gab ihm dafür Plastiküberschuhe. Seine eigenen, so teilte man ihm mit, würde er zurückbekommen, wenn er ging. Die Überschuhe waren zu groß und schlenkerten an den Füßen, so dass er die Zehen gegen die Sohle stemmen musste, um sie nicht zu verlieren.

Man entschied sich gegen einen Speicheltest – es war der am wenigsten verlässliche – und rupfte ihm stattdessen Haare vom Kopf.

»Könnten Sie mir die, wenn Sie damit fertig sind, an den Schläfen implantieren?«

Die Frau mit der Pinzette lächelte und tat ihren Job. Sie erklärte, dass sie die Wurzeln brauchte – die PCR-Analyse funktioniere nicht mit ausgefallenen Haaren. Es gebe zwar auch für die einen Test, aber ...

»Aber?«

Sie antwortete nicht, doch Rebus wusste, was sie gemeint hatte: Aber das war bei ihm alles sowieso nur Beschäftigungstherapie. Weder Ancram noch sonst jemand erwartete, dass die kostspieligen Tests irgendwelche positiven Ergebnisse zeitigen würden. Das einzige Resultat würde ein genervter, verunsicherter Rebus sein – und das war der eigentliche Zweck der Übung. Die Kriminaltechniker wussten das, Rebus wusste das.

Als Nächstes eine Blutprobe – auf einen richterlichen Beschluss war verzichtet worden – und Fingerabdrücke; außerdem wollten sie ein paar Fäden und Gewebefasern aus seiner Kleidung. Ich komme in den Computer, dachte Rebus. Obwohl ich nichts verbrochen habe, werde ich in den Augen der Nachwelt ein Verdächtiger sein. Jeder, der in zwanzig Jahren die Akten liest, wird feststellen, dass ein Polizist vernommen wurde und Proben abgenommen bekam ... Es war ein grauenhaftes Gefühl. Und hatten sie erst einmal seine DNS ... tja, damit war er aktenkundig. Das schottische DNS-Archiv befand sich gerade im Aufbau. Allmählich wünschte sich Rebus, er hätte doch auf einem richterlichen Beschluss bestanden.

Bei jeder Probeentnahme stand Jack Morton herum und sah in eine andere Richtung. Zum Schluss erhielt Rebus seine Schuhe zurück. Er hatte das Gefühl, als starrten ihn die Kriminaltechniker an; vielleicht taten sie es ja wirklich. Pete Hewitt schaute vorbei – er war bei der Abnahme der Fingerabdrücke nicht dabei gewesen – und witzelte was von Greifern, die auch mal begriffen, wie das sei… Jack packte Rebus am Arm, ehe er zuschlagen konnte. Hewitt war in Rekordgeschwindigkeit verschwunden.

»Wir müssen nach Fettes«, erinnerte Jack Rebus.

»Von mir aus können wir.«

»Vielleicht sollten wir unterwegs noch irgendwo einen Kaffee trinken«, meinte Jack.

Rebus lächelte. »Haben Sie Angst, ich könnte Ancram eine langen?«

»Falls ja, denken Sie daran, dass er Rechtsausleger ist.«

»Inspector, haben Sie irgendwelche Einwände dagegen, dass dieses Gespräch aufgezeichnet wird?«

»Was geschieht mit der Aufnahme?«

»Sie wird mit Datum und Uhrzeit versehen, und es werden Kopien angefertigt: eine für Sie. Abschriften dito.«

»Keine Einwände.«

Ancram nickte Jack Morton zu, der daraufhin das Gerät einschaltete. Sie befanden sich in einem engen Zimmer im dritten Stock von Fettes, das so aussah, als hätte man es eben erst hastig und widerwillig geräumt. Neben dem Schreibtisch stand ein Papierkorb und wartete darauf, geleert zu werden. Der Fußboden war mit Büroklammern übersät. An den Wänden sah man, wo Bilder mitsamt Tesastreifen und Tapetenfetzen heruntergerissen worden waren. Ancram saß am zerkratzten Schreibtisch, die Ermittlungsnotizen zum Spaven-Fall neben sich gestapelt. Er trug einen dunkelblauen Nadelstreifenanzug mit blassblauem Hemd und Schlips und machte den Eindruck, als käme er direkt vom Friseur. Vor ihm auf dem Schreibtisch lagen zwei Stifte – ein gelber Bic-Feinschreiber und ein kostspielig aussehender Lack-Kugelschreiber. Seine tadellos manikürten Nägel trommelten auf einen sauberen A4-Schreibblock. Rechts neben dem Block lag eine getippte Liste von Notizen, Fragen und anzuschneidenden Themen.

»Also, Herr Doktor«, sagte Rebus, »wie stehen meine Chancen?«

Ancram lächelte nur. Als er sprach, war es lediglich für das Aufnahmegerät.

»DCI Charles Ancram, CID Strathclyde. Es ist…«, er sah auf eine flache Armbanduhr, »…zehn Uhr fünfundvierzig, Montag, den vierundzwanzigsten Juni. Erstes Vorgespräch mit Detective Inspector John Rebus, Polizei von Lothian und Borders. Dieses Gespräch findet in Raum C fünfundzwanzig der Zentrale der Lothian Police statt, Fettes Avenue, Edinburgh. Gleichfalls anwesend ist…«

»Sie haben die Postleitzahl vergessen«, warf Rebus ein und verschränkte die Arme.

»Das war die Stimme von DI Rebus. Gleichfalls anwesend sind DI Jack Morton, CID Falkirk, zurzeit der Polizei von Strathclyde, Glasgow, zugeteilt.«

Ancram warf einen Blick auf seine Notizen, nahm den Bic in die Hand und überflog die ersten paar Zeilen. Dann führte er einen Plastikbecher mit Wasser an die Lippen und trank, während er Rebus über den Rand hinweg musterte.

»Also, wenn Sie soweit sind…«, sagte Rebus.

Ancram war soweit. Jack saß am Tisch, auf dem sich der Rekorder befand. An dem Gerät waren zwei Mikrofone angeschlossen, die, eines auf Ancram, eines auf Rebus gerichtet, auf dem Schreibtisch standen. Von seinem Platz aus konnte Rebus Jack nicht sehen. Er und Ancram waren unter sich: zwei Schachspieler vor dem aufgebauten Brett.

»Inspector«, begann Ancram, »Sie wissen, warum Sie hier sind?«

»Ja, Sir. Ich bin hier, weil ich mich geweigert habe, eine Untersuchung über mögliche Zusammenhänge zwischen dem Glasgower Gangster Joseph Toal, dem Aberdeener Drogenmarkt und dem Mord an einem Erdölarbeiter in Edinburgh aufzugeben.«

Ancram blätterte mit gelangweilter Miene die Ermittlungsnotizen durch.

»Inspector, ist Ihnen bekannt, dass das Interesse an dem Leonard-Spaven-Fall wiedererwacht ist?«

»Mir ist bekannt, dass die Fernsehhaie seit einiger Zeit wieder ihre Kreise ziehen. Sie bilden sich ein, sie könnten Blut riechen.«

»Und, können sie?«

»Bloß eine undichte alte Flasche Ketchup, Sir.«

Ancram lächelte; davon würde die Bandaufzeichnung später nichts verraten.

»CI Ancram lächelt«, sagte Rebus für das Gerät.

»Inspector«, mit einem Blick auf seine Notizen, »was hat das Interesse der Medien geweckt?«

»Leonard Spavens Selbstmord, gepaart mit seiner grundsätzlichen Medienwirksamkeit.«

»Medienwirksamkeit?«

Rebus zuckte die Achseln. »Die Medien beziehen immer einen Ersatzkick von bekehrten Schlägern und Mördern, besonders wenn sie gewisse künstlerische Ambitionen an den Tag legen. Die Medien liebäugeln selbst oft gern mit der Kunst.«

Ancram schien mehr zu erwarten. Einen Moment lang schwiegen sie sich gegenseitig an. Bandrauschen; Verkehrsgeräusche. Auf dem Korridor nieste jemand. Keine Sonne heute: ein wellblecherner Himmel, der Regen verhieß; ein scharfer Wind von der Nordsee.

Ancram lehnte sich zurück. Seine Botschaft an Rebus: Ich brauche die Notizen nicht, ich *kenne* den Fall. »Wie haben Sie sich gefühlt, als Sie von Lawson Geddes' Selbstmord erfuhren?«

»Erbärmlich. Er war ein guter Polizist – und ein guter Freund.«

»Aber Sie hatten gewisse Differenzen?«

Rebus versuchte, seinem Blick standzuhalten; blinzelte schließlich doch als Erster. Gedanke: Durch die Summe solcher kleinen Niederlagen gehen Schlachten verloren.

»Hatten wir?« Alter Trick: eine Frage mit einer Gegenfrage beantworten. Ancrams Miene sagte ihm, dass es ein uralter Trick war.

»Meine Männer haben bei Beamten, die damals im aktiven Dienst waren, Erkundigungen eingezogen.« Ein flüchtiger Blick in Jacks Richtung, der Jack einbezog. Gute Taktik, Zweifel säen.

»Wir hatten ein paar kleinere Meinungsverschiedenheiten, wie alle anderen auch.«

»Aber Sie respektierten ihn weiterhin?«

»Sprechen Sie ruhig im Präsens.«

Ancram nahm dies mit einem Nicken zur Kenntnis. Fuhr über seine Notizen, als streichelte er den Arm einer Frau. Besitzergreifend, aber zugleich auch besänftigend, beschwichtigend.

»Sie haben also gut zusammengearbeitet?«

»Sehr gut. Was dagegen, wenn ich rauche?«

»Wir machen eine Pause um…«, ein Blick auf seine Uhr, »…elf Uhr fünfundvierzig. Faires Angebot?«

»Ich werd versuchen, bis dahin zu überleben.«

»Darin sind Sie Weltmeister, Inspector. Ihre Personalakte spricht für sich.«

»Dann reden Sie doch mit meiner Personalakte.«

Ein flüchtiges Lächeln. »Wann haben Sie herausgefunden, dass Lawson Geddes es auf Leonard Spaven abgesehen hatte?«

»Ich verstehe die Frage nicht.«

»Ich glaube doch.«

»Glauben heißt nicht wissen.«

»Wissen Sie, warum Geddes vom Bible-John-Fall abgezogen wurde?«

»Nein.« Das war die einzig gefährliche, die einzig wirklich gefährliche Frage: Sie konnte Rebus zum Verhängnis werden.

Weil er selbst die Antwort wissen wollte.

»Nicht? Er hat es Ihnen nie gesagt?«

»Nie.«

»Aber über Bible John hat er geredet?«

»Ja.«

»Wissen Sie, das ist alles ein bisschen vage...« Ancram griff in eine Schublade, legte zwei weitere aus den Nähten platzende Akten auf den Schreibtisch. »Hier habe ich Geddes' Personalakte und Berichte. Dazu einiges aus den Ermittlungen zum Bible-John-Fall, einzelne Dinge, an denen er beteiligt war. Offenbar war er davon besessen.« Ancram öffnete eine Akte, blätterte müßig darin herum, sah dann Rebus an. »Kommt Ihnen das bekannt vor?«

»Sie sagen, er war von Lenny Spaven besessen?«

»Ich *weiß*, dass er das war.« Ancram ließ das einen Augenblick einwirken, nickte dabei. »Ich weiß es aus Gesprächen mit damals aktiven Beamten, aber vor allem weiß ich es wegen Bible John.«

Der Dreckskerl hatte Rebus an der Angel. Und sie hatten erst vor zwanzig Minuten begonnen. Rebus schlug die Beine übereinander, bemühte sich, einen unbeteiligten Eindruck zu machen. Sein Gesicht war so angespannt, dass er befürchtete, man könnte die Muskeln unter der Haut erkennen.

»Geddes«, fuhr Ancram fort, »versuchte, Spaven in den Bible-John-Fall hineinzuziehen. Sicher, die Notizen sind unvollständig. Entweder sie wurden vernichtet oder gingen verloren, oder aber Geddes und sein Vorgesetzter haben damals nicht alles dokumentiert. Aber Geddes hatte es auf Spaven abgesehen, daran besteht kein Zweifel. In einer der Akten habe ich ein paar alte Fotos gefunden. Darauf ist Spaven zu sehen.« Ancram hielt die Fotos hoch. »Sie stammen aus dem Borneo-Feldzug. Geddes und Spaven dienten bei den Scots Guards. Meine Vermutung ist, dass dort irgendetwas passierte und Geddes von da an Spaven an den Kragen wollte. Wie klingt das bis jetzt?«

»Wie eine ganz nette Möglichkeit, die Zeit bis zur Zigarettenpause totzuschlagen. Kann ich diese Fotos sehen?«

Ancram zuckte die Achseln und reichte sie ihm. Rebus ging sie durch. Alte Schwarzweißabzüge mit gezacktem Rand, ein paar davon nicht größer als dreieinhalb mal fünf Zentimeter, der Rest zehn mal fünfzehn. Rebus erkannte Spaven sofort, das Raubtiergrinsen, das ihn schlagartig in die Vergangenheit zurückversetzte. Auf den Fotos war ein Geistlicher zu erkennen, Uniform und Priesterkragen. Weitere Männer in Positur, in sackweiten Shorts und Kniestrümpfen, die Gesichter schweißglänzend, den Blick fast ängstlich. Ein paar Gesichter waren unscharf; Rebus konnte in keinem von ihnen Lawson Geddes erkennen. Lauter Außenaufnahmen; im Hintergrund Bambushütten, einmal ragte die Schnauze eines alten Jeeps ins Bild. Er drehte sie um, las »Borneo, 1965« und ein paar Namen.

»Gehörten die Lawson Geddes?«, fragte Rebus, als er die Bilder zurückgab.

»Ich habe keine Ahnung. Die lagen bei dem ganzen Bible-John-Plunder.« Ancram legte sie in die Akte zurück, zählte sie dabei durch.

»Sind noch alle da«, war Rebus' Kommentar. Ein Stuhl

scharrte auf dem Fußboden: Jack Morton sah nach, ob die Kassette umgedreht werden musste.

»So«, sagte Ancram. »Wir haben Geddes und Spaven, die zusammen bei den Scots Guards dienten; wir haben Geddes, der im Zusammenhang mit dem Bible-John-Fall Jagd auf Spaven macht und von den Ermittlungen ausgeschlossen wird; dann spulen wir ein paar Jahre vor, und was haben wir da? Geddes, der weiterhin Jagd auf Spaven macht, aber diesmal wegen des Mordes an Elizabeth Rhind, und wieder mit einem Arschtritt hinausbefördert wird.«

»Es steht fest, dass Spaven das Opfer kannte.«

»Keine Frage, Inspector.« Pause: vier Schläge. »Sie kannten eines der Johnny-Bible-Opfer – folgt daraus, dass Sie es ermordet haben?«

»Finden Sie ihre Halskette in meiner Wohnung, und fragen Sie mich dann noch mal.«

»Tjaaa … hier wird's nämlich interessant, nicht?«

»Na, ist doch schön.«

»Kennen Sie das wohlklingende englische Wort *serendipity*?«

»Ich schmücke gern meine Konversation damit.«

»Wörterbuchdefinition: ›Die Gabe, durch Zufall glückliche Entdeckungen zu machen.‹ Nützliches Wort.«

»Absolut.«

»Und Lawson Geddes *besaß* diese Gabe, richtig? Ich meine, da bekommt man einen anonymen Tipp wegen einer Lieferung gestohlener Radiowecker. Latscht man also zu einer Garage, ohne Durchsuchungsbefehl, ohne irgendetwas, und was findet man da? Leonard Spaven, die Radiowecker *und* einen Hut sowie eine Umhängetasche – beides aus dem Besitz des Mordopfers. Das würde ich als einen *sehr* glücklichen Zufallsfund bezeichnen. Bloß, dass es kein Zufall war, oder?«

»Wir hatten einen Durchsuchungsbefehl.«

»Nachträglich unterschrieben von irgendeinem laschen Friedensrichter.« Ancram lächelte wieder. »Sie glauben, es läuft so weit ganz gut, nicht? Sie denken, *ich* rede die ganze Zeit, was zur Folge hat, dass *Sie* nichts Belastendes sagen. Nun, ich rede, weil ich will, dass Sie wissen, was wir in der Hand haben. Anschließend werden Sie ausgiebig Gelegenheit zur Widerlegung haben.«

»Da freue ich mich schon drauf.«

Ancram konsultierte seine Notizen. Rebus war in Gedanken noch immer halb bei Borneo und den Fotos: Was zum Teufel konnten sie mit Bible John zu tun haben? Er wünschte, er hätte sie sich ein bisschen genauer angesehen.

»Ich habe Ihre Darstellung der Ereignisse gelesen, Inspector«, fuhr Ancram fort, »und allmählich wird mir klar, warum Sie Ihren Kumpel Holmes gebeten haben, sie gründlich unter die Lupe zu nehmen.« Er hob die Augen. »Das *war* doch die Idee dabei, oder?«

Rebus schwieg.

»Sehen Sie, damals waren Sie, trotz allem, was Geddes Ihnen beigebracht hatte, noch kein besonders erfahrener Beamter. Sie schrieben einen guten Bericht, aber Sie waren sich dabei zu sehr der Lügen bewusst, die Sie erzählten, und der Lücken, die Sie lassen mussten. Ich kann ganz gut zwischen den Zeilen lesen – praktische Textkritik, wenn Sie so wollen.«

Rebus drängte sich ein Bild auf: Lawson Geddes, zitternd und mit irrem Blick vor seiner Haustür.

»Also, ich stelle mir die Sache folgendermaßen vor: Geddes beschattete Spaven – diesmal auf eigene Faust; er war ja vom Fall abgezogen worden. Eines Tages folgte er ihm zur Garage, wartete, bis Spaven wieder gegangen war, und brach anschließend ein. Fand Gefallen an dem, was er da sah, und beschloss, ein paar Beweisstücke zu platzieren.«

»Nein.«

»Also bricht er ein zweites Mal ein, nur dass er diesmal ein paar Sachen des Opfers dabeihat. Nun, aus der Asservatenkammer konnte er die nicht haben, denn den Akten zufolge hatte niemand einen Hut oder eine Tasche aus der Wohnung des Opfers mitgenommen. Wo kamen die Sachen also her? Zwei Möglichkeiten. Erstens, er spazierte wieder bei ihr vorbei und bediente sich nachträglich. Zweitens, sie befanden sich bereits in seinem Besitz, weil er von Anfang an den Plan gehabt hatte, Spaven was unterzuschieben.«

»Nein.«

»Zur ersten oder zur zweiten Version?«

»Zu beiden.«

»Sie bleiben dabei?«

»Ja.«

Ancram hatte sich mit jedem Punkt, den er vorbrachte, weiter über den Schreibtisch gebeugt. Jetzt lehnte er sich langsam zurück und warf einen Blick auf seine Uhr.

»Zigarettenpause?«, fragte Rebus.

Ancram schüttelte den Kopf. »Nein, ich glaube, das reicht für heute. Sie haben in diesem Phantasiebericht so viel Mist gebaut, dass ich einige Zeit brauchen werde, um sämtliche Schnitzer aufzulisten. Die werden wir bei unserem nächsten Treffen durchgehen.«

»Ich bin schon richtig gespannt.« Rebus stand auf und holte seine Zigaretten aus der Tasche. Jack hatte den Rekorder ausgeschaltet und drückte auf die Auswurftaste. Die Kassette gab er Ancram.

»Ich lasse sofort eine Kopie ziehen und sie Ihnen zur Überprüfung zuschicken«, sagte Ancram zu Rebus.

»Danke.« Rebus inhalierte und wünschte sich, er könnte den Atem in alle Ewigkeit anhalten. Es gab Leute, bei denen kein Rauch mehr herauskam, wenn sie ausatmeten. So eigennützig war er nicht. »Eine Frage.«

»Ja?«

»Was soll ich meinen Kollegen sagen, wenn ich Jack mit aufs Revier schleppe?«

»Ihnen wird schon was einfallen. Inzwischen haben Sie ja mehr Übung im Lügen.«

»Ich war zwar nicht auf Komplimente aus gewesen, aber trotzdem danke.« Er wandte sich zur Tür.

»Ein Vögelchen hat mir gezwitschert, Sie hätten einem Fernsehreporter den Schädel aufs Nasenbein gerammt.«

»Ich bin gestolpert und gegen ihn gefallen.«

Ancram lächelte beinah. »Gestolpert?« Wartete, bis Rebus genickt hatte. »Tja, wird nicht gut aussehen, fürchte ich. Die haben das Ganze auf Video.«

Rebus zuckte die Schultern. »Dieses geschwätzige Vögelchen... jemand Bestimmtes?«

»Warum fragen Sie?«

»Na ja, Sie haben so Ihre Quellen, nicht? Bei der Presse, meine ich. Jim Stevens zum Beispiel. Eine richtig nette Männerfreundschaft.«

»Kein Kommentar, Inspector.« Rebus lachte, wandte sich ab. »Noch eins«, sagte Ancram.

»Was?«

»Zu der Zeit, als Geddes versuchte, Spaven den Mord anzuhängen, haben Sie ein paar von Spavens Freunden und Bekannten vernommen, darunter einen...«, Ancram tat so, als müsste er den Namen in seinen Notizen nachsehen, »...Fergus McLure.«

»Na und?«

»Mr. McLure ist kürzlich verstorben. Es heißt, Sie hätten ihn am Morgen seines Todes aufgesucht.«

Wer hatte geplaudert?

»Und?«

Ancram zuckte die Achseln, machte ein zufriedenes Gesicht. »Bloß ein weiterer... Zufall. Apropos, DCI Grogan hat mich heute Morgen angerufen.«

»Das muss Liebe sein.«

»Kennen Sie in Aberdeen ein Pub namens The Yardarm?«

»Ist unten bei den Docks.«

»Genau. Jemals da drin gewesen?«

»Vielleicht.«

»Ein dortiger Stammgast sagt, ganz bestimmt. Sie hätten ihm einen Drink spendiert, ihn über die Bohrinseln ausgefragt.«

Der Knirps mit dem schweren Schädel. »Und?«

»Das beweist, dass Sie in der Nacht *vor* Vanessa Holdens Ermordung auch am Hafen waren. Zwei Nächte hintereinander, Inspector. Grogan klingt allmählich *ziemlich* ungehalten. Ich glaube, er hätte Sie gern wieder in seinem Gewahrsam.«

»Werden Sie mich ausliefern?« Ancram schüttelte den Kopf. »Nein, das wäre Ihnen doch nicht recht, oder?«

Rebus blies Ancram fast ein wenig Rauch ins Gesicht. Fast. Vielleicht war er doch eigennütziger, als er dachte.

»Das lief ja vergleichsweise glimpflich ab«, sagte Jack Morton. Er saß am Lenkrad, Rebus zur Abwechslung neben ihm.

»Das glauben auch nur Sie, weil Sie gedacht hatten, es würde ein Blutbad geben.«

»Ich versuchte, mich an meinen Erste-Hilfe-Kurs zu erinnern.«

Rebus lachte, ließ die Anspannung aus sich heraus. Er hatte Kopfschmerzen.

»Aspirin liegt im Handschuhfach«, sagte Jack. Rebus öffnete es. Eine kleine PET-Flasche Vittel war auch darin. Er spülte drei Tabletten hinunter.

»Waren Sie früher zufällig bei den Pfadfindern, Jack?«

»Ich war Sixer bei den Wölflingen, zu den Pfadfindern

habe ich es nie geschafft. Bis dahin hatte ich andere Hobbys. Gibt's die Pfadfinder eigentlich noch?«

»Soweit ich weiß, ja.«

»Erinnern Sie sich an die ›Bob-a-Job‹-Woche? Da musste man alle Nachbarn abklappern, für je einen Shilling Fenster putzen oder den Garten umgraben. Am Schluss hat man dann das ganze eingenommene Geld beim Gruppenleiter abgegeben.«

»Der prompt die Hälfte davon in die eigene Tasche steckte.«

Jack sah ihn an. »Sie haben ein bisschen was vom Zyniker an sich, habe ich Recht?«

»Vielleicht ein Spürchen.«

»Also, wohin jetzt? Zum Fort Apache?«

»Nach dem, was ich gerade durchgemacht habe?«

»Zum Ox?«

»Sie lernen dazu.«

Jack entschied sich für Tomatensaft – er müsse auf sein Gewicht achten –, während Rebus ein halbes Pint und, nach kurzer Überlegung, einen Kurzen nahm. Der Mittagsansturm hatte noch nicht eingesetzt, aber die Pasteten und *bridies* wurden schon heiß gemacht. Vielleicht war die Bardame auch bei den Pfadfindern gewesen. Sie nahmen ihre Gläser mit ins Nebenzimmer und setzten sich an einen Ecktisch.

»Es ist irgendwie komisch, wieder in Edinburgh zu sein«, meinte Jack. »Hier haben wir damals nie getrunken, oder? Wie hieß noch mal unser Stammlokal an der Great London Road?«

»Keine Ahnung.« Das war die Wahrheit; er konnte sich nicht einmal mehr erinnern, wie das Pub von innen aussah, obwohl er unzählige Male dort gewesen sein musste. Es war einfach ein Ort zum Trinken und Diskutieren; was er an Charakter besaß, brachten die Gäste mit.

»Herrgott, das Geld, das wir da verplempert haben!«

»Da spricht der bekehrte Trinker.«

Jack rang sich ein Lächeln ab, hob sein Glas. »Aber sagen Sie mir, John, warum trinken Sie?«

»Es killt meine Träume.«

»Am Ende wird es auch *Sie* umbringen.«

»An irgendwas muss man ja sterben.«

»Wissen Sie, was jemand mal zu mir gesagt hat? Sie wären der langlebigste Selbstmörder der Welt.«

»Wer hat das gesagt?«

»Spielt keine Rolle.«

Rebus lachte. »Vielleicht sollte ich mich beim *Guinness-Buch der Rekorde* bewerben.«

Jack leerte sein Glas. »Also, was steht jetzt an?«

»Ich muss jemand anrufen, eine Journalistin.« Er sah auf die Uhr. »Jetzt könnte sie zu Hause sein. Ich gehe nach vorn, telefonieren. Kommen Sie mit?«

»Nein, ich werde Ihnen vertrauen.«

»Sicher?«

»Halbwegs.«

Also ging Rebus Mairie anrufen, aber es war nur der Anrufbeantworter dran. Er hinterließ eine kurze Nachricht und fragte dann die Bardame, ob es irgendwo in der Nähe ein Fotogeschäft gebe. Sie nickte, beschrieb ihm den Weg und polierte weiter Gläser. Rebus rief Jack, und sie verließen das Pub. Draußen wurde es allmählich wärmer, obwohl noch immer dunkle Wolken den Himmel bedeckten. Doch man spürte, dass die Sonne versuchte, sich durchzukämpfen. Rebus zog sein Jackett aus, schwang es sich über die Schulter. Das Fotogeschäft befand sich in der Parallelstraße, also bogen sie in die Hill Street ein.

Das Schaufenster war mit Porträtaufnahmen dekoriert – Brautpaare, die von einem Lichtschein umgeben zu sein schienen, kleine Kinder mit strahlendem Lächeln. Auf Zel-

luloid gebannte Augenblicke des Glücks, die man – die große Täuschung – einrahmen und auf einen Ehrenplatz, in die
Vitrine oder auf den Fernseher stellen konnte.

»Urlaubsbilder?«, fragte Jack.

»Fragen Sie bloß nicht, wo ich die herhabe«, warnte Rebus. Er erklärte der Verkäuferin, dass er von jedem Negativ
einen Abzug wolle. Sie sagte, die Bilder würden am nächsten Tag fertig sein.

»In einer Stunde ist nicht drin?«

»Nicht mit Abzügen, tut mir Leid.«

Rebus nahm den Abholschein entgegen und steckte ihn
ein. Draußen hatte die Sonne inzwischen kapituliert. Es regnete, aber da es schwül war, zog Rebus sein Jackett nicht an.

»Hören Sie«, sagte Jack, »Sie brauchen mir nichts zu erzählen, wenn Sie nicht wollen, aber es wär nett, ein bisschen
was über die ganze Sache zu erfahren.«

»Welche ganze Sache?«

»Ihren Trip nach Aberdeen, all die kleinen chiffrierten
Botschaften, die zwischen Ihnen und Chick hin und her gehen – einfach, na ja, *alles*.«

»Ist wahrscheinlich besser, wenn Sie nichts wissen.«

»Warum? Weil ich für Ancram arbeite?«

»Vielleicht.«

»Ach, John.«

Aber Rebus hörte nicht zu. Zwei Türen vom Fotogeschäft
entfernt gab es einen kleinen Laden für Heimwerkerbedarf:
Farben, Pinsel und Tapetenrollen. Da kam Rebus eine Idee.
Wieder im Auto, erklärte er Jack, wie er fahren sollte, und
sagte, das würde eine Überraschungstour werden. Er erin-
nerte sich, dass Lumsden an seinem ersten Abend in Furry
Boot Town dieselben Worte benutzt hatte. In der Nähe von
St. Leonard's wies Rebus Jack an, nach links abzubiegen.

»Hier?«

»Hier.«

Ein großer Heimwerkermarkt lag vor ihnen. Der Parkplatz war fast leer, so dass sie nah am Eingang parken konnten. Dann stieg Rebus aus und fand einen Einkaufswagen, an dem alle vier Räder funktionierten.

»Man sollte eigentlich annehmen, dass gerade in einem Baumarkt jemand imstande wäre, die Dinger zu reparieren.«

»Was tun wir hier?«

»Ich brauch ein paar Dinge.«

»Sie brauchen Lebensmittel, keine Zementsäcke.«

»Genau da irren Sie sich.«

Er kaufte Wandfarbe, Rollen und Pinsel, Terpentin, ein paar Abdeckplanen, Gips, eine Heißluftpistole, Schmirgelpapier (grob und fein) sowie Lack und bezahlte das Ganze mit seiner Kreditkarte. Dann spendierte er Jack ein Mittagessen in einem nahe gelegenen Café, einem ehemaligen Stammlokal aus seiner Zeit in St. Leonard's.

Anschließend fuhren Sie nach Hause. Jack half Rebus, alles nach oben zu schaffen.

»Haben Sie irgendwelche alten Klamotten dabei?«, fragte Rebus.

»Im Kofferraum liegt ein Overall.«

»Den holen Sie besser auch rauf.« Rebus blieb stehen, starrte auf seine offene Tür, ließ den Farbeimer fallen und rannte in die Wohnung. Ein kurzer Rundgang ergab, dass niemand da war. Jack untersuchte den Türrahmen.

»Da scheint jemand mit einer Brechstange zugange gewesen zu sein«, sagte er. »Was fehlt?«

»Hi-Fi-Turm und Fernseher sind noch da.«

Jack ging hinein, sah sich in den Zimmern um. »Sieht praktisch genauso aus wie am Morgen. Wollen Sie es melden?«

»Wozu? Wir wissen doch beide, dass das Ancram ist, der mich fertig zu machen versucht.«

»Das kann ich mir nicht vorstellen.«

»Nicht? Ist doch komisch, dass gerade dann bei mir eingebrochen wird, wenn ich von ihm verhört werde.«

»Wir sollten es anzeigen, dann zahlt Ihnen die Versicherung einen neuen Türrahmen.« Jack sah sich um. »Wundert mich, dass niemand was gehört hat.«

»Taube Nachbarn«, meinte Rebus. »Edinburgh ist berühmt dafür. Also gut, wir melden es. Fahren Sie zum Baumarkt zurück, und besorgen Sie ein neues Schloss oder was in der Art.«

»Und was tun Sie solange?«

»Bleib hier sitzen und halte die Stellung. Versprochen.«

Kaum war Jack aus der Wohnung, ging Rebus ans Telefon. Er verlangte, mit DCI Ancram verbunden zu werden. Dann wartete er und sah sich dabei im Zimmer um. Jemand bricht ein und geht dann wieder, ohne die Anlage mitzunehmen. Das war fast eine Beleidigung.

»Ancram.«

»Ich bin's.«

»Haben Sie was auf dem Herzen, Inspector?«

»Bei mir ist eingebrochen worden.«

»Tut mir Leid, das zu hören. Was wurde gestohlen?«

»Nichts. Das war der Schnitzer. Ich dachte, das sollten Sie denen sagen.«

Ancram lachte. »Sie glauben, ich hätte was damit zu tun?«

»Ja.«

»Warum?«

»Ich hatte gehofft, Sie würden mir das sagen. Irgendwie drängt sich einem das Wort ›Polizeiterror‹ auf.« Als er das gesagt hatte, fiel ihm das *Justice Programme* ein: Wie verzweifelt waren die TV-Fritzen? Verzweifelt genug, um einen kleinen Einbruch zu begehen? Er konnte es sich nicht vorstellen, nicht bei Kayleigh Burgess. Eamonn Breen allerdings war ein ganz anderes Kaliber…

»Hören Sie, das ist eine ziemlich ernste Unterstellung. Ich glaube nicht, dass ich mir das anhören möchte. Warum beruhigen Sie sich nicht und denken noch einmal darüber nach?«

Rebus war gerade dabei. Er legte ohne ein weiteres Wort auf und zog seine Brieftasche aus dem Jackett. Sie war voll von Zetteln, Quittungen, Visitenkarten. Er fischte die von Kayleigh Burgess heraus, wählte ihre Büronummer.

»Sie ist heute Nachmittag leider nicht im Haus«, erklärte ihm eine Sekretärin. »Kann ich ihr etwas ausrichten?«

»Wie steht's mit Eamonn?« Bemüht, wie ein Freund zu klingen. »Ist er zufällig da?«

»Ich frag nach. Wie ist Ihr Name?«

»John Rebus.«

»Bleiben Sie bitte am Apparat.« Rebus blieb. »Nein, tut mir Leid, Eamonn ist auch nicht da. Soll ich ihm sagen, dass Sie angerufen haben?«

»Nein, ist schon gut, ich treff ihn später. Trotzdem danke.«

Rebus ging noch einmal, jetzt aufmerksamer, durch die Wohnung. Im ersten Moment hatte er an einen schlichten Einbruch gedacht; im zweiten an eine fingierte Aktion, mit der man ihn mürbe machen wollte. Jetzt aber überlegte er sich, was jemand sonst gesucht haben mochte. Es war nicht leicht festzustellen: Siobhan und ihre Kollegen hatten die Wohnung nicht gerade so hinterlassen, wie sie sie vorgefunden hatten. Andererseits waren sie auch nicht besonders gründlich vorgegangen. Zum Beispiel hatten sie sich in der Küche nicht weiter aufgehalten und den Schrank, in dem er all seine Zeitungen und Zeitungsausschnitte aufbewahrte, gar nicht aufgemacht.

Aber irgendjemand schon. Rebus wusste, welchen Ausschnitt er zuletzt gelesen hatte, und der lag nicht mehr zuoberst im Stapel. Er war drei, vier Etagen nach unten gewandert. Vielleicht Jack... nein, er glaubte nicht, dass Jack herumgeschnüffelt hatte.

Aber *irgendjemand* hatte es getan. Ganz eindeutig.

Als Jack zurückkehrte, fand er Rebus in Jeans und einem knalligen T-Shirt mit der Aufschrift DANCING PIGS vor. Zwei Trachtengruppler waren vorbeigekommen, um den Schaden zu begutachten und sich ein paar Notizen zu machen. Sie hatten Rebus ein Aktenzeichen gegeben. Er würde das für seine Versicherung brauchen.

Rebus hatte schon ein paar Möbel aus dem Wohnzimmer in die Diele geschafft und alles Übrige mit einer Plane abgedeckt. Die zweite Plane breitete er über den Teppich und hängte das Gemälde mit dem Fischerboot von der Wand ab.

»Das gefällt mir«, sagte Jack.

»Ein Geschenk von Rhona zu meinem ersten Geburtstag nach unserer Heirat. Sie hatte es auf einem Kunstgewerbemarkt erstanden, dachte, es würde mich an Fife erinnern.« Während er sprach, betrachtete er kopfschüttelnd das Bild.

»Ich nehme an, das tat es nicht?«

»Ich komme aus Westfife – Bergarbeiterdörfer, raue Gegend –, nicht aus dem Ostzipfel.« Mit seinen pittoresken Angelkörben und Touristen und Seniorenheimen. »Ich glaube nicht, dass sie das je verstanden hat.« Er trug das Bild in die Diele.

»Ich kann nicht glauben, dass wir das wirklich machen«, sagte Jack.

»Und noch dazu während der Dienstzeit. Was möchten Sie lieber, die Wände streichen, die Tür abbeizen oder das Schloss einbauen?«

»Streichen.« In seinem Blaumann sah Jack richtig zünftig aus. Rebus gab ihm die Rolle, griff dann unter die Plane und schaltete die Anlage ein. Stones, *Exile on Main Street*. Passte genau. Sie machten sich an die Arbeit.

23

Sie legten eine Pause ein und gingen auf der Marchmont Road Lebensmittel einkaufen. Jack behielt den Overall an, meinte, da habe er das Gefühl, verdeckt zu ermitteln. Er hatte einen Farbfleck im Gesicht, aber das störte ihn nicht weiter. Die Sache machte ihm sichtlich Spaß. Er hatte die Stones stimmlich begleitet, auch wenn er den Text nicht immer wusste. Sie kauften größtenteils Junkfood, reine Kohlenhydrate, legten aber dann noch vier Äpfel und ein paar Bananen dazu. Jack fragte Rebus, ob er Bier mitnehmen wolle. Rebus schüttelte den Kopf, nahm stattdessen Irn-Bru und ein paar Kartons Orangensaft.

»Was ist der tiefere Sinn des Ganzen?«, fragte Jack, während sie nach Hause zurückschlenderten.

»Einen klaren Kopf zu bekommen«, antwortete Rebus, »mir Zeit zum Nachdenken zu verschaffen … ich weiß nicht. Vielleicht spiele ich mit dem Gedanken zu verkaufen.«

»Die Wohnung zu verkaufen?«

Rebus nickte.

»Und dann?«

»Na ja, ich könnte doch eine Weltreise machen, oder? Für sechs Monate verschwinden. Oder das Geld auf die Bank legen und von den Zinsen leben.« Er schwieg einen Moment. »Oder mir was außerhalb der Stadt kaufen.«

»Wo da?«

»Irgendwo am Meer.«

»Das wär schön.«

»Schön?« Rebus zuckte die Achseln. »Ja, wahrscheinlich. Mir ist einfach nach einer Veränderung.«

»Direkt am Strand?«

»Könnte auch am Rand einer Klippe sein, wer weiß?«

»Was hat Sie auf die Idee gebracht?«

Rebus überlegte. »Mein Zuhause fühlt sich nicht mehr wie meine Burg an.«

»Ja, aber das ganze Zeug zum Renovieren haben wir schon vor dem Einbruch gekauft.«

Darauf hatte Rebus keine Antwort.

Dann arbeiteten sie den Rest des Nachmittags; bei offenen Fenstern, damit die Farbdämpfe abzogen.

»Und heute Nacht soll ich hier drin schlafen?«, fragte Jack.

»Im Gästezimmer«, erwiderte Rebus.

Um halb sechs klingelte das Telefon. Rebus erreichte es gerade, als der AB sich einschalten wollte.

»Hallo?«

»John, Brian hier. Siobhan hat mir gesagt, Sie wären wieder im Land.«

»Tja, sie muss es ja wissen. Wie geht's Ihnen?«

»Sollte ich das nicht *Sie* fragen?«

»Mir geht's prima.«

»Mir ebenfalls.«

»DCI Ancram zählt momentan nicht gerade zu Ihren größten Fans.«

Jack Morton begann, sich für das Gespräch zu interessieren.

»Kann sein, aber er ist nicht mein Chef.«

»Er hat aber Beziehungen.«

»Schön für ihn.«

»Brian, ich weiß, was Sie vorhaben. Ich möchte mit Ihnen darüber reden. Können wir vorbeikommen?«

»Wir?«

»Ist eine lange Geschichte.«

»Vielleicht könnte ich bei *Ihnen* vorbeikommen.«

»Die Wohnung ist momentan eine Baustelle. Wir sind so in einer Stunde bei Ihnen, okay?«

Nach kurzem Zögern stimmte Holmes zu.

»Brian, das ist Jack Morton, ein alter Freund von mir. Er ist beim CID Falkirk, zurzeit für DI John Rebus abgestellt.«

Jack zwinkerte Holmes zu. Er hatte sich die Farbe von Gesicht und Händen gewaschen. »Er meint damit, ich soll aufpassen, dass er sich nicht in die Nesseln setzt.«

»UN-Friedenstruppe, hm? Na, kommen Sie rein.«

Brian Holmes hatte die Stunde genutzt, um das Wohnzimmer aufzuräumen. Er sah Rebus' beifälligen Blick.

»Gehen Sie bloß nicht in die Küche, da sieht's aus, als wäre eine marodierende Horde Apachen durchgezogen.«

Rebus lächelte und setzte sich auf das Sofa; Jack nahm neben ihm Platz. Brian fragte, ob sie etwas zu trinken wollten. Rebus schüttelte den Kopf.

»Brian, ich hab Jack in groben Zügen erzählt, was passiert ist. Er ist ein guter Mann, wir können offen vor ihm reden. Okay?«

Rebus ging damit ein kalkuliertes Risiko ein: Er hoffte, dass der Männernachmittag seine Wirkung getan hatte. Falls nicht, waren sie wenigstens mit der Arbeit ganz gut vorangekommen. An drei Wänden war der erste Anstrich fertig, die eine Seite der Tür war zur Hälfte abgebeizt und das neue Schloss eingebaut.

Brian nickte und setzte sich in einen Sessel. Auf dem Gasofen standen Fotos von Nell. Sie sahen so aus, als seien sie erst kürzlich gerahmt und dort aufgestellt worden: ein improvisierter Altar.

»Ist sie bei ihrer Mutter?«, fragte Rebus.

Brian nickte. »Vor allem aber arbeitet sie in der Bibliothek, immer die Spätschicht.«

»Besteht die Chance, dass sie zurückkommt?«

»Ich weiß nicht.« Brian machte Anstalten, an einem Fingernagel zu kauen, merkte dann, dass es da nichts zu kauen gab.

»Ich weiß nicht genau, ob das die Lösung ist.«

»Was?«

»Sie bringen es nicht fertig, den Dienst zu quittieren, also versuchen Sie, Ancram dazu zu bringen, dass er Sie rausschmeißt: null Kooperation, die Mauleseltour.«

»Ich hatte einen guten Lehrmeister.«

Rebus lächelte. Es stimmte ja. Er hatte Lawson Geddes gehabt und Brian ihn.

»Ich war schon mal in der gleichen Situation«, fuhr Brian fort. »Auf der Schule hatte ich einen Freund, einen wirklich guten Freund, und wir wollten zusammen auf die Uni, nur dass er beschlossen hatte, nach Stirling zu gehen. Also sagte ich, ich würde da auch hin. Aber bei der Bewerbung war meine erste Wahl Edinburgh gewesen, und um den Studienplatz in Edinburgh loszuwerden, musste ich beim Examen in Deutsch durchrasseln.«

»Und?«

»Und da saß ich also im Prüfungssaal … und wusste, dass ich bloß dazusitzen und keine Frage zu beantworten brauchte, und die Sache wäre erledigt gewesen.«

»Aber Sie haben sie beantwortet?«

Brian lächelte. »Ich konnte nicht anders. Gab ein Befriedigend.«

»Jetzt haben Sie das gleiche Problem«, sagte Rebus. »Wenn Sie diesen Weg gehen, werden Sie es immer bereuen; denn tief in Ihrem Herzen *wollen* Sie gar nicht aufhören. Sie mögen Ihre Arbeit. Und deswegen auf sich einzuprügeln …«

»Und auf andere Leute einprügeln – was ist damit?« Brian sah ihm direkt in die Augen, als er die Frage stellte. Macken-Minto und seine Blessuren.

»Sie haben *einmal* den Kopf verloren.« Rebus hielt einen Finger in die Höhe. »Das war einmal zu viel, aber Sie sind ungeschoren davongekommen. Ich glaube nicht, dass Sie das jemals wieder tun werden.«

»Ich hoffe, Sie haben Recht.« Holmes wandte sich an Jack Morton. »Ich hatte einen Verdächtigen in der Keksdose, ich habe ihm eine gescheuert.«

Jack nickte. Rebus hatte ihm die Geschichte erzählt. »Ich bin selbst schon in einer solchen Situation gewesen, Brian«, sagte Jack. »Ich meine, handgreiflich bin ich nie geworden, aber es hat nicht viel gefehlt. Ich hab mir die Knöchel an ein paar Wänden blutig geschlagen.«

Holmes streckte zehn Finger hoch: allesamt zerschrammt.

»Sehen Sie«, meinte Rebus, »wie ich sagte, Sie prügeln auf *sich selbst* ein. Minto hat ein paar Macken abbekommen, aber die werden wieder verheilen.« Er tippte sich an den Kopf. »Aber wenn die blauen Flecke hier drin sind...«

»Ich will Nell wiederhaben.«

»Natürlich.«

»Aber ich will auch Bulle bleiben.«

»Sie müssen ihr diese zwei Dinge klar machen.«

»Herrgott.« Brian rieb sich über das Gesicht. »Ich hab versucht, es ihr zu erklären...«

»Sie haben schon immer gute, klare Berichte geschrieben, Brian.«

»Wie meinen Sie das?«

»Wenn die Worte nicht richtig rauskommen, versuchen Sie, sie aufzuschreiben.«

»Ihr einen Brief schreiben?«

»Nennen Sie es, wie Sie wollen. Schreiben Sie einfach auf, was Sie sagen möchten. Versuchen Sie zu erklären, *warum* Sie so empfinden.«

»Haben Sie die *Cosmopolitan* gelesen, oder was?«

»Nur die Kummerecke.«

Sie lachten alle, obwohl es nicht so schrecklich witzig war. Brian reckte sich in seinem Sessel. »Ich müsste mal wieder schlafen.«

»Gehen Sie heute früh ins Bett, und morgen schreiben Sie als Allererstes den Brief.«

»Ja, vielleicht mach ich das.«

Rebus stand auf. Brian folgte ihm mit den Augen.

»Soll ich Ihnen nicht von Mick Hine erzählen?«

»Wer ist das?«

»Exknacki, der letzte Mensch, der mit Lenny Spaven gesprochen hat.«

Rebus setzte sich wieder hin.

»War nicht leicht, ihn aufzuspüren. Offenbar war er die ganze Zeit in der Stadt, hat im Freien gepennt.«

»Und?«

»Ich hab mich mit ihm unterhalten.« Brian schwieg kurz. »Und ich glaube, das sollten Sie auch tun. Sie werden ein völlig neues Bild von Lenny Spaven bekommen, glauben Sie mir.«

Rebus glaubte ihm, was immer er damit meinen mochte. Er wollte es nicht, aber er glaubte ihm.

Jack war entschieden dagegen.

»Hören Sie, John, mein Chef wird ebenfalls mit diesem Hine reden wollen, richtig?«

»Richtig.«

»Wie wird das aussehen, wenn er herausfindet, dass – nicht genug, dass Ihr Kumpel Holmes als Erster da war – *Sie* als Nächster mit ihm geredet haben?«

»Das wird schlecht aussehen, aber er hat mir nicht verboten, es zu tun.«

Jack knurrte unzufrieden. Sie hatten seinen Wagen vor Rebus' Wohnung stehen lassen und liefen jetzt in Richtung Melville Drive. Die eine Seite der Straße war Bruntsfield Links, die andere die Meadows, eine weite, ebene Rasenfläche, die an einem heißen Sommernachmittag ein wunderbares Fleckchen Erde sein konnte – ideal zum Relaxen,

Fußball- oder Kricketspielen –, nachts aber ein unheimlicher Ort. Die Wege waren zwar beleuchtet, aber so spärlich, als hätte die Stadtverwaltung am Strom sparen müssen. In manchen Nächten konnte ein Spaziergang durch die Meadows ein echtes viktorianisches Erlebnis sein. Jetzt war es jedoch Sommer und der Himmel noch von der Sonne rosa gefärbt. Vom Royal Infirmary und einigen der hohen Universitätsgebäude, die sich um den George Square drängten, leuchteten helle Lichttafeln herüber. Studentinnen durchquerten in Scharen die Anlage – ein Verhalten, das sie dem Tierreich abgeguckt hatten. Vielleicht waren heute Nacht keine Raubtiere unterwegs, aber die Angst war deswegen nicht minder real. Die Behörden hatten gelobt, »die Furcht vor dem Verbrechen« zu bekämpfen. Die TV-Nachrichten brachten das unmittelbar vor dem neuesten Hollywood-Ballerfilm.

Rebus wandte sich zu Jack. »Werden Sie mich verpfeifen?«

»Das wär meine Pflicht.«

»Ja, das wär's. Aber werden Sie's tun?«

»Ich weiß nicht, John.«

»Na, lassen Sie sich nicht durch unsere Freundschaft beirren.«

»Das ist mir eine große Entscheidungshilfe.«

»Hören Sie, Jack, ich stecke schon so tief in der Scheiße, dass ich beim Wiederaufsteigen wahrscheinlich an der Taucherkrankheit sterben würde. Also kann ich genauso gut unten bleiben.«

»Schon mal was vom Marianengraben gehört? Ancram hält wahrscheinlich so einen für Sie parat.«

»Sie lassen nach.«

»Wieso?«

»Bislang war er Chick, jetzt ist er Ancram. Sie sollten besser aufpassen.«

»Sie sind nüchtern, oder?«

»Wie ein Stock.«

»Dann kann es also kein Säufermut sein, was bedeutet, dass es schlichter Irrsinn ist.«

»Willkommen in meiner Welt, Jack.«

Sie hielten auf die Rückseite der Universitätsklinik zu. Rings um die Umfassungsmauer standen Parkbänke. Penner, Nichtsesshafte, Tippelbrüder, wie immer man sie nennen mochte, benutzten diese Bänke den Sommer über als Schlafstätte. Früher war da ein Alter gewesen, Frank. Rebus sah ihn jeden Sommer, und gegen Ende des Sommers verschwand er immer wie ein Zugvogel, nur um im darauf folgenden Jahr wieder zu erscheinen. Dieses Jahr aber war Frank nicht aufgetaucht. Die Obdachlosen, die Rebus sah – Franks geistige Kinder, wenn nicht sogar Enkel –, waren ein ganzes Stück jünger als er; und ein ganzes Stück anders, taffer und ängstlicher, angespannt und müde. Anderes Spiel, andere Regeln. Edinburghs »Gentlemen der Landstraße«: Vor zwanzig Jahren hätte man sie lediglich nach Dutzenden zählen können. Aber heutzutage nicht mehr. Heutzutage nicht mehr…

Sie weckten ein paar Penner auf, die sagten, sie wären nicht Mick Hine und würden ihn auch nicht kennen. An der dritten Bank wurden sie dann fündig. Er saß aufrecht da, neben sich einen Stapel Zeitungen. Er hielt sich ein winziges Transistorradio ans Ohr.

»Sind Sie taub, oder braucht das Ding bloß neue Batterien?«, fragte Rebus.

»Nicht taub, nicht stumm, nicht blind. Er hatte gesagt, ein anderer Bulle würde vielleicht mit mir reden wollen. Möchten Sie sich setzen?«

Rebus ließ sich auf der Bank nieder. Jack Morton lehnte sich dahinter an die Wand, als sei es ihm lieber, nicht alles mitzubekommen. Rebus zog einen Fünfer heraus.

»Hier, besorgen Sie sich Batterien.«

Mick Hine nahm das Geld. »Sie sind also Rebus?« Sein Blick ruhte lange auf ihm. Hine war Anfang vierzig; die Haare gingen ihm allmählich aus, und er schielte leicht. Sein Anzug sah soweit ganz ordentlich aus, wenn man die Löcher an den Knien übersah. Unter dem Jackett trug er ein ausgeleiertes rotes T-Shirt. Zwei Plastiktüten standen neben ihm auf dem Boden, prall voll mit irdischen Gütern. »Lenny hat von Ihnen erzählt. Ich hatte Sie mir anders vorgestellt.«

»Anders?«

»Jünger.«

»Als Lenny mich kannte, war ich auch jünger.«

»Tja, das stimmt wohl. Nur Filmstars werden mit der Zeit jünger, ist Ihnen das schon mal aufgefallen? Wir Normalsterbliche werden faltig und grau.« Nicht dass auf Hine das eine oder das andere zugetroffen hätte. Sein Gesicht war leicht gebräunt, wie poliertes Messing, und was er an Haaren noch besaß, wallte pechschwarz herab. Er hatte Schrammen an Wangen und Kinn, Stirn und Knöcheln. Entweder ein Sturz oder eine Schlägerei.

»Sind Sie hingefallen, Mick?«

»Manchmal wird mir schwindlig.«

»Was sagt denn der Arzt dazu?«

»Hä?«

Also nicht beim Arzt gewesen. »Sie wissen doch, es gibt Heime, Sie brauchen nicht hier zu übernachten.«

»Voll. Ich hasse es, Schlange zu stehen. Deswegen bin ich immer hier hinten. Ihre Anteilnahme ist von Michael Edward Hine zur Kenntnis genommen worden. So, wollen Sie jetzt die Geschichte hören?«

»Ich bin ganz Ohr.«

»Ich hab Lenny im Gefängnis kennen gelernt. Wir saßen vielleicht vier Monate lang in derselben Zelle. Er war ein ruhiger, nachdenklicher Typ. Ich weiß, dass er schon vorher

392

Ärger gehabt hatte, aber trotzdem passte er nicht ins Knastleben. Er brachte mir bei, Kreuzworträtsel zu lösen, die ganzen Buchstaben auseinander zu sortieren. Er hatte Geduld mit mir.« Hine schien in Gedanken abzuschweifen, riss sich dann aber wieder zusammen. »Der Mann, über den er schrieb, das war wirklich er. Er sagte mir selbst, dass er Böses getan hätte und nie dafür bestraft worden war. Aber das machte es seiner Seele nicht leichter, für ein Verbrechen zu büßen, das er nicht begangen hatte. Immer wieder sagte er zu mir: ›Ich hab's nicht getan, Mick, ich schwör's bei Gott und jedem anderen, der da oben sein mag.‹ Er war wie besessen davon. Ich glaube, wenn seine Schreiberei nicht gewesen wäre, hätte er sich vielleicht schon früher umgebracht.«

»Sie glauben nicht, dass da jemand nachgeholfen hat?«

Hine dachte darüber nach, ehe er entschieden den Kopf schüttelte. »Ich bin davon überzeugt, dass er sich das Leben genommen hat. Dieser letzte Tag – das war, als wäre er endlich zu einer Entscheidung gelangt, als hätte er Frieden mit sich geschlossen. Er war ruhiger, fast heiter. Aber seine Augen… er sah mich nicht an. Es war so, als *könnte* er mit Menschen einfach nicht mehr. Er redete, aber das waren irgendwie nur Selbstgespräche. Ich mochte ihn unheimlich gern. Und was er schrieb, war wunderschön…«

»Der letzte Tag…?«, soufflierte Rebus. Jack pinkelte durch das Gitter aufs Krankenhausgelände.

»Der letzte Tag«, wiederholte Hine. »Dieser letzte Tag war der spirituellste in meinem ganzen Leben. Ich fühlte mich richtig angerührt, von… von der Gnade.«

»Hübsches Mädchen, Miss Gnade«, murmelte Jack. Hine hörte ihn nicht.

»Wissen Sie, was seine letzten Worte waren?« Hine schloss bei der Erinnerung die Augen. »›Gott weiß, dass ich unschuldig bin, Mick, aber ich habe es so satt, das andauernd zu wiederholen.‹«

Rebus war ganz hektisch. Er hätte am liebsten etwas Schnoddriges, Ironisches, typisch Rebushaftes gesagt, aber jetzt merkte er, dass es ihm keinerlei Probleme bereitete, sich mit Spavens letzten Worten zu identifizieren; ja vielleicht sogar – nur ein wenig – mit dem Mann selbst. Hatte Lawson Geddes ihn wirklich getäuscht? Rebus kannte Spaven kaum, dennoch hatte er mitgeholfen, ihn wegen Mordes ins Gefängnis zu bringen, hatte gegen Regeln und Vorschriften verstoßen, um einen Mann zu unterstützen, der von Hass und Rachsucht besessen war.

Aber wofür hatte er sich rächen wollen?

»Als ich hörte, dass er sich die Kehle durchgeschnitten hatte, überraschte mich das nicht. Den ganzen Tag war er sich mit der Hand über den Hals gefahren.« Hine beugte sich plötzlich nach vorn, und seine Stimme wurde lauter. »Und bis zu seinem Todestag beharrte er darauf, dass *Sie* ihm das angehängt hätten! Sie und Ihr Freund!«

Jack wandte sich zur Parkbank, auf Ärger gefasst. Aber Rebus machte sich keine Sorgen.

»Sehen Sie mich an, und sagen Sie mir ins Gesicht, dass Sie das *nicht* getan haben!«, spie Hine aus. »Er war der beste Freund, den ich je gehabt habe, der gütigste, freundlichste Mensch. Jetzt ist alles aus, alles aus…« Hine stützte den Kopf in die Hände und brach in Tränen aus.

Rebus wusste genau, welche der sich ihm bietenden Möglichkeiten ihm am meisten zusagte: die Flucht. Und für genau diese Option entschied er sich. Und als er über den Rasen rannte, wieder in Richtung Melville Drive, hatte Jack alle Mühe, mit ihm Schritt zu halten.

»Warten Sie!«, rief Jack. »Bleiben Sie stehen!« Sie waren mitten auf dem Sportplatz, im halbdunklen Zentrum eines von Fußwegen gesäumten Dreiecks. Jack packte Rebus am Arm, versuchte, ihn zu bremsen. Rebus fuhr herum und schüttelte die Hand ab, setzte dann sofort mit einem

Schwinger nach. Er erwischte Jack an der Wange, dass es ihm den Kopf herumriss. In Jacks Gesicht zeichnete sich Schock ab, aber auf den zweiten Schlag war er jetzt gefasst. Er blockte ihn mit dem Unterarm ab und schob seinerseits eine Rechte nach – kein Linkshänder wie sein Boss. Er täuschte einen Schlag nach dem Kopf vor und rammte dann eine harte Faust in die Weichteile. Rebus stieß einen Grunzer aus, spürte den Schmerz, aber ließ sich auf ihm treiben. Er trat zwei Schritte zurück und warf sich dann nach vorn. Die zwei Männer fielen zu Boden, schlugen ohne rechten Schwung aufeinander ein, rangen verbissen miteinander. Rebus hörte Jack seinen Namen wiederholen, immer und immer wieder. Ein paar Radfahrer hatten auf einem der Wege angehalten und beobachteten das Schauspiel.

»Scheiße, John, was soll das?«

Mit gebleckten Zähnen holte Rebus zu einem weiteren, noch wütenderen Schlag aus, was Jack mehr als genügend Zeit ließ auszuweichen und seinerseits zuzuschlagen. Fast hätte Rebus den Fausthieb abgewehrt, dann überlegte er es sich anders. Er wartete einfach den Treffer ab. Jack hatte tief gezielt – die Art Schlag, mit der man jemandem die Luft ablassen kann, ohne sonstigen Schaden anzurichten. Rebus klappte zusammen, fiel auf Hände und Knie und kotzte ins Gras. Er würgte noch eine Zeit lang weiter, selbst als es nichts mehr auszuspucken gab. Und dann begann er zu weinen. Weinte um sich selbst und um Lawson Geddes und vielleicht sogar um Lenny Spaven. Und vor allem um Elsie Rhind und all ihre Leidensgenossinnen, um all die Opfer, die er nicht hatte retten und denen er niemals würde helfen können.

Jack saß, die Arme auf den Knien, einen knappen Meter von ihm entfernt auf dem Boden. Er keuchte und schwitzte, zog sich das Jackett aus. Rebus schien mit dem Heulen gar nicht mehr aufhören zu können. An seinen Nasenlöchern blubberten Rotzblasen, Speichelfäden schlierten ihm aus dem Mund. Dann spürte er, dass das Zittern allmählich nachließ, schließlich ganz aufhörte. Er ließ sich auf den Rücken fallen und lag, einen Arm über der Stirn, heftig atmend da.

»Jesus«, sagte er, »das war nötig.«

»Seit ich ein Teenager war, hab ich mich nicht mehr so geprügelt«, sagte Jack. »Fühlst du dich besser?«

»Viel besser.« Rebus zog ein Taschentuch heraus, wischte sich Augen und Mund ab, putzte sich die Nase. »Tut mir Leid, dass ausgerechnet du das sein musstest.«

»Besser ich als irgendein unschuldiger Unbeteiligter.«

»Das trifft es ziemlich genau.«

»Ist das der Grund, warum du trinkst? Damit so was nicht passiert?«

»Herrgott, Jack, ich weiß es nicht. Ich trinke, weil ich das schon immer getan habe. Ich mag es; ich mag den Geschmack und das Gefühl, ich mag Pubs.«

»Und du magst es, ohne Träume zu schlafen?«

Rebus nickte. »Das vor allem.«

»Da gibt es auch andere Möglichkeiten, John.«

»Kommt jetzt das Verkaufsgespräch für die Schnapskirche?«

»Du bist ein großer Junge, du kannst dich selbst entscheiden.« Jack stand auf, zog dann Rebus hoch.

»Ich wette, wir sehen wie zwei Penner aus.«

»Tja, also du siehst wie einer aus. Bei mir weiß ich es nicht so genau.«

»Wie aus dem Ei gepellt, Jack, du siehst wie aus dem Ei gepellt aus.«

Jack berührte Rebus an der Schulter. »Okay jetzt?«

Rebus nickte. »Es ist bescheuert, aber ich fühl mich so gut wie seit Ewigkeiten nicht mehr. Komm, laufen wir ein Stück.«

Sie machten kehrt und schlenderten wieder in Richtung Krankenhaus. Jack fragte nicht, wo sie hingingen. Aber Rebus hatte durchaus ein Ziel im Auge: die Universitätsbibliothek am George Square. Als sie ankamen, war sie gerade am Schließen, und die hinausströmenden Studenten bildeten, Mappen an die Brust gepresst, vor ihnen eine breite Gasse bis zum Ausgabeschalter.

»Kann ich Ihnen helfen?«, fragte ein Mann und sah sie von oben bis unten an. Aber Rebus ging um den Tresen herum und auf eine junge Frau zu, die über einen Stapel Bücher gebeugt stand.

»Hallo, Nell.«

Sie hob den Kopf, erkannte ihn zunächst nicht. Dann wich ihr alles Blut aus dem Gesicht.

»Was ist passiert?«

Rebus hob eine Hand. »Brian geht's gut. Jack und ich... also, wir...«

»Sind gestolpert und hingefallen«, sagte Jack.

»Sie sollten keine Pubs mit Treppen frequentieren.« Jetzt, wo sie wusste, dass Brian nichts passiert war, gewann sie rasch ihre Fassung zurück und damit auch ihren Argwohn. »Was wollen Sie?«

»Kurz mit Ihnen reden«, sagte Rebus. »Vielleicht draußen?«

»In fünf Minuten bin ich hier fertig.«

Rebus nickte. »Wir warten.«

Sie gingen nach draußen. Rebus wollte sich eine Zigarette anzünden, stellte aber fest, dass das Päckchen zerdrückt, der Inhalt unbrauchbar war.

»Mist, gerade wenn ich eine bräuchte!«

»Jetzt weißt du, wie das ist, wenn man mit dem Rauchen aufhört.«

Sie setzten sich auf die Außentreppe und starrten auf die George Square Gardens und die Gebäude, die den Platz säumten: ein Mischmasch aus Alt und Neu.

»Man spürt förmlich die ganze Gehirnpower in der Luft«, kommentierte Jack.

»Heutzutage besteht das CID zur Hälfte aus Studierten.«

»Und ich wette, die gehen nicht mit Fäusten auf ihre Freunde los.«

»Ich hab doch gesagt, es tut mir Leid.«

»War Sammy eigentlich auf der Uni?«

»College. Ich glaube, sie hat was mit Verwaltung studiert. Jetzt arbeitet sie bei einer gemeinnützigen Organisation.«

»Welcher?«

»SWEEP.«

»Die, die sich um Exknackis kümmern?«

»Genau.«

»Hat sie das getan, um dir eins auszuwischen?«

Rebus hatte sich dieselbe Frage schon unzählige Male gestellt. Er zuckte die Achseln.

»Väter und Töchter, hm?«

Die Tür schwang hinter ihnen auf, und Nell Stapleton trat heraus. Sie war groß, hatte kurzes dunkles Haar und einen trotzigen Gesichtsausdruck. Keinerlei Ohrringe oder sonstigen Schmuck.

»Sie können mich zur Bushaltestelle begleiten«, sagte sie zu den beiden Männern.

»Also, Nell«, begann Rebus und stellte fest, dass er sich das alles besser im Voraus hätte zurechtlegen sollen, »ich wollte nur sagen, dass es mir wegen Ihnen und Brian Leid tut.«

»Danke.« Sie ging mit schnellen Schritten. Rebus hielt mit, aber ihm tat das Knie weh.

»Ich weiß, dass ich nicht gerade der berufenste Eheberater bin, aber eins müssen Sie wissen: Brian ist der geborene Bulle. Er will Sie nicht verlieren – das bringt ihn um –, aber den Dienst zu quittieren wäre für ihn nur ein langsamer Tod. Er schafft es nicht, selbst zu kündigen, also versucht er stattdessen, Mist zu bauen, so dass die großen Bosse keine andere Wahl haben werden, als ihn zu feuern. Aber das ist keine Art, ein Problem zu lösen.«

Nell sagte eine ganze Zeit lang nichts. Sie erreichten die Potterrow, überquerten die Straße an der Ampel. Sie steuerten Greyfriars an, wo es jede Menge Bushaltestellen gab.

»Ich weiß, was Sie damit sagen wollen«, entgegnete sie schließlich. »Sie meinen, dass es eine ausweglose Situation ist.«

»Ganz und gar nicht.«

»Bitte, hören Sie mir zu.« Ihre Augen funkelten im Licht der Straßenlaternen. »Ich will nicht den Rest meines Lebens auf den einen Anruf warten müssen, der mir mitteilen wird, dass etwas Schlimmes passiert ist. Ich will keine Wochenendausflüge und Ferien planen und dann alles wieder über den Haufen werfen müssen, weil irgendein Fall oder eine Zeugenaussage vor Gericht Vorrang hat. Das ist einfach zu viel verlangt.«

»Das ist verdammt viel verlangt«, gab Rebus zu. »Das ist ein Hochseilakt ohne Netz. Aber trotzdem …«

»Was?«

»Es ist zu schaffen. Eine Menge Leute schaffen das. Vielleicht kann man nicht allzu lange im Voraus planen, vielleicht gibt es immer wieder Enttäuschungen und Tränen. Aber wenn sich eine Gelegenheit bietet, greift man zu.«

»Bin ich hier aus Versehen in eine Dr.-Ruth-Sendung geraten?« Rebus seufzte. Sie blieb stehen und nahm seine Hand. »Hören Sie, John, ich weiß, warum Sie das hier tun. Brian leidet, und Sie können das nicht ertragen. Mir gefällt es auch nicht.« Eine ferne Sirene heulte den Hang hinab auf die High Street zu. Nell erschauderte. Rebus bemerkte es, sah ihr in die Augen und nickte. Er wusste, dass sie Recht hatte; seine Frau hatte früher das Gleiche gesagt. Und nach

Jacks Gesichtsausdruck zu urteilen, war ihm alles auch nicht fremd. Nell setzte sich wieder in Bewegung.

»Er wird die Polizei verlassen, Nell. Er wird es schaffen, dass sie ihn rausschmeißen. Aber für den Rest seines Lebens…« Er schüttelte den Kopf. »Es wird nicht mehr dasselbe sein. Er wird nicht mehr derselbe sein.«

Sie nickte. »Ich kann damit leben.«

»Das wissen Sie aber nicht mit Sicherheit.«

»Nein, das weiß ich nicht.«

»*Dieses* Risiko sind Sie bereit einzugehen, aber das andere, dass er weiter bei der Polizei bleibt, nicht?« Ihre Miene verhärtete sich, aber Rebus ließ ihr keine Zeit zu einer Erwiderung. »Da kommt Ihr Bus. Denken Sie einfach noch einmal darüber nach, Nell.«

Er wandte sich ab und ging zurück zu den Meadows.

Sie hatten für Jack ein Bett im Gästezimmer bezogen, Sammys ehemaligem Schlafzimmer, noch komplett mit Duran-Duran- und Michael-Jackson-Postern. Sie hatten geduscht und eine Kanne Tee getrunken – keinen Alkohol, keine Kippen. Rebus lag im Bett und starrte an die Decke, wusste, dass er ewig nicht würde einschlafen können und, wenn doch, die Träume schlimm sein würden. Er stand auf und schlich, ohne Licht zu machen, auf Zehenspitzen ins Wohnzimmer. Dort war es kühl; sie hatten die Fenster lange aufgelassen, aber die frische Farbe und der von der Tür abgebeizte alte Lack erzeugten einen angenehmen Geruch. Rebus deckte seinen Sessel ab und schob ihn ans Erkerfenster. Er setzte sich hinein, zog die Decke hoch und spürte, wie er sich sofort entspannte. Dann konzentrierte er sich auf die erleuchteten Fenster auf der anderen Straßenseite. Ich bin ein Spanner, dachte er, ein Voyeur. Jeder Bulle ist einer. Aber das war nicht alles: Er tauchte gern in das Leben anderer Menschen ein. Sein Bedürfnis zu *wissen*, ging über bloßen

Voyeurismus hinaus. Es war wie eine Droge. Doch sobald er dieses Wissen hatte, brauchte er den Alkohol, um es wieder auszulöschen. Er sah sein Spiegelbild im Fenster, zweidimensional, gespenstisch.

Ich bin so gut wie gar nicht da, dachte er.

24

Rebus wachte auf und ahnte, dass irgendwas nicht stimmte. Er duschte und zog sich an, und noch immer wusste er nicht, was es war. Dann kam Jack in die Küche geschlurft und fragte, ob er gut geschlafen habe.

Und das hatte er. *Das* war anders als sonst. Er hatte sogar sehr gut geschlafen, und er war nüchtern gewesen.

»Hat Ancram von sich hören lassen?«, erkundigte sich Jack, während er in den Kühlschrank starrte.

»Nein.«

»Dann hast du heute wahrscheinlich frei.«

»Er trainiert wohl für die nächste Begegnung.«

»Also, spielen wir jetzt weiter Anstreicher, oder gehen wir richtig arbeiten?«

»Streichen wir noch 'ne Stunde«, antwortete Rebus. Das taten sie dann auch, Rebus mit einem halben Auge auf die Straße. Keine Reporter, kein *Justice Programme*. Vielleicht hatte er sie verscheucht; vielleicht warteten sie nur den richtigen Augenblick ab. Von einer Anzeige wegen Körperverletzung hatte er noch nichts gehört: Breen freute sich wahrscheinlich zu sehr über das Filmmaterial, um vorerst an weitere Maßnahmen zu denken. War die Sendung erst einmal ausgestrahlt worden, blieb immer noch genügend Zeit für eine Klage…

Nach dem Malern fuhren sie mit Jacks Auto nach Fort Apache. Jacks erste Reaktion enttäuschte Rebus nicht.

»Was'n Scheißladen.«

Innen war die Wache ein einziges Chaos von packenden und schleppenden Männern. Lieferwagen schafften bereits Kisten und Kartons zur neuen Wache. Der Sergeant am Empfang hatte sich in einen hemdsärmeligen Vorarbeiter verwandelt, der sich vergewisserte, dass alles richtig beschriftet war und die Packer wussten, wo das Ganze, wenn es erst mal sein Ziel erreicht hatte, auch im Einzelnen hinkam.

»Wenn alles planmäßig abläuft, ist es ein Wunder«, sagte er. »Und wie ich sehe, macht das CID mal wieder keinen Finger krumm.«

Jack und Rebus belohnten ihn mit Applaus: Es war ein alter Witz, aber gut gemeint. Dann gingen sie in den Schuppen.

Maclay und Bain waren vor Ort.

»Der verlorene Sohn!«, rief Bain aus. »Wo zum Teufel haben Sie gesteckt?«

»Musste CI Ancram bei seinen Ermittlungen helfen.«

»Sie hätten sich melden sollen. MacAskill will mit Ihnen reden, *ruckizucki*.«

»Ich dachte, ich hätte Ihnen gesagt, dass Sie mich nicht so nennen sollen.«

Bain grinste. Rebus stellte Jack Morton vor. Es wurde genickt, gehändeschüttelt, geknurrt: das übliche Prozedere.

»Sie sollten besser zum Chef«, sagte Maclay. »Er hat sich Sorgen gemacht.«

»Mir hat er auch gefehlt.«

»Haben Sie uns irgendwas aus Aberdeen mitgebracht?«

Rebus kramte in seinen Taschen. »Muss ich verloren haben.«

»Na ja«, meinte Bain, »Sie hatten wahrscheinlich viel um die Ohren.«

»Mehr als Sie jedenfalls, aber dazu gehört ja nicht viel.«

»Gehen Sie zum Chef«, sagte Maclay.

Bain drohte ihm mit dem Zeigefinger. »Und Sie sollten nett zu uns sein, sonst verraten wir Ihnen vielleicht nicht, was unsere Spitzel rausgekriegt haben.«

»Was?« Die örtlichen Spitzel, die man auf Tony Els Komplizen angesetzt hatte.

»Nachdem Sie mit MacAskill geredet haben.«

Also machte Rebus sich auf den Weg zu seinem Chef und ließ Jack draußen vor der Tür stehen.

»John«, begann Jim MacAskill, »was haben Sie getrieben?«

»Dies und das, Sir.«

»So hat man mir berichtet; und nichts davon sonderlich geschickt, was?«

MacAskills Büro leerte sich allmählich, aber es gab noch genügend zu tun. Sein Aktenschrank war ausgeräumt, die Akten selbst lagen über den ganzen Fußboden verstreut.

»Ein Albtraum«, sagte er, als er Rebus' Blick bemerkte. »Was macht denn *Ihr* Umzug?«

»Ich reise mit wenig Gepäck, Sir.«

»Hatte ich vergessen, Sie sind ja noch nicht lang bei uns. Manchmal kommt's mir vor wie eine Ewigkeit.«

»Ich hab bei Leuten diese Wirkung.«

MacAskill lächelte. »Vordringlichste Frage – diese Wiederaufnahme des Spaven-Falls: Ist damit zu rechnen, dass irgendwas ans Tageslicht kommt?«

»Nicht, wenn's nach mir geht.«

»Nun, Chick Ancram ist ziemlich stur... und gründlich. Bauen Sie nicht darauf, dass er etwas übersieht.«

»Nein, Sir.«

»Ich hab mich mit Ihrem Chef in St. Leonard's unterhalten. Er meint, das wäre Ihre gewohnte Platzleistung.«

»Ich weiß nicht, Sir, ich komme mir eher ziemlich gehandicapt vor.«

»Tja, wenn ich irgendwas für Sie tun kann, John...«

»Danke, Sir.«

»Ich weiß, welche Taktik Chick einsetzen wird: Zermürbung. Er wird Sie hetzen, Sie im Kreis laufen lassen. Er will's Ihnen leichter machen, zu lügen und zu behaupten, Sie seien schuldig, als die Wahrheit zu sagen. Nehmen Sie sich also in Acht.«

»Ja, Sir.«

»Aber die wichtigste Frage: Wie fühlen Sie sich?«

»Mir geht's gut, Sir.«

»Tja also, momentan steht bei uns nichts an, was wir nicht allein schaffen könnten, wenn Sie sich also ein paar Tage freinehmen möchten – nur zu.«

»Danke, Sir.«

»Chick ist von der Westküste, John. Er hat hier nichts verloren.« MacAskill schüttelte den Kopf, holte eine Dose Irn-Bru aus der Schublade. »Mist«, schimpfte er.

»Stimmt was nicht, Sir?«

»Ich hab aus Versehen die Lightversion gekauft.« Er riss die Dose trotzdem auf. Rebus hielt ihn nicht weiter vom Packen ab.

Jack stand direkt vor der Tür.

»Hast du was mitbekommen?«

»Ich hab nicht gelauscht.«

»Mein Boss hat mir gerade gesagt, dass ich jederzeit verschwinden kann.«

»Was bedeutet, dass wir das Wohnzimmer fertigstreichen können.«

Rebus nickte, aber ihm schwebte was anderes vor. Er ging in den Schuppen und pflanzte sich vor Bains Schreibtisch auf.

»Und?«

»Tja«, sagte Bain und lehnte sich zurück, »wir haben, wie Sie wollten, unsere Informanten angespitzt. Und sie haben uns einen Namen geliefert.«

»Hank Shankley«, fügte Maclay hinzu.

»An Vorstrafen hat er nicht viel zu bieten, aber wenn's ein paar Kröten abwirft, ist er für alles zu haben, keinerlei Skrupel. Und er macht von sich reden. Scheint zu Geld gekommen zu sein, und nach ein paar Drinks protzte er schon von seiner ›Glasgow Connection‹.«

»Haben Sie mit ihm geredet?«

Bain schüttelte den Kopf. »Erst mal abgewartet.«

»Dass Sie sich wieder blicken lassen«, fügte Maclay hinzu.

»Haben Sie den Sketch einstudiert? Wo kann ich ihn finden?«

»Er schwimmt gern.«

»Lieblingsgewässer?«

»Der Commie-Pool.«

»Beschreibung?«

»Großes Gebäude am Ende der Dalkeith Road.«

»Ich meinte Shankley.«

»Nicht zu verfehlen«, sagte Maclay. »Ende dreißig, eins achtzig groß und dürr wie 'ne Bohnenstange, kurzes helles Haar. Nordischer Typ.«

»Was man uns sagte«, korrigierte ihn Bain, »war ›Albino‹.«

Rebus nickte. »Gentlemen, dafür haben Sie was gut.«

»Sie wissen noch gar nicht, von wem die Info stammt.«

»Nämlich?«

Bain grinste. »Erinnern Sie sich an Craw Shand?«

»Der Johnny-wär-gern-Bible?« Bain und Maclay nickten. »Warum haben Sie mir nicht gesagt, dass er einer von Ihren Spitzeln ist?«

Bain zuckte die Achseln. »Wir wollten es nicht an die große Glocke hängen. Aber Craw ist ein großer Fan von Ihnen. Von Zeit zu Zeit so 'ne kleine Abreibung, da steht er echt drauf...«

Draußen strebte Jack schnurstracks auf das Auto zu, aber Rebus hatte andere Pläne. Er ging in einen Laden und kam mit sechs Dosen Irn-Bru – *nicht* light – wieder heraus, marschierte dann zurück in die Wache. Der Sergeant am Empfang war am Schwitzen. Rebus reichte ihm die Tüte.

»Das wär aber nicht nötig gewesen«, sagte der Sergeant.

»Die sind für Jim MacAskill«, erklärte Rebus. »Ich möchte, dass wenigstens fünf davon auf seinem Schreibtisch landen.«

Jetzt konnte es losgehen.

Der Commonwealth Pool – für die Commonwealth-Spiele 1970 gebaut – befand sich am oberen Ende der Dalkeith Road, zu Füßen des Arthur's Seat und einen knappen halben Kilometer von der Polizeiwache St. Leonard's entfernt. Zu den Zeiten, als er noch schwimmen ging, hatte Rebus den Commie Pool in der Mittagspause frequentiert. Man fand eine passende Bahn – nie eine freie, es war immer wie beim Einfädeln in die Schnellstraße – und schwamm los, wobei man sein Tempo so regulierte, dass man weder gegen den Schwimmer vor sich stieß noch seinen Hintermann zu nah herankommen ließ. War schon okay, aber ein bisschen zu militärisch. Die andere Möglichkeit bestand darin, quer durch das offene Becken zu schwimmen, aber da bewegte man sich inmitten von Kindern und deren Eltern. Dann gab es noch ein Babybecken und drei Wasserrutschen, die Rebus noch nie ausprobiert hatte, außerdem Saunen, einen Fitnessraum und ein Café.

Sie ließen den Wagen auf dem Außenparkplatz stehen und traten durch den Haupteingang ein. An der Kasse zeigte Rebus seinen Dienstausweis vor und lieferte eine Beschreibung Shankleys.

»Er kommt regelmäßig her«, erklärte ihm die Frau.

»Ist er jetzt da?«

»Ich weiß nicht. Hab gerade erst angefangen.« Sie drehte sich zu der Frau am anderen Kassenschalter, die gerade damit beschäftigt war, Münzen in Bankbeutel abzuzählen. Jack Morton tippte Rebus auf den Arm und nickte.

Hinter dem Kassenkiosk befand sich ein weiter offener Raum mit Fenstern, die auf das Hauptbecken führten. Und genau da stand ein sehr langer, sehr dünner Mensch mit feuchtem hellem Haar und trank Cola aus der Dose. Unter einem Arm hielt er ein aufgerolltes Badetuch. Als er sich umdrehte, erkannte Rebus, dass auch seine Augenbrauen und Wimpern hellblond waren. Shankley sah zwei Männer, die ihn musterten, und wusste sofort, wen er vor sich hatte. Als Rebus und Morton auf ihn zugingen, rannte er los.

Er bog um die Ecke in die offen angelegte Cafeteria. Da es jedoch von dort keinen Ausgang gab, rannte er weiter, bis er an den Kinderspielbereich stieß. Das war ein mit Netzen abgetrennter, sich über drei Stockwerke erstreckender Bereich mit Rutschbahnen, schmalen Brücken und anderen Schikanen – ein Drillgelände für Knirpse. Früher hatte Rebus nach dem Schwimmen gern bei einem Kaffee den Kids beim Spielen zugesehen und sich überlegt, welcher von ihnen wohl den besten Soldaten abgegeben hätte.

Shankley saß in der Falle. Er wandte sich um und starrte sie an. Rebus und Jack lächelten. Aber der Fluchtinstinkt war noch zu stark: Shankley drängte sich an der Aufseherin vorbei, öffnete die Tür zum Kinderspielbereich, duckte sich und flitzte hinein. Direkt vor ihm ragten zwei riesige gepolsterte Walzen empor wie eine gigantische Mangel. Er war dünn genug, um sich zwischen ihnen hindurchquetschen zu können.

Jack Morton lachte. »Wo will er von da aus denn hin?«

»Keine Ahnung.«

»Holen wir uns eine Tasse Tee und warten, bis er die Lust verliert.«

Rebus schüttelte den Kopf. Er hatte ein Geräusch im ersten Stock gehört. »Da ist ein Kind drin.« Er wandte sich zur Aufseherin. »Oder?«

Sie nickte. Rebus wandte sich zu Jack. »Potenzielle Geisel. Ich geh rein. Bleib du hier draußen und ruf mir zu, wo Shankley gerade ist.«

Rebus zog sein Jackett aus und ging hinein.

Die Walzen waren das erste Hindernis. Er passte nicht zwischen ihnen hindurch, schaffte es aber, sich zwischen der einen und dem Seitennetz durchzudrängen. Er erinnerte sich an seine Ausbildung beim SAS: Übungsgelände, die man nicht für möglich gehalten hätte. Also weiter. Als Nächstes ein Becken voll bunter Plastikbälle, das man durchwaten musste, und dann eine aufwärts gebogene Röhre, die zum ersten Stock führte. Fast eine Rutschbahn – er kletterte sie hoch. Durch das Netz konnte er Jack sehen, der nach oben und in die hintere Ecke deutete. Rebus blieb in der Hocke, blickte sich um. Sandsäcke, ein Abgrund, über den sich ein Netz spannte, eine Röhre zum Durchkriechen … weitere Rutschbahnen und Kletterseile. Da, in der hinteren Ecke, ratlos: Hank Shankley. Die Leute im Café hatten ihr Interesse an den Schwimmern verloren und beobachteten ihn. Im nächsthöheren Stock befand sich das Kind. Rebus musste es vor Shankley erreichen; entweder das, oder sich zuerst Shankley schnappen. Shankley wusste nicht, dass jemand hinter ihm her war. Jack schrie zu ihm hoch, um ihn abzulenken.

»Hey, Hank, wir können hier den ganzen Tag warten! Und auch die ganze Nacht, wenn's sein muss! Komm raus, wir wollen uns nur ein bisschen unterhalten! Hank, du siehst lächerlich aus da drin. Vielleicht machen wir den Laden einfach dicht und lassen dich als Ausstellungsobjekt drin …«

»Schnauze!« Speichelspritzer aus Shankleys Mund. Mager, dürr … Rebus wusste, dass es absurd war, sich wegen HIV Sorgen zu machen, aber er konnte nicht bestreiten, dass er es doch tat. Edinburgh war noch immer HIV-City. Er stand knapp fünf Meter von Shankley entfernt, als er etwas heransausen hörte. Er ging gerade an der Mündung einer Röhre vorbei, als zwei Füße gegen ihn stießen und ihn umwarfen. Ein vielleicht achtjähriger Junge starrte ihn an.

»Sie sind zu groß, Mister, Sie dürfen hier nicht rein!«

Rebus rappelte sich hoch, sah Shankley auf sie beide zukommen, packte den Jungen am Schlafittchen und zerrte ihn hinter sich her. Er ging rückwärts bis zur Rutschbahn und schubste dann den Jungen hinunter. Er drehte sich gerade wieder nach Shankley um, als ihn zwei weitere Füße erwischten – die des Albinos. Er prallte von der Netzwand ab und kullerte die gepolsterte Rutschbahn hinunter. Der Junge trottete zum Ausgang, wo die Aufseherin ihn mit hektischen Gesten zur Eile ermahnte. Shankley kam mit ausgestreckten Armen heruntergerutscht und rammte Rebus die Fäuste in den Nacken. Dann setzte er dem Jungen nach, aber der war schon zwischen den Walzen verschwunden. Rebus hechtete auf Shankley, warf ihn in das Plastikballbecken und verpasste ihm einen ordentlichen Schwinger. Shankleys Arme waren müde vom Schwimmen. Er boxte Rebus in die Seiten, aber es war lediglich so, als würde eine Flickenpuppe auf einen einschlagen. Rebus schnappte sich einen Ball und stopfte ihn Shankley in den Mund, wo er zwischen blutleeren Lippen stecken blieb. Dann schlug er Shankley zweimal in die Weichteile, und das war's.

Jack half ihm, die schlaffe Gestalt herauszuziehen. »Alles in Ordnung?«, fragte er.

»Der Junge hat mir mehr wehgetan als er.«

Die Mutter des Kindes hielt ihren Sohn in den Armen und vergewisserte sich, dass ihm ja nichts passiert war. Sie bedachte Rebus mit einem bösen Blick. Der Junge beschwerte sich, er habe noch zehn Minuten gut. Die Aufseherin lief Rebus nach.

»Verzeihung«, sagte sie, »könnte ich den Ball wiederhaben?«

Da es zur St.-Leonard's-Wache nur ein Katzensprung war, schafften sie Shankley dorthin und ließen sich eine freie, dem Geruch nach zu urteilen gerade erst geräumte Keksdose geben.

»Da hinsetzen!«, befahl Rebus Shankley. Dann ging er mit Jack nach draußen, redete leise mit ihm.

»Nur dass du Bescheid weißt: Tony El hat Allan Mitchison getötet. Warum genau, weiß ich noch nicht. Tony hatte einen hiesigen Helfer.« Er deutete mit dem Kopf zur Tür. »Ich will herausfinden, was Hank weiß.«

Jack nickte. »Bleibe ich stumm, oder habe ich auch eine sprechende Rolle?«

»Du bist der gute Bulle, Jack.« Rebus klopfte ihm auf die Schulter. »Bist du ja schon immer gewesen.«

Sie kehrten als Team in den Verhörraum zurück, so wie in alten Zeiten.

»Nun, Mr. Shankley«, begann Rebus, »einstweilen hätten wir Widerstand gegen die Staatsgewalt und tätlichen Angriff auf einen Beamten. Und dazu jede Menge Zeugen.«

»Ich hab nie nix getan.«

»Doppelte Verneinung.«

»Hä?«

»Wenn Sie nie nichts getan haben, müssen Sie *irgendwann irgendetwas* getan haben.«

Shankley schaute bloß griesgrämig drein. Rebus hatte ihn schon eingeordnet: Bains »keinerlei Skrupel« genügte als Hinweis. Shankley lebte, wenn's hochkam, nach einer einzigen Maxime: »Erst ich und das war's dann.« Die einzige Geistestätigkeit, die man ihm nachsagen konnte, war ein rudimentärer Überlebensinstinkt. Rebus wusste, dass er da ansetzen konnte.

»Sie schulden Tony El gar nichts, Hank. Was glauben Sie wohl, wer Sie verpfiffen hat?«

»Tony wer?«

»Anthony Ellis Kane. Der Glasgower Mann-fürs-Grobe, neuerdings in Aberdeen tätig. Er hatte hier unten einen Job zu erledigen. Er brauchte einen Komplizen. Irgendwie ist er auf Sie gekommen.«

»Sie können nichts dafür«, hakte Jack ein, die Hände in den Taschen, »Sie sind nur ein Helfershelfer. Wir wollen Sie nicht wegen des Mordes drankriegen.«

»Des Mordes?«

»An diesem jungen Typ, hinter dem Tony El her war«, erklärte Rebus. »Sie haben eine Wohnung ausbaldowert, wo Sie ihn hinbringen konnten. Damit war Ihre Aufgabe so ziemlich erledigt, stimmt's? Der Rest war Tonys Sache.«

Shankley biss sich auf die Oberlippe, wodurch eine Reihe schmaler, ungleichmäßiger Zähne sichtbar wurde. Er hatte blassblaue, dunkel gesprenkelte Augen; seine Pupillen waren schwarze Stecknadelköpfe.

»Natürlich«, sagte Rebus, »können wir die Sache auch anders aufziehen. Wir könnten sagen, Sie haben ihn aus dem Fenster gestoßen.«

»Ich weiß von nix.«

»Ich weiß *nichts*«, korrigierte ihn Rebus. Shankley verschränkte die Arme, streckte seine langen Beine aus.

»Ich will einen Anwalt.«

»Zu viel *Kojak* geguckt, Hank?«, fragte Jack. Er warf Rebus einen Blick zu. Rebus nickte: Schluss mit der Schmusetour.

»Sie langweilen mich, Hank. Wissen Sie was? Wir lassen Ihnen jetzt die Fingerabdrücke abnehmen. Sie haben in der Bude überall Patscher hinterlassen, und sogar Ihre Partyvorräte stehen lassen. Von oben bis unten befingert. Erinnern Sie sich, wie Sie die Flaschen angefasst haben? Die Dosen? Die Tüte, in der das Zeug drin war?« Shankley gab sich alle Mühe, sich zu erinnern. Rebus' Stimme wurde leiser. »Wir haben dich, Hank. Wir haben dich am Arsch. Ich geb dir zehn Sekunden, und wenn du dann nicht plauderst, war's das – versprochen. Bild dir nicht ein, du könntest uns *später* was erzählen, dann hören wir nämlich nicht mehr zu. Der Richter wird sein Hörgerät ausgeschaltet lassen. Du wirst ganz allein dastehen. Und weißt du, warum?« Er wartete, bis er Shankleys ungeteilte Aufmerksamkeit hatte. »Weil Tony El abgekratzt ist. Jemand hat ihn in der Badewanne aufgeschlitzt. Du könntest als Nächster dran sein.« Rebus nickte. »Du brauchst Freunde, Hank.«

»Hören Sie...« Die Tony-El-Story hatte Shankley aufgerüttelt. Er beugte sich vor. »Hören Sie, ich bin... ich...«

»Lass dir Zeit, Hank.«

Jack fragte ihn, ob er etwas zu trinken wolle. Shankley nickte. »Cola oder so was.«

»Bring mir auch eine mit, Jack«, bat Rebus. Jack ging auf den Korridor zum Automaten. Rebus wartete. Er ging im Zimmer auf und ab und ließ Shankley Zeit, sich zu überlegen, wie viel er erzählen sollte und wie weit er es entschärfen konnte. Jack kam zurück, warf Shankley eine Dose zu; die andere reichte er Rebus, der sie aufriss und an den Mund führte. Das war kein richtiges Getränk. Es war kalt und viel zu süß, und der einzige Kick, den es ihm gab, kam vom Koffein. Er bemerkte, dass Jack ihn beobachtete, und verzog das Gesicht. Eine Zigarette hätte jetzt auch nichts geschadet. Jack verstand seinen Blick, zuckte die Achseln.

»So«, sagte Rebus. »Hast du uns was zu erzählen, Hank?«

Shankley rülpste, nickte. »Ist so, wie Sie gesagt haben. Er meinte, er wär hier, um einen Job zu erledigen. Erzählte, er hätte Connections nach Glasgow.«

»Was hat er damit gemeint?«

Shankley zuckte die Achseln. »Hab ihn nicht gefragt.«

»Hat er Aberdeen erwähnt?«

Shankley schüttelte den Kopf. »Er hat nur was von Glasgow gesagt.«

»Weiter.«

»Er hat mir fünfzig Scheine versprochen, wenn ich ihm 'ne Wohnung finde, wo er jemand hinbringen kann. Ich hab ihn gefragt, was er da tun wollte, und er meinte, ihm ein paar Fragen stellen, ihn vielleicht ein bisschen aufmischen. Das war alles. Wir haben draußen vor so 'nem Apartmenthaus gewartet, ziemlich nobel.«

»Im Financial District?«

Ein weiteres Achselzucken. »Zwischen Lothian Road und Haymarket.« Das war es. »Da kommt dieser junge Typ raus, und wir sind ihm nachgegangen. 'ne Zeit lang haben wir ihn nur beobachtet, dann meinte Tony, es wär Zeit, seine Bekanntschaft zu machen.«

»Und?«

»Na, da haben wir eben angefangen, mit ihm zu quatschen. Das hat mir dann selbst Spaß gemacht, und ich hab vergessen, worum's eigentlich ging. Tony sah so aus, als wenn er's auch vergessen hätte. Ich dachte, vielleicht würde er die Sache noch abblasen. Dann sind wir raus und in ein Taxi gestiegen, und wie der junge Typ uns nicht sehen konnte, hat er mich so angeguckt, und da wusste ich, dass nix abgeblasen war. Aber ich schwör's, ich dachte, der Junge sollte bloß 'ne Abreibung kriegen.«

»War aber nicht.«

»Nein.« Shankleys Stimme wurde schlagartig leiser. »Tony hatte eine Tasche dabei. Als wir in der Wohnung waren, hat er Klebeband und so Zeugs rausgeholt. Hat den Jungen an den Stuhl gefesselt. Er hatte 'ne Plastikplane dabei, hat dem Jungen eine Tüte über den Kopf gezogen.« Shankleys Stimme schnappte über. Er räusperte sich, trank einen weiteren Schluck Cola. »Dann hat er angefangen, Kram aus seiner Tasche zu holen, so Werkzeug, wissen Sie, wie für einen Tischler. Sägen und Schraubenzieher und so Sachen.«

Rebus warf Jack Morton einen Blick zu.

»Und da hab ich kapiert, dass die Plastikplane dazu gedacht war, das Blut aufzufangen, der Junge sollte nicht bloß 'ne Abreibung kriegen.«

»Tony wollte ihn foltern?«

»Ich nehm's an. Ich weiß nicht ... vielleicht hätte ich versuchen sollen, ihn aufzuhalten. Ich hab so was noch nie gemacht. Ich meine, ich hab früher schon mal was ausgeteilt, aber noch nie ...«

Die nächste Frage war normalerweise diejenige, auf die es ankam; Rebus war sich da nicht mehr so sicher. »Ist Allan Mitchison gesprungen, oder was?«

Shankley nickte. »Wir kehrten ihm gerade den Rücken zu. Tony holte sein Werkzeug raus, und ich starrte da bloß drauf. Der Junge hatte eine Tüte über dem Kopf, aber ich glaub, er hat die Sachen gesehen. Er ist zwischen uns durchgewischt und aus dem Fenster gesprungen. Muss einen Mordsschiss gehabt haben.«

Als er Shankley betrachtete und sich an Anthony Kane erinnerte, ahnte Rebus wieder, wie harmlos Unmenschlichkeit aussehen konnte. Gesichter und Stimmen verrieten nichts; niemand trug Hörner und Fangzähne zur Schau, bluttriefend und Bosheit kündend. Das Böse war fast ... es war fast kindlich: naiv, simpel. Ein Spiel, das man spielte und aus dem man dann aufwachte, um festzustellen, dass es ernst gewesen war. Die wirklichen Ungeheuer waren keine Fantasy-Monster, sondern unscheinbare, unauffällige Männer und Frauen, Menschen, an denen man auf der Straße vorbeiging, ohne ihnen Beachtung zu schenken. Rebus war froh, dass er nicht in die Köpfe seiner Mitmenschen hineinsehen konnte. Es wäre die reine Hölle gewesen.

»Was habt ihr dann gemacht?«, fragte er.

»Zusammengepackt und uns verzogen. Wir sind zuerst in meine Bude und haben ein paar gekippt. Ich bibberte am ganzen Leib. Tony sagte immer wieder, das wär 'ne verdammte Kacke alles, aber er schien nicht beunruhigt. Dann ist uns aufgefallen, dass wir den Stoff liegen gelassen hatten – und wir konnten uns nicht erinnern, ob da unsere Abdrücke drauf waren. Ich meinte, ja. Da hat Tony die Flatter gemacht. Meine Knete hat er mir allerdings vorher gegeben, das muss man ihm lassen.«

»Wie weit ist es vom Tatort zu deiner Wohnung, Hank?«

»Vielleicht zwei Minuten zu Fuß. Ich bin da nicht oft; die Kinder hänseln mich.«

Ja, das Leben kann grausam sein, dachte Rebus. Zwei Minuten: Als er am Tatort eingetroffen war, war Tony El möglicherweise nur zwei Minuten entfernt gewesen. Aber begegnet waren sie sich dann erst in dieser Pension in Stonehaven...

»Hat Tony in keiner Weise angedeutet, *warum* er hinter Allan Mitchison her war?« Shankley schüttelte den Kopf. »Und wann hat er sich an dich gewandt?«

»Paar Tage vorher.«

Also klarer Fall von Vorsatz. Na ja, natürlich war es Vorsatz gewesen, aber vor allem bedeutete es, dass Tony El schon in Edinburgh gewesen war und die Sache vorbereitet hatte, als Allan Mitchison sich noch in Aberdeen befand: Mitchison war in der Nacht seines ersten freien Tages gestorben. Dann war ihm Tony El also nicht von Aberdeen aus nach Süden gefolgt..., aber dennoch hatte er gewusst, wie Allan Mitchison aussah, wo er wohnte. Die Wohnung hatte zwar Telefonanschluss, aber er stand nicht im Telefonbuch.

Allan Mitchison war von jemandem, der ihn kannte, zum Abschuss freigegeben worden.

Jetzt war Jack Morton an der Reihe. »Hank, denk jetzt

sorgfältig nach. Hat Tony wirklich *nichts* über den Job gesagt, darüber, wer ihn bezahlte?«

Shankley überlegte, nickte dann langsam. Er wirkte mit sich zufrieden: Er hatte sich an etwas erinnert.

»Mr. H.«, antwortete er. »Tony erwähnte einen Mr. H. Danach kein Piep mehr, als ob er sich ärgerte, dass er sich verplappert hatte.« Shankley tanzte beinah auf seinem Stuhl. Er wollte, dass Rebus und Morton ihn mochten. Ihr Lächeln bestätigte ihm, dass sie das taten. Aber Rebus zermarterte sich das Gehirn. Der einzige Mr. H., der ihm momentan einfiel, war Jake Harley. Der passte nicht.

»So ist es brav«, lobte ihn Jack. »Denk jetzt noch mal nach, erzähl uns noch was.«

Aber Rebus hatte eine Frage. »Hast du Tony El drücken sehen?«

»Nein, aber ich hab mitgekriegt, dass er es getan hat. Wie wir dem Jungen nachgegangen sind, ist Tony gleich in der ersten Bar schnurstracks aufs Klo. Wie er wieder rauskam, habe ich ihm angesehen, dass er high war. Da wo ich wohne, kriegt man schnell einen Blick dafür.«

Tony El ein Fixer. Das bedeutete nicht, dass er *nicht* umgebracht worden war, sondern lediglich, dass Stanley es möglicherweise leichter mit ihm gehabt hatte. Ein zugedröhnter Tony El war einfacher zu ermorden als ein nüchterner, wachsamer. Drogen nach Aberdeen … Burke's Club ein regelrechter Magnet für das Zeug … Tony El ein User – und Dealer? Er wünschte sich, er hätte Erik Stemmons nach Tony El gefragt.

»Ich muss mal aufs Klo«, sagte Shankley.

»Wir schicken einen Uniformierten vorbei, der dich hinbegleitet. Warte hier.« Rebus und Morton verließen das Zimmer.

»Jack, du musst mir jetzt vertrauen.«

»Wie weit?«

416

»Ich möchte, dass du hier bleibst und Shankleys Aussage aufnimmst.«

»Während du …?«

»…während ich jemanden zum Essen ausführe.« Rebus sah auf die Uhr. »Um drei bin ich wieder da.«

»Also, John …«

»Nenn's Hafturlaub. Ich geh essen, ich komm zurück. Zwei Stunden.« Rebus hielt zwei Finger in die Höhe. »Zwei Stunden, Jack.«

»Restaurant?«

»Was?«

»Sag mir, wo du hingehst. Ich ruf jede Viertelstunde an, und du siehst besser zu, dass du auch da bist.« Rebus machte ein angewidertes Gesicht. »Und ich will wissen, wer dein Gast ist.«

»Eine Frau.«

»Name?«

Rebus seufzte. »Ich hab schon was von harten Verhandlungen gehört, aber mit dieser hier könnte man eine Kokosnuss knacken.«

»Name?«, wiederholte Jack lächelnd.

»Gill Templer. Chief Inspector Gill Templer. Okay?«

»Okay. Jetzt das Restaurant.«

»Keine Ahnung. Ich sag's dir, sobald ich da bin.«

»Ruf mich an. Andernfalls erfährt's Chick, okay?«

»Jetzt ist er wieder ›Chick‹, ja?«

»Er erfährt davon.«

»Schön, ich ruf an.«

»Und gibst mir die Nummer vom Restaurant?«

»Und gebe dir die Nummer. Weißt du was, Jack? Du hast mir den Appetit verdorben.«

»Bestell eine große Portion, und bring mir den Rest mit.«

Rebus machte sich auf die Suche nach Gill, fand sie schließlich in ihrem Büro. Sie sagte ihm, sie hätte schon gegessen.

»Dann komm mit und schau mir zu.«

»Ein Angebot, das ich nicht ablehnen kann.«

Es gab ein italienisches Restaurant auf der Clerk Street. Rebus bestellte eine Pizza: Was er nicht schaffte, konnte er sich für Jack einpacken lassen. Dann rief er die St.-Leonard's-Wache an, hinterließ die Telefonnummer der Pizzeria und bat, sie an Morton weiterzuleiten.

»Also«, sagte Gill, als er wieder Platz genommen hatte, »viel zu tun gehabt?«

»Gewaltig viel. Ich war in Aberdeen.«

»Wozu?«

»Diese Telefonnummer auf Feardie Fergies Notizblock. Und noch ein paar andere Sachen.«

»Was für andere Sachen?«

»Nicht unbedingt damit zusammenhängend.«

»Erzähl, ist der Ausflug ohne Zwischenfälle über die Bühne gegangen?« Sie nahm sich ein Stück von dem Knoblauchbrot, das gerade gekommen war.

»Nicht direkt.«

»Du überraschst mich.«

»Soll gut für die Beziehung sein.«

Gill biss ein Stück Brot ab. »Und, was hast du rausgefunden?«

»Der Burke's Club ist nicht koscher, aber dafür der Ort, an dem Johnny Bibles erstes Opfer zuletzt lebend gesehen wurde. Der Laden gehört zwei Yanks; ich hab nur mit einem von ihnen gesprochen. Der andere ist wahrscheinlich der schmierigere von beiden.«

»Und?«

»Und außerdem hab ich dort zwei Mitglieder einer Glasgower Gangsterfamilie getroffen. Kennst du Uncle Joe Toal?«

»Ich hab von ihm gehört.«

»Ich glaube, er liefert Stoff nach Aberdeen. Ein Teil davon dürfte von da aus weiter auf die Bohrinseln gehen – ein idealer Markt; ganz schön langweilig auf so einem Ding.«

»Du musst es ja wissen«, scherzte sie. Dann sah sie seinen Gesichtsausdruck, und ihre Augen wurden schmaler. »Du warst auf einer Bohrinsel?«

»Die entsetzlichste Erfahrung meines Lebens, aber gleichzeitig auch kathartisch.«

»Kathartisch?«

»Ich hatte früher mal 'ne Freundin, die gern solche Wörter verwendete; das färbt mit der Zeit ab. Der Besitzer des Klubs, Erik Stemmons, bestreitet, Fergie McLure zu kennen. Ich wäre fast geneigt, ihm zu glauben.«

»Womit sein Partner als Verdächtiger übrig bliebe?«

»Denke ich jedenfalls.«

»Und weiter bist du noch nicht gekommen? Du *denkst*? Ich glaube, du hast nichts in der Hand?«

»Rein gar nichts.«

Seine Pizza kam. Chorizo, Pilze und Anchovis. Gill wendete den Blick ab. Die Pizza war in sechs große Stücke aufgeteilt. Rebus legte sich eins auf den Teller.

»Ich weiß wirklich nicht, wie du dir das antun kannst.«

»Ich auch nicht«, sagte Rebus und schnüffelte an dem Belag. »Aber das gibt eine Wahnsinnsrestetüte.«

Er entdeckte einen Zigarettenautomaten, als er über Gills rechte Schulter spähte. Fünf verschiedene Marken, von denen es jede getan hätte. Im Aschenbecher wartete ein Briefchen Streichhölzer. Er hatte ein Glas vom weißen Hauswein bestellt, Gill Mineralwasser. Der Wein – in der Karte war die Rede von einem »feinnervigen Bouquet« – kam, und nachdem er die Nase prüfend darüber gehalten hatte, nippte er daran. Er war eiskalt und sauer.

»Na, wie ist das Bouquet?«, fragte Gill.

»Noch einen Tick feinnerviger, und ich brauch ein Valium.« Die Getränkekarte stand in einem kleinen Ständer direkt vor ihm – randvoll mit Aperitifs, Cocktails und Magenbittern, Weinen, Bieren und Spirituosen. So viel hatte Rebus seit Tagen nicht mehr gelesen. Als er damit durch war, fing er wieder von vorn an. Er hätte gern dem Verfasser die Hand geschüttelt.

Ein Stück Pizza war genug.

»Keinen Hunger?«, fragte Gill.

»Ich bin auf Diät.«

»Du?«

»Ich will für meine Strandspaziergänge fit sein.«

Sie verstand gar nichts mehr, schüttelte sich seine Absurditäten aus dem Kopf.

»Die Sache ist die, Gill«, sagte er nach einem weiteren Schluck Wein. »Ich glaube, du warst einer wirklich großen Sache auf der Spur. Und ich glaube, sie ist noch zu retten. Ich möchte nur sicher sein, dass es *dein* Fang wird.«

Sie sah ihn an. »Warum?«

»Wegen der ganzen Weihnachtsgeschenke, die du von mir nicht gekriegt hast. Weil du es verdienst. Weil es dein *Erster* sein wird.«

»Das zählt nicht, wenn du die ganze Arbeit gemacht hast.«

»Wird schon zählen – was ich mache, sind bloße Vorermittlungen.«

»Du meinst, du bist noch nicht fertig?«

Rebus schüttelte den Kopf, bat den Kellner, den Rest der Pizza für ihn einzupacken. Er nahm sich das letzte Stück Knoblauchbrot.

»Ich bin nicht annähernd fertig«, antwortete er. »Aber es kann sein, dass ich deine Hilfe brauche.«

»Oha. Jetzt kommt's.«

Rebus sprach schnell weiter. »Chick Ancram will mich ausquetschen und hat mich für eine Reihe von Terminen vorgemerkt. Den Ersten hatten wir schon, und ganz unter uns: Mehr als einen Teelöffel Saft hat er nicht aus mir rausgekriegt. Aber das kostet alles Zeit, und es könnte sein, dass ich wieder nach Norden muss.«

»John ...«

»Alles, was du für mich tun musst ... *möglicherweise* tun *müsstest*, wäre, Ancram irgendwann anzurufen und ihm zu sagen, dass ich an einer dringenden Sache für dich arbeite und wir das nächste Gespräch ein bisschen verschieben müssten. Wickel ihn mit deinem Charme um den Finger und verschaff mir etwas Zeit. Mehr brauche ich nicht. Ich werd mein Möglichstes tun, um dich aus der Sache rauszuhalten.«

»Lass mich rekapitulieren: Du verlangst von mir lediglich, dass ich einen Kollegen, der eine interne Ermittlung durchführt, wissentlich belüge? Während du, ohne die Spur eines Beweises in der Hand zu haben, den Drogenfall lösen wirst?«

»Hervorragend zusammengefasst. Jetzt verstehe ich, warum *du* der CI bist und nicht ich.« Er sprang auf und rannte zum Münztelefon. Er hatte es vor jedem anderen im Restaurant klingeln hören. Es war Jack, der ihn kontrollieren wollte. Er erinnerte Rebus an die Restetüte.

»Wird gerade in diesem Moment an den Tisch gebracht.«

Als er zurückkam, sah sich Gill gerade die Rechnung an.

»Das geht auf mich«, meinte Rebus.

»Dann lass mich wenigstens das Trinkgeld übernehmen. Ich hab den größten Teil des Brots aufgegessen. Und außerdem kostete mein Wasser mehr als dein Wein.«

»Du hast die besseren Karten. Und, wie steht's, Gill?«

Sie nickte. »Ich erzähl ihm alles, was du willst.«

25

Jack schaffte es noch immer, seinen alten Freund zu überraschen. Er stürzte sich förmlich auf die Pizza. Sein einziger Kommentar: »Du hast nicht viel gegessen.«

»Bisschen fad für meinen Geschmack, Jack.«

Rebus brannte jetzt auf zweierlei: auf eine Zigarette und darauf, nach Aberdeen zu fahren. Da oben gab es etwas, das er haben wollte; er wusste bloß noch nicht genau, was es war.

Vielleicht die Wahrheit.

Auf einen Drink hätte er eigentlich auch brennen müssen, aber nach dem Wein war ihm die Lust vergangen. Die Plörre schwappte in seinem Magen herum wie flüssiges Sodbrennen. Er setzte sich an den Schreibtisch und las Shankleys Aussage. Der lange Lulatsch hockte unten in einer Zelle. Jack hatte schnell gearbeitet; Rebus fand nichts auszusetzen.

»So«, sagte er, »ich bin vom Hafturlaub zurück. Wie habe ich mich gemacht?«

»Lassen wir das nicht zur Gewohnheit werden, das würde mein Blutdruck nicht verkraften.«

Rebus lächelte, griff zum Telefon. Er wollte seinen Anrufbeantworter abhören, feststellen, ob Ancram etwas mit ihm vorhatte. So war's denn auch: nächsten Morgen um neun. Es gab noch eine zweite Nachricht. Von Kayleigh Burgess. Sie wollte mit ihm reden.

»Ich treff mich um drei mit jemandem in Morningside, wie wär's also mit vier in diesem großen Hotel in Bruntsfield? Wir könnten einen Tee trinken.« Sie sagte, es sei wichtig. Rebus beschloss rauszufahren und zu warten. Auf Jacks Begleitung hätte er lieber verzichtet …

»Weißt du was, Jack? Du bist mir ein ganz schöner Klotz am Bein.«

»Wie meinst du das?«

»Na, mit Frauen. Ich möchte mich mit einer treffen, aber ich wette, du zockelst mit, stimmt's?«

Jack zuckte die Schultern. »Wenn du willst, warte ich draußen vor der Tür.«

»Es wird ein beruhigendes Gefühl sein zu wissen, dass du da bist.«

»Es gibt Schlimmeres«, entgegnete er und stopfte sich das letzte Stück Pizza in den Mund. »Überleg doch mal: Wie organisieren siamesische Zwillinge ihr Liebesleben?«

»Gewisse Fragen bleiben am besten unbeantwortet«, meinte Rebus.

Er dachte: gute Frage allerdings.

Es war ein schönes Hotel, unaufdringlich luxuriös. Rebus legte sich einen möglichen Dialog im Kopf zurecht. Ancram wusste von den Zeitungsausschnitten in seiner Küche, und Kayleigh war die einzig mögliche Quelle. Im ersten Moment hatte er vor Wut geschäumt, sich inzwischen jedoch etwas beruhigt. Schließlich war es ihr Job: Informationen zu sammeln und diese dazu zu benutzen, an weitere Informationen zu gelangen. Trotzdem war er immer noch sauer. Dann war da die Verbindung Spaven – McLure: Ancram hatte darauf angespielt; Kayleigh wusste davon. Und schließlich – und vor allem – war da der Einbruch.

Sie warteten auf sie im Foyer. Jack blätterte die *Scottish Field* durch und las immer wieder die Beschreibungen hochherrschaftlicher Immobilien vor: »Dreitausend Hektar in Caithness, mit Jagdschlösschen, Stallungen und Wirtschaftshof.« Er sah zu Rebus auf.

»Das ist ein Land, hm? Wo sonst bekommt man dreitausend Hektar zu so einem Schleuderpreis?«

»Es gibt eine Theatergruppe, die sich ›7:84‹ nennt. Weißt du, was das bedeutet?«

»Was?«

»Sieben Prozent der Bevölkerung kontrollieren vierund-achtzig Prozent des Reichtums.«

»Gehören wir zu den sieben?«

Rebus schnaubte. »Nicht mal annähernd, Jack.«

»Aber gegen ein bisschen Luxus hätte ich nichts einzu-wenden.«

»Zu welchem Preis?«

»Hm?«

»Was wärst du bereit, dafür zu zahlen?«

»Nein, ich meine, im Lotto gewinnen oder so.«

»Du würdest dich also nicht schmieren lassen, um eine Anzeige fallen zu lassen?«

Jacks Augen verengten sich. »Worauf willst du hinaus?«

»Komm schon, Jack. Ich war in Glasgow, schon verges-sen? Ich hab teure Anzüge und Schmuck gesehen, ich hab etwas erlebt, das gefährlich nach Schickimickitum aussah.«

»Die ziehen sich einfach gern gut an, da kommen sie sich wichtig vor.«

»Uncle Joe verteilt also keine Werbegeschenke?«

»Wenn, dann weiß ich nichts davon.« Jack verschanzte sich hinter seiner Illustrierten – Thema erledigt. Und dann kam Kayleigh Burgess durch die Tür hereinspaziert.

Sie entdeckte Rebus sofort, und ihr Hals begann sich langsam zu röten. Als sie vor Rebus stand, der inzwischen aufgestanden war, hatte die Röte ihre Wangen erreicht.

»Inspector, Sie haben meine Nachricht bekommen.« Re-bus nickte mit starrem Blick. »Tja, danke, dass Sie gekom-men sind.« Sie wandte sich zu Jack Morton.

»DI Morton«, stellte sich Jack vor und reichte ihr die Hand.

»Möchten Sie einen Tee?«

Rebus schüttelte den Kopf, deutete auf den freien Sessel. Sie setzte sich.

»Also?«, begann er, fest entschlossen, es ihr nicht leicht zu machen – nie wieder.

Sie fummelte nervös am Schulterriemen ihrer Umhängetasche herum. »Hören Sie«, sagte sie, »ich muss mich bei Ihnen entschuldigen.« Sie warf ihm einen Blick zu, sah dann weg und holte tief Luft. »Ich hab CI Ancram nichts von diesen Zeitungsausschnitten erzählt. Oder davon, dass Fergus McLure Spaven kannte.«

»Aber Ihnen ist bekannt, dass er davon weiß?«

Sie nickte. »Eamonn hat's ihm erzählt.«

»Und wer hat es Eamonn gesteckt?«

»Ich. Ich wusste nicht, was ich von der Sache halten sollte... ich wollte eine zweite Meinung einholen. Wir sind ein Team, also hab ich es ihm erzählt. Er musste mir versprechen, es für sich zu behalten.«

»Hat er aber nicht.«

Sie nickte. »Er hat sich gleich ans Telefon gehängt und es Ancram erzählt. Wissen Sie, Eamonn... er hat diesen Fimmel mit der Polizeihierarchie. Wenn wir über einen Inspector recherchieren, muss sich Eamonn immer an die nächsthöhere Instanz wenden, mit dessen Vorgesetzten reden, auf den Busch klopfen und sehen, was dabei rausspringt. Außerdem haben Sie auf meinen Moderator nicht gerade den besten Eindruck gemacht.«

»Das war ein Unfall«, sagte Rebus. »Ich bin gestolpert.«

»Wenn das Ihre Version ist...«

»Was sagt denn die Aufzeichnung?«

Sie überlegte. »Die Kamera war schräg hinter Eamonn postiert. Viel mehr als seinen Rücken haben wir nicht draufbekommen.«

»Dann bin ich also aus dem Schneider?«

»Das hab ich nicht gesagt. Bleiben Sie einfach bei Ihrer Version.«

Rebus verstand und nickte. »Danke. Aber warum hat

sich Breen an Ancram gewandt? Warum nicht an *meinen* Chef?«

»Weil er wusste, dass Ancram die Untersuchung leiten würde.«

»Und woher wusste er *das*?«

»Durch die Buschtrommel.«

Eine Buschtrommel mit nur wenigen potenziellen Trommlern. Er sah noch einmal Jim Stevens vor sich, wie er zum Fenster seines Wohnzimmers hinaufstarrte.

Rebus seufzte. »Noch eine letzte Sache. Wissen Sie was von einem Einbruch in meine Wohnung?«

Ihre Brauen hoben sich. »Sollte ich?«

»Erinnern Sie sich an das Bible-John-Material im Küchenschrank? Jemand hat meine Wohnungstür aufgebrochen und dann lediglich die Sachen durchwühlt.«

Sie schüttelte den Kopf. »Nicht wir.«

»Nein?«

»*Einbrechen*? Ich bitte Sie, wir sind Journalisten!«

Rebus hatte die Hände beschwichtigend gehoben, aber er wollte noch ein bisschen nachbohren. »Wär's denkbar, dass Breen auf eigene Faust loszieht?«

Jetzt lachte sie. »Nicht mal für eine Story von Watergate-Format. Eamonn moderiert die Sendung, mit Recherchen hat er nichts zu tun.«

»Das machen Sie und Ihre Rechercheure?«

»Ja, und keiner von ihnen ist eigentlich der Brechstangentyp. Bleibe damit ich als Verdächtige übrig?«

Als sie die Beine übereinander schlug, fixierte Jack den Blick darauf. Er hatte sie schon die ganze Zeit mit den Augen eines kleinen Jungen begafft, der vor einer Carrerabahn steht.

»Betrachten Sie die Angelegenheit als erledigt.«

»Aber stimmt das? Ist bei Ihnen wirklich eingebrochen worden?«

»Angelegenheit erledigt«, wiederholte Rebus.

Sie zog fast einen Flunsch. »Und, wie läuft die Untersuchung?« Sie hob eine Hand. »Ich will nicht schnüffeln, nennen Sie es persönliches Interesse.«

»Hängt davon ab, welche Untersuchung Sie meinen«, entgegnete Rebus.

»Den Spaven-Fall.«

»Ach, *die* Sache.« Rebus schniefte und legte sich seine Antwort zurecht. »Tja, CI Ancram ist ein vertrauensvoller Typ. Er glaubt wirklich an seine Männer. Wenn man auf ›nicht schuldig‹ plädiert, nimmt er's einem unbesehen ab. Es tut richtig gut, solche Vorgesetzten zu haben. Mir vertraut er beispielsweise so sehr, dass er mir ein Kindermädchen verpasst hat, das wie eine Napfschnecke an mir klebt.« Er deutete mit einem Nicken auf Jack. »Inspector Morton hat den Auftrag, mich nicht aus den Augen zu lassen. Er schläft sogar bei mir zu Haus.« Er erwiderte Kayleighs Blick, ohne zu blinzeln. »Na, wie finden Sie das?«

Sie brachte die Worte kaum heraus. »*Skandalös*!«

Rebus zuckte die Achseln, aber sie zog schon Notizblock und Stift aus ihrer Tasche. Jack warf Rebus einen bitterbösen Blick zu und erntete dafür ein Zwinkern. Kayleigh musste ziemlich weit vorblättern, bis sie eine leere Seite fand.

»Wann hat das angefangen?«, fragte sie.

»Tja…« Rebus tat so, als müsste er nachdenken. »Sonntagnachmittag, würde ich sagen. Nachdem man mich in Aberdeen verhört und dann wieder hergeschafft hatte.«

Sie sah auf. »*Verhört?*«

»John…«, sagte Jack Morton warnend.

»Wussten Sie das nicht?« Rebus machte große Augen. »Ich bin Verdächtiger im Johnny-Bible-Fall.«

Auf der Rückfahrt zur Wohnung schäumte Jack vor Wut.

»Was sollte denn das eben darstellen?«

»Eine Methode, sie von Spaven abzulenken.«

»Kapier ich nicht.«

»Sie versucht, eine Sendung über Spaven zu machen, Jack. Nicht über einen Polizisten, der einen anderen Polizisten fies behandelt, und auch keine über Johnny Bible.«

»Und?«

»Und jetzt schwirrt ihr der Kopf von allem, was ich ihr erzählt habe – und nichts davon hat auch nur das Mindeste mit Spaven zu tun. Das hält sie ... wie soll ich sagen?«

»Anderweitig beschäftigt?«

»Genau.« Rebus nickte, sah auf seine Uhr. Zwanzig nach fünf. »Scheiße«, sagte er. »Die Bilder!«

Als sie in Richtung Stadtmitte abbogen, wurde der Verkehr zu einer einzigen kriechenden Blechschlange. Heutzutage war die Edinburgher Rushhour ein wahrer Albtraum. Rote Ampeln und stotternde Auspuffrohre, zum Zerreißen gespannte Nerven und trommelnde Finger. Als sie endlich den Laden erreichten, hatte er schon geschlossen. Rebus sah nach, wann er morgens öffnete: um neun. Er konnte seine Abzüge auf dem Weg nach Fettes abholen, und Ancram würde nur ein kleines bisschen warten müssen. Ancram: Der bloße Gedanke an den Mann war wie ein Stromstoß, der ihm durch und durch ging.

»Fahren wir nach Hause«, sagte er zu Jack. Dann fiel ihm der Verkehr ein. »Nein, Kommando zurück: Wir machen Zwischenstation im Ox.« Jack lächelte. »Dachtest du, du hättest mich kuriert?« Rebus schüttelte den Kopf. »Kommt immer wieder mal vor, dass ich ein paar Tage am Stück aussetze, hat nichts weiter zu bedeuten.«

»Könnte es aber.«

»Mal wieder 'ne Predigt fällig, Jack?«

Jack schüttelte den Kopf. »Wie steht's mit den Kippen?«
»Ich zieh mir welche aus dem Automaten.«

Er stand am Tresen, einen Fuß auf der Fußstütze, einen Ellbogen auf dem polierten Holz. Vor ihm befanden sich vier Gegenstände: ein noch ungeöffnetes Päckchen Zigaretten; eine Schachtel Streichhölzer, Marke Scottish Bluebell; drei Komma fünf Zentiliter Teacher's Whiskey und ein Pint Belhaven Best. Er fixierte die vier Dinge mit der Konzentration eines Uri Geller bei einer parakinetischen Vorführung.

»Exakt drei Minuten«, kommentierte ein Stammgast am Tresen, als habe er die Dauer von Rebus' Widerstreben gestoppt. Rebus rang mit einer schwierigen Frage: Wollte er diese Dinge, oder wollten sie *ihn*? Er fragte sich, wie David Hume damit zu Rande gekommen wäre. Er nahm das Pintglas in die Hand. Kein Wunder, dass sie dieses dunkle Bier in Schottland *heavy* nannten: Genau das war's – schwer. Er schnüffelte daran. Es roch nicht allzu verlockend; er wusste, dass der Geschmack schon okay sein würde, aber es gab durchaus Dinge, die besser mundeten. Der Whiskey duftete allerdings köstlich – rauchig, schmiegte sich in Nasenlöcher und Lunge. Er würde ihm den Mund versengen, wie flüssiges Feuer die Kehle hinunterrinnen und sich in seinem Körper ausbreiten, wobei die Wirkung nicht lange vorhielte.

Und das Nikotin? Wenn er gelegentlich ein paar Tage lang keine Zigaretten anrührte, merkte er selbst, wie ekelhaft man – die Haut, die Kleidung, die Haare – durch die Dinger roch. Eigentlich eine widerliche Angewohnheit: Wenn man sich selbst keinen Lungenkrebs einhandelte, bestand durchaus die Möglichkeit, dass ihn ein armer Kerl kriegte, dessen einziges Vergehen darin bestanden hatte, einem zu nahe gekommen zu sein. Harry, der Barkeeper, wartete darauf, dass Rebus etwas unternahm. Die ganze Bar wartete darauf. Alle wussten, dass sich gerade etwas ereignete; es stand Rebus ins Gesicht geschrieben – seine Miene zeigte fast etwas wie Schmerz.

»Harry«, sagte Rebus, »räumen Sie das weg.« Harry nahm die zwei Gläser und schüttelte den Kopf.

»Das müsste man eigentlich fotografieren«, meinte er.

Rebus schob die Zigaretten dem Raucher zu, der ein Stück weiter am Tresen stand. »Hier, nehmen Sie die. Und lassen Sie sie nicht in meiner Nähe rumliegen, ich könnt's mir noch mal anders überlegen.«

Bass erstaunt nahm der Raucher das Päckchen. »Zum Ausgleich für die vielen Kippen, die Sie mir schon abgeschnorrt haben.«

»Mit Zins und Zinseszins«, sagte Rebus und beobachtete, wie Harry das Bier in die Spüle goss.

»Läuft's von da wieder direkt ins Fass, Harry?«

»Was ist, wollen Sie was anderes, oder sind Sie bloß hergekommen, um sich ein bisschen auszuruhen?«

»Cola und Chips.« Er wandte sich zu Jack. »Chips darf ich doch, oder?«

Jack hatte ihm lächelnd eine Hand auf den Rücken gelegt und tätschelte ihn sanft.

Auf dem Nachhauseweg hielten sie an einem Laden und besorgten sich die Zutaten für das Abendessen.

»Kannst du dich erinnern, wann du das letzte Mal gekocht hast?«, fragte Jack.

»So unfähig bin ich nun auch wieder nicht.« Im Klartext: »Nein«.

Wie sich herausstellte, war Jack ein begeisterter Hobbykoch, allerdings zeigte sich, dass Rebus' Küche mit den einschlägigeren Utensilien seines Handwerks nicht aufwarten konnte: kein Zestenreißer, keine Knoblauchpresse.

»Gib den Knoblauch her«, schlug Rebus vor, »ich tret drauf.«

»Früher war ich stinkfaul«, sagte Jack. »Als Audrey ausgezogen ist, habe ich anfangs versucht, Speck im Toaster zu braten. Aber Kochen ist eigentlich kinderleicht, wenn man erst mal den Dreh raushat.«

»Was soll's denn überhaupt geben?«

»Spaghetti mit fettarmer Fleischsauce, dazu Salat, wenn du deinen Arsch endlich in Bewegung setzt.«

Rebus setzte seinen Arsch in Bewegung, stellte aber fest, dass er noch rasch zum Feinkostladen flitzen musste, um die Zutaten für das Dressing zu beschaffen. Er zog kein Jackett an; draußen war es mild.

»Sicher, dass du mir vertrauen kannst?«, fragte er.

Jack kostete die Sauce, nickte. Also ging Rebus allein aus dem Haus und spielte mit dem Gedanken, nicht zurückzukehren. Es gab ein Pub an der nächsten Ecke, mit einladend offener Tür. Aber natürlich würde er zurückkommen, er hatte ja noch nichts gegessen. Und sollte er je verduften wollen, würde die Nacht, so fest wie Jack schlief, der geeignetere Zeitpunkt sein.

Sie deckten den Tisch im Wohnzimmer – das erste Mal, dass er zum Essen benutzt wurde, seit Rebus' Frau ausgezogen war. Konnte das wirklich stimmen? Rebus erstarrte für einen Moment. Ja, es stimmte. Seine Wohnung, seine Zufluchtsstätte, erschien ihm plötzlich leerer denn je.

Wieder mal rührseliger Stimmung: ein weiterer Grund, warum er trank.

Sie stießen mit Highland-Quellwasser an.

»Schade, dass es keine hausgemachten Nudeln sind«, sagte Jack.

»Es ist hausgemachtes *Essen*«, erwiderte Rebus und schaufelte sich den Mund voll. »Das kommt in dieser Wohnung selten genug vor.«

Den Salat aßen sie anschließend – wie man's in Frankreich macht, meinte Jack. Rebus wollte sich gerade einen

Nachschlag nehmen, als das Telefon klingelte. Er nahm ab.

»John Rebus.«

»Hier ist CI Grogan.«

»CI Grogan«, Rebus warf Jack einen Blick zu, »was kann ich für Sie tun, Sir?« Jack kam zum Telefon, um mitzuhören.

»Wir haben vorläufige Tests an Ihren Schuhen und Kleidungsstücken durchgeführt. Ich dachte, es würde Sie interessieren zu erfahren, dass sie sauber sind.«

»Hatten je Zweifel daran bestanden?«

»Sie sind selbst Bulle, Rebus, Sie kennen die Spielregeln.«

»Natürlich, Sir. Ich danke Ihnen für den Anruf.«

»Was anderes. Ich hab mich mit Mr. Fletcher unterhalten.« Hayden Fletcher: PR-Mann bei T-Bird. »Er hat zugegeben, das jüngste Opfer zu kennen. Hat uns detaillierte Angaben darüber geliefert, wo er sich während der Mordnacht jeweils aufhielt. Er bot sogar an, sich Blut für eine DNS-Analyse abnehmen zu lassen, falls uns das weiterhelfen würde.«

»Klingt wie ein eingebildetes Arschloch.«

»Das trifft den Nagel so ziemlich auf den Kopf. Ich fand den Kerl auf Anhieb unsympathisch, was mir nicht oft passiert.«

»Nicht mal bei mir?« Rebus lächelte Jack zu. Jack artikulierte lautlos: Nicht übertreiben!

»Nicht mal bei Ihnen«, wiederholte Grogan.

»Damit scheiden also zwei Verdächtige aus. Das bringt Sie auch nicht viel weiter, stimmt's?«

»Stimmt.« Grogan seufzte. Rebus konnte sich vorstellen, wie er sich die müden Augen rieb.

»Was ist mit Eve und Stanley, Sir? Sind Sie meinem Rat gefolgt?«

»Bin ich. Eingedenk Ihres Misstrauens gegen DS Lumsden – einen hervorragenden Beamten übrigens – habe ich

432

zwei meiner eigenen Männer auf die Sache angesetzt und mir von ihnen direkt Bericht erstatten lassen.«

»Danke, Sir.«

Grogan hustete. »Sie wohnten in einem Hotel in der Nähe des Flughafens. Fünf Sterne, beliebte Absteige für Erdölmanager. Fuhren einen BMW.« Zweifellos den aus Uncle Joes Sackgasse. »Ich habe eine Beschreibung des Wagens und das Kennzeichen.«

»Nicht nötig, Sir.«

»Na ja, meine Männer sind ihnen zu ein paar Nachtklubs gefolgt.«

»Während der Öffnungszeiten?«

»Tagsüber, Inspector. Sie gingen mit nichts in der Hand rein und kamen genauso wieder heraus. Allerdings waren sie auch in mehreren Banken im Zentrum. Einer meiner Männer ist in einer Bank nah genug an sie herangekommen, um zu sehen, dass sie Bargeld einzahlten.«

»In einer Bank?« Rebus runzelte die Stirn. War Uncle Joe der Typ, einer Bank zu vertrauen? Würde er wildfremde Leute auch nur auf eine Meile an seine unredlich verdienten Moneten herankommen lassen?

»Das wär's auch so ziemlich, Inspector. Sie waren ein paarmal zusammen essen, sind einmal runter zum Hafen und haben dann die Stadt verlassen.«

»Sie sind weg?«

»Heute Abend abgefahren. Meine Männer sind ihnen bis Banchory gefolgt. Ich würde sagen, sie wollten nach Perth.« Und von da aus weiter nach Glasgow. »Das Hotel bestätigt, dass sie abgereist sind.«

»Haben Sie im Hotel nachgefragt, ob sie Stammgäste sind?«

»Ja und ja. Seit ungefähr sechs Monaten.«

»Wie viele Zimmer?«

»Buchen tun sie immer zwei.« In Grogans Stimme

schwang die Ahnung eines Lächelns mit. »Aber aufräumen mussten die Zimmermädchen bislang immer nur eins. Offenbar teilen sie sich ein Zimmer und lassen das andere unberührt.«

Bingo, dachte Rebus. Volltreffer und alle neune.

»Danke, Sir.«

»Hilft Ihnen das irgendwie weiter?«

»Unter Umständen ein gewaltiges Stück. Ich halte Sie auf dem Laufenden. Ach, was ich noch fragen wollte ...«

»Ja?«

»Hayden Fletcher: Wissen Sie, wie er das Opfer kennen gelernt hat?«

»Beruflich. Sie hat den Stand für T-Bird Oil auf der Nordseekonferenz gestaltet.«

»Versteht man das unter ›Unternehmenspräsentation‹?«

»Anscheinend. Ms. Holden entwarf viele von den Ständen, anschließend erledigte ihre Firma die eigentliche Konstruktion und den Aufbau. Fletcher hat sie im Rahmen dieses Projekts kennen gelernt.«

»Sir, ich bin Ihnen sehr dankbar für alles.«

»Inspector... sollten Sie jemals wieder in den Norden kommen – lassen Sie es mich rechtzeitig wissen, verstanden?«

Rebus verstand, dass das keine Einladung zum Tee darstellte.

»Ja, Sir«, sagte er. »Gute Nacht.«

Er legte auf. Aberdeen rief, und er würde den Teufel tun und wen auch immer im Voraus benachrichtigen. Aber Aberdeen konnte noch einen Tag warten. Vanessa Holden hatte Beziehungen zur Erdölindustrie gehabt...

»Was ist los, John?«

Rebus starrte seinen Freund an. »Johnny Bible ist los, Jack. Mir ist gerade so eine Idee gekommen.«

»Was für eine?«

»Dass er ein Erdölmann ist.«

Sie räumten alles ab und spülten, anschließend brühten sie sich zwei Becher Kaffee auf und beschlossen, sich wieder ans Malern zu machen. Jack wollte mehr über Johnny Bible sowie Eve und Stanley erfahren, aber Rebus wusste nicht, wo er hätte anfangen sollen. Sein Kopf fühlte sich wie verstopft an. Er ließ immer neue Informationen hinein, und nichts floss wieder ab. Johnny Bibles erstes Opfer hatte Geologie an einer Universität mit engen Beziehungen zur Erdölindustrie studiert. Sein viertes Opfer hatte Stände für Konferenzen entworfen und in Aberdeen gearbeitet, so dass er sich schon denken konnte, wer ihre besten Kunden gewesen waren. Falls irgendeine Verbindung zwischen Opfer eins und vier bestand … War es etwas, das er jetzt zwar noch nicht erkannte, das aber auch Nummer zwei und drei miteinander verknüpfte? Eine Prostituierte und eine Bardame, die eine in Edinburgh, die andere in Glasgow …

Als das Telefon klingelte, legte er das Schmirgelpapier aus der Hand – die Tür sah inzwischen gut aus – und nahm ab. Jack stand auf einer Leiter und war am Deckengesims zugange.

»Hallo?«

»John? Mairie hier.«

»Ich hab versucht, Sie zu erreichen.«

»Tut mir Leid, ein anderer Auftrag – ein *bezahlter*.«

»Haben Sie etwas über Major Weir herausgefunden?«

»Einiges. Wie war's in Aberdeen?«

»Anregend.«

»Ja, die Seeluft. Diese Notizen … wahrscheinlich zu lang zum Vorlesen.«

»Dann treffen wir uns irgendwo.«

»In welchem Pub?«

»Keinem Pub.«

»Mit der Leitung stimmt was nicht. Ich hab ›keinem Pub‹ verstanden.«

»Wie wär's in Duddingston Village? Das ist ungefähr auf halber Strecke. Ich park am Loch.«

»Wann?«

»'ner halben Stunde?«

»Abgemacht.«

»Wir werden mit diesem Zimmer nie fertig«, schimpfte Jack und stieg von der Leiter herunter. Er hatte weiße Farbe im Haar.

»Grau steht dir gut«, meinte Rebus.

Jack rieb sich den Kopf. »Wieder eine Frau?« Rebus nickte. »Wie schaffst du's bloß, sie auseinander zu halten?«

»Die Wohnung hat jede Menge Türen.«

Als sie ankamen, wartete Mairie bereits. Jack war seit Jahren nicht mehr am Arthur's Seat gewesen, also wählten sie die landschaftlich reizvolle Route; nicht, dass es bei Nacht viel zu sehen gegeben hätte. Der Hügel – ein riesiger Buckel, in dem jeder, sogar Kinder, die Silhouette eines kauernden Elefanten erkannte – war der ideale Ort, um frische Luft zu schnappen und sich ein bisschen durchpusten zu lassen. Nachts allerdings war die Gegend schlecht beleuchtet und ganz schön weit ab vom Schuss. Edinburgh besaß eine Menge solcher wunderbaren menschenleeren Orte. Dort war man herrlich allein, bis man auf den ersten Fixer, Räuber, Vergewaltiger oder Schwulenverklopper stieß.

Duddingston Village schien genau das zu sein, was sein Name besagte – ein Dorf mitten in der Stadt, zu Füßen des Arthur's Seat an den Hang geschmiegt. Duddingston Loch – eher ein zu groß geratener Tümpel als ein richtiger See – blickte auf ein Vogelschutzgebiet und einen Wanderweg hinab, der als Innocent Railway bekannt war. Rebus hätte gern gewusst, woher der merkwürdige Name stammte.

Jack brachte das Auto zum Stehen und betätigte die Lichthupe. Mairie schaltete die Scheinwerfer aus, entriegelte die Tür und kam auf sie zugelaufen. Rebus lehnte sich nach hinten, um ihr die Tür zu öffnen. Sie stieg ein. Er machte sie mit Jack Morton bekannt.

»Oh«, sagte sie, »Sie haben doch zusammen mit John an dem Fall der Knoten und Kreuze gearbeitet!«

Rebus blinzelte. »Woher wissen Sie das denn? Das war vor Ihrer Zeit.«

Sie zwinkerte ihm zu. »Ich hab meine Hausaufgaben gemacht.«

Er fragte sich, was sie sonst noch wissen mochte, aber er hatte keine Zeit für müßige Spekulationen. Sie reichte ihm einen braunen A4-Umschlag.

»Gott sei Dank gibt's E-Mail. Ich hab einen Kontaktmann bei der *Washington Post*, und das meiste von dem, was hier drinsteht, hab ich von ihm.«

Rebus schaltete die Innenbeleuchtung an. Es gab ein spezielles Leselämpchen.

»Normalerweise trifft er sich mit mir immer in Pubs«, erklärte Mairie Jack, »und zwar in möglichst zwielichtigen.«

Jack lächelte, drehte sich zu ihr und ließ den Arm über die Rückenlehne baumeln. Rebus merkte, dass sie ihm gefiel. Mairie gefiel jedem auf Anhieb. Er fragte sich, was ihr Geheimnis war.

»Zwielichtige Kneipen entsprechen genau seinem Charakter«, entgegnete Jack.

»Wie wär's?«, unterbrach Rebus. »Könntet ihr beide euch verpissen und die Enten füttern gehen oder so was?«

Jack zuckte die Achseln, vergewisserte sich, dass Mairie einverstanden war, und öffnete die Tür. Jetzt allein, machte es sich Rebus in seinem Sitz bequem und fing an zu lesen.

Erstens: Major Weir war kein Major. Es handelte sich um einen Spitznamen, den er schon als Jugendlicher verpasst bekommen hatte. Zweitens: Seine Eltern hatten ihm ihre Liebe für alles Schottische vererbt, einschließlich eines inbrünstigen Verlangens nach nationaler Unabhängigkeit. Dann kamen eine Menge Fakten über seinen Werdegang als Unternehmer, zuletzt in der Erdölindustrie, und Berichte über Thom Birds Ableben, an dem nichts Verdächtiges zu sein schien. Ein amerikanischer Journalist hatte angefangen, eine nicht autorisierte Biographie Weirs zu schreiben, dann aber wieder damit aufgehört. Gerüchten zufolge war er dafür bezahlt worden, dass er das Buch nicht vollendete. Ein paar unbestätigte Storys: Weir habe sich im Bösen von seiner Frau getrennt – und anschließend von einem erklecklichen Teil seines Vermögens. Dann etwas über Weirs Sohn, der entweder gestorben oder enterbt worden war. Vielleicht saß er jetzt in irgendeinem Aschram oder speiste die Hungernden Afrikas; vielleicht arbeitete er auch in einer Hamburgerbude oder machte Termingeschäfte an der Wall Street. Rebus blätterte zur nächsten Seite weiter und musste feststellen, dass es keine gab. Der Artikel hörte mitten im Satz auf. Er stieg aus und ging zu Mairie und Jack, die sich offenbar allerlei zu erzählen hatten.

»Da fehlt was«, sagte er und wedelte mit dem unvollständigen Manuskript.

»Tut es nicht.« Mairie griff in ihre Jacke, holte ein einzelnes zusammengefaltetes Blatt heraus und reichte es ihm. Rebus starrte sie an, als erwarte er eine Erklärung. Sie zuckte die Achseln. »Nennen Sie's meine Art von Humor.«

Jack lachte laut los.

Rebus stellte sich ins Licht der Scheinwerfer und las. Seine Augen wurden immer größer, und die Kinnlade klappte herunter. Er las es noch einmal, dann wieder und musste sich mit der Hand über den Scheitel fahren, um sich zu vergewissern, dass sein Kopf noch an Ort und Stelle saß.

»Alles in Ordnung?«, fragte Mairie.

Er starrte sie einen Augenblick lang an, ohne sie eigentlich zu sehen, dann zog er sie an sich und drückte ihr einen Kuss auf die Backe.

»Mairie, Sie sind einmalig.«

Sie drehte sich zu Jack Morton um.

»Kann ich nur bestätigen«, sagte er.

Von seinem Auto aus hatte Bible John beobachtet, wie Rebus samt Freund losgefahren und von der Arden Street abgebogen war. Geschäfte hatten ihn gezwungen, noch einen Tag länger in Edinburgh zu bleiben. Ärgerlich, aber zumindest hatte sich dadurch die Möglichkeit ergeben, den Polizisten ein bisschen genauer unter die Lupe zu nehmen. Es war auf die Entfernung nicht genau zu erkennen, aber Rebus schien blaue Flecken im Gesicht zu haben, und seine Kleidung wirkte unordentlich. Bible John konnte nicht umhin, eine gewisse Enttäuschung zu verspüren: Er hatte sich eigentlich einen würdigeren Gegner vorgestellt. Der Mann sah völlig erledigt aus.

Nicht dass er sich und ihn als Gegner betrachtet hätte, nicht wirklich. Rebus' Wohnung hatte nicht viel ergeben, immerhin aber so viel, dass Rebus' Interesse an Bible John im Zusammenhang mit dem Parvenü stand. Was dieses Interesse zumindest etwas verständlicher machte. Er war nicht so lang in der Wohnung geblieben, wie er eigentlich gewollt hätte. Da er nicht wusste, wie man ein Schloss kunstgerecht knackte, war er gezwungen gewesen, die Tür aufzubrechen. Und er musste jeden Moment damit rechnen, dass die Nachbarn etwas merkten. Also hatte er sich beeilt. Aber andererseits enthielt die Wohnung herzlich wenig, was ihn interessierte. Sie verriet ihm einiges über den Mann. Doch, jetzt hatte er das Gefühl, Rebus zu *kennen*, wenigstens bis zu einem gewissen Grad: Er empfand die Einsamkeit seines Lebens, spürte das Fehlen von Wärme und Liebe. Es gab Musik und auch Bücher, aber weder besonders viele noch sonderlich gute. Die Garderobe war... zweckmäßig: ein Jackett so ziemlich wie das andere. Keine Schuhe. Das fand er *äußerst* bizarr. Besaß der Mann nur ein einziges Paar?

Und die Küche: mangelhaft ausgestattet und bevorratet. Dann das Badezimmer: schwer renovierungsbedürftig.

Zurück in die Küche, und da allerdings eine kleine Überraschung. Zeitungen und Zeitungsausschnitte, hastig versteckt, schnell gefunden. Bible John, Johnny Bible. Und deutliche Hinweise darauf, dass Rebus sich einige Mühe gemacht hatte: Die alten Zeitungen waren mit Sicherheit nicht leicht zu beschaffen gewesen. Eine Ermittlung innerhalb der offiziellen Ermittlung – danach sah es aus. Was Rebus für Bible John interessanter machte.

Im Schlafzimmer allerlei Papierkram: Kartons voll alter Briefe, Bankauszüge, einige Fotos – sehr wenige, aber genug, um zu verraten, dass Rebus früher verheiratet gewesen war und eine Tochter hatte. Allerdings keine Fotos der erwachsenen Tochter, überhaupt keine Bilder aus der letzten Zeit.

Die eine Sache allerdings, derentwegen er überhaupt hergekommen war... seine Visitenkarte... nichts, keine Spur davon. Was bedeutete, dass Rebus sie entweder weggeworfen hatte oder noch immer bei sich trug, in irgendeiner Jacketttasche oder in seiner Geldbörse.

Im Wohnzimmer merkte er sich Rebus' Telefonnummer, dann schloss er die Augen und vergewisserte sich, dass er sich den Grundriss der Wohnung eingeprägt hatte. Ja, kein Problem. Er hätte mitten in der Nacht hierher zurückkommen und durch die Wohnung spazieren können, ohne jemanden aufzuwecken oder irgendwo anzustoßen. Er konnte sich Rebus jederzeit vornehmen. Wann immer es ihm passte.

Rebus' Freund gab ihm allerdings zu denken. Der Poli-

zist sah nicht besonders gesellig aus. Ein Mann in Rebus'
Alter, vielleicht ein bisschen jünger, dem Aussehen nach ein
ziemlich harter Typ. Ebenfalls Polizist? Vielleicht. Dem Gesichtsausdruck des Mannes hatte Rebus' Verbissenheit gefehlt. Rebus hatte etwas an sich, das ihm schon bei ihrer ersten Begegnung aufgefallen war und sich heute Abend noch
verstärkt hatte: eine Entschlossenheit, die fast ans Mono-
mane grenzte. Körperlich schien der Freund Rebus überlegen zu sein, aber das bedeutete nicht, dass Rebus ein leichtes Opfer sein würde. Körperliche Kraft nützte einem nur
bis zu einem gewissen Grad.

Von da ab zählte die innere Einstellung.

26

Als das Geschäft am nächsten Morgen öffnete, warteten sie
schon vor der Tür. Jack sah zum fünfzehnten Mal auf seine
Uhr.

»Er bringt uns um«, jammerte er, dies erst zum neunten
oder zehnten Mal.

»Entspann dich.«

Jack sah ungefähr so entspannt aus wie ein geköpftes
Huhn. Als der Ladeninhaber aufzuschließen begann, sprinteten sie aus dem Auto. Rebus hatte den Abholschein schon
parat.

»Nur noch eine Minute«, sagte der Ladeninhaber.

»Wir müssten schon längst woanders sein.«

Noch im Mantel sah der Mann einen Karton mit Foto-
umschlägen durch. Rebus stellte sich Familienausflüge vor,
Ferien im Ausland, rotäugige Geburtstage und unscharfe
Hochtzeitsfeiern. Fotosammlungen hatten zugleich etwas
leicht Verzweifeltes und Rührendes an sich. Im Laufe der
Jahre waren ihm eine Menge Fotoalben vorgelegt worden –

in der Regel auf der Suche nach brauchbaren Indizien für eine Morduntersuchung oder nach Bekannten eines Opfers.

»Sie müssen aber warten, bis ich die Kasse aufgeschlossen habe.« Der Mann reichte Rebus den Umschlag. Jack warf einen Blick auf den Preis, knallte mehr als genug Geld auf den Ladentisch und zerrte Rebus nach draußen.

Er raste in einer Art und Weise nach Fettes, als erwarte ihn dort der Schauplatz eines Verbrechens, schlängelte sich halsbrecherisch wie ein Stuntman zwischen hupenden und reifenquietschenden Autos hindurch. Trotzdem kamen sie zwanzig Minuten zu spät an. Aber Rebus war's egal. Er hatte seine Abzüge, die fehlenden Bilder aus Allan Mitchisons Kabine. Sie unterschieden sich nicht sonderlich von den übrigen Fotos: Gruppenbilder, aber mit weniger Personen. Und auf allen Ethnozöpfchen, direkt neben Mitchison. Auf einem Bild hatte sie den Arm um ihn gelegt; auf einem anderen küssten sie sich und grinsten dabei.

Rebus war nicht überrascht, jetzt nicht.

»Ich will verdammt noch mal hoffen, dass sie das wert waren«, sagte Jack.

»Jeden Penny, Jack.«

»Das meine ich nicht.«

Chick Ancram erwartete sie mit verschränkten Armen und einer Gesichtsfarbe wie Rhabarberstreusel. Die Akten lagen so vor ihm, als wären sie seit der letzten Vernehmung nicht mehr angetastet worden. Seine Stimme ließ ein leichtes Vibrato vernehmen. Er beherrschte sich, wenn auch mit Mühe.

»Ich bin angerufen worden«, sagte er. »Von einer gewissen Kayleigh Burgess.«

»Ach ja?«

»Sie wollte mir ein paar Fragen stellen.« Er schwieg einen

Moment. »Über Sie. Über die Rolle, die DI Morton gegenwärtig in Ihrem Leben spielt.«

»Alles Tratsch, Sir. Jack und ich sind nur gute Freunde.«

Ancram schlug mit beiden Handflächen auf den Schreibtisch. »Ich dachte, wir hätten eine Abmachung.«

»Ich kann nicht behaupten, dass ich mich daran erinnere.«

»Na, dann wollen wir hoffen, dass Ihr Langzeitgedächtnis besser funktioniert.« Er öffnete einen Ordner. »Denn jetzt fängt der eigentliche Spaß an.« Er bedeutete dem verlegen dreinblickenden Jack, den Kassettenrekorder einzuschalten, und nannte dann Datum und Uhrzeit, anwesende Beamte... Rebus hatte das Gefühl, dass er gleich explodieren würde. Er glaubte wirklich, dass es nur noch eine Frage von Sekunden sei, bis ihm die Augäpfel aus den Höhlen springen würden, wie bei diesen Scherzbrillen mit aufgesetzten Glupschaugen an Spiralfedern. Er hatte dieses Gefühl schon früher erlebt, unmittelbar vor einer Panikattacke. Aber er war jetzt nicht in Panik, sondern lediglich *geladen*. Er stand auf. Ancram unterbrach sich mitten im Satz.

»Stimmt was nicht, Inspector?«

»Hören Sie« – Rebus rieb sich die Stirn –, »ich kann keinen klaren Gedanken fassen... nicht über Spaven. Nicht heute.«

»Das habe *ich* zu entscheiden, nicht Sie. Wenn Sie sich krank fühlen, können wir einen Arzt kommen lassen, ansonsten...«

»Ich bin nicht krank. Ich bin nur...«

»Dann setzen Sie sich hin.« Rebus tat, wie ihm geheißen, und Ancram wandte sich wieder seinen Notizen zu. »Also, Inspector, laut Ihrem Bericht hielten Sie sich an dem fraglichen Abend in Inspector Geddes' Wohnung auf, und es kam ein Anruf?«

»Ja.«

»Was tatsächlich gesprochen wurde, haben Sie nicht gehört?«

»Nein.« Zöpfchen und Mitchison ... Mitch, der Organisator, der Ökoaktivist. Mitch, der Erdölarbeiter. Getötet von Tony El, Uncle Joes Handlanger. Eve und Stanley, die Aberdeen beackerten, sich ein Zimmer teilten ...

»Aber DI Geddes sagte Ihnen, es habe mit Mr. Spaven zu tun gehabt? Ein Tipp?«

»Ja.« Burke's Club, Bullentreff, vielleicht auch ein Ölarbeitertreff. Hayden Fletcher frequentiert es. Ludovic Lumsden frequentiert es. Michelle Strachan lernte dort Johnny Bible kennen ...

»Und Geddes sagte nicht, von wem der Anruf kam?«

»Ja.« Ancram sah auf, und Rebus wusste, dass er die falsche Antwort gegeben hatte. »Ich meine, nein.«

»Nein?«

»Nein.«

Ancram starrte ihn an, schniefte, konzentrierte sich wieder auf seine Notizen. Es gab noch seitenweise davon, eigens für diese Sitzung vorbereitet: Fragen, die gestellt, »Fakten«, die überprüft werden mussten, der ganze Fall: auseinandergenommen und Stück für Stück rekonstruiert.

»Anonyme Tipps sind nach meinen Erfahrungen eher selten«, sagte Ancram.

»Ja.«

»Und wenn, dann gehen sie eher in der Telefonzentrale einer Polizeiwache ein. Würden Sie mir da Recht geben?«

»Ja, Sir.« War also Aberdeen der Schlüssel, oder lagen die Antworten noch weiter im Norden? Was hatte Jake Harley mit all dem zu tun? Und Mike Sutcliffe – Mr. Schaffell –, war der nicht von Major Weir zurückgepfiffen worden? Was hatte Sutcliffe noch mal gesagt? Er hatte im Flugzeug angefangen, etwas zu erzählen, und sich dann plötzlich unterbrochen ... Etwas von einem Schiff ...

Und stand irgendetwas davon mit Johnny Bible in Zusammenhang? *War* Johnny Bible ein Erdölmann?

»Also wäre es nicht abwegig, den Schluss zu ziehen, dass DI Geddes den Anrufer kannte, richtig?«

»Oder der kannte *ihn*.«

Ancram tat das mit einem Achselzucken ab. »Und dieser Tipp betraf rein zufällig Mr. Spaven. Kam Ihnen das damals nicht wie ein recht merkwürdiger Zufall vor, Inspector? Zumal in Anbetracht der Tatsache, dass man Geddes bereits vom Fall abgezogen hatte? Ich meine, es muss Ihnen doch mittlerweile klar gewesen sein, dass Ihr Vorgesetzter von Spaven *besessen* war?«

Rebus stand wieder auf und begann, so gut es ging, im kleinen Zimmer auf und ab zu gehen.

»Hinsetzen!«

»Bei allem Respekt, Sir, ich kann nicht. Wenn ich noch länger hier sitze, haue ich Ihnen eine ins Gesicht.«

Jack Morton legte sich eine Hand über die Augen.

»Was haben Sie gesagt?«

»Spulen Sie das Band zurück, und hören Sie es sich an. Und deswegen laufe ich hin und her: Krisenmanagement, wenn Sie so wollen.«

»Inspector, ich würde Ihnen dringend nahe legen –«

Rebus lachte. »Würden Sie? Ich bin beeindruckt, Sir.« Ancram stand langsam auf. Rebus wandte sich ab und ging bis zur entgegengesetzten Wand, machte dann kehrt und blieb stehen.

»Hören Sie«, sagte er, »eine ganz einfache Frage: Möchten Sie Uncle Joe am Arsch kriegen?«

»Wir sind nicht hier, um –«

»Wir sind hier, um eine Show abzuziehen. Das wissen Sie genauso gut wie ich. Die großen Bosse machen sich wegen der Medien in die Hose; sie wollen, dass die Polizei gut dasteht, wenn diese Sendung jemals ausgestrahlt werden sollte. Dann können sich alle zurücklehnen und sagen, dass eine Untersuchung stattgefunden hat. Das Fernsehen scheint so ziemlich das Einzige zu sein, wovor unsere Bosse Angst haben. Schwerverbrecher lassen sie kalt, aber zehn Minuten negative Berichterstattung, ach Gott, ach Gott, bloß nicht! Völlig unmöglich. Und alles wegen einer Sendung, die sich ein paar Millionen Leute angucken werden, davon die Hälfte ohne Ton, die andere Hälfte ohne zuzuhören – und die am nächsten Tag schon alle vergessen haben. Also«, sagte er und holte tief Luft, »ein einfaches Ja oder Nein.« Ancram gab keine Antwort, also wiederholte Rebus die Frage.

Ancram machte Jack ein Zeichen, dass er den Rekorder stoppen sollte.

»Ja«, sagte er leise.

»Ich könnte mir vorstellen, dass das hinhaut.« Rebus bemühte sich um einen ruhigen Ton. »Aber ich will nicht, dass *Sie* die ganzen Lorbeeren einheimsen. Wenn, dann ist das CI Templers Fang.« Rebus kehrte zu seinem Stuhl zurück, setzte sich ganz vorn auf die Kante. »Jetzt habe *ich* ein paar Fragen.«

»Gab es einen Anruf?«, fragte Ancram zu Rebus' Überraschung. Sie starrten einander an. »Band läuft nicht, das bleibt unter uns dreien. Hat es diesen Anruf je gegeben?«

»Ich antworte auf Ihre Frage und Sie auf meine?« Ancram nickte. »Klar gab es den Anruf.«

Ancram lächelte beinah. »Sie Lügner. Er kam zu Ihnen nach Hause, stimmt's? Was sagte er zu Ihnen? Sagte er, dass ein Durchsuchungsbefehl nicht erforderlich sein würde? Sie müssen gewusst haben, dass er log.«

»Er war ein guter Bulle.«

»Der Spruch klingt bei jeder Wiederholung ein wenig dünner. Was ist los: Finden Sie ihn selbst nicht mehr so überzeugend?«

»Das war er.«

»Aber er hatte ein Problem, einen kleinen Privatdämon namens Lenny Spaven. Sie waren sein Freund, Rebus, Sie hätten ihn aufhalten sollen.«

»Ihn aufhalten?«

Ancram nickte; seine Augen glänzten wie zwei Monde. »Sie hätten ihm helfen sollen.«

»Ich hab's versucht«, flüsterte Rebus. Es war eine weitere Lüge. Lawson war damals schon regelrecht süchtig gewesen, und geholfen hätte ihm nur noch der Stoff selbst.

Ancram lehnte sich zurück und bemühte sich, seine Zufriedenheit nicht zu zeigen. Er nahm an, Rebus stehe kurz vor dem Zusammenbruch. Die Zweifel waren gesät – und das nicht zum ersten Mal. Jetzt konnte Ancram sie mit Mitgefühl begießen.

»Wissen Sie«, sagte er, »ich mache Ihnen keinen Vorwurf. Ich glaube, ich ahne, was Sie damals durchgemacht haben. Aber da wurde etwas vertuscht. Es bleibt die eine zentrale Lüge: der angebliche Tipp.« Er hob seine Notizen einen Fingerbreit über die Tischplatte. »Das steht hier alles klipp und klar drin, und es wirft auch alles Übrige über den Haufen, denn wenn Geddes Spaven beschattet hatte, wer hätte ihn daran hindern sollen, ihm dabei ein paar Beweisstücke unterzujubeln?«

»Das war nicht sein Stil.«

»Nicht einmal, wenn er zum Äußersten getrieben wurde? Hatten Sie ihn schon früher in der Situation erlebt?«

Rebus wusste beim besten Willen nicht, was er hätte darauf antworten sollen. Ancram hatte sich wieder nach vorn gebeugt, seine Hände lagen flach auf der Schreibtischplatte. Jetzt lehnte er sich zurück. »Was wollten Sie fragen?«

Als Kind hatte Rebus mit seinen Eltern in einer Doppelhaushälfte gewohnt, die durch einen engen, überdachten Durchgang vom nächsten Haus getrennt war. Der Durchgang hatte zu beiden rückwärtigen Gärten geführt. Dort spielte Rebus mit seinem Dad Fußball. Manchmal stemmte er seine Füße gegen die Wand und schob sich hinauf bis zur Decke. Oder er stellte sich einfach in die Mitte und schleuderte einen kleinen harten Gummiball so fest er konnte auf den Steinfußboden. Der Ball prallte wie verrückt ab, sauste hin und her, vom Boden zur Decke zur Wand zum Boden zur Decke...

So fühlte sich jetzt sein Kopf an.

»Was?«, fragte er.

»Sie sagten, Sie hätten ein paar Fragen.«

Langsam kehrte Rebus' Kopf ins Hier und Jetzt zurück. Er rieb sich die Augen. »Ja«, erwiderte er. »Zunächst einmal Eve und Stanley.«

»Was ist mit denen?«

»Stehen sie sich nah?«

»Sie meinen, wie sie miteinander auskommen? Ganz gut.«

»Nur ganz gut?«

»Keine Kräche zu vermelden.«

»Ich dachte mehr in Richtung Eifersucht.«

Jetzt kapierte Ancram es. »Uncle Joe und Stanley?«

Rebus nickte. »Ist sie clever genug, den einen gegen den anderen auszuspielen?« Er hatte sie kennen gelernt, meinte, die Antwort schon zu wissen. Ancram zuckte die Achseln. Das Gespräch hatte offensichtlich eine unerwartete Wendung genommen.

»Bloß, dass sie in Aberdeen in einem Zimmer geschlafen haben«, klärte Rebus ihn auf.

Ancram kniff die Augen zusammen. »Sind Sie sich da sicher?« Rebus nickte.

»Die spinnen ja. Uncle Joe wird sie beide umbringen.«

»Vielleicht sind sie der Ansicht, dass er das nicht kann.«

»Wie meinen Sie das?«

»Vielleicht glauben sie, sie sind stärker als er. Vielleicht rechnen sie sich aus, dass, wenn es zu einem Krieg käme, die Muskelmänner die Seite wechseln würden. Stanley ist derjenige, vor dem die Leute heutzutage Angst haben – Ihre Rede. Besonders jetzt, wo Tony El aus dem Rennen ist.«

»Tony El war sowieso schon abgeschrieben.«

»Da bin ich mir nicht so sicher.«

»Ich höre.«

Rebus schüttelte den Kopf. »Zuerst muss ich mich mit ein paar Leuten unterhalten. Ist Ihnen bekannt, dass Eve und Stanley schon früher mal zusammengearbeitet hatten?«

»Nein.«

»Dann ist diese Spritztour nach Aberdeen also …«

»Ich würde sagen, das ist eine neuere Entwicklung.«

»Den Hotelunterlagen zufolge läuft das schon seit sechs Monaten so.«

»Dann ist die Frage also, was Uncle Joe da so treibt.« Rebus lächelte. »Sie kennen die Antwort selbst: Drogengeschäfte. Den Glasgower Markt hat er, wie Sie schon sagten, verloren, der war schon vor langem aufgeteilt worden. Jetzt bleiben ihm also zwei Möglichkeiten: Er kann um ein Stück des Kuchens kämpfen oder auswärts spielen. Das Burke's nimmt ihm den Stoff ab und verkauft ihn weiter, was auch nicht besonders schwierig ist mit jemandem vom CID in der Tasche. Aberdeen scheint ein ganz ordentlicher Markt zu sein, nicht mehr so heiß wie vor fünfzehn, zwanzig Jahren, aber doch noch immer ein Markt.«

»Na, dann sagen Sie mal – was werden Sie tun, was wir nicht könnten?«

Rebus schüttelte den Kopf. »Ich weiß immer noch nicht, ob Sie koscher sind; ich meine, Sie könnten auf zwei Hochzeiten tanzen.«

Diesmal lächelte Ancram wirklich. »Das Gleiche könnte ich von Ihnen und dem Spaven-Fall behaupten.«

»Wahrscheinlich.«

»Ich geb erst Ruhe, wenn ich's weiß. Darin sind wir uns vielleicht ähnlich.«

»Hören Sie, Ancram, wir sind in diese Garage gekommen, und die Tasche war da. Spielt das irgendeine Rolle, wie es kam, dass wir da waren?«

»Sie könnte da platziert worden sein.«

»Ohne mein Wissen.«

»Geddes hat sich Ihnen nie anvertraut? Ich dachte, Sie standen sich nah.«

Rebus erhob sich. »Kann sein, dass ich ein, zwei Tage nicht im Lande bin. In Ordnung?«

»Nein, das ist nicht in Ordnung. Ich erwarte Sie morgen hier, selbe Zeit.«

»Ach, verdammt ...«

»Wir können jetzt das Band auch wieder einschalten, und Sie erzählen mir, was Sie wissen. Dann haben Sie anschließend alle Zeit der Welt. Und ich glaube, Sie würden sich dann auch erheblich wohler in Ihrer Haut fühlen.«

»Damit hatte ich nie Probleme. Im selben Raum mit Leuten wie Ihnen zu sitzen – *das* macht mir zu schaffen.«

»Ich hab's Ihnen schon gesagt, die Polizei von Strathclyde und die Squaddies planen eine Operation ...«

»Die zu gar nichts führen wird, denn soweit wir wissen, hat Uncle Joe halb Glasgow in der Tasche.«

»*Ich* bin nicht derjenige, der bei ihm zu Hause ein und aus geht – und das mit der Empfehlung eines gewissen Morris Cafferty.«

Rebus' Brust schnürte sich zusammen. Herzinfarkt, dachte er. Aber es waren bloß Jack Mortons Arme, die ihn von hinten umklammerten, ihn daran hinderten, auf Ancram loszugehen.

»Bis morgen früh, meine Herren«, sagte Ancram, als hätten sie eine erfolgreiche Sitzung hinter sich.

»Ja, Sir«, erwiderte Jack und schob Rebus rasch aus dem Zimmer.

Rebus bat seinen Freund, zur M8 zu fahren.

»Das kannst du dir abschminken.«

»Dann park in der Nähe des Waverley, wir nehmen den Zug.«

Es gefiel Jack nicht, wie Rebus aussah: als wären seine Leitungen unmittelbar vor dem Durchschmoren. Man konnte fast die Funken hinter seinen Augen erkennen.

»Was hast du in Glasgow vor? Dich vor Uncle Joe hinstellen und sagen: ›Ach, übrigens, deine Alte lässt sich von deinem Sohn bumsen‹? Selbst du kannst nicht *so* bescheuert sein.«

»Natürlich bin ich nicht so bescheuert.«

»Glasgow, John«, flehte Jack. »Das ist nicht unser Territorium. Ich bin in ein paar Wochen wieder in Falkirk, und du...«

Rebus lächelte. »Wo bin ich dann, Jack?«

»Das wissen der Herrgott und der Teufel.«

Rebus dachte bei sich: *Ich wär lieber der Teufel.*

»Du musst immer den Helden spielen, was?«, fragte Jack.

»Die Welt liebt Helden, Jack«, erklärte ihm Rebus.

Auf der M8, auf halber Strecke zwischen Edinburgh und Glasgow, versuchte Jack es noch einmal.

»Das ist Irrsinn. Ich meine, *wirklich* irre.«

»Vertrau mir, Jack.«

»Dir vertrauen? Dem Typen, der vorgestern Abend versucht hat, mich k.o. zu schlagen? Mit Freunden wie dir...«

»...wird's dir nie an Feinden mangeln.«

»Es ist immer noch Zeit.«

»Ach was, das glaubst du nur.«

»Du redest Scheiße.«

»Vielleicht hörst du bloß nicht zu.« Jetzt, wo sie unterwegs waren, hatte sich Rebus ein wenig beruhigt. Auf Jack wirkte er so, als habe ihm jemand den Stecker rausgezogen: keine Funken mehr. Das Modell mit den durchschmorenden Kabeln hatte ihm irgendwie besser gefallen. Die völlige Emotionslosigkeit, mit der sein Freund sprach, ließ ihn frösteln – selbst in dem überhitzten Wagen. Jack kurbelte sein Fenster noch ein Stückchen weiter herunter. Der Tacho zeigte stur siebzig, und das auf der Überholspur. Auf der linken Spur kroch der Verkehr *wirklich*. Wenn er es geschafft hätte, sich einzufädeln, wäre er auf die Außenspur ausgewichen – alles nur, um ihre Ankunft zu verzögern.

Er hatte Rebus schon oft wegen seiner – auch von Kollegen gelobten – Hartnäckigkeit bewundert, wegen der Entschlossenheit, mit er sich wie ein Terrier in einen Fall verbiss und es oft genug schaffte, verborgene Motive und Akteure ans Licht zu bringen. Aber ebendiese Verbissenheit konnte auch ein Manko sein, da sie ihn blind für Gefahren machte, ungeduldig und leichtsinnig. Jack wusste, warum sie nach Glasgow fuhren, glaubte, ziemlich genau zu wissen, was Rebus dort zu tun beabsichtigte. Und gemäß Ancrams Befehl würde Jack direkt neben ihm stehen, wenn die dampfende Kacke über ihn hereinbrach.

Es war lange her, dass Rebus und Jack zusammengearbeitet hatten. Sie waren ein gutes Team, aber Jack war froh gewesen, aus Edinburgh versetzt zu werden. Zu beklemmend – die Stadt ebenso wie sein Partner. Rebus hatte schon damals mehr Zeit in seinem eigenen Kopf als in der Gesellschaft anderer Menschen verbracht. Selbst das Pub, das er sich als Stammlokal auserkoren hatte, bot unterdurchschnittlich wenige Zerstreuungen: Fernseher, einen Spielautomaten, einen Zigarettenautomaten. Und wenn gemeinsame Unternehmungen organisiert wurden – Angelausflüge, Golfturniere, Busfahrten –, machte Rebus nie mit.

Er war ein chronischer Außenseiter, ein Einzelgänger selbst in Gesellschaft, mit Herz und Hirn nur dann ganz bei der Sache, wenn er an einem Fall arbeitete. Jack kannte den Grund nur zu gut. Der Beruf vereinnahmte einen auf eine Weise, dass man vom Rest der Welt abgeschnitten war. Die Leute, die man bei geselligen Anlässen traf, neigten dazu, einem mit Argwohn, wenn nicht sogar mit offener Feindseligkeit zu begegnen; also endete es damit, dass man auch in seiner Freizeit ausschließlich mit Polizisten verkehrte, was wiederum die eigene Frau oder Freundin langweilte. Dann begann auch sie, sich isoliert zu fühlen. Es war ein Teufelskreis.

Natürlich gab es bei der Polizei auch jede Menge Leute, die sich arrangierten. Sie hatten verständnisvolle Partner oder beherrschten die Kunst, die Arbeit draußen vor der Haustür zu lassen. Oder es war für sie nur ein Job, eine Möglichkeit, die Brötchen zu verdienen und die Hypothek abzuzahlen. Jack schätzte, dass sich beim CID diejenigen, für die der Polizistenberuf eine Berufung war, und diejenigen, die sich in jedem anderen Bürojob wohlgefühlt hätten, so ziemlich die Waage hielten.

Aber was hätte John Rebus sonst tun können? Wenn sie ihn bei der Polizei rausschmissen... würde er wahrscheinlich seine Pension versaufen und einer von den alten Exbullen werden, die sich an ihrem Fundus von alten Geschichten aufrecht hielten und diese zu oft denselben Leuten erzählten: eine Form von Isolation gegen eine andere eintauschend.

Es war wichtig, dass John bei der Polizei blieb. Deswegen war es wichtig, dafür zu sorgen, dass er sich nicht in die Scheiße manövrierte. Jack fragte sich, warum nichts im Leben je einfach sein konnte. Als Chick Ancram ihm den Auftrag erteilte, »ein Auge auf Rebus zu haben«, hatte er sich auf seine Aufgabe gefreut. Er hatte sich vorgestellt, dass sie zusammen ausgehen würden, sich in Erinnerungen an Fälle und Verdächtige, Sackgassen und Höhepunkte ergehen würden. Er hätte es besser wissen sollen. Er mochte sich geändert haben, zu einem Jasager, Sesselpupser, Karrieristen geworden sein, aber John war noch immer derselbe … nur noch schlimmer. Die Zeit hatte seinen Zynismus verstärkt und verhärtet. Er war kein Terrier mehr, sondern ein Kampfhund. Man sah ihn an und wusste, dass er, wie blutüberströmt er auch sein, wie viel Schmerz auch hinter der Maske wüten mochte, bis zum letzten Atemzug nicht mehr loslassen würde.

»Der Stau löst sich allmählich auf«, stellte Rebus fest.

Es stimmte. Der Tacho kletterte auf hundert. Sie würden in null Komma nichts in Glasgow sein. Jack sah zu Rebus, der ihm zuzwinkerte, ohne den Blick von der Fahrbahn zu wenden. Jack hatte plötzlich eine Vision von sich: wie er an einem Tresen hing, für einen einzigen weiteren Drink seine Pension aufs Spiel setzte. Scheiß drauf. Seinem Freund zuliebe würde er die neunzig Minuten durchstehen, aber mehr nicht: keine Verlängerung, keine Strafstöße. Vor allem keine Strafstöße.

Sie fuhren zur Revierwache Partick, da man sie dort kannte. Govan wäre auch eine Möglichkeit gewesen, aber Govan war Ancrams Hauptquartier und somit kein Ort, an dem sie unbehelligt hätten agieren können. Die Ermittlungen in Sachen Johnny Bible waren durch den jüngsten Mord etwas in Fahrt gekommen, aber letzten Endes tat die Glasgower Mannschaft nicht viel mehr als das Aktenmaterial, das von Aberdeen geschickt wurde, zu sichten und abzuheften. Der Gedanke, dass er im Burke's Club an Vanessa Holden vorbeigegangen war, ließ Rebus schaudern. Sosehr Lumsden versucht hatte, ihm etwas anzuhängen – in einem musste man dem CID Aberdeen Recht geben: Es war schon eine *ganz* schöne Reihe von Zufällen, die Rebus mit dem Johnny-Bible-Fall in Verbindung brachte. Und genau deshalb begann er allmählich daran zu zweifeln, dass da überhaupt Zufall im Spiel war. Irgendwie hing Johnny mit einer von Rebus' anderen Ermittlungen zusammen. Momentan war es nicht mehr als eine dumpfe Ahnung, nichts, woraus sich etwas hätte machen lassen. Aber es war da, bohrte und nagte und zwang ihn, sich zu fragen, ob er nicht möglicherweise mehr über Johnny Bible wusste, als ihm klar war.

Partick, neu, hell und behaglich – gewissermaßen der Inbegriff einer modernen Polizeiwache –, war und blieb dennoch feindliches Territorium. Rebus hatte keine Ahnung, wie viele wohlwollende Ohren hier für Uncle Joe mithören mochten, aber er glaubte, ein ruhiges Plätzchen zu kennen, wohin sie sich zurückziehen könnten. Während sie durch das Gebäude gingen, nickten ihnen ein paar Beamte zu oder grüßten Jack mit Namen.

»Basislager«, bemerkte Rebus schließlich und betrat das verlassene Büro, das vorübergehend zum zweiten Zuhause Bible Johns geworden war. Hier war er, ausgebreitet über Tische und Fußboden, mit Reißzwecken und Tesafilm an den Wänden befestigt. Man kam sich vor wie in einer Fotoausstellung. Das jüngste Phantombild Bible Johns, dasjenige, das nach den Angaben der Schwester des dritten Opfers angefertigt worden war, bedeckte zusammen mit ihrer Personenbeschreibung in mehrfacher Ausfertigung die Wände des Zimmers. Es war so, als glaubte die Polizei, den Mörder durch schiere Wiederholung, durch massenhafte Anhäufung seiner Bilder, zu einem materiellen Wesen machen, Papier und Tinte in Fleisch und Blut verwandeln zu können.

»Ich kann diesen Raum nicht ausstehen«, sagte Jack, als Rebus die Tür schloss.

»Wie's aussieht, geht es allen anderen hier auch so.

Lange Teepausen und dringende anderweitige Verpflichtungen.«

»Die Hälfte der Belegschaft war noch gar nicht am Leben, als Bible John seinen Geschäften nachging. Er kann für sie doch gar nichts mehr bedeuten.«

»Aber von Johnny Bible werden sie noch ihren Enkeln erzählen.«

»Stimmt.« Jack hielt kurz inne. »Willst du es wirklich tun?«

Rebus' Hand lag bereits auf dem Telefonhörer. Er nahm ab, tippte die Nummer ein. »Hattest du daran gezweifelt?«

»Keinen Augenblick.«

Die Stimme, die sich am anderen Ende meldete, war barsch, abweisend. Weder Uncle Joe noch Stanley. Einer der Bodybuilder. Rebus antwortete im gleichen Tonfall.

»Malky da?«

Zögern. Nur seine engsten Freunde nannten ihn Malky. »Wer will's wissen?«

»Sag ihm, es wär Johnny.« Kurze Pause. »Aus Aberdeen.«

»Moment.« Scheppern, als der Hörer auf eine harte Oberfläche gelegt wurde. Rebus horchte konzentriert, hörte Fernsehstimmen, Gameshow-Applaus. Im Zuschauersessel: vielleicht Uncle Joe oder Eve. Stanley mochte bestimmt keine Gameshows; er würde keine einzige Antwort wissen.

»Telefon!«, rief der Bodybuilder.

Eine lange Pause. Dann von fern eine Stimme: »Wer iss' es?«

»Johnny.«

»Johnny? Johnny wer?« Die Stimme kam näher.

»Aus Aberdeen.«

Jemand nahm den Hörer auf. »Ja?«

Rebus atmete tief durch. »In Ihrem eigenen Interesse sollten Sie versuchen, natürlich zu klingen. Ich weiß über Sie und Eve Bescheid und auch, was Sie in Aberdeen getrieben haben. Wenn Sie also nicht möchten, dass es knallt, sehen

Sie zu, dass Sie natürlich klingen. Der Muskelmensch darf nicht das kleinste bisschen Argwohn schöpfen.«

Ein Rascheln, als Stanley sich von möglichen Lauschern abwandte, sich den Hörer unters Kinn klemmte.

»Also, was steht an?«

»Sie haben einen netten kleinen Beschiss laufen, und ich würd ihn ungern auffliegen lassen, solang ich nicht muss, also tun Sie nichts, was mich dazu zwingen würde. Kapiert?«

»Null Problem.« Die Stimme war nicht geübt darin, gelassen zu klingen, wenn das dazugehörige Gehirn Probleme mit der Blutversorgung hatte.

»Sie machen's prima, Stanley. Eve wird stolz auf Sie sein. Jetzt müssen wir ein paar Takte reden – nicht nur Sie und ich, wir drei.«

»Mein Dad?«

»Eve.«

»Oh, klar.« Allmählich wieder ruhiger. »Äh… kein Problem.«

»Heute Abend?«

»Äh… okay.«

»Revierwache Partick.«

»Hey, Moment mal…«

»Das ist der Deal. Nur plaudern. Keiner will Sie reinlegen. Wenn Ihnen mulmig bei der Sache ist, dann halten Sie einfach die Schnauze, bis Sie mein Angebot gehört haben. Wenn es Ihnen nicht gefällt, können Sie gehen. Sie haben dann nichts gesagt, brauchen also auch nichts zu befürchten. Keine Anklage, keine Tricks. Ich bin nicht an Ihnen interessiert. Sind wir noch im Geschäft?«

»Ich weiß nicht genau. Kann ich Sie zurückrufen?«

»Ich will jetzt ein Ja oder ein Nein hören. Wenn's ein Nein ist, können Sie mir gleich Ihren Dad an die Strippe holen.«

Zum Tode Verurteilte lachen glaubwürdiger. »Hören Sie,

was mich angeht, kein Problem. Aber es sind ja auch andere beteiligt.«

»Erzählen Sie Eve einfach, was ich Ihnen gesagt habe. Wenn sie nicht kommen will, brauchst Sie das ja nicht daran zu hindern. Ich besorg Besucherausweise für Sie beide. Mit falschen Namen.« Rebus sah hinunter auf ein Buch, das aufgeschlagen vor ihm lag, fand gleich zwei passende. »William Pritchard und Madeleine Smith. Können Sie sich die merken?«

»Ich denk schon.«

»Wiederholen Sie sie.«

»William ... irgendwas.«

»Pritchard.«

»Und Maggie Smith.«

»Na, ziemlich nah dran. Ich weiß, dass Sie nicht einfach so von zu Haus verschwinden können, also lassen wir die Zeit offen. Kommen Sie, sobald es geht. Und wenn Sie mit dem Gedanken spielen sollten, die Flatter zu machen, denken Sie einfach an die vielen hübschen Bankkonten und wie einsam die sich ohne Sie fühlen würden.«

Rebus legte auf. Seine Hand zitterte nicht nennenswert.

27

Sie informierten den Beamten am Eingang und bekamen die Besucherausweise ausgestellt. Dann warteten sie. Jack meinte, im Zimmer sei es kalt und muffig und er müsse da raus. Er schlug die Kantine vor oder den Korridor oder was auch immer, aber Rebus schüttelte den Kopf.

»Geh du nur. Ich bleib hier und überleg mir, was ich zu Bonny und Clyde sagen werde. Bring mir einen Kaffee mit und vielleicht ein belegtes Brötchen.« Jack nickte. »Ach ja, und eine Flasche Whiskey.« Jack sah ihn an. Rebus lächelte.

Er versuchte, sich an seinen letzten Drink zu erinnern. Er wusste noch, wie er im Ox vor zwei Gläsern und einer Packung Kippen gestanden hatte. Aber davor... Wein mit Gill?

Jack hatte gemeint, im Zimmer sei es kalt; Rebus bekam darin keine Luft. Er zog sein Jackett aus, lockerte den Schlips und öffnete den obersten Knopf seines Hemdes. Dann spazierte er auf und ab, spähte in Schreibtischschubladen und graue Kartons.

Er entdeckte Vernehmungsprotokolle zwischen verblichenen und eselsohrigen Pappdeckeln; handgeschriebene und getippte Berichte; Resümees; Karten und Stadtpläne, größtenteils von Hand gezeichnet; Dienstbücher; ganze Stapel von Zeugenaussagen – Beschreibungen des Mannes, der im Barrowland Ballroom gesehen worden war. Dann gab es die Fotos, matte Schwarzweißabzüge, zwanzig mal fünfundzwanzig und kleiner. Das Tanzlokal selbst, von innen und außen. Es sah moderner aus, als das Wort *ballroom*, Tanzlokal, suggerierte, und erinnerte Rebus ein bisschen an seine alte Schule: flacher Plattenbau mit vereinzelten Fenstern. Auf einem Betonvordach drei Scheinwerfer, die auf die Fenster und in den Himmel strahlten. Und am Vordach selbst – einem nützlichen Schutz vor dem Regen – die Worte »Barrowland Ballroom« und »Dancing«. Die meisten Außenaufnahmen waren an einem verregneten Nachmittag geschossen worden: Frauen in Plastikregenjacken dicht an der Hauswand, Männer mit Schirmmützen und langen Mänteln. Weitere Fotos: Polizeitaucher, die den Fluss absuchten; die Tatorte, CID-Beamte mit ihren charakteristischen flachen Hüten und Regenmänteln, eine Gasse, der Hinterhof eines Mietshauses, ein weiterer Hinterhof. Typische Örtlichkeiten zum Knutschen und Fummeln und vielleicht auch mehr. Es gab ein Foto von Superintendent Joe Beattie, der ein Phantombild Bible Johns hochhielt. Wenn man sich die beiden ansah – Beattie und den Abgelichteten –, konnte man eine gewisse Ähnlichkeit des Ausdrucks erkennen. Das war seinerzeit auch einigen Zeitungslesern aufgefallen. Mackeith Street und Earl Street – Opfer Nummer zwei und drei – waren in den Straßen, in denen sie wohnten, ermordet worden. Er hatte sie fast bis nach Haus begleitet. Warum? Um sie in Sicherheit zu wiegen? Oder hatte er gezögert, das Ganze immer weiter hinausgeschoben? Sich nicht getraut, sie zu küssen oder zu umarmen? Oder war er einfach nur ängstlich gewesen, hin und her gerissen zwischen Gewissensbissen und seinem unbändigen Verlangen zu töten? Die Akten waren voll von solchen wilden Spekulationen und den fundierteren Theorien professioneller Psychologen und Psychiater. Am Ende hatten sie nicht mehr genützt als die Aussagen des Hellsehers Croiset.

Rebus spielte mit dem Gedanken, sich in diesem Zimmer mit Aldous Zane zu treffen. Zane war erneut in den Zeitungen erwähnt worden; er hatte den jüngsten Tatort inspiziert, dieselbe Schau abgezogen und war dann wieder zurück, in die Staaten gereist. Rebus fragte sich, was Jim Stevens als Nächstes im Schilde führte. Er erinnerte sich an Zanes Handschlag, an das elektrische Kribbeln. Und an Zanes »Eindrücke« von Bible John – obwohl Stevens damals dabei gewesen war, hatte die Zeitung es nicht für nötig befunden, sie abzudrucken. Ein Schrankkoffer in einem modernen Haus. Na ja, wenn eine Zeitung *ihn* in einem schicken Hotel einquartiert hätte, wäre Rebus da schon was Spektakuläres eingefallen.

Lumsden *hatte* ihn in einem schicken Hotel einquartiert, wahrscheinlich in der Annahme, dass das CID Grampian nie was davon erfahren würde. Lumsden hatte versucht, sich bei ihm anzubiedern, ihm einzureden, sie seien die gleiche Sorte Bulle, ihm zu zeigen, dass er, Lumsden, in der Stadt etwas galt: für Essen und Trinken nichts zu zahlen brauchte, umsonst in den Burke's Club hineinkam. Er hatte Rebus auf den Zahn gefühlt, inwieweit er für Schmiergelder empfänglich sein würde. Aber in wessen Auftrag? Der Klubbesitzer? Oder Uncle Joe selbst...?

Weitere Fotos. Die schienen überhaupt kein Ende nehmen zu wollen. Was Rebus interessierte, waren die Passanten, die Leute, die nicht wussten, dass sie für die Nachwelt verewigt wurden. Eine Frau in hochhackigen Schuhen, tolle Beine – mehr als Absätze und Beine waren von ihr nicht zu sehen, den Rest verdeckte eine Beamtin, die gerade an der Rekonstruktion des Tathergangs beteiligt war. Ein paar Trachtengruppler suchten die von der Mackeith Street abgehenden Hinterhöfe nach der Handtasche des Opfers ab. Die Höfe sahen allesamt so aus, als hätte dort eine Bombe eingeschlagen – Stangen zum Wäschetrocknen, die aus dürftigem Gras und Schutt ragten. Autos am Straßenrand: Zephyrs, Hillman Imps, Zodiacs. Eine völlig andere Welt. Auf einem Karton lag eine Rolle Plakate, das Gummiband, das sie einst zusammengehalten hatte, war längst mürbe geworden. Fahndungsbilder Bible Johns mit ergänzenden Angaben: »Spricht mit einem gepflegten Glasgower Akzent und hält sich sehr gerade.« Äußerst hilfreich. Die Telefonnummer der Ermittlungszentrale. Es waren Tausende von Anrufen eingegangen, ganze Kisten voll. Jeweils kurze Zusammenfassungen, mit ausführlicheren nachträglichen Notizen, wenn der Anruf eine Überprüfung wert zu sein schien.

Rebus' Augen glitten über die übrigen Kisten. Er wählte eine beliebige aus – einen großen, flachen Pappkarton, in dem Zeitungen von damals lagen, seit einem Vierteljahrhundert nicht mehr gelesen. Er sah sich Titelseiten an, blätterte weiter nach hinten zum Sportteil. Ein paar Kreuzworträtsel waren zur Hälfte gelöst worden, wahrscheinlich von irgendeinem gelangweilten Detective. An jede Schlagzeile waren Zettel geheftet, auf denen die Seite mit dem entsprechenden Bible-John-Artikel notiert war. Aber dort würde Rebus nichts finden. Also überflog er die anderen Artikel, wobei er über manche Anzeigen lächeln musste. Einige davon wirkten nach heutigen Maßstäben unbeholfen, andere waren immer noch aktuell. In den Kleinanzeigen boten Leute Rasenmäher, Waschmaschinen und Plattenspieler zu absoluten Dumpingpreisen an. Eine Anzeige kehrte in einer Reihe von Zeitungen wieder, eingerahmt wie eine amtliche Bekanntmachung: »Finden Sie ein neues Leben und einen guten Job in Amerika – unsere Broschüre verrät Ihnen, wie.« Man musste ein paar Briefmarken an eine Adresse in Manchester schicken. Rebus lehnte sich zurück und fragte sich, ob Bible John es so weit geschafft hatte.

Im Oktober 1969 war Paddy Mechan vom Obersten Gericht in Edinburgh verurteilt worden und hatte gebrüllt: »Sie machen einen schrecklichen Fehler – ich bin unschuldig!« Da musste Rebus an Lenny Spaven denken; er schob den Gedanken beiseite und nahm sich eine neue Zeitung vor. 8. November: Stürme erzwangen die Evakuierung der Bohrinsel Staflo; 12. November: Die Eigentümer der *Torrey Canyon* zahlten eine Entschädigungssumme in Höhe von drei Millionen Pfund, nachdem der Tanker fünftausend Tonnen kuwaitisches Rohöl im Ärmelkanal verloren hatte. Schnitt: Die Stadtverwaltung von Dunfermline hatte beschlossen, die Vorführung von *Das Doppelleben der Sister George* zu gestatten, und ein brandneuer Dreieinhalbliter-Rover war für lächerliche siebzehnhundert Pfund zu haben. Rebus blätterte weiter bis Ende Dezember. Der Vorsitzende der Scottish National Party sagte voraus, dass Schottland »an der Schwelle eines schicksalhaften Jahrzehnts« stehe. Geschliffen formuliert, Sir. 31. Dezember: Hogmanay, das schottische Silvesterfest. Der *Herald* wünschte seinen Lesern ein glückliches und erfolgreiches Jahr 1970 und brachte als Aufmacher einen Artikel über eine Schießerei in Govanhill: ein Beamter tot, drei verletzt. Als er die Zeitung hinlegte, fegte der Luftzug ein paar Fotos vom Schreibtisch. Er hob sie wieder auf: die drei Opfer, so voller Leben, hoffnungsvoll in die Zukunft blickend. Opfer eins und drei wiesen eine gewisse Ähnlichkeit auf.

Wie viele Opfer gab es? Nicht nur von Bible John oder Johnny Bible, sondern von allen Mördern, den bestraften und denen, die ungeschoren davongekommen waren – die World's-End-Morde, Cromwell Street, Nilsen, der Yorkshire Ripper... Und Elsie Rhind... Wenn Spaven sie wirklich nicht getötet hatte, musste sich der Mörder während des ganzen Prozesses ins Fäustchen gelacht haben. Und er war noch immer auf freiem Fuß, mittlerweile vielleicht mit weiteren Skalps an seinem Gürtel, weiteren ungelösten Mordfällen, die auf sein Konto gingen. Elsie lag ungerächt in ihrem Grab, ein vergessenes Opfer. Spaven hatte Selbstmord begangen, weil er die Last einer falschen Beschuldigung nicht ertragen konnte. Und Lawson Geddes... hatte er sich aus Kummer über seine Frau das Leben genommen oder Spavens wegen?

Die Mistkerle hatten sich alle aus dem Staub gemacht; nur John Rebus war noch übrig. Sie versuchten, ihm die Verantwortung aufzuhalsen. Aber er spielte nicht mit, und er würde auch weiter nicht mitspielen, würde weiter abblocken. Er wusste nicht, was er sonst hätte tun können außer saufen. Der Wunsch, jetzt etwas zu trinken, war übermächtig, aber er würde es nicht tun, *noch* nicht. Vielleicht später, vielleicht irgendwann. Leute starben, und man konnte sie nicht ins Leben zurückholen. Manche starben eines gewaltsamen Todes, entsetzlich jung, ohne zu wissen, warum es ausgerechnet sie getroffen hatte. Rebus fühlte sich von Gespenstern umgeben, die ihn anschrien, anbettelten, kreischten...

»John?«

Er sah vom Schreibtisch auf. Jack stand mit einem Becher Kaffee in der einen und einem Brötchen in der anderen Hand da. Rebus blinzelte, seine Vision verblasste. Es war ihm, als sähe er Jack durch ein Hitzeflimmern.

»Herrgott, Mann, was ist los?«

Er wischte sich mit der Hand über Mund und Nase. Er wusste, dass er geweint hatte, und zog ein Taschentuch heraus. Jack stellte Becher und Brötchen hin und legte ihm einen Arm um die Schultern, drückte sanft.

»Weiß auch nicht, was mit mir los ist«, sagte Rebus und putzte sich die Nase.

»Doch, tust du«, sagte Jack leise.

»Ja, tu ich«, gab Rebus zu. Er sammelte die Fotos und Zeitungen ein und stopfte sie alle wieder in ihre Kartons. »Hört auf, mich so anzustarren.«

»Wie, ›so‹?«

»Ich hab nicht mit dir geredet.«

Jack lehnte sich an einen Schreibtisch. »Ziemlich am Ende, was?«

»Sieht so aus, ja.«

»Wird Zeit, dass du dir was überlegst.«

»Ach, dauert bestimmt noch 'ne Weile, bis Stanley und Eve aufkreuzen.«

»Du weißt, dass ich das nicht…«

»Ja, ja, ich weiß. Und du hast Recht: Wird Zeit, dass ich mir was überlege. Bloß, wo fang ich an? Nein, sag nichts – bei der Schnapskirche?«

Jack zuckte lediglich die Achseln. »Deine Entscheidung.«

Rebus nahm das Brötchen und biss hinein, aber der Kloß in seinem Hals machte es ihm fast unmöglich zu schlucken. Er spülte mit Kaffee nach und schaffte es irgendwie, das Brötchen aufzuessen. Dann fiel ihm ein, dass er noch einen Anruf zu erledigen hatte: eine Nummer in Shetland.

»Bin gleich wieder da«, sagte er zu Jack.

In der Toilette wusch er sich das Gesicht. Im Weiß seiner Augen bemerkte er winzige rote, aufgeplatzte Äderchen. Er sah aus wie nach einer Sauftour.

»Stocknüchtern«, murmelte er und ging zum Telefon.

Briony, Jake Harleys Freundin, nahm ab.

»Ist Jake da?«, fragte Rebus.

»Nein, tut mir Leid.«

»Briony, ich war vor ein paar Tagen bei Ihnen, DI Rebus.«

»Ach ja.«

»Hat er sich in der Zwischenzeit gemeldet?«

Eine lange Pause. »Entschuldigung, ich hab Sie nicht verstanden. Die Verbindung ist nicht so doll.«

Rebus fand sie ausgezeichnet. »Ich sagte: Hat er sich in der Zwischenzeit gemeldet?«

»Nein.«

»Nein?«

»Hab ich doch gesagt, oder?« Jetzt gereizt.

»Okay, okay. Sind Sie nicht ein bisschen besorgt?«

»Weswegen?«

»Jake.«

»Warum sollte ich?«

»Na ja, er ist allein unterwegs und hätte schon zurück sein sollen. Vielleicht ist ihm ja was passiert.«

»Ihm geht's gut.«

»Woher wissen Sie das?

»Ich weiß es eben!«, schrie sie jetzt fast.

»Beruhigen Sie sich. Sehen Sie, was ich nicht kapiere –«

»Lassen Sie uns einfach in Frieden!« Und dann war die Leitung tot.

Uns. Lassen Sie *uns* in Frieden. Rebus starrte auf den Hörer.

»Ich hab sie bis hierher gehört«, sagte Jack. »Klingt so, als wär sie kurz vorm Zusammenklappen.«

»Kommt mir auch so vor.«

»Probleme mit dem Freund?«

»Eher Freund mit Problemen.« Er legte auf. Es klingelte.

»DI Rebus.«

Es war die Pforte, sein erster Besucher sei jetzt da.

Eve sah ziemlich genauso aus wie an dem Abend in der Bar von Rebus' Hotel – ganz Geschäftsfrau; ihr Kostüm diesmal statt vamprot von einem konservativen Blau, an Handgelenken, Fingern und Hals Goldschmuck und dieselbe goldene Spange, die die wasserstoffblonden Haare zusammenhielt. Sie hatte eine Handtasche bei sich, die sie unter den Arm klemmte, als sie ihren Besucherausweis ansteckte.

»Wer ist Madeleine Smith?«, fragte sie, während sie die Treppe hinaufstiegen.

»Ich hab den Namen aus einem Buch. Ich glaube, sie war eine Mörderin.«

Sie bedachte Rebus mit einem zugleich kühlen und amüsierten Blick.

»Hier lang«, sagte Rebus. Er führte sie zum Bible-John-Zimmer, wo Jack sie erwartete. »Jack Morton«, stellte Rebus ihn vor. »Eve… Ihren Nachnamen weiß ich nicht. Nicht Toal, oder?«

»Cudden«, sagte sie kalt.

»Setzen Sie sich, Ms. Cudden.«

Sie nahm Platz, holte aus der Handtasche ihre schwarzen Zigaretten. »Darf ich?«

»Eigentlich«, sagte Jack in bedauerndem Ton, »ist hier Rauchen verboten. Und weder Inspector Rebus noch ich sind Raucher.«

Sie sah Rebus an. »Seit wann?«

Rebus zuckte die Achseln. »Wo ist Stanley?«

»Er kommt gleich. Wir hielten es für klüger, nicht gleichzeitig aus dem Haus zu gehen.«

»Wird Uncle Joe keinen Argwohn schöpfen?«

466

»Ich denke, das ist unser Problem, nicht Ihres. Offiziell zieht Stanley durch die Häuser, und ich besuche eine Freundin. Es ist eine gute Freundin, sie wird nicht plaudern.«

Ihr Ton verriet Rebus, dass die Freundin ihr schon bei anderen Gelegenheiten und Anlässen ein Alibi geliefert hatte.

»Nun«, sagte er, »es ist mir ganz recht, dass Sie als Erste da sind. Ich wollte mich ein wenig mit Ihnen unterhalten.« Er lehnte sich an einen Schreibtisch und verschränkte die Arme, damit seine Hände nicht mehr so zitterten. »An dem Abend im Hotel, da wollten Sie mich doch einwickeln, oder?«

»Erzählen Sie mir, was Sie wissen.«

»Über Sie und Stanley?«

»Malky.« Sie verzog das Gesicht. »Ich kann diesen Spitznamen nicht ausstehen.«

»Also gut dann, *Malky*. Was ich weiß? Ich weiß so ziemlich alles. Sie beide fahren immer wieder mal für Uncle Joe geschäftlich nach Norden. Ich vermute mal, als Mittelsleute. Er braucht Menschen, denen er vertrauen kann.« Er gab dem vorletzten Wort eine besondere Betonung. »Menschen, die nicht im selben Hotelzimmer schlafen und das andere unbenutzt lassen. Menschen, die ihn nicht ausnehmen.«

»Nehmen wir ihn aus?« Ohne auf Jack zu achten, hatte sie sich eine Zigarette angezündet. Es waren weit und breit keine Aschenbecher zu sehen, also stellte Rebus einen Papierkorb neben sie und sog dabei den Rauch ein. Göttlicher Rauch!

»Ja«, sagte er und ging wieder zum Schreibtisch zurück. Sie hatten Eves Stuhl in die Mitte des Zimmers gestellt, mit Rebus auf der einen und Jack auf der anderen Seite. Sie schien nichts gegen ihre Positionierung zu haben. »Uncle Joe sieht mir nicht nach einem Gangster mit Bankkonto aus.

Ich meine, es ist nicht anzunehmen, dass er den Banken in Glasgow vertrauen würde, noch viel weniger denen in Aberdeen. Trotzdem tauchen Sie da auf, Sie und Malky, und schaufeln jede Menge Bargeld auf verschiedene Konten. Ich habe Daten, Uhrzeiten, Kontonummern.« Was nicht ganz stimmte, aber er schätzte, dass er damit durchkommen würde. »Ich habe Aussagen vom Hotelpersonal, einschließlich der Zimmermädchen, die Malkys Zimmer nie aufzuräumen brauchen. Komisch, auf mich wirkt er nicht übermäßig ordentlich.«

Eve stieß Rauch durch die Nasenlöcher aus, brachte ein Lächeln zustande. »Okay«, sagte sie.

»So«, fuhr Rebus fort, der ihr am liebsten das selbstsichere Lächeln aus dem Gesicht gewischt hätte, »was würde jetzt Uncle Joe zu dem Ganzen sagen? Ich meine, Malky gehört zur Familie, aber Sie nicht, Eve. *Sie* sind entbehrlich.« Pause. »Und das wissen Sie selbst, und zwar schon seit einer ganzen Weile.«

»Und weiter?«

»Und weiter kann ich mir Sie und Malky nicht als Pärchen vorstellen, nicht als eins mit Zukunft. Er ist zu dämlich für Sie, und er wird nie reich genug sein, um das zu kompensieren. Was er in *Ihnen* sieht, kann ich mir vorstellen: Sie sind eine meisterhafte Verführerin.«

»So meisterhaft wohl doch nicht.« Sie sah ihm in die Augen.

»Aber auch nicht schlecht. Gut genug, um Malky an die Angel zu kriegen. Gut genug, um ihn dazu zu überreden, vom Geld aus Aberdeen abzusahnen. Lassen Sie mich raten: Sie haben ihm auf die Nase gebunden, sich mit ihm zu verpissen, sobald Sie genug abgezweigt hätten?«

»Ich hab's vielleicht ein bisschen anders formuliert.« Ihr Blick wirkte berechnend, aber das Lächeln war immerhin verschwunden. Sie wusste, dass Rebus ihr einen Deal vorschlagen würde; andernfalls wäre sie gar nicht gekommen. Jetzt fragte sie sich, wie ihre Chancen standen.

»Aber Sie dachten gar nicht daran, stimmt's? Ganz unter uns – Sie planten, allein zu verduften.«

»Tatsächlich?«

»Jede Wette.« Er ging auf sie zu. »Es geht mir nicht um Sie, Eve. Sie können von mir aus selig werden, das Geld nehmen und verschwinden.« Er senkte die Stimme. »Aber ich will Malky haben. Ich will ihn wegen Tony El drankriegen. Und ich will die Antworten auf ein paar Fragen. Sobald er hier ist, werden Sie ein paar Takte mit ihm reden und ihn davon überzeugen, mit uns zu kooperieren. Dann werden wir uns unterhalten, und währenddessen wird das Band mitlaufen.« Ihre Augen weiteten sich. »Die offizielle Erklärung lautet, dass ich das als Rückversicherung brauche, falls Sie beschließen sollten, doch nicht zu verschwinden.«

»Und die inoffizielle?«

»Ich werde damit Malky in die Pfanne hauen und Uncle Joe gleich mit.«

»Und ich kann gehen?«

»Versprochen.«

»Woher weiß ich, dass ich Ihnen vertrauen kann?«

»Ich bin ein Gentleman, schon vergessen? Das haben Sie in der Bar selbst gesagt.«

Sie lächelte wieder, ohne den Blick abzuwenden. Sie sah wie eine Katze aus: gleiche Moralvorstellungen, gleiche Instinkte. Dann nickte sie.

Malcolm Toal traf fünfzehn Minuten später ein, Rebus ließ ihn mit Eve allein in einem Vernehmungszimmer. In der Wache herrschte abendliche Ruhe. Es war noch zu früh für Kneipenschlägereien, Messerstechereien, familiäre Meinungsverschiedenheiten vor dem Schlafengehen. Jack fragte Rebus, wie er die Sache durchzuziehen gedachte.

»Sitz du einfach da und mach ein Gesicht, als ob alles, was ich sage, Gottes Wort wäre, das reicht mir völlig.«

»Und wenn Stanley auf dumme Gedanken kommt?«

»Wir werden schon mit ihm fertig.« Er hatte Eve schon nahe gelegt herauszufinden, ob Malky bewaffnet war. Falls ja, wollte Rebus, wenn er zurückkam, die Eisenwaren auf dem Tisch liegen sehen. Er ging wieder auf die Toilette, jetzt nur, um seine Atmung zu beruhigen und sich im Spiegel zu betrachten. Er versuchte, seine Wangenmuskeln zu entspannen. Früher hätte er an dem Punkt seinen Flachmann aus der Tasche gezogen. Aber jetzt gab es keinen Flachmann, kein Mutansaufen. Was bedeutete, dass er zur Abwechslung einmal auf seine natürlichen Ressourcen würde zurückgreifen müssen.

Als er das Vernehmungszimmer betrat, bedachte Malky ihn mit Laserstrahlblicken, was bewies, dass Eve ihr Sprüchlein aufgesagt hatte. Auf dem Tisch lagen zwei Stanley-Messer. Rebus nickte zufrieden. Jack war am Rekorder zugange und schälte gerade ein paar Kassetten aus der Zellophanverpackung.

»Hat Ms. Cudden Ihnen die Situation dargelegt, Mr. Toal?« Malky nickte. »Sie beide interessieren mich nicht, alles Übrige aber schon. Sie haben Murks gemacht, aber es besteht immer noch die Chance, ungeschoren davonzukommen – genau, wie Sie es sich vorgestellt hatten.« Rebus bemühte sich, Eve nicht anzusehen, die ihrerseits den Blickkontakt mit dem liebeskranken Stanley mied. Herrgott, war das ein knallhartes Weibsstück. Rebus empfand regelrecht eine Schwäche für sie. Sie gefiel ihm sogar noch besser als damals in der Bar. Jack nickte: Das Gerät war eingeschaltet.

»Okay, jetzt, wo das Band läuft, möchte ich in aller Klarheit feststellen, dass das ausschließlich meiner persönlichen Absicherung dienen soll und zu keiner Zeit gegen

Sie beide verwendet werden wird – falls Sie anschließend verschwinden. Ich möchte Sie bitten, Ihre Namen zu nennen.« Sie taten es, und Jack steuerte dabei die zwei Mikrofone aus.

»Ich bin Detective Inspector John Rebus«, begann Rebus, »und gleichfalls anwesend ist Detective Inspector Jack Morton.« Er schwieg, zog den dritten Stuhl an den Tisch und setzte sich zwischen Eve und Toal. »Beginnen wir mit diesem Abend in der Hotelbar, Ms. Cudden. Ich halte nicht allzu viel von Zufällen.«

Eve blinzelte. Sie hatte erwartet, dass sich die Fragen ausschließlich auf Malky beziehen würden. Jetzt begriff sie, dass Rebus sich *wirklich* absichern wollte.

»Das war auch kein Zufall«, antwortete sie und kramte nach einer weiteren Sobranie. Die Schachtel glitt ihr aus der Hand. Toal hob sie wieder auf, zog eine Zigarette heraus, zündete sie an und reichte sie ihr. Es kostete sie einige Überwindung, sie anzunehmen – oder sie spielte Rebus ein entsprechendes Theater vor. Doch Rebus hatte den Blick auf Toal gerichtet, war von seiner Geste überrascht. »Mad Malky« offenbarte eine unerwartete sanfte Seite, zeigte aufrichtige Freude darüber, seiner Geliebten so nah zu sein. Er wirkte jetzt ganz anders als der mürrische Nörgler, den Rebus auf der Ponderosa kennen gelernt hatte: jünger, mit einem strahlenden Gesicht und offenem Blick. Schwer vorzustellen, dass er fähig sein sollte, kaltblütig zu töten. Er war genauso haarsträubend geschmacklos angezogen wie bei ihrer ersten Begegnung: knallbunte Nylonjogginghose, orangefarbene Lederjacke und blau gemustertes Hemd, dazu abgewetzte schwarze Slipper. Seine Kiefer bewegten sich, als kaute er Kaugummi, was er nicht tat. Er hatte sich tief in den Stuhl gefläzt, die Beine breit, die Hände zwischen den Oberschenkeln, hoch oben am Schritt.

»Es war geplant«, fuhr Eve fort. »Na ja, so halbwegs. Ich

dachte, die Chancen stünden nicht schlecht, dass Sie noch mal in der Bar aufkreuzen würden, bevor Sie aufs Zimmer gingen.«

»Wieso?«

»Es heißt, Sie würden gern einen trinken.«

»Sagt wer?«

Sie zuckte die Achseln.

»Woher wussten Sie, in welchem Hotel ich wohnte?«

»Das hatte man mich wissen lassen.«

»Wer ist ›man‹?«

»Die Yanks.«

»Nennen Sie mir ihre Namen.« Streng nach Lehrbuch, John.

»Judd Fuller, Erik Stemmons.«

»Die beiden haben es Sie wissen lassen?«

»Konkret war es Stemmons.« Sie lächelte. »Der verdammte Feigling.«

»Weiter.«

»Ich glaube, er meinte, es sei immer noch besser, Sie uns zu überlassen, als Fuller auf Sie anzusetzen.«

»Weil Fuller unsanfter mit mir umgegangen wäre?«

Sie schüttelte den Kopf. »Er dachte dabei nur an sich. Wenn *wir* uns um Sie kümmerten, hätten die beiden nichts zu befürchten gehabt. Judd ist manchmal ein bisschen schwer zu händeln.« Toal gab einen grunzenden Laut von sich. »Erik ist es lieber, wenn er sich nicht so aufregt.«

Wahrscheinlich hatte Stemmons seinen Partner zur Zurückhaltung ermahnt, mit dem Erfolg, dass Fullers Männer Rebus lediglich eine Beule verpasst hatten, anstatt ihn endgültig aus dem Verkehr zu ziehen. Eine gelbe Karte; dass Fuller eine zweite austeilen würde, konnte er sich nicht vorstellen. Rebus hätte ihr gern noch weitere Fragen gestellt. Hätte gern erfahren, wie weit sie gegangen wäre, um herauszufinden, was er wusste... Aber irgendwie befürchtete er, dass bei Malky dann möglicherweise *sämtliche* Sicherungen durchgebrannt wären.

»Von wem haben die Yanks erfahren, wo ich wohnte?«

Er kannte die Antwort schon – von Ludovic Lumsden –, aber er wollte sie nach Möglichkeit aufs Band kriegen. Aber Eve zuckte die Achseln, und Toal schüttelte den Kopf.

»Verraten Sie mir, warum Sie in Aberdeen waren.«

Eve war demonstrativ mit ihrer Zigarette beschäftigt, also räusperte sich Toal.

»Wir hatten was für meinen Dad zu erledigen.«

»Und zwar was genau?«

»Verkaufen und so.«

»Verkaufen?«

»Stoff – Speed, Äitsch, das ganze Menü.«

»Sie klingen ja sehr selbstsicher, Mr. Toal.«

»*Resickniert* wär vielleicht das passendere Wort.« Toal richtete sich auf seinem Stuhl auf. »Eve meint, wir könnten Ihnen vertrauen. Da bin ich mir zwar nich so sicher, aber ich weiß, was mein Dad tut, wenn er rauskriegt, dass wir abgesahnt haben.«

»Dann bin ich also das geringere Übel?«

»Das haben Sie gesagt, nicht ich.«

»Schön, zurück zu Aberdeen. Sie haben Drogen geliefert?«

»Ja.«

»Wem?«

»Dem Burke's Club.«

»Wem da genau?«

»Erik Stemmons und Judd Fuller. Konkret Judd, aber Erik weiß auch, wo seine Gäste der Schuh drückt.« Er lächelte Eve an. *Drückt*, wiederholte er. Sie nickte zum Zeichen, dass sie den Witz verstanden hatte.

»Warum konkret Judd Fuller?«

»Erik leitet den Klub, kümmert sich ums Geschäftliche. Will sich nich die Finger dreckig machen, Sie wissen schon. Tut so, als wär alles total legal.«

Rebus erinnerte sich an Stemmons' Büro, überall Papierkram. Mr. Businessman.

»Können Sie mir Fuller beschreiben?«

»Sie haben schon seine Bekanntschaft gemacht: Er war's, der Ihnen das Ding verpasst hat.« Toal grinste. Der Mann mit der Pistole: Hatte er einen amerikanischen Akzent gehabt? Hatte Rebus überhaupt so genau hingehört?

»Aber gesehen habe ich ihn nicht.«

»Na ja, er ist eins achtzig, schwarzes Haar; das sieht immer nass aus. Brillantine oder so Zeugs. Immer glatt zurückgekämmt, lang, wie bei diesem Typ aus *Saturday Night Fever*.«

»Travolta?«

»Ja, aber in dem anderen Film. Sie wissen schon.« Toal tat so, als würde er wild um sich ballern.

»*Pulp Fiction*?«

Toal schnippte mit den Fingern.

»Nur dass Judd ein schmaleres Gesicht hat«, fügte Eve hinzu. »Er ist insgesamt dünner, trägt aber auch gern dunkle Anzüge. Und er hat eine Narbe auf dem Handrücken, die so aussieht, als wär die zu straff zusammengenäht worden.«

Rebus nickte. »Handelt Fuller nur mit Drogen?«

Toal schüttelte den Kopf. »Ach was, der hat überall seine Finger drin: Nutten, Porno, Kasinos, ab und zu Steine umfassen, gefakte Designersachen – Uhren und Hemden und so Zeugs.«

»Ein vielseitiger Unternehmer«, fügte Eve hinzu und schnippte Asche in den Papierkorb. Sie achtete darauf, nichts zu sagen, was sie hätte belasten können.

»Und Judd und Erik sind da nicht die Einzigen. In Aberdeen gibt's ein paar noch üblere Yanks als die beiden: Eddie Segal, Moose Maloney…« Toal sah Eves Gesichtsausdruck und verstummte abrupt.

»Malcolm«, sagte sie zuckersüß, »wir möchten aus dieser Sache doch *lebendig* herauskommen, oder?«

Toal errötete. »Vergessen Sie, was ich gesagt hab«, erklärte er Rebus. Rebus nickte, aber der Rekorder würde nichts vergessen.

»So«, fuhr Rebus fort, »und warum haben Sie Tony El getötet?«

»*Ich?*«, fragte Toal, ganz der zu Unrecht Verdächtigte. Rebus seufzte und sah auf seine Schuhspitzen.

»Ich glaube«, suggerierte Eve, »das bedeutet, dass der Inspector *alles* wissen möchte. Reden wir nicht mit ihm, dann redet er mit deinem Dad.«

Toal starrte sie an, aber sie hielt dem Blick stand. Seine Hände kehrten wieder zu seinen edlen Teilen zurück. »Tja«, sagte er, »also, das war ein Auftrag.«

»Von wem?«

»Dad natürlich. Es ist so, Tony arbeitete immer noch für uns. Er kümmerte sich um alles, was in Aberdeen so anfiel. Die ganze Story von wegen, er hätte sich selbstständig gemacht, das war nur'n Märchen. Aber wie Sie da aufgekreuzt sind und mit Dad geredet haben… da is er voll durch die Decke, als er hörte, dass Tony auch von anderen Aufträge annahm und die ganze Operation in Gefahr brachte. Und jetzt waren Sie hinter ihm her, also…«

»Also musste Tony verschwinden?« Rebus erinnerte sich daran, dass Tony El vor Hank Shankley mit seinen Glasgower Connections geprahlt hatte.

»Genau.«

»Und ich nehme an, es hat Ihnen nicht sonderlich Leid getan, ihn zum endgültig letzten Mal zu sehen?«

Eve lächelte. »Nicht sonderlich, nein.«

»Denn um seinen eigenen Hals zu retten, hätte Tony Sie beide verpfeifen können?«

»Dass wir absahnten, wusste er nicht, aber das mit unseren Hotelzimmern hatte er irgendwie rausgekriegt.«

»Der größte Fehler seines Lebens«, warf Toal ein und grinste. Er wurde zusehends großspuriger, hatte sichtlich Spaß am Erzählen und schwelgte in dem Bewusstsein, dass alles gut ausgehen würde. Und je großspuriger er wurde, desto distanzierter schien sich Eve ihm gegenüber zu verhalten. Sie würde aufatmen, wenn sie ihn endlich los war, daran bestand für Rebus überhaupt kein Zweifel. Der arme kleine Scheißkerl.

»Sie haben das CID ganz schön reingelegt. Die Kollegen dachten, es wäre Selbstmord.«

»Tja, wenn man ein, zwei Bullen in der Tasche hat...«

Rebus sah Toal an. »Sagen Sie das noch mal.«

»Ein, zwei Bullen auf der Gehaltsliste.«

»Namen?«

»Lumsden«, antwortete Toal. »Jenkins.«

»Jenkins?«

»Er hat irgendwas mit der Ölindustrie zu tun«, erklärte Eve.

»Erdöl-Verbindungsbeamter?«

Sie nickte.

Der, als Rebus ankam, gerade in Urlaub gewesen war und sich von Lumsden vertreten ließ. Mit den beiden auf seiner Seite dürfte es kein Problem gewesen sein, die Produktionsplattformen mit allem zu versorgen, was sie gerade benötigten – also, wenn *das* keine Monopolstellung war... Und die Freizeit der Arbeiter an Land versüßte man dann mit weiteren Wonnen: Klubs, Nutten, Schnaps und Glücksspiel. Legalität und Illegalität, die reibungslos Hand in Hand arbeiteten. Kein Wunder, dass Lumsden ihn nach Bannock begleitet hatte; er wollte seine Investitionen schützen.

»Was wissen Sie über Fergus McLure?«

Toal sah Eve an: bereit zu reden, aber nicht ohne ihre Erlaubnis. Sie nickte wortlos.

»Er hatte einen kleinen Unfall, hat sich zu nah an Judd rangewagt.«

»Fuller hat ihn getötet?«

»Ging ex und hopp, meinte Judd.« In Toals Stimme schwang eine Spur von Heldenverehrung mit. »Hat McLure gesagt, sie müssten irgendwohin, wo sie sich in Ruhe unterhalten könnten, von wegen, Wände hätten Ohren und so. Ist mit ihm runter zum Kanal gelatscht, eins mit der Kanone über die Rübe und ab ins Wasser.« Toal zuckte die Achseln. »War rechtzeitig zu einem späten Frühstück wieder in Aberdeen.« Er lächelte Eve an. »Einem *späten*.« Vermutlich ein weiterer Scherz, aber sie hatte keine Lust mehr, darauf zu reagieren. Sie wollte nur noch weg.

Rebus hatte weitere Fragen auf Lager, aber er fühlte sich müde und beschloss, es erst einmal dabei bewenden zu lassen. Er stand auf und nickte Jack zu, damit er den Rekorder ausschaltete, dann sagte er Eve, sie könne gehen.

»Was ist mit mir?«, fragte Toal.

»Sie gehen nicht zusammen«, erinnerte ihn Rebus. Toal schien das zu akzeptieren. Rebus begleitete Eve den Korridor entlang und die Treppe hinunter. Sie sprachen kein Wort, verabschiedeten sich nicht einmal voneinander. Aber er sah ihr eine Weile nach, bevor er den Beamten am Eingang bat, so schnell wie möglich zwei Uniformierte ins Vernehmungszimmer zu schicken.

Als er zurückkam, hatte Jack gerade die Kassetten zurückgespult. Toal war aufgestanden und machte ein paar Dehnungsübungen. Es klopfte, und zwei Uniformen traten ein. Toal richtete sich auf, spürte, dass etwas nicht stimmte.

»Malcolm Toal«, sagte Rebus, »ich beschuldige Sie des Mordes an Anthony Ellis Kane, erfolgt in der Nacht des –«

Mit einem Aufschrei warf sich Mad Malky auf Rebus und ging ihm an die Kehle.

Die Trachtengruppler schafften ihn zu guter Letzt in eine Zelle. Rebus saß im Vernehmungszimmer auf einem Stuhl und schaute seinen Händen beim Zittern zu.

»Alles in Ordnung?«, fragte Jack.

»Weißt du was, Jack? Du wiederholst dich.«

»Weißt du was, John? Du zwingst einen dazu.«

Rebus lächelte und rieb sich den Hals. »Alles okay.«

Als Toal auf ihn losging, hatte Rebus ihm das Knie mit solcher Wucht in die Weichteile gerammt, dass es ihn vom Boden hob. Anschließend hatten die Uniformierten keine Schwierigkeiten mehr mit ihm gehabt.

»Was passiert jetzt?«, wollte Jack wissen.

»Eine Kopie der Aufnahme geht an das hiesige CID. Damit haben die genug zu tun, bis wir wieder zurück sind.«

»Aus Aberdeen?«, tippte Jack.

»Und nördlicheren Gefilden.« Rebus deutete auf den Rekorder. »Schieb die Kopie wieder rein und schalt auf Aufnahme.« Jack tat es. »Gill, hier ist ein Geschenk für dich. Ich hoffe, du kannst damit was anfangen.« Er nickte, und Jack drückte auf die Stopp- und Auswurftaste.

»Die geben wir unterwegs in St. Leonard's ab.«

»Wir *fahren* also nach Edinburgh zurück?« Jack dachte an das morgige Treffen mit Ancram.

»Nur zum Umziehen und Krankmelden.«

Draußen auf dem Parkplatz wartete eine einsame Gestalt auf sie: Eve.

»Haben wir denselben Weg?«, fragte sie.

»Wie haben Sie das erraten?«, fragte Rebus.

Ihr katzenhaftes Lächeln blitzte auf. »Weil wir uns ähnlich sind. Sie haben noch was in Aberdeen zu erledigen. Ich muss dort lediglich einige Banken aufsuchen und ein paar Konten auflösen, aber da wären noch diese zwei Hotelzimmer...«

Ein gutes Argument: Sie würden ein Basislager brauchen, vorzugsweise eines, von dem Lumsden nichts wusste.

»Ist er hinter Schloss und Riegel?«, fragte sie.

»Ja.«

»Wie viele Männer haben Sie dazu benötigt?«

»Bloß zwei.«

»Ich bin überrascht.«

»Irgendwann überraschen wir uns alle selbst«, meinte Rebus und hielt ihr die hintere Tür von Jacks Wagen auf.

Dass Gill Templers Büro zu dieser nachtschlafenden Zeit abgeschlossen war, überraschte Rebus nicht. Er sah sich bei der Nachtschicht um und entdeckte Siobhan Clarke, der vor ihrem ersten Wiedersehen nach der Durchsuchung seiner Wohnung graute und die sich entsprechend unsichtbar zu machen versuchte. Er ging auf sie zu, den gepolsterten gelben Umschlag in der Hand.

»Ist schon okay«, sagte er, »ich weiß, warum Sie da waren. Ich sollte Ihnen danken.«

»Ich dachte nur...«

Er nickte. Ihre Erleichterung war förmlich mit Händen zu greifen, und er ahnte, was sie in der Zwischenzeit durchgemacht haben musste.

»Mit was Bestimmtem beschäftigt?«, fragte er. Wenigstens eine Minute Smalltalk war er ihr wohl schuldig. Jack und Eve saßen unten im Auto und lernten sich kennen.

»Backgroundermittlungen zu Johnny Bible: tödlich langweilig.« Plötzlich wurde sie munterer. »Eine Sache wär da allerdings. Ich hab die alten Zeitungen in der National durchgesehen.«

»Ja?« Rebus hatte da auch schon geschmökert und fragte sich, ob das schon die ganze Neuigkeit war.

»Einer der Bibliothekare hat mir erzählt, jemand hätte sich neuere Zeitungen angesehen und gleichzeitig wissen wollen, wer sich in letzter Zeit für die Jahrgänge 1968 bis 1970 interessierte. Mir kam die Kombination ein bisschen merkwürdig vor. Die neueren Zeitungen waren alle aus der Zeit unmittelbar vor dem ersten Johnny-Bible-Mord.«

»Und die anderen aus den Jahren, in denen Bible John aktiv gewesen war?«

»Ja.«

»Ein Journalist?«

»Das meint jedenfalls der Bibliothekar. Bloß dass die Karte, die er ihm gegeben hatte, falsch war. Er hat sich später selbst beim Bibliothekar telefonisch gemeldet.«

»Und hatte der etwas für ihn?«

»Nur ein paar Namen. Ich hab sie mir für alle Fälle notiert. Ein paar von denen *sind* Journalisten, einer sind Sie. Die anderen – weiß der Himmel.«

Ja, Rebus hatte einen langen Tag in der Bibliothek verbracht, die alten Artikel studiert, Fotokopien der relevanten Seiten bestellt... Material für sein Privatarchiv zusammengetragen.

»Und der geheimnisvolle Journalist?«

»Keine Ahnung. Ich bekam eine Personenbeschreibung, aber die bringt uns auch nicht weiter: Anfang fünfzig, groß, blond...«

»Engt die Auswahl nicht allzusehr ein, hm? Aber warum das Interesse an den neueren Zeitungen? Nein, Moment mal... er suchte nach missglückten Versuchen.«

Siobhan nickte. »War auch *mein* Gedanke. Und gleichzeitig hat er sich nach Leuten erkundigt, die sich für den alten Fall, Bible John, interessiert hatten. Es mag verrückt klingen, aber vielleicht ist Bible John irgendwo da draußen auf der Suche nach seinem Nachahmer. Das Problem ist...

wer immer es war, er kennt jetzt Ihren Namen *und* Ihre Adresse.«

»Schön, wenn man einen Fan hat.« Rebus überlegte einen Augenblick. »Diese anderen Namen... kann ich die mal sehen?«

Sie blätterte ihren Notizblock durch, bis sie die entsprechende Seite fand. Ein Name sprang ihm sofort ins Auge: Peter Manuel.

»Was gefunden?«, fragte sie.

Rebus tippte mit dem Finger darauf. »Nicht sein richtiger Name. Manuel war ein Mörder in den Fünfzigerjahren.«

»Ja, aber wer ist er dann...?«

Informiert sich über Bible John, benutzt den Namen eines Mörders. »Johnny Bible«, sagte Rebus leise.

»Ich sollte mich besser noch mal mit diesem Bibliothekar unterhalten.«

»Morgen als Allererstes«, empfahl Rebus. »Können Sie dafür sorgen, dass Gill Templer das hier bekommt?«

»Klar.« Sie schüttelte den Umschlag. Die Kassette klapperte. »Etwas, wovon ich wissen sollte?«

»Ganz gewiss *nicht.*«

Sie lächelte. »Jetzt haben Sie mich neugierig gemacht.«

»Dann schlucken Sie was dagegen.« Er wandte sich ab und entfernte sich. Er wollte nicht, dass sie sah, wie mitgenommen er war. Jemand anders machte ebenfalls Jagd auf Johnny Bible – jemand, der jetzt Rebus' Namen und Adresse kannte. Siobhans Worte: *Bible John... auf der Suche nach seinem Nachahmer.* Personenbeschreibung: groß, blond, Anfang fünfzig. Das Alter passte zu Bible John. Wer immer es war, er kannte Rebus' Adresse... und jemand hatte in seiner Wohnung eingebrochen, zwar nichts gestohlen, aber seine Zeitungen und Ausschnitte durchwühlt.

Bible John... auf der Suche nach seinem Nachahmer.

»Was macht die Untersuchung?«, rief ihm Siobhan nach.

»Welche?«

»Spaven.«

»Keinerlei Ärger.« Er blieb stehen, drehte sich wieder um. »Ach übrigens, wenn Sie wirklich nichts zu tun haben…«

»Ja?«

»Johnny Bible: Er *könnte* irgendwas mit Erdöl zu tun haben. Das letzte Opfer arbeitete für Ölfirmen und ging mit Erdölmännern aus. Das erste hatte am RGIT studiert, Geologie, glaube ich. Finden Sie raus, ob das was mit Erdöl zu tun hat, und stellen Sie fest, ob es etwas gibt, das wir mit Opfer zwei und drei in Verbindung bringen könnten.«

»Sie glauben, er wohnt in Aberdeen?«

»Im Moment würde ich einiges darauf wetten.«

Dann war er weg. Nur noch eine letzte Zwischenstation vor der langen Fahrt nach Norden.

Bible John fuhr durch die Straßen von Aberdeen.

Die Stadt war ruhig. So mochte er sie. Der Abstecher nach Glasgow hatte sich als nützlich erwiesen – als noch nützlicher allerdings das vierte Opfer.

Aus dem Hotelcomputer hatte er eine Liste von zwanzig Firmen gezogen. Zwanzig Gäste des Fairmount Hotels, die in den Wochen vor Judith Cairns' Ermordung mit Geschäfts-Kreditkarten bezahlt hatten. Zwanzig Firmen mit Sitz im Nordosten. Zwanzig Personen, die er überprüfen musste – und von denen eine der Parvenü sein konnte.

Er hatte mit den Gemeinsamkeiten zwischen den einzelnen Opfern jongliert, und Nummer eins und vier lieferten ihm eine Antwort: Erdöl. Erdöl war der gemeinsame Nenner. Opfer Nummer eins hatte am Robert Gordon's Geologie studiert: im Nordosten Schottlands war das Studium der Geologie in weiten Teilen gleichbedeutend mit Methoden der Erdölexploration. Die Firma von Nummer vier zählte Mineralölfirmen und deren Zulieferbetriebe zu ihren wichtigsten Kunden. Er suchte also nach jemandem mit engen Beziehungen zur Erdölindustrie – nach jemandem, der ihm in vielfacher Hinsicht ähnelte. Diese Tatsache hatte ihn erschüttert. Auf der einen Seite ließ sie es noch dringender erscheinen, den Parvenü zur Strecke zu bringen; auf der anderen machte es das Spiel weit gefährlicher. Es war nicht die Gefahr für Leib und Leben – diese Angst hatte er schon vor langer Zeit überwunden. Es war die Gefahr, seine hart erkämpfte Identität als Ryan Slocum einzubüßen. Er hatte fast das Gefühl, Ryan Slocum zu *sein*. Aber Ryan Slocum war irgendein Toter, eine Todesanzeige, auf die er in der Zeitung zufällig gestoßen war. Also hatte er sich – mit der Begründung, das Original sei bei einem Hausbrand vernichtet worden – eine Zweitausfertigung »seiner« Geburtsurkunde ausstellen lassen. Damals, im Präcomputerzeitalter, war derlei leicht zu bewerkstelligen gewesen.

Und so hörte seine eigene Vergangenheit auf zu existieren... jedenfalls für eine gewisse Zeit. Der Schrankkoffer auf dem Dachboden erzählte natürlich eine ganz andere Geschichte. Er strafte seine neue Identität Lügen: Man konnte nicht zu einem anderen Menschen werden. Sein Schrankkoffer voller Souvenirs, größtenteils aus Amerika... Er hatte dafür gesorgt, dass der Koffer bald, wenn seine Frau aus dem Haus wäre, abtransportiert werden würde. Eine Umzugsfirma würde einen Transit vorbeischicken und den Schrankkoffer in einen dafür angemieteten abschließbaren Lagerraum schaffen. Es stellte eine durchaus sinnvolle Sicherheitsvorkehrung dar, aber er bedauerte es dennoch; es war wie das Eingeständnis, dass der Parvenü gewonnen hatte.

Gleichgültig, wie die Sache letztlich ausgehen würde.

Zwanzig Firmen, die es zu überprüfen galt. Bislang hatte er vier mögliche Verdächtige wegen ihres zu hohen Alters ausgeschlossen. Weitere sieben Firmen standen, soweit für ihn feststellbar, nicht mit der Erdölindustrie in Verbindung – sie kamen ganz ans Ende der Liste. Womit neun Namen übrig blieben. Es ging nur langsam voran. Er hatte die Firmen angerufen und es mit allerlei Tricks versucht, aber damit kam man nicht allzu weit. Dann hatte er das Telefonbuch zu Hilfe genommen und Adressen zu den jeweiligen Namen ermittelt, die Häuser der Verdächtigen beobachtet, darauf gewartet, dass ein Gesicht auftauchte. Würde er den Parvenü erkennen, wenn er ihn sah? Er glaubte schon; zumindest würde er den *Typ* erkennen. Aber andererseits hatte Joe Beattie das Gleiche in Bezug auf Bible John gesagt – dass er ihn selbst in einem Zimmer voller Menschen erkannt hätte. Als offenbarte sich die Seele eines Menschen im Ausdruck und den Konturen seines Gesichts: eine Art Phrenologie der Sünde.

Er parkte vor einem weiteren Haus, rief sein Büro an, um zu hören, ob es Nachrichten für ihn gab. Bei der Art seiner Tätigkeit rechnete jeder damit, dass er einen großen Teil des Tages – wenn nicht sogar Tage oder Wochen – außerhalb des Büros verbrachte. Es war wirklich der ideale Beruf. Keine Nachrichten, nichts, worüber er hätte nachdenken müssen, außer über den Parvenü… und sich selbst.

In seiner Anfangszeit hatte es ihm an Geduld gefehlt. Das war inzwischen anders. Dieses langsame Sich-Anpirschen an den Parvenü würde die abschließende Konfrontation nur umso genussvoller machen. Doch diese Vorfreude wurde durch einen anderen Gedanken getrübt: dass die Polizei ebenfalls dabei sein konnte, das Netz zuzuziehen. Schließlich waren alle nötigen Informationen auch für sie verfügbar. Es ging nur noch darum, die Zusammenhänge herzustellen. Bislang passte nur die Edinburgher Prostituierte nicht ins Muster, aber wenn es ihm gelänge, drei von vier Opfern miteinander in Verbindung zu bringen, würde er schon zufrieden sein. Er glaubte auch, dass er nur die Iden-

tität des Parvenüs zu ermitteln brauchte, um den Nachweis zu erbringen, dass er sich zur Zeit ihrer Ermordung in Edinburgh aufgehalten hatte: vielleicht irgendwelche Hotelrechnungen oder die Quittung einer Edinburgher Tankstelle …
Vier Opfer. Bereits jetzt eines mehr als der Bible John der Sechzigerjahre. Ärgerlich, das musste er schon sagen. Es nagte an ihm.

Und jemand würde dafür büßen. Schon sehr bald.

Nördlich der Hölle

»Schottland wird an dem Tag
wiedergeboren werden,
an dem der letzte Minister
mit der letzten Ausgabe
der Sunday Post
erdrosselt wird.«

Tom Nairn

28

Als sie das Hotel erreichten, war es nach Mitternacht. Es lag in der Nähe des Flughafens, eines der blitzblanken neuen Gebäude, die Rebus auf dem Weg zu T-Bird Oil passiert hatte. Die Lobby war zu grell beleuchtet, zu viele wandhohe Spiegel warfen das Bild dreier müder Gestalten mit dürftigem Gepäck zurück. Vielleicht hätten sie Argwohn erregt, aber Eve war Stammgast und besaß ein Geschäftskonto, und damit war die Sache erledigt.

»Das läuft alles über das Taxiunternehmen«, erklärte sie, »es geht also auf mich. Melden Sie sich einfach ab, wenn Sie fertig sind, die schicken die Rechnung dann an Joe's Cabs.«

»Ihre gewohnten Zimmer, Ms. Cudden«, sagte der Mann an der Rezeption, als er ihr die Schlüssel übergab, »und dann noch eins ein paar Türen weiter.«

Jack hatte sich die Liste der Freizeiteinrichtungen angesehen. »Sauna, Fitnessraum, Weight-Gym. Wir sind hier genau richtig, John.«

»Hier steigen nur Erdölmanager ab«, erklärte Eve, während sie sie zu den Fahrstühlen führte. »Die stehen auf solche Sachen. Dadurch halten sie sich fit für Sister Cocaine. Und ich meine nicht den Stones-Song.«

»Verkaufen Sie alles direkt an Fuller und Stemmons?«, fragte Rebus.

Eve unterdrückte ein Gähnen. »Sie meinen, ob ich selbst deale?«

»Ja.«

»Halten Sie mich für so blöd?«

»Was ist mit den Endabnehmern – irgendwelche Namen?«

Sie schüttelte den Kopf und lächelte müde. »Sie geben wohl nie Ruhe, was?«

»Das lenkt mich ab.« Konkret: von Bible John, Johnny Bible... irgendwo da draußen, und vielleicht gar nicht so weit weg...

Sie gab Rebus und Jack ihren jeweiligen Zimmerschlüssel. »Schlaft schön, Jungs. Wenn ihr aufwacht, bin ich wahrscheinlich schon über alle Berge... und zwar endgültig.«

Rebus nickte. »Wie viel nehmen Sie mit?«

»Um die achtunddreißig Mille.«

»Nicht schlecht.«

»Die Profite sind allgemein nicht schlecht.«

»Wie schnell wird Uncle Joe das mit Stanley erfahren?«

»Na ja, Malcolm dürfte es nicht eilig haben, ihm das auf die Nase zu binden, und Joe ist es gewöhnt, dass Sohnemann immer wieder mal für ein, zwei Tage verschwindet. Mit ein bisschen Glück bin ich schon gar nicht mehr im Land, wenn die Bombe platzt.«

»Sie haben, wie's mir scheint, das Glück abonniert.«

Sie stiegen im dritten Stock aus dem Lift und suchten ihre Zimmer. Rebus landete direkt neben Eve – Stanleys altes Zimmer. Jack schlief zwei Türen weiter.

Stanleys altes Zimmer war großzügig zugeschnitten und bot die, wie Rebus vermutete, üblichen Extras für leitende Angestellte: Minibar, Kleiderpresse, ein Tellerchen Pralinen auf dem Kissen, einen Bademantel auf der zurückgeschlagenen Bettdecke. Am Bademantel war ein Kärtchen befestigt. Es bat den geschätzten Gast, den Bademantel nicht mitzunehmen. Wenn er wollte, könne er einen im Fitnessraum erstehen. »Wir danken Ihnen für Ihre Rücksicht.«

Der rücksichtsvolle Gast bereitete sich eine Tasse Kaffee Hag zu. Auf der Minibar lag eine Preisliste für alle darin enthaltenen Köstlichkeiten. Er ließ sie in einer Schublade verschwinden. Im Kleiderschrank entdeckte er einen Minisafe, also nahm er den Schlüssel der Minibar und schloss ihn darin ein. Eine weitere Hürde, die er würde überwinden müssen, eine weitere Chance, es sich noch einmal zu überlegen, wenn er irgendwann *wirklich* das Bedürfnis nach einem Drink verspüren sollte.

Vorläufig schmeckte der Kaffee prima. Er duschte, schlüpfte in den Bademantel, setzte sich dann aufs Bett und starrte auf die Verbindungstür. Es war klar, dass es eine solche Tür geben würde. Wäre ja nicht angegangen, dass Stanley sich zu irgendwelchen unmöglichen Zeiten auf dem Korridor herumtrieb. Er fragte sich, was wäre, wenn er die Tür öffnete: Würde die Tür auf Eves Seite auf sein? Würde sie ihn hereinlassen, wenn er anklopfte? Und was, wenn *sie* anklopfte? Er wandte die Augen von der Tür ab, und sein Blick fiel auf die Minibar. Er verspürte einen gewissen Hunger – die Minibar enthielt bestimmt Erdnüsse und Chips. Vielleicht konnte er ja …? Nein, nein, nein. Er richtete seine Aufmerksamkeit wieder auf die Verbindungstür, spitzte die Ohren, konnte keinerlei Geräusche in Eves Zimmer hören. Vielleicht schlief sie schon, musste ja morgen früh raus. Er stellte fest, dass er sich gar nicht mehr müde fühlte. Jetzt, wo er hier war, wollte er sich gleich an die Arbeit machen. Er zog die Vorhänge auf. Es hatte angefangen zu regnen, der Asphalt glänzte schwarz wie der Rücken eines riesigen Käfers. Rebus zog einen Stuhl ans Fenster. Der Wind trieb den Regen vor sich her, schuf wechselnde Muster im Licht der Straßenlaternen. Wie Rebus so vor sich hin starrte, begann der Regen wie Rauch auszusehen, der in Schwaden aus der Dunkelheit quoll. Der Parkplatz unten war nur halb besetzt, die Autos drängten sich wie Kühe aneinander, deren Besitzer gemütlich im Trockenen saßen.

Johnny Bible befand sich irgendwo da draußen – wahrscheinlich in Aberdeen. Und wahrscheinlich hatte er was mit der Erdölindustrie zu tun. Rebus ließ die Leute im Geist Revue passieren, die er in den letzten Tagen kennen gelernt hatte, von Major Weir bis hin zu Walt, der ihn auf Bannock herumgeführt hatte. Es war eine Ironie des Schicksals, dass der Mann, dessentwegen er überhaupt hier war, nämlich Allan Mitchison, nicht nur mit der Erdölindustrie zu tun hatte, sondern gleichzeitig auch der einzige Kandidat war, der mit Sicherheit ausschied, da er zum Zeitpunkt von Vanessa Holdens Tod schon tot war. Rebus hatte Mitchisons wegen Schuldgefühle. Sein Fall ging allmählich in Serienmorden unter. Er war nur ein Job, etwas, das Rebus erledigen musste. Aber er saß ihm nicht im Nacken wie der Johnny-Bible-Fall, wie etwas, das er entweder auswürgen oder an dem er ersticken musste.

Aber er war nicht der Einzige, der sich für Johnny interessierte. Jemand hatte bei ihm eingebrochen und Bibliotheksleihkarten überprüfen lassen. Jemand, der eine falsche Identität verwendete. Jemand, der etwas zu verbergen hatte. Kein Reporter, kein anderer Polizist. Konnte Bible John wirklich noch auf freiem Fuß sein? Irgendwo untergetaucht, bis er von Johnny Bible aufgescheucht worden war? Wütend über den Nachahmer, über dessen Dreistigkeit und die Tatsache, dass er *seinen* Fall wieder ins Gespräch brachte? Nicht nur wütend, sondern auch in die Defensive gedrängt – äußerlich wie innerlich: aus Angst, erkannt und gefasst zu werden; aus Angst, nicht mehr das Furcht erregende, ungreifbare Märchenschreckgespenst zu sein.

Ein neues Schreckgespenst für die Neunziger, jemand, vor dem man sich wieder fürchten konnte. Ein Mythos, ausgetilgt und durch einen neuen ersetzt.

Ja, Rebus konnte es spüren. Er spürte Bible Johns Hass auf den jungen Prätendenten. Spürte, dass er sich durch den Nachahmer keineswegs geschmeichelt fühlte, nicht im Mindesten geschmeichelt …

Und er weiß, wo ich wohne, dachte Rebus. Er ist da gewesen, hat meine Obsession erkannt und sich gefragt, wie weit ich wohl zu gehen bereit wäre. Aber warum? Warum sollte er sich so in Gefahr bringen, am helllichten Tag in eine Wohnung einzubrechen? Und wozu? Um etwas Bestimmtes zu finden? Aber *was*? Rebus wälzte die Fragen in seinem Kopf, überlegte, ob ein Drink ihm helfen würde, kam bis zum Safe, ehe er kehrtmachte und mitten im Zimmer stehen blieb, am ganzen Leib bebend vor Verlangen.

Im Hotel schienen alle zu schlafen; es war leicht, sich vorzustellen, dass das ganze Land schlief. Stemmons und Fuller, Uncle Joe, Major Weir, Johnny Bible … im Schlaf war jeder unschuldig. Rebus trat an die Verbindungstür und schloss sie auf. Eves Tür war nur angelehnt. Lautlos öffnete er sie. In ihrem Zimmer herrschte Dunkelheit. Die Vorhänge waren zugezogen. Das Licht aus seinem Zimmer fiel wie ein langer Pfeil, der auf das breite Bett wies, auf den Fußboden. Sie lag auf der Seite, ein Arm auf der Decke. Ihre Augen waren geschlossen. Er tat einen Schritt in den Raum, jetzt nicht mehr bloß Voyeur, sondern Eindringling. Dann blieb er stehen und betrachtete sie. Vielleicht wäre er noch eine ganze Weile so stehen geblieben.

»Ich habe mich schon gefragt, wie lange du noch brauchen würdest«, sagte sie.

Rebus ging zu ihr. Sie streckte ihm die Arme entgegen. Sie war nackt unter der Decke, warm und duftend. Er setzte sich aufs Bett, nahm ihre Hände in seine.

»Eve«, sagte er leise, »du musst mir einen Gefallen tun, bevor du gehst.«

Sie setzte sich auf. »Diesen nicht mitgezählt?«

»Diesen nicht mitgezählt.«

»Was?«

»Ich möchte, dass du Judd Fuller anrufst. Sag ihm, du müsstest ihn sehen.«

»Du solltest dich besser von ihm fern halten.«

»Ich weiß.«

Sie seufzte. »Aber du kannst nicht?« Er nickte, und sie berührte seine Wange mit dem Handrücken. »Okay, aber dafür musst du mir *auch* einen Gefallen tun.«

»Welchen?«

»Nimm dir den Rest der Nacht frei.«

Er wachte am Morgen allein in ihrem Bett auf, sah nach, ob sie ihm ein paar Zeilen oder sonst was hinterlassen hatte, aber dafür war sie nicht der Typ.

Er ging durch die offene Verbindungstür und schloss hinter sich ab, dann schaltete er das Licht in seinem Zimmer aus. Es klopfte. Jack. Rebus zog Slip und Hose an und war schon fast an der Tür, als ihm etwas einfiel. Er kehrte zum Bett zurück, nahm die Pralinen vom Kissen, schlug die Decke zurück und zerwühlte sie, drückte eine runde Delle in eines der Kissen und öffnete dann.

Aber es war gar nicht Jack, sondern ein Kellner mit einem Tablett in der Hand.

»Morgen, Sir.« Rebus trat beiseite, um ihn hereinzulassen. »Tut mir Leid, wenn ich Sie geweckt haben sollte, Miss Cudden hat diese Uhrzeit angegeben.«

»Ist schon gut.« Rebus beobachtete den jungen Mann, wie er das Tablett auf den Tisch am Fenster stellte.

»Soll ich sie für Sie aufmachen, Sir?« Gemeint war die halbe Flasche Champagner, die aus einem Eiskübel ragte. Daneben standen ein Krug mit Orangensaft, ein Kristallglas, eine Morgenausgabe der *Press and Journal* und eine schlanke Porzellanvase mit einer einzelnen roten Nelke.

»Nein.« Rebus nahm den Eiskübel. »Den können Sie wieder mitnehmen. Der Rest ist in Ordnung.«

»Ja, Sir. Wenn Sie hier unterschreiben möchten…?«

Rebus nahm den dargereichten Stift und fügte zur Rechnung ein dickes Trinkgeld hinzu. Scheiß drauf, Uncle Joe zahlte ja. Der junge Mann strahlte wie ein Honigkuchenpferd, worauf Rebus sich wünschte, er könnte jeden Morgen so großzügig sein.

»*Danke*, Sir.«

Als er gegangen war, schenkte sich Rebus ein Glas Saft ein. Frisch gepresst, kostete im Supermarkt ein Vermögen. Draußen glänzten die Straßen noch naß, und der Himmel hing voller Wolken, aber es sah so aus, als würde die Sonne nicht mehr lange auf sich warten lassen. Ein Kleinflugzeug hob gerade von Dyce ab, wahrscheinlich mit Ziel Shetland. Rebus warf einen Blick auf seine Uhr und rief dann bei Jack an. Seine Stimme klang verschlafen.

»Ihr Weckruf, Sir«, säuselte Rebus.

»Fick dich.«

»Hier warten Orangensaft und Kaffee.«

»Gib mir fünf Minuten.«

Rebus sagte, das sei das Mindeste, was er tun könne. Als Nächstes versuchte er, Siobhan zu Haus zu erreichen, aber es meldete sich nur ihr AB. Probierte es in St. Leonard's, doch auch da war sie nicht zu erreichen. Er wusste, dass sie die Arbeit, die er ihr aufgetragen hatte, nicht auf die lange Bank schieben würde, aber er wollte mit ihr in Kontakt bleiben, etwaige Resultate möglichst schnell erfahren. Er legte auf, sah wieder auf das Tablett und lächelte.

Eve hatte ihm ja doch eine Nachricht hinterlassen.

Im Speisesaal war wenig los, an den meisten Tischen saßen nur einzelne Männer, einige davon schon mit Handy und Laptop zugange. Rebus und Jack langten richtig zu – Saft und Cornflakes, anschließend ein »komplettes Highland-Frühstück« mit einer großen Kanne Tee.

Jack tippte auf seine Uhr. »In einer Viertelstunde geht Ancram an die Decke.«

»Kann sein, dass er durch den Rumms zur Besinnung kommt.« Rebus schmierte sich einen Klacks Butter auf den Toast. Fünf-Sterne-Hotel, und trotzdem war der Toast kalt.

»Wie sieht dein Angriffsplan aus?«

»Ich suche ein Mädchen. Sie ist auf Fotos zusammen mit Allan Mitchison zu sehen, eine Ökoaktivistin.«

»Wo fangen wir an?«

»Bist du auch sicher, dass du da mitmachen willst?« Rebus sah sich im Speisesaal um. »Du könntest den Tag hier verbringen, in den Fitnessraum gehen, dir einen Film ansehen ... Das geht alles auf Uncle Joe.«

»John, ich bleib bei dir.« Jack schwieg einen Moment. »Als Freund, nicht als Ancrams Laufbursche.«

»In dem Fall ist unser erster Anlaufhafen das Ausstellungszentrum. Jetzt iss auf, das wird ein langer Tag, glaub mir.«

»Eine Frage.«

»Was?«

»Wie kommt's, dass *du* heute Morgen Orangensaft gekriegt hast?«

Das Exhibition Centre war fast menschenleer. Die verschiedenen Buden und Stände – von denen viele, wie Rebus inzwischen wusste, Johnny Bibles viertes Opfer entworfen hatte – waren inzwischen abgebaut und abtransportiert worden, die Fußböden geputzt und gebohnert. Draußen gab es keine Demonstranten, keinen aufblasbaren Wal mehr zu sehen. Sie baten darum, mit einem Verantwortlichen zu sprechen, und wurden schließlich in ein Büro geführt, wo eine effizient aussehende Frau mit Brille sich als »die Vize« vorstellte und fragte, was sie für sie tun könne.

»Die Nordseekonferenz«, erklärte Rebus. »Da hatten Sie doch ein wenig Ärger mit Demonstranten.«

Sie lächelte, in Gedanken woanders. »Bisschen spät, um noch was dagegen zu unternehmen, oder?« Sie schob Papiere auf dem Schreibtisch herum, suchte nach irgendetwas.

»Mich interessiert eine ganz bestimmte Demonstrantin. Wie hieß die Gruppe?«

»So organisiert waren die nicht, Inspector. Sie kamen aus den verschiedensten Ecken: Freunde der Erde, Greenpeace, Rettet den Wal, weiß der Geier.«

»Gab's durch sie irgendwelche Schwierigkeiten?«

»Nichts, womit wir nicht fertig geworden wären.« Trotz ihres abwesenden Lächelns sah sie gestresst aus. Rebus stand auf.

»Nun, entschuldigen Sie die Belästigung.«

»Überhaupt kein Problem. Tut mir Leid, dass ich Ihnen nicht weiterhelfen konnte.«

»Ist schon okay.«

Rebus wandte sich zur Tür. Jack bückte sich und hob ein Blatt Papier vom Fußboden auf, gab es der »Vize«.

»Danke«, sagte sie. Dann folgte sie ihnen hinaus auf den Flur. »Hören Sie, für den Protestmarsch am Samstag war eine hiesige Pressuregroup verantwortlich.«

»Was für ein Protestmarsch?«

»Er ging zum Duthie Park, anschließend gab's da ein bisschen Musik.«

Rebus nickte: die Dancing Pigs. Am Tag, als er auf Bannock gewesen war.

»Ich kann Ihnen deren Telefonnummer geben«, meinte sie. Jetzt wirkte ihr Lächeln richtig menschlich.

Rebus rief die Zentrale der Gruppe an.

»Ich suche nach einer Freundin Allan Mitchisons. Ich

weiß ihren Namen nicht, aber sie hat kurze blonde Haare, teilweise zu Zöpfchen geflochten, Sie wissen schon, mit Perlen und so Zeugs. Ein Zöpfchen hängt ihr mitten auf der Stirn bis zur Nase runter. Hat glaub ich einen amerikanischen Akzent.«

»Und wer sind Sie bitte?« Die Stimme klang kultiviert; aus irgendeinem Grund stellte sich Rebus vor, der Mann trage einen Bart, aber der Andy Garcia in Kilt war's nicht – der Akzent war anders.

»Ich bin Detective Inspector John Rebus. Sie wissen, dass Allan Mitchison tot ist?«

Eine Pause, dann ein Ausatmen: Zigarettenrauch. »Ich hab davon gehört. Jammerschade.«

»Kannten Sie ihn gut?« Rebus versuchte, sich die Gesichter auf den Fotos ins Gedächtnis zu rufen.

»Er war ein zurückhaltender Typ. Ich hab ihn nur ein paarmal gesprochen. Großer Fan der Dancing Pigs, deswegen hat er sich ja auch ein Bein ausgerissen, um sie als Hauptact zu gewinnen. Ich war platt, als es geklappt hat. Er hat sie regelrecht mit Briefen bombardiert. Vielleicht hundert oder mehr, irgendwann konnten die wohl einfach nicht mehr Nein sagen.«

»Und der Name seiner Freundin?«

»Wird nicht an Unbekannte weitergegeben, tut mir Leid. Ich meine, ich hab nur Ihr Wort, dass Sie Polizeibeamter sind.«

»Ich könnte vorbeikommen –«

»Ich glaube nicht.«

»Hören Sie, ich möchte mich wirklich gern mit Ihnen –«

Aber der Mann hatte schon aufgelegt.

»Willst du bei denen vorbeifahren?«

Rebus schüttelte den Kopf. »Er wird uns nichts sagen, was er nicht sagen will. Außerdem habe ich so das Gefühl, dass wir, wenn wir dort ankommen, bloß hören werden, dass er sich den Tag freigenommen hat. Wir können es uns nicht leisten, Zeit zu vergeuden.«

Rebus klopfte sich mit dem Stift an die Zähne. Sie befanden sich wieder in seinem Zimmer. Das Telefon besaß einen Außenlautsprecher, und er hatte ihn eingeschaltet, so dass Jack mithören konnte. Jack vertilgte gerade die Pralinen vom Vorabend.

»Die örtlichen Bullen«, sagte Rebus und nahm den Hörer wieder ab. »Dieses Konzert war wahrscheinlich angemeldet, vielleicht hat Queen Street die Namen weiterer Organisatoren.«

»Wär einen Versuch wert«, gab Jack zu und schaltete den Wasserkocher ein.

Und so konnte Rebus während der nächsten zwanzig Minuten, als er von einem Büro zum nächsten weiterverbunden wurde, nachempfinden, wie sich eine Flipperkugel fühlen muss. Er hatte sich als Beamter der Wettbewerbsbehörde ausgegeben, der im Zusammenhang mit einem früheren Konzert der Dancing Pigs nach Herstellern und Vertreibern von Raubkopien aller Art fahndete. Jack nickte beifällig: keine schlechte Story.

»Ja, John Baxter hier, Wettbewerbsbehörde der Stadt Edinburgh. Wie ich gerade Ihrem Kollegen erklärt habe ...« Und alles wieder von Anfang an. Als er wieder einmal weitervermittelt wurde und die Stimme, die sich meldete, als diejenige erkannte, mit der er als Erstes gesprochen hatte, knallte er den Hörer auf die Gabel.

»›Organisation‹ scheint für die wirklich ein Fremdwort zu sein.«

Jack reichte ihm eine Tasse Tee. »Endstation?«

»Nicht mit mir.« Rebus blätterte in seinem Notizbuch, nahm wieder den Hörer ab und ließ sich mit Stuart Minchell bei T-Bird Oil verbinden.

»Inspector, was für eine angenehme Überraschung.«

»Tut mir Leid, Sie ständig zu belästigen, Mr. Minchell.«

»Was machen Ihre Ermittlungen?«

»Um ehrlich zu sein, könnte ich ein bisschen Hilfe gebrauchen.«

»Schießen Sie los.«

»Es geht um Bannock. Am Tag, als ich auf der Insel war, wurden ein paar Demonstranten an Bord geholt.«

»Ja, ich hab davon gehört. Haben sich mit Handschellen an die Reling gekettet.« Minchell klang amüsiert. Rebus erinnerte sich an die Plattform, die Sturmböen, den Schutzhelm, der nicht auf seinem Kopf bleiben wollte, und den Hubschrauber, der von oben alles filmte...

»Ich hatte mich gefragt, was aus den Demonstranten geworden ist. Ich meine, wurden sie festgenommen?« Er wusste, dass es nicht so war; ein paar von ihnen hatte er ja auf dem Konzert wiedergesehen.

»Am ehesten müsste es Hayden Fletcher wissen.«

»Meinen Sie, *Sie* könnten ihn für mich fragen, Sir? Ganz beiläufig, gewissermaßen.«

»Ich denk schon. Geben Sie mir Ihre Nummer in Edinburgh.«

»Ist schon gut, ich meld mich wieder... sagen wir, in zwanzig Minuten?« Rebus warf einen Blick aus dem Fenster: Von da aus konnte er die Zentrale von T-Bird Oil fast sehen.

»Hängt davon ab, ob ich jemanden finde.«

»Ich versuch's noch mal in zwanzig Minuten. Ach, und Mr. Minchell?«

»Ja?«

»Sollten Sie zufällig sowieso mit Bannock sprechen müssen, könnten Sie Willie Ford eine Frage ausrichten lassen?«

»Und zwar?«

»Ich möchte wissen, ob Allan Mitchison seines Wissens eine Freundin hatte, blond, mit Ethnozöpfchen.«

»Ethnozöpfchen.« Minchell schrieb mit. »Lässt sich machen.«

»Falls ja, bräuchte ich ihren Namen und, wenn möglich auch eine Adresse.« Rebus fiel noch etwas anderes ein. »Als die Demonstranten zu Ihrer Zentrale kamen, haben Sie sie doch auf Video aufnehmen lassen, oder?«

»Ich erinner mich nicht.«

»Könnten Sie das feststellen? Das müsste der Sicherheitsdienst gewesen sein, nicht?«

»Habe ich für das Ganze immer noch bloß zwanzig Minuten?«

Rebus lächelte. »Nein, Sir. Sagen wir, eine halbe Stunde.« Rebus legte auf und leerte seinen Tee.

»Wie wär's jetzt mit noch einem Anruf?«, fragte Jack.

»Wer soll's sein?«

»Chick Ancram.«

»Jack, sieh mich an.« Rebus deutete auf sein Gesicht. »Könnte ein so kranker Mann zum Telefon greifen?«

»Dafür wirst du baumeln.«

»Wie ein Pendel, ey.«

Rebus ließ Stuart Minchell vierzig Minuten Zeit.

»Wissen Sie, Inspector, Sie bringen es fertig, dass einem die Arbeit für den Major wie ein Wellnessurlaub vorkommt.«

»Immer zu Diensten, Sir. Was haben Sie herausbekommen?«

»So ziemlich alles.« Papierrascheln. »Nein, die Demonstranten wurden nicht festgenommen.«

»Ist das in Anbetracht der Umstände nicht ein bisschen sehr großzügig?«

»Das hätte für uns nur noch mehr negative Publicity bedeutet.«

»Was Sie momentan just nicht gebrauchen können?«

»Wir konnten den Demonstranten zwar Namen entlocken, aber sie sind falsch. Zumindest gehe ich davon aus, dass Juri Gagarin und Judy Garland Decknamen sind.«

»Klingt einleuchtend.« Judy Garland: Ethnozöpfchen. Interessante Wahl.

»Also hat man sie eine Zeit lang festgehalten, ihnen etwas Heißes zu trinken gegeben und dann wieder aufs Festland geflogen.«

»Sehr anständig von T-Bird.«

»Ja, nicht?«

»Und die Videoaufnahme?«

»Das war, wie Sie angenommen haben, unsere Sicherheitsabteilung. Als Vorsichtsmaßnahme, wie man mir sagte. Wenn es Ärger gibt, haben wir wenigstens etwas in der Hand.«

»Die Aufnahmen werden also nicht dazu benutzt, die Demonstranten zu identifizieren?«

»Wir sind nicht die CIA, Inspector. Wir sind eine Erdölfirma.«

»Tut mir Leid, Sir, bitte reden Sie weiter.«

»Willie Ford sagt, er wüsste, dass Mitch sich in Aberdeen mit jemandem getroffen hatte – Plusquamperfekt. Aber er hätte nie über sie gesprochen. Mitch war – Zitat –, ›was sein Liebesleben anbelangte, ein stilles Wasser‹ – Zitat Ende.«

Sackgassen, wohin man blickte.

»Ist das alles?«

»Das ist alles.«

»Nun, danke, Sir, ich bin Ihnen wirklich sehr verbunden.«

»Es war mir ein Vergnügen, Inspector. Aber wenn ich Ihnen das nächste Mal einen Gefallen erweisen soll, versuchen Sie sich nach Möglichkeit keinen Tag dafür auszusuchen, an dem ich ein Dutzend unserer Mitarbeiter feuern soll.«

»Harte Zeiten, Mr. Minchell?«

»Ein Roman von Dickens, Inspector Rebus. Auf Wiederhören.«

Jack lachte. »Glänzend pariert«, sagte er anerkennend.

»Keine Kunst«, meinte Rebus, »war ja keine anderthalb Kilometer entfernt.« Er ging ans Fenster, sah zu, wie eine weitere Maschine in mittlerer Entfernung abhob und mit immer leiser werdendem Turbinendonnern nach Norden abdrehte.

»Genug gehabt für den Vormittag?«

Rebus gab keine Antwort. Er hatte erwartet, dass Eve anrufen würde. Da war noch das, worum er sie gebeten hatte. Er fragte sich, ob sie ihm diesen Gefallen tun würde. Sie schuldete ihm was, aber Judd Fuller auf die Füße zu treten schien nicht das Klügste zu sein, was man mit seinem Leben anfangen konnte. Sie hatte es seit Jahren eigentlich recht gut hingekriegt. Warum sollte sie sich jetzt noch selbst ein Bein stellen?

Jack wiederholte seine Frage.

»*Eine* Option bleibt uns noch«, erwiderte Rebus und sah ihn an.

»Und die wäre?«

»In die Luft gehen.«

Auf dem Dyce Airport zeigte Rebus seinen Dienstausweis vor und erkundigte sich, ob es Flüge nach Sullom Voe gebe.

»In nächster Zeit nicht«, erfuhr er. »Vielleicht in vier oder fünf Stunden.«

»Wir sind nicht wählerisch, was die Fluglinie angeht.«

Achselzucken, Kopfschütteln.

»Es ist wichtig.«

»Nach Sumburgh könnten Sie jederzeit einen Flug kriegen.«

»Das ist ja eine halbe Weltreise von Sullom Voe entfernt.«

»War ja nur ein Vorschlag. Sie könnten sich dort ein Auto mieten.«

Rebus dachte darüber nach, dann kam ihm eine bessere Idee. »Wann könnten wir abfliegen?«

»Nach Sumburgh? Halbe Stunde, vierzig Minuten. Es gibt einen Hubschrauber nach Ninian, der dort zwischenlandet.«

»In Ordnung.«

»Ich klär das für Sie ab.« Die Frau griff zum Telefonhörer. »Wir sind in fünf Minuten wieder da.«

Rebus ging, von Jack gefolgt, zu den öffentlichen Fernsprechern und wählte die Nummer der St.-Leonard's-Wache. Er ließ sich mit Gill Templer verbinden.

»Ich bin mit der Kassette halb durch«, sagte sie.

»Besser als das *Saturday Night Theatre*, stimmt's?«

»Ich rufe später in Glasgow an. Ich will persönlich mit ihm reden.«

»Gute Idee, ich hab eine Kopie des Bandes beim CID Partick gelassen. Hast du Siobhan heute Morgen gesehen?«

»Ich glaube nicht. In welcher Schicht arbeitet sie? Wenn du möchtest, kann ich versuchen, sie ausfindig zu machen.«

»Lass nur, Gill, Ferngespräche sind nicht billig.«

»Herrgott, wo bist du denn jetzt schon wieder?«

»Im Bett und krank, falls Ancram fragen sollte.«

»Und jetzt soll ich dir vermutlich einen Gefallen tun?«

»Es geht nur um eine Telefonnummer. Polizeiwache Lerwick. Ich geh mal davon aus, dass es so was gibt.«

»Tut's«, erwiderte sie. »Ist der Northern Division unterstellt. Letztes Jahr gab's eine Konferenz in Inverness, da haben alle darüber gejammert, dass sie sich auch um Orkney und Shetland kümmern müssten.«

»Gill…«

»Ich hab die Nummer inzwischen gefunden.« Sie gab sie ihm durch.

»Danke, Gill. Bis dann.«

»John!«

Aber er hatte schon aufgelegt. »Wie sieht's bei dir mit Kleingeld aus, Jack?« Jack zeigte ihm eine Hand voll Münzen. Rebus nahm den größten Teil davon, rief die Wache in Lerwick an und fragte, ob man ihnen für einen halben Tag einen Wagen leihen könnte. Er erklärte, es gehe um eine Morduntersuchung der Polizei Lothian und Borders. Nichts Aufregendes, sie wollten sich nur mit einem Freund des Opfers unterhalten.

»Tja, also, einen *Wagen*…« Die Stimme klang so, als hätte Rebus um ein Raumschiff gebeten. »Wann würden Sie den denn hier abholen?«

»In einer knappen halben Stunde startet unser Helikopter.«

»Sie sind zu zweit?«

»Ja«, antwortete Rebus, »womit ein Motorrad schon mal ausscheiden würde.«

Das wurde mit einem gurgelnden Lachen belohnt. »Nicht unbedingt.«

»Können Sie's einrichten?«

»Tja, ich werd's *versuchen*. Könnte nur ein Problem geben, wenn die Autos alle unterwegs sind. Manchmal werden wir zum Arsch der Welt gerufen.«

»Wenn uns in Sumburgh keiner erwartet, melde ich mich wieder.«

»Tun Sie das. Tschüs.«

Als sie zum Schalter zurückkehrten, erfuhren sie, dass sie in fünfunddreißig Minuten abfliegen würden.

»Ich hab noch nie in einem Hubschrauber gesessen«, sagte Jack.

»Eine Erfahrung, die du nicht vergessen wirst.«

Jack runzelte die Stirn. »Könntest du das vielleicht noch einmal mit etwas mehr Begeisterung sagen?«

29

Auf dem Flughafen von Lerwick standen ein halbes Dutzend Flugzeuge und ebenso viele Helikopter herum, die
meisten davon wie durch Nabelschnüre mit Tankwagen
verbunden. Rebus ging schnurstracks zum Wilsness Terminal und zog noch im Gehen den Reißverschluss seines
Überlebensanzugs auf. Dann sah er, dass Jack noch drau
ßen stand und die eindrucksvolle Küste und das trostlose
Binnenland bestaunte. Nach dem Flug sah er etwas blass
und mitgenommen aus. Rebus für seinen Teil hatte sich die
ganze Zeit über bemüht, nicht an sein mehr als üppiges Frühstück zu denken. Schließlich sah Jack, wie er ihm
zuwinkte, und kam herein.

»Sieht das Meer nicht richtig blau aus?«

»Genau wie du in zwei Minuten ausgesehen hättest.«

»Und der Himmel... unglaublich.«

»Mach mir jetzt bloß nicht einen auf New Age, Jack. Sehen
wir zu, dass wir diese Strampelanzüge loswerden. Ich glaube,
unsere Eskorte mit dem Escort ist gerade vorgefahren.«

Bloß dass es ein Astra war, den seine drei Insassen ordentlich ausfüllten, besonders da der Fahrer wie eine Felsformation gebaut war. Sein – unbemützter – Kopf streifte
die Decke des Wageninneren. Seine Stimme war dieselbe
wie die am Telefon. Er hatte Rebus die Hand geschüttelt, als
begrüße er einen ausländischen Würdenträger.

»Sind Sie schon mal auf Shetland gewesen?«

Jack schüttelte den Kopf; Rebus gab zu, schon einmal da
gewesen zu sein, ging aber nicht weiter ins Detail.

»Und wo darf ich Sie hinfahren?«

»Zu Ihrem Posten«, erwiderte Rebus aus der Enge des
Fonds. »Wir setzen Sie dort ab, und wenn wir fertig sind,
bringen wir den Wagen wieder zurück.«

Der Uniformierte – er hatte sich als Alexander Forres vorgestellt – brachte seine Enttäuschung dröhnend zum Ausdruck. »Aber ich bin seit zwanzig Jahren dabei!«

»Und?«

»Das wäre meine allererste Morduntersuchung!«

»Sergeant Forres, wir sind nur hier, um mit einem Freund des Opfers zu sprechen. Das sind Hintergrundermittlungen – reine Routine und stinklangweilig.«

»Ach, aber trotzdem… Ich hatte mich richtig darauf gefreut.«

Sie fuhren die A 970 entlang in Richtung Lerwick, das knapp vierzig Kilometer nördlich von Sumburgh lag. Der Wind rüttelte den Wagen durch, und Forres umklammerte das Lenkrad mit seinen Pranken wie ein Oger, der einem Säugling die Gurgel zudrückt. Rebus beschloss, das Thema zu wechseln.

»Schöne Straße.«

»Mit Erdölgeld gebaut«, sagte Forres.

»Wie gefällt's Ihnen, von Inverness aus verwaltet zu werden?«

»Wer sagt, dass es so ist? Glauben Sie vielleicht, die kommen uns jede Woche hier überprüfen?«

»Ich schätze, nicht.«

»Da schätzen Sie richtig, Inspector. Das ist wie in Lothian und Borders – wie oft macht sich jemand die Mühe, von Fettes runter nach Hawick zu fahren?« Forres sah Rebus im Rückspiegel an. »Bilden Sie sich bloß nicht ein, wir wären hier oben alles Vollidioten, die es gerade mal eben fertig kriegen, beim nächsten Up-Helly-Aa ein Streichholz an das Schiff zu halten.«

»Up-Helly *was*?«

»Du weißt schon, John, wo die ein Wikingerschiff verbrennen«, erklärte Jack.

»Am letzten Dienstag im Januar.«

»Komische Art zu heizen«, murmelte Rebus.

»Er ist ein geborener Zyniker«, erklärte Jack dem Sergeant.

»Tja, wär traurig für ihn, wenn er auch als solcher enden würde.« Forres hatte den Blick noch immer nicht vom Rückspiegel gewandt.

In der Peripherie von Lerwick kamen sie an hässlichen Fertighäusern vorbei, die, wie Rebus annahm, irgendwelchen Erdölfirmen gehörten. Die Polizeiwache befand sich in der Neustadt. Sie setzten Forres ab. Er ging hinein, um ihnen eine Landkarte von Mainland zu holen.

»Nicht dass Sie sich besonders verfahren könnten«, sagte er. »Mehr als die drei großen Straßen gibt's hier eigentlich nicht.«

Rebus warf einen Blick auf die Karte und sah, was Forres meinte. Mainland hatte ungefähr die Form eines Kreuzes; die A 970 bildete dessen senkrechten Balken, die 971 und die 968 dessen Arme. Brae lag noch einmal so weit nördlich wie Lerwick vom Flughafen. Rebus würde fahren, Jack navigieren – Jacks Entscheidung; so, sagte er, würde er etwas von der Landschaft mitbekommen.

Die war abwechselnd Ehrfurcht gebietend und trostlos: Küstenausblicke wechselten sich mit moorigem Binnenland ab. Vereinzelte Siedlungen, jede Menge Schafe – auch auf der Straße – und wenige Bäume. Jack hatte allerdings Recht, der Himmel war umwerfend. Forres hatte ihnen gesagt, es sei gerade *simmer dim*, eine Zeit des Jahres, in der es nie richtig dunkel wurde. Im Winter war Tageslicht dafür Mangelware. Man konnte vor Menschen, die sich freiwillig dafür entschieden, meilenweit von all dem zu leben, was man allgemein Zivilisation nannte, nur den Hut ziehen. Sich in einer Großstadt als Jäger und Sammler durchzuschlagen, war keine Kunst, aber hier draußen ...

Die Umgebung schien nicht dazu angetan, Menschen zum Meinungsaustausch zu inspirieren. Sie stellten fest, dass ihre Gespräche sich allmählich auf ein gelegentliches Knurren und Kopfnicken reduzierten. So nah sie sich körperlich im Auto auch waren, so isoliert fühlten sie sich innerlich voneinander. Nein, Rebus war verdammt sicher, dass er hier nicht hätte überleben können.

An einer Gabelung bogen sie links nach Brae ab und fanden sich plötzlich an der Westküste wieder. Es war immer noch schwierig, sich ein allgemeines Urteil über die Insel zu bilden; Forres war der einzige echte Shetlander, den sie bislang kennen gelernt hatten. Was sie in Lerwick an Architektur gesehen hatten, war eine Mischung aus schottischem und skandinavischem Stil gewesen, eine Art Ikea-Landhausstil. Die Bauernhäuschen, an denen sie unterwegs vorbeigekommen waren, hätten ebenso gut auf einer westschottischen Insel stehen können, aber die Namen der Siedlungen verrieten skandinavischen Einfluss. Als sie Burravoe durchquerten und Brae erreichten, wurde Rebus bewusst, dass er sich noch nie so fremd gefühlt hatte.

»Wohin jetzt?«, wollte Jack wissen.

»Einen Augenblick. Als ich das letzte Mal hier war, sind wir von der anderen Seite in die Stadt gekommen…« Dann schaffte es Rebus, sich zu orientieren, und sie fanden schließlich das Haus, in dem Jake Harley mit Briony wohnte. Nachbarn starrten aus den Fenstern auf das Polizeiauto, als hätten sie noch nie eins gesehen; vielleicht war's sogar so. Rebus klopfte an Brionys Tür – keine Reaktion. Er klopfte fester, aber es kam nur ein hohles Echo zurück. Ein Blick durchs Fenster, ins Wohnzimmer: unaufgeräumt, aber kein Schweinestall. Eine weibliche Unordnung, irgendwie unprofessionell. Rebus ging zum Wagen zurück.

»Sie arbeitet im Schwimmbad, probieren wir's mal da.«

Das Schwimmbad war mit seinem blauen Blechdach schwer zu verfehlen. Briony ging am Becken auf und ab und beobachtete die spielenden Kinder. Sie trug dieselbe Kleidung – ärmelloses Trikot und Jogginghose – wie bei ihrer letzten Begegnung, jetzt aber noch Tennisschuhe ohne Socken. Rettungsschwimmer verzichten im Allgemeinen auf so was. Sie hatte eine Trillerpfeife um den Hals, aber im Augenblick benahmen sich die Kids. Briony entdeckte Rebus und erkannte ihn wieder. Sie blies dreimal kurz auf der Trillerpfeife; ein verabredetes Signal – ein Kollege übernahm ihren Posten am Beckenrand. Sie kam auf Rebus und Jack zu. Die Temperatur tendierte zum Tropischen, die Luftfeuchtigkeit war dementsprechend.

»Ich hatte Ihnen doch gesagt, dass Jack noch nicht zurück ist.«

»Richtig, und Sie sagten, Sie würden sich seinetwegen keine Sorgen machen.«

Sie zuckte die Achseln. Sie hatte kurzes dunkles Haar, das glatt herunterfiel und sich am Ende nach außen rollte. Die Frisur machte sie um einige Jährchen jünger, verwandelte sie in einen Teenager, doch ihr Gesicht wirkte älter – und leicht verhärmt, ob durch das Klima oder die Umstände, wusste Rebus nicht zu sagen. Ihre Augen waren klein, ebenso ihre Nase und ihr Mund. Er versuchte, nicht an einen Hamster zu denken, aber dann rümpfte sie die Nase, und die Ähnlichkeit wurde noch frappierender.

»Er ist sein eigener Herr«, sagte sie.

»Aber letzte Woche hatten Sie sich Sorgen gemacht.«

»Ach ja?«

»Als Sie mir die Tür vor der Nase zuschlugen. Ich habe diesen Blick oft genug gesehen, um ihn zu erkennen.«

Sie verschränkte die Arme. »Und?«

»Und das kann nur zweierlei bedeuten, Briony. Entweder Jake hält sich irgendwo versteckt, weil er um sein Leben fürchtet ...«

»Oder?«

»... oder er ist schon tot. So oder so, können Sie uns helfen.«

Sie schluckte. »Mitch...«

»Hat Jake Ihnen gesagt, warum Mitch getötet wurde?«

Sie schüttelte den Kopf. Rebus bemühte sich, nicht zu lächeln: Also *hatte* sie seit ihrer letzten Begegnung mit Jake gesprochen.

»Er lebt, stimmt's?«

Sie biss sich auf die Lippe, nickte dann.

»Ich würde gern mit ihm sprechen. Ich glaube, ich kann ihn aus diesem Schlamassel herausholen.«

Sie versuchte, die Wahrheit seiner Aussage abzuschätzen, aber Rebus' Gesicht war eine undurchdringliche Maske. »Hat er Probleme?«, fragte sie.

»Ja, aber nicht mit uns.«

Sie sah zurück zum Schwimmbecken, stellte fest, dass alles unter Kontrolle war. »Ich bring Sie hin«, sagte sie.

Sie fuhren durch das Moor zurück und südwärts an Lerwick vorbei zu einem Ort namens Sandwick, an der Ostküste von Mainland, knapp fünfzehn Kilometer nördlich des Flughafens, auf dem ihr Hubschrauber gelandet war.

Briony wollte während der Fahrt nicht reden, und Rebus vermutete, dass sie ohnehin nicht viel wusste. Sandwick erwies sich als eine größere Gemeinde, die verschiedene ältere Siedlungen und erdölzeitliche Wohnkomplexe in sich vereinigte. Briony dirigierte sie nach Leebotten, einer Ansammlung dicht aneinander gedrängter Cottages am Meer.

»Ist er hier?«, fragte Rebus, als sie aus dem Auto stiegen. Sie schüttelte den Kopf und deutete hinaus aufs Meer. Vor der Küste war eine, soweit erkennbar, unbewohnte Insel zu sehen. Klippen und Felsvorsprünge. Rebus sah zu Briony.

»Mousa«, sagte sie.

»Wie kommen wir da hin?«

»Mit'm Boot, vorausgesetzt, jemand setzt uns über.« Sie klopfte an die Tür eines Häuschens. Eine Frau mittleren Alters öffnete.

»Briony«, sagte die Frau schlicht, eher eine Feststellung als ein Gruß.

»Hallo, Mrs. Munroe. Ist Scott da?«

»Ja.« Die Tür ging noch ein Stückchen weiter auf. »Kommen Sie doch bitte rein.«

Sie betraten einen mittelgroßen Raum, der zugleich als Küche und Wohnzimmer zu fungieren schien. Ein großer Holztisch nahm den meisten Platz ein. Am Kamin standen zwei Sessel. Ein Mann stand gerade von einem auf, nahm eine Lesebrille mit Drahtgestell ab, klappte sie zusammen und steckte sie sich in die Westentasche. Das Buch, in dem er gerade gelesen hatte, lag aufgeschlagen am Boden. Es war eine überformatige Bibel mit Ledereinband und Messingschließen.

»Nun, Briony«, sagte der Mann. Er mochte um die Fünfzig oder knapp darüber sein, aber das wettergegerbte Gesicht sah wie das eines alten Mannes aus. Sein kurz geschnittenes Haar war silberfarben. Seine Frau ging zur Spüle, um Wasser in den Kessel zu füllen.

»Nein, danke, Mrs. Munroe«, sagte Briony, bevor sie sich wieder an deren Mann wandte. »Haben Sie Jake in letzter Zeit gesehen, Scott?«

»Ich war vor'n paar Tagen drüben, ihm schien's gut zu gehen.«

»Könnten Sie uns rüberbringen?«

Scott Munroe sah Rebus an, der daraufhin die Hand ausstreckte.

»Detective Inspector Rebus, Mr. Munroe. Das ist DI Morton.«

Munroe schüttelte beiden die Hand, ohne besondere Kraft hineinzulegen; er brauchte nichts zu beweisen.

512

»Na ja, der Wind ist ein bisschen abgeflaut«, sagte er und rieb sich das stoppelige Kinn. »Da wird's wohl gehen.« Er wandte sich zu seiner Frau. »Meg, wie wär's mit ein paar Schinkenbroten für den Jungen?«

Mrs. Munroe nickte und machte sich schweigend an die Arbeit, während ihr Mann seine Vorbereitungen traf. Er holte Ölzeug für alle und wasserdichte Stiefel für sich selbst. Als sie fertig waren, warteten bereits ein Paket Sandwiches und eine Thermosflasche Tee auf dem Tisch. Rebus und Jack starrten auf die Thermosflasche. Sie waren beide am Verdursten.

Aber dafür hatten sie jetzt keine Zeit. Sie brachen auf.

Es war ein kleines Boot, frisch gestrichen und mit einem Außenbordmotor. Rebus hatte sich irgendwie vorgestellt, sie würden hinüberrudern.

»Es gibt eine Mole«, erklärte Briony, als sie abgelegt hatten und gegen die kabbelige See ankämpften. »Normal kann man mit einer Fähre rüber. Danach müssen wir noch ein Stück laufen, aber nicht weit.«

»Da hat er sich ein ganz schön trostloses Versteck ausgesucht!«, schrie Rebus gegen den Wind an.

»Gar nicht mal so trostlos«, sagte sie mit der Spur eines Lächelns.

»Was ist das?«, fragte Jack und deutete mit dem Finger auf etwas.

Es erhob sich am Rand der Insel, direkt da, wo sich abschüssige Felsschichtungen sanft ins dunkle Wasser senkten. Schafe grasten rings um das Bauwerk. Rebus fand, dass es wie eine gigantische Sandburg oder ein umgestülpter Blumentopf aussah. Als sie näher kamen, stellte er fest, dass es gut zehn, zwölf Meter hoch sein musste, bei einem Durchmesser von vielleicht fünfzehn Metern an der Basis, und aus Tausenden von großen, flachen Feldsteinen bestand.

»Mousa Broch«, antwortete Briony.

»Was ist ein *broch*?«

»So was wie eine Festung. Die wohnten früher da drin, war leicht zu verteidigen.«

»Wer wohnte da drin?«

Sie zuckte die Achseln. »Siedler. So um hundert vor Christus.« Jenseits des Wehrturms war eine von einer niedrigen Mauer eingefasste Fläche zu erkennen. »Das war die *haa*, die ›Halle‹; ist jetzt bloß noch eine Ruine.«

»Und wo ist Jake?«

»Im *broch* natürlich.«

Sie gingen an Land, und Monroe sagte, er würde die Insel umrunden und sie in einer Stunde wieder abholen. Briony nahm den Beutel mit dem Proviant und hielt, von den gemächlich kauenden Schafen und ein paar trippelnden Vögeln beäugt, auf das *broch* zu.

»Da lebt man sein ganzes Leben lang in einem Land«, sagte Jack, »und hat nicht die leiseste *Ahnung*, dass es so etwas überhaupt gibt.«

Rebus nickte. Es war wirklich ein außergewöhnlicher Ort. Das kurze Gras unter den Sohlen zu spüren war nicht so, als ginge man über einen Rasen oder ein Feld, sondern als wäre man der erste Mensch, der dort je seinen Fuß hinsetzte. Sie folgten Briony durch einen Gang ins Herz des *broch*, wo sie zwar vor dem Wind geschützt waren, es aber kein Dach über dem Kopf gab, das den drohenden Regen abgehalten hätte. Monroes »eine Stunde« war eine Warnung gewesen; würden sie auch nur ein wenig später den Rückweg antreten, wäre ihnen eine raue, wenn nicht sogar gefährliche Fahrt gewiss.

Das blaue Nylon-Einmannzelt wirkte mitten im Innenhof des *brochs* ziemlich fehl am Platz. Ein Mann kam daraus hervorgekrochen und umarmte Briony. Rebus ließ den beiden etwas Zeit. Briony reichte ihrem Freund den Proviantbeutel.

»O je«, sagte Jake Harley, »ich hab sowieso schon zu viel zum Essen.«

Er schien nicht überrascht zu sein, Rebus zu sehen. »Ich hab mir schon gedacht, dass sie dem Druck nicht standhalten würde«, sagte er.

»Druck war gar nicht nötig, Mr. Harley. Sie macht sich Ihretwegen Sorgen, das ist alles. Eine Weile habe ich mir auch Sorgen gemacht; ich dachte, Ihnen könnte etwas zugestoßen sein.«

Harley brachte ein Lächeln zustande. »Sie dachten dabei wahrscheinlich nicht an einen *Unfall*, stimmt's?« Rebus nickte. Er starrte Harley an, versuchte, sich ihn als »Mr. H.« vorzustellen, den Mann, der Allan Mitchisons Hinrichtung angeordnet hatte. Aber das erschien ihm völlig abwegig.

»Ich kann's Ihnen nicht verdenken, dass Sie untergetaucht sind«, sagte Rebus. »War wohl das Vernünftigste, was Sie tun konnten.«

»Armer Mitch.« Harley blickte zu Boden. Er war groß, gut gebaut, hatte kurzes, sich lichtendes schwarzes Haar und eine Nickelbrille. Sein Gesicht wirkte jungenhaft, aber er hätte es dringend nötig gehabt, sich zu rasieren und die Haare zu waschen. Durch den offenen Zelteingang waren eine Bodenmatte, Rucksack, Radio und ein paar Bücher zu sehen. An die Innenwand des *broch* gelehnt stand ein roter Rucksack und nicht weit davon entfernt ein Campingkocher und eine Plastiktüte voller Abfälle.

»Können wir über die Sache reden?«, erkundigte sich Rebus.

Jake Harley nickte. Er bemerkte, dass Jack Morton sich mehr für das *broch* als für ihre Unterhaltung zu interessieren schien. »Irre, nicht?«

»Weiß Gott«, antwortete Jack. »Hat das Ding jemals ein Dach gehabt?«

Harley zuckte die Achseln. »Die haben hier drin Unterstände gebaut, da war ein Dach vielleicht gar nicht nötig. Die Mauern sind hohl, doppelwandig. Eine der Galerien führt noch bis ganz nach oben.« Er ließ seinen Blick schweifen. »Es gibt viel, was wir nicht wissen.« Dann sah er zu Rebus. »Es steht seit zweitausend Jahren und wird noch hier sein, wenn das Öl längst versiegt ist.«

»Da habe ich keine Zweifel.«

»Manche Menschen erkennen das einfach nicht. Das Geld hat sie blind gemacht.«

»Sie glauben, dass sich alles nur ums Geld dreht, Jake?«

»Nein, nicht nur. Kommen Sie, ich zeig Ihnen die *haa*.«

Also verließen sie das *broch*, durchquerten die Schafweide und erreichten die niedrige Mauer, die einst ein ansehnliches steinernes Haus umgeben hatte, von dem jetzt nur noch die Grundmauern standen. Sie umrundeten die Anlage, Briony mit den zwei Männern vorneweg, während Jack sich vom *broch* nicht trennen zu können schien und in einigem Abstand folgte.

»Mousa Broch ist von jeher ein guter Zufluchtsort für Verfolgte gewesen. In der *Orkneyinga Saga* wird von einem Liebespaar erzählt, das sich hier einst versteckte.« Er lächelte Briony zu.

»Sie habe erfahren, dass Mitch tot ist?«

»Ja.«

»Wie?«

»Ich hab Jo angerufen.«

»Jo?«

»Joanna Bruce. Mitch und sie waren befreundet.« Damit hatte Ethnozöpfchen endlich einen Namen.

»Woher wusste *sie* es?«

»Das stand in der Edinburgher Zeitung. Jo kümmert sich um die Medien – sie liest jeden Morgen sämtliche Zeitungen, um festzustellen, ob es etwas gibt, was die verschiedenen Pressuregroups wissen sollten.«

»Briony haben Sie nichts davon gesagt?«

Jack nahm die Hand seiner Freundin und küsste sie. »Du hättest dir bloß Sorgen gemacht«, sagte er zu ihr.

»Zwei Fragen, Mr. Harley: Was glauben Sie, warum Mitch getötet wurde, und wer ist dafür verantwortlich?«

Harley zuckte die Achseln. »Was den Täter angeht... ich werde nie etwas beweisen können. Aber ich weiß, warum er getötet wurde. Es war meine Schuld.«

»Ihre Schuld?«

»Ich habe ihm von meinem Verdacht wegen der *Negrita* erzählt.«

Das Schiff, das Mr. Schaffell während des Flugs nach Sullom Voe erwähnt hatte, um anschließend keinen Ton mehr zu sagen.

»Worum geht's?«

»Das war vor ein paar Monaten. Ist Ihnen bekannt, dass in Sullom Voe die strengsten Sicherheitsrichtlinien überhaupt gelten? Ich meine, es gab mal eine Zeit, da ließen die Tanker, wenn sie sich der Küste näherten, ihr schmutziges Bilgewasser einfach ins Meer ab – dadurch ersparten sie sich, es im Terminal an Land pumpen zu müssen. Das wiederum sparte Zeit und somit *Geld*. Wir haben dadurch Gryllteisten verloren, Eistaucher, Krähenscharben, Eiderenten, sogar Otter. Das passiert jetzt nicht mehr, sie greifen härter durch. Aber Fehler kommen immer noch vor. Und nichts anderes war die Sache mit der *Negrita*: ein Fehler.«

»Ein Ölunfall?«

Harley nickte. »Keine große Sache, jedenfalls nicht nach den Maßstäben, die wir mit *Braer* und *Sea Empress* setzten. Der Obersteuermann, der eigentlich das Kommando hätte haben sollen, lag im Lazarett – offenbar mit einem ganz schönen Kater. Ein Besatzungsmitglied, das das vorher noch nie gemacht hatte, betätigte anscheinend ein paar

Hebel in der falschen Reihenfolge. Das Problem war, dass besagtes Besatzungsmitglied kein Wort Englisch konnte. Das ist heutzutage nichts Ungewöhnliches. Die Offiziere sind vielleicht Briten, aber die Mannschaft ist die billigste, die die Reederei auftreiben kann, in der Regel sind es Portugiesen, Filipinos und unzählige andere Nationalitäten. Ich vermute, dass das arme Schwein die Anweisungen nicht verstanden hatte.«

»Und die Sache wurde vertuscht?«

Harley zuckte die Achseln. »War gar nicht nötig, der Unfall galt als zu geringfügig, als dass die Medien sich dafür interessiert hätten.«

Rebus runzelte die Stirn. »Wo liegt dann das Problem?«

»Wie gesagt, ich erzählte Mitch die Geschichte...«

»Woher wussten *Sie* überhaupt davon?«

»Die Mannschaft ging in Sullom Voe an Land. Sie saßen in der Kantine. Ich bin mit einem von denen ins Gespräch gekommen – ich kann ein bisschen Spanisch. Er sagte mir, er sei es gewesen.«

Rebus nickte. »Und Mitch?«

»Tja, Mitch fand etwas heraus, das *tatsächlich* verheimlicht worden war. Nämlich der wahre Eigentümer des Tankers. Das ist nicht so leicht bei diesen Schiffen – die sind Gott weiß wo registriert, ziehen einen regelrechten Rattenschwanz von Papier hinter sich her. Ist nicht immer einfach, von manchen Registerhäfen Details zu erfahren. Und manchmal besagt der Name auf den Dokumenten überhaupt nichts. Reedereien gehören irgendwelchen anderen Gesellschaften, weitere Staaten kommen ins Spiel...«

»Ein richtiges Labyrinth.«

»Und zwar mit Absicht. Viele der Tanker, die die Weltmeere befahren, sind in einem haarsträubenden Zustand. Aber das Seerecht ist eine internationale Angelegenheit. Selbst wenn wir wollten, könnten wir sie nicht am Landen hindern, nicht ohne die Einwilligung aller übrigen Unterzeichnerstaaten.«

»Und Mitch fand heraus, dass der Tanker T-Bird Oil gehörte?«

»Woher wissen Sie das?«

»Bloß geraten.«

»Tja, das war jedenfalls, was er mir verriet.«

»Und Sie vermuten, jemand von T-Bird Oil ließ ihn töten? Aber warum? Wie Sie selbst sagten, war es kein Aufsehen erregender Unfall.«

»Wär's aber geworden, mit T-Bird Oil in der Schlagzeile. Das Unternehmen legt sich derzeit mächtig ins Zeug, damit die Regierung ihm gestattet, seine Plattformen auf hoher See zu entsorgen. ›Wir sind die Saubermänner der Branche, also lasst uns gefälligst freie Hand.‹« Während Harley sprach, wurden seine strahlend weißen Zähne sichtbar, und seine letzten Worte troffen förmlich von Hohn. »Also sagen Sie mir, Inspector, leide ich unter Verfolgungswahn? Dass Mitch aus dem Fenster geschmissen wird, bedeutet natürlich noch lange nicht, dass man ihn ermordet hat, richtig?«

»Oh, dass er ermordet wurde, steht außer Frage. Aber ich bezweifle, dass die *Negrita* was damit zu tun hatte.« Harley blieb stehen und starrte ihn an. »Ich glaube, Sie können unbesorgt wieder nach Hause gehen, Jake«, sagte Rebus.

»Ja, ich bin mir sogar sicher. Aber erst bräuchte ich noch etwas.«

»Nämlich?«

»Joanna Bruces Adresse.«

30

Der Rückflug war eine echte Tortur – noch haariger als der Hinflug. Sie hatten Jake und Briony nach Brae zurückgefahren, dann das Auto in Lerwick abgegeben und sich nach Sumburgh chauffieren lassen. Forres schmollte noch immer, ließ sich aber schließlich erweichen und erkundigte sich nach Rückflügen. Es gab einen, der ihnen genügend Zeit für eine Fertigsuppe auf der Wache ließ.

In Dyce stiegen sie wieder in Jacks Auto und blieben ein paar Minuten einfach so sitzen, um sich an die Tatsache zu gewöhnen, dass sie wieder festen Boden unter den Füßen hatten. Dann fuhren sie auf der A92 in südlicher Richtung und hielten sich dabei an Jake Harleys Wegbeschreibung. Es war dieselbe Route, die Rebus in der Nacht von Tony Els Tod genommen hatte. Für den Mord würden sie Stanley drankriegen – so oder so. Rebus fragte sich, was der Psychopath sonst noch ausplaudern mochte, besonders jetzt, wo er Eve verloren hatte. Er würde sich denken, dass sie geflohen war, und das bestimmt nicht ohne Beute. Vielleicht hatte Gill in der Zwischenzeit weitere Informationen aus ihm herausgequetscht.

Das konnte den Durchbruch in ihrer Laufbahn bedeuten.

Sie sahen das Schild nach Cove Bay, folgten Harleys Instruktionen und erreichten einen Parkplatz, hinter dem ein Dutzend Vans, Wohnwagen, Busse und Campingwagen standen. Über harmlose Erdhügel holpernd, gelangten sie auf eine freie Fläche am Rand eines Waldes. Hunde bellten, Kinder spielten mit einem ziemlich schlaffen Fußball. Zwischen Ästen waren Wäscheleinen gespannt. Jemand hatte ein Lagerfeuer entfacht, um das ein paar Erwachsene saßen, die Joints herumgehen ließen, während eine Frau auf einer Gitarre zupfte. Rebus hatte schon früher Bekanntschaft mit

Lagern von fahrendem Volk gemacht. Die existierten in zwei Ausführungen. Einmal gab es das traditionelle Zigeunerlager mit schicken Wohnwagen und ordentlichen LKWs; die Bewohner – Roma – hatten eine olivfarbene Haut und verfielen alle naselang in eine Sprache, die Rebus nicht verstand. Dann gab es die »New-Age-Fahrenden«: gewöhnlich mit Bussen, die den letzten TÜV nur mit Hängen, Würgen und göttlichem Beistand geschafft hatten. Sie waren jung und gescheit, sammelten Fallholz als Brennmaterial und ließen sich ansonsten vom sozialen Netz tragen, obwohl die Regierung ihr Bestes tat, um möglichst viele Löcher hineinzureißen. Sie gaben ihren Kindern Namen, für die diese ihnen nach achtzehn, zwanzig Jahren am liebsten den Hals umdrehen würden.

Niemand schenkte Rebus und Jack die geringste Beachtung, als sie auf das Lagerfeuer zugingen. Rebus behielt die Hände in den Taschen und bemühte sich, sie nicht zu Fäusten zu ballen.

»Ich such Jo«, sagte er. Er erkannte die Gitarrenakkorde: »Time of the Preacher«. Er probierte es noch einmal. »Joanna Bruce.«

»Horrortrip«, sagte jemand.

»Können wir leicht einrichten«, warnte Jack.

Der Joint ging von Hand zu Hand. »In zehn Jahren«, sagte jemand anders, »wird das nicht mehr verboten sein. Dann kriegt man's sogar vom Arzt verschrieben.«

Rauch quoll aus grinsenden Mündern.

»Joanna«, wiederholte Rebus, um wieder zum Thema zu kommen.

»Durchsuchungsbefehl?«, fragte die Gitarrenspielerin.

»Du kennst dich doch sicherlich aus«, antwortete Rebus. »Einen Durchsuchungsbefehl brauch ich nur, wenn ich den Laden hier auf den Kopf stellen will. Soll ich mir einen holen?«

»Macho Man!«, sang jemand.

»Was wollen Sie?«

An einem antiquierten Landrover hing ein kleiner weißer Wohnwagen. Sie hatte die obere Hälfte der Tür geöffnet und lehnte sich hinaus.

»Hast du Bullenfleisch gerochen, Jo?«, fragte die Gitarrenspielerin.

»Muss mit Ihnen reden, Joanna«, sagte Rebus und ging auf den Wohnwagen zu. »Über Mitch.«

»Was gibt's da zu reden?«

»Warum er sterben musste.«

Joanna Bruce sah hinüber zu ihren Lagergenossen, sah, dass sie alle an Rebus' Lippen hingen, und entriegelte die untere Hälfte der Tür. »Es ist besser, Sie kommen rein«, sagte sie.

Der Wohnwagen war beklemmend eng und ungeheizt. Es gab keinen Fernseher, dafür aber unordentliche Stapel von Illustrierten und Zeitungen, aus denen zum Teil Artikel ausgeschnitten worden waren, und auf dem kleinen Klapptisch – zu beiden Seiten Sitzbänke, das Ganze zu einem Bett umfunktionierbar – einen Laptop. Im Stehen stieß Rebus mit dem Kopf an die Decke. Joanna schaltete den Computer aus, forderte dann Rebus und Jack mit einer Handbewegung auf, sich an den Tisch zu setzen, während sie selbst sich auf einen Stapel Zeitschriften hockte.

»Also«, sagte sie und verschränkte die Arme, »was geht ab?«

»Genau das wollte ich Sie auch fragen«, erwiderte Rebus. Er nickte zur Wand hinter ihr, an die ein paar Fotos gepinnt waren. »Klick.« Sie wandte sich um, warf einen Blick auf die Bilder. »Ich hab mir gerade neue Abzüge davon machen lassen«, erklärte Rebus; das hier waren die Originale, die in Mitchs Umschlag gefehlt hatten. Sie saß da, mit versteinertem Gesicht, und verriet keinerlei Regung. Ihre Augen waren mit Kajal geschminkt, und im Licht der Gaslampe sah ihr Haar wie weißes Feuer aus. Eine Weile war das leise Fauchen des brennenden Gases das einzige Geräusch, das im Wohnwagen zu hören war. Rebus wollte ihr Gelegenheit geben, es sich noch einmal zu überlegen, aber sie nutzte die Zeit stattdessen, um weitere Barrikaden zu errichten: Ihre Augen verengten sich zu Schlitzen, und ihre Lippen wurden schmal.

»Joanna Bruce«, sagte Rebus nachdenklich. »Interessante Namenwahl.« Sie öffnete ein wenig den Mund, kniff ihn dann wieder zusammen.

»Ist Joanna Ihr wirklicher Vorname, oder haben Sie den auch geändert?«

»Was wollen Sie damit sagen?«

Rebus' Blick fiel auf Jack, der sich zurückgelehnt hatte und versuchte, den Part des entspannten Besuchers zu spielen, ihr zu verstehen zu geben, dass es nicht zwei gegen eine waren, dass sie keine Angst zu haben brauchte. Als Rebus weiterredete, sprach er zu Jack.

»Ihr wirklicher Nachname ist Weir.«

»Woher... wer hat Ihnen *das* denn erzählt?« Sie versuchte, es mit einem Lachen abzutun.

»Niemand, das war nicht nötig. Major Weir hatte eine Tochter; sie zerstritten sich; er verstieß sie.« Und machte aus ihr einen Sohn, vielleicht um die Spur zu verwischen. Zumindest hatte das Mairies Informant gesagt.

»Er hat sie nicht verstoßen! *Sie* hat *ihn* verstoßen!«

Rebus wandte sich zu ihr. Jetzt war Leben in sie gekommen. Ihre Fäuste bohrten sich in ihre Oberschenkel.

»Zwei Dinge brachten mich auf die Fährte«, sagte er leise. »Einmal dieser Nachname: Bruce, nach unserem hochverehrten König Robert the Bruce, wie jeder, der auch nur ein bisschen Ahnung von schottischer Geschichte hat, wissen würde. Major Weir hat beinah nichts anderes im Kopf als schottische Geschichte, er hat sogar sein Ölfeld nach Bannockburn benannt, wo, wie wir wissen, besagter Robert the Bruce die Engländer besiegte. Bruce und Bannock. Ich könnte mir denken, Sie haben sich den Namen ausgesucht, weil Sie annahmen, es würde ihn ärgern.«

»Und *ob* ihn das ärgert!« Der Anflug eines Lächelns.

»Die zweite Spur war Mitch selbst, sobald ich wusste, dass Sie miteinander befreundet waren. Wie mir Jake Harley erzählte, hatte Mitch etwas über die *Negrita* herausgekriegt, absolut geheime Informationen. Nun, Mitch mag auf mancherlei Gebieten ein findiger Bursche gewesen sein, aber ich konnte mir nicht vorstellen, wie er es hätte schaffen sollen, sich durch einen solchen Wust von Registrierungsdokumenten durchzukämpfen. Er reiste mit leichtem Gepäck, keine Spur von Notizen irgendwelcher Art, weder in seiner Wohnung noch in seiner Kabine. Ich würde mal tippen, dass er die Info von Ihnen hatte, stimmt's?« Sie nickte. »Und Sie wiederum mussten *ernsthaft* was gegen T-Bird Oil haben, um sich in dieses Labyrinth überhaupt hineinzuwagen. Aber wir wissen ja schon, dass Sie was gegen T-Bird Oil haben – die Demo vor deren Zentrale; dass Sie sich vor laufenden Kameras an Bannock anketteten. Ich dachte mir, dass da möglicherweise etwas Persönliches dahintersteckte ...«

»So ist es auch.«

»Major Weir ist also Ihr Vater?«

Ihr Gesichtsausdruck wurde biestig und gleichzeitig seltsam kindlich. »Nur im biologischen Sinn. Und selbst das – wenn es Gentransplantationen gäbe, wäre ich die Erste in der Schlange.« Ihre Stimme klang jetzt sehr amerikanisch. »Hat er Mitch getötet?«

»Glauben *Sie*, dass er's getan hat?«

»Ich würd's gern glauben.« Sie starrte Rebus an. »Ich meine, ich würde mir gern vorstellen, dass er so tief gesunken ist.«

»Aber?«

»Nichts aber. Vielleicht hat er's getan, vielleicht auch nicht.«

»Aber Sie könnten sich vorstellen, dass er ein Motiv dazu gehabt hätte?«

»Klar.« Ohne sich dessen bewusst zu sein, hatte sie angefangen, an einem Fingernagel zu pulen, und knabberte dann daran, bevor sie sich den nächsten vornahm. »Ich meine, die *Negrita*... und die Weise, wie T-Bird Oils Verantwortung verheimlicht wurde... und zuletzt die Verklappung. Er hatte jede Menge wirtschaftliche Gründe.«

»Hatte Mitch gedroht, sich mit der Story an die Medien zu wenden?«

Sie zupfte sich einen Fitzel Nagel von der Zunge. »Nein, ich glaube, er wollte es zuerst mit Erpressung versuchen. Er würde alles für sich behalten, solange T-Bird sich dazu verpflichtete, Bannock auf umweltverträgliche Weise zu entsorgen.«

»Alles?«

»Was?«

»Sie sagten ›*alles* für sich behalten‹, als ob's noch mehr gäbe.«

Sie schüttelte den Kopf. »Nein.« Aber sie sah ihn dabei nicht an.

»Joanna, sagen Sie mir eins: Warum haben nicht *Sie* sich an die Medien gewandt – oder versucht, Ihren Vater zu erpressen? Warum musste es Mitch sein?«

Sie zuckte die Achseln. »Er hatte die nötige Chuzpe.«

»Tatsächlich?«

Wieder ein Achselzucken. »Warum sonst?«

»Also, wie ich die Sache sehe... Sie haben keine Probleme damit, Ihren Vater zu quälen, nach Möglichkeit immer vor den Augen der Öffentlichkeit. Bei jeder Demo stehen Sie in allererster Reihe, Sie achten darauf, dass Sie ja immer ins Fernsehen kommen, aber wenn Sie sich offen hinstellten und der Welt sagten, wer Sie *sind* – das wäre doch noch viel wirkungsvoller. Warum also die Geheimniskrämerei?«

Ihr Gesicht wurde wieder kindlich. Das einzelne Zöpfchen baumelte zwischen ihren Augen, so als wollte sie sich vor der Welt verstecken, aber gleichzeitig doch gesehen werden – ein beliebtes Kinderspiel.

»Warum die Geheimniskrämerei?«, wiederholte Rebus. »Ich würde sagen, deswegen, weil das eine so persönliche Angelegenheit zwischen Ihnen und Ihrem Vater ist, etwas wie ein privates Spielchen. Ihnen gefällt die Vorstellung, dass Sie ihn auf die Folter spannen, dass er sich fortwährend fragen muss, wann Sie mit der Sache an die Öffentlichkeit gehen werden.« Er hielt kurz inne. »Ich habe den Eindruck, dass Sie Mitch vielleicht *benutzten*.«

»Nein!«

»Ihn dazu benutzten, Ihrem Vater was am Zeug zu flicken.«

»Nein!«

»Was bedeutet, dass er etwas an sich hatte, das Ihnen nützlich erschien. Was könnte das wohl gewesen sein?«

Sie stand auf. »Raus hier!«

»Etwas, das Sie beide verband.«

Sie presste sich die Hände auf die Ohren, schüttelte den Kopf.

»Etwas aus Ihrer Vergangenheit… aus Ihrer und seiner Kindheit. Etwas, das Sie fast zu Blutsverwandten machte. Wie weit reicht das zurück, Jo? Zwischen Ihnen und Ihrem Vater – wie weit reicht das in die Vergangenheit zurück?«

Sie fuhr herum und schlug ihm mit der offenen Hand ins Gesicht. Fest. Rebus verzog keine Miene, aber es brannte ganz schön.

»So viel zum Thema gewaltloser Protest«, sagte er und rieb sich die Wange.

Sie ließ sich wieder auf den Zeitschriftenstapel plumpsen und strich sich mit einer Hand über den Kopf. Sie blieb an einem ihrer Zöpfe hängen und fing an, ihn nervös zwischen den Fingern zu zwirbeln. »Sie haben Recht«, sagte sie, so leise, dass Rebus sie fast nicht verstand.

»Mitch?«

»Mitch«, sagte sie und erinnerte sich endlich an ihn. Ließ diesen Schmerz endlich zu. Hinter ihr leckte das Licht der Lampe flackernd an den Fotos. »Als wir uns kennen lernten, war er wahnsinnig verklemmt. Die hielten's alle nicht für möglich, als wir miteinander auszugehen begannen – so verschieden wie Tag und Nacht, sagten sie. Sie lagen total daneben. Es dauerte eine Weile, aber eines Nachts ist er damit rausgerückt.« Sie hob den Blick. »Sie kennen seine Vorgeschichte?«

»Vollwaise«, erwiderte Rebus.

Sie nickte. »Dann ins Heim.« Sie schwieg einen Moment. »Dann missbraucht. Er sagte, er hätte sich immer wieder überlegt, sich jemandem anzuvertrauen, von der ganzen Sache zu erzählen, aber nach so langer Zeit... er fragte sich, was es da noch genützt hätte.« Sie schüttelte den Kopf, Tränen quollen ihr aus den Augen. »Er war der uneigennützigste Mensch, dem ich jemals begegnet bin, aber innerlich, da war er irgendwie völlig zerfressen, und weiß Gott – *das* Gefühl kenne ich!«

Rebus begriff. »Ihr Vater?«

Sie schniefte. »Die Leute sagen, er sei in der Erdölbranche eine ›Institution‹. Ich... mich hat diese Institution *beherrscht*...« Ein tiefer Seufzer, der nichts Theatralisches an sich hatte – eine reine biologische Notwendigkeit. »Und dann missbraucht.«

»Gott«, sagte Jack leise. Rebus' Herz raste; er musste seine ganze Kraft aufbieten, um seine Stimme am Zittern zu hindern.

»Wie lange ging das, Jo?«

Sie sah wütend auf. »Glauben Sie vielleicht, ich hätte der Drecksau auch nur eine *zweite* Chance dazu gegeben? Ich bin abgehauen, sobald ich konnte. Bin jahrelang nur gerannt und gerannt, bis ich mir sagte: Scheiße, ey, *ich* hab nix ausgefressen. *Ich* bin nicht diejenige, die weglaufen sollte.«

Rebus nickte verständnisvoll. »Deswegen fühlten Sie sich mit Mitch verbunden?«

»Genau.«

»Und haben ihm wiederum *Ihre* Geschichte erzählt?«

»Quidproquo.«

»Einschließlich der Identität Ihres Vaters?« Sie wollte schon nicken, bremste sich dann aber und schluckte stattdessen. »Damit erpresste er also Ihren Vater – mit der Inzestgeschichte.«

»Ich weiß nicht. Mitch starb, bevor ich es rauskriegen konnte.«

»Aber das war seine Absicht gewesen?«

Sie zuckte die Achseln. »Vermute ich.«

»Jo, ich glaube, wir werden eine Aussage von Ihnen brauchen. Nicht jetzt, später. In Ordnung?«

»Ich denk drüber nach.« Eine Pause. »Wir können nichts beweisen, stimmt's?«

»Noch nicht.« Vielleicht werdens wir's auch nie, dachte er. Er rutschte aus der Sitzbank, Jack nach ihm.

Draußen brannte immer noch das Lagerfeuer. Kerzenlicht flackerte in Lampions, die zwischen den Bäumen hingen. Die Gesichter hatten einen leuchtenden Orangeton angenommen, wie Kürbisse. Joanna Bruce lehnte wie zuvor an der unteren Türhälfte und sah ihnen nach. Rebus wandte sich zum Abschied noch einmal um.

»Werden Sie noch eine Weile hier kampieren?«

Sie zuckte die Achseln. »Bei unserer Lebensweise ... wer weiß?«

»Gefällt Ihnen das?«

Sie dachte über die Frage nach. »Es ist… eine Art zu leben.«

Rebus lächelte, wandte sich ab.

»Inspector!«, rief sie ihm nach. Er drehte sich wieder um. Das Kajal lief ihr in schwarzen Schlieren über die Wangen. »Wenn alles angeblich so wunderbar ist, wie kommt's dann, dass alles so beschissen ist?«

Rebus hatte darauf keine Antwort. »Lassen Sie sich von der Sonne nicht beim Heulen erwischen«, sagte er stattdessen.

Während der Rückfahrt versuchte er, sich ihre Frage selbst zu beantworten, und stellte fest, dass er das nicht konnte. Vielleicht ging es nur ums Gleichgewicht, um Ursache und Wirkung. Wo Licht war, musste es zwangsläufig auch Schatten geben. Das klang wie der Anfang einer Predigt, und er konnte Predigten nicht ausstehen. Deshalb versuchte er es mit seinem persönlichen Mantra: Miles Davis, »So What?«. Bloß klang das »Na und?« im Augenblick nicht so wahnsinnig intelligent.

Es klang ganz und gar nicht intelligent.

Jack starrte finster vor sich hin. »Warum ist sie damit bloß nie zur Polizei gegangen?«

»Weil es uns ihrer Meinung nach gar nichts angeht. Es ging nicht mal Mitch etwas an, er ist da nur versehentlich reingeraten.«

»Hörte sich eher so an, als sei er da reinge*beten* worden.«

»Eine Einladung, die er besser ausgeschlagen hätte.«

»Glaubst du, es war Major Weir?«

»Keine Ahnung. Ich weiß nicht mal, ob's überhaupt noch eine Rolle spielt. Der kann nicht entwischen.«

»Wie meinst du das?«

»Er sitzt in dieser kleinen privaten Hölle, die sie für sie

beide konstruiert hat. Solang er weiß, dass sie sich irgendwo da draußen rumtreibt und gegen alles demonstriert, was ihm am Herzen liegt... das ist seine Strafe und ihre Rache. Da kommt keiner von beiden raus.«

»Väter und Töchter, hm?«

»Väter und Töchter«, pflichtete ihm Rebus bei. Und Sünden aus der Vergangenheit. Und die Tatsache, dass sie sich in der Regel nicht von selbst verflüchtigten...

Als sie am Hotel ankamen, waren sie ziemlich fertig.

»'ne Runde Golf?«, schlug Jack vor.

Rebus lachte. »Mehr als Kaffee und 'ne Runde Stullen würde ich momentan wohl nicht bewältigen.«

»Klingt gut. Bei mir, in zehn Minuten.«

Ihre Zimmer waren inzwischen gemacht worden: frische Pralinen auf dem Kissen, saubere Bademäntel auf den Betten. Rebus zog sich schnell um, rief dann die Rezeption an, um zu hören, ob es irgendwelche Nachrichten für ihn gebe. Er hatte vorher nicht gefragt – Jack sollte nicht erfahren, dass er welche erwartete.

»Ja, Sir«, zwitscherte die Frau an der Rezeption. »Ich habe eine telefonische Nachricht für Sie.« Rebus' Herz schlug schneller: Sie war nicht einfach abgehauen. »Soll ich Sie Ihnen vorlesen?«

»Bitte.«

»Sie lautet: ›Burke's, halbe Stunde nach Geschäftsschluss. Hab eine andere Zeit, einen anderen Ort versucht, aber er wollte nicht.‹ Kein Name.«

»Ist in Ordnung, danke.«

»Jederzeit zu Diensten, Sir.«

Versteht sich: Geschäftskonto. Die ganze Welt kroch einem in den Hintern, wenn man ein Unternehmen hinter sich hatte. Er wählte die Amtsleitung, versuchte es bei Siobhan zu Hause, wieder nur der AB. Probierte es in St. Leonard's, erfuhr, sie sei nicht da. Versuchte es erneut bei ihr zu Hause, entschlossen, ihr diesmal seine Telefonnummer aufs Band zu sprechen. Er war gerade mittendrin, als sie abnahm.

»Was hat ein Anrufbeantworter für einen Sinn, wenn man zu Hause ist?«, fragte er.

»Anruffilter«, gab sie zur Antwort. »So kann ich feststellen, ob Sie ein Keucher sind, bevor ich mit Ihnen rede.«

»Mit meinen Bronchien ist alles in Ordnung, also reden Sie mit mir.«

»Erstes Opfer«, sagte sie. »Ich hab mit jemandem an der Robert Gordon's geredet. Die Tote studierte Geologie, und dazu gehörten auch mehrere Aufenthalte offshore. Wer da oben Geologie studiert, kriegt hinterher meist einen Job bei der Erdölindustrie, das ganze Studium ist darauf angelegt. Da sie offshore arbeitete, absolvierte sie vorher ein Überlebenstraining.«

Rebus dachte: Helisimulator, ins Schwimmbad getaucht.

»Folglich«, fuhr Siobhan fort, »verbrachte sie einige Zeit am OSC.«

»Dem Offshore Survival Centre.«

»Das ausschließlich Erdölleute bedient. Ich hab die Liste der Mitarbeiter und der Studenten angefordert, die kommt noch per Fax. So viel zum ersten Opfer.« Sie schwieg kurz. »Opfer Nummer zwei schien was vollkommen anderes zu sein: älter, anders gearteter Freundeskreis, andere Stadt. Aber sie war eine Prostituierte, und wie wir wissen, nehmen viele Geschäftsleute, wenn sie auswärts zu tun haben, die Dienste von Professionellen in Anspruch.«

»Davon ist mir nichts bekannt.«

»Opfer Nummer vier arbeitete eng mit der Erdölindustrie zusammen, womit Judith Cairns übrig bleibt, das Glasgower Opfer. Hier und da beschäftigt, darunter als Teilzeitreinigungskraft in einem Hotel im Stadtzentrum.«

»Wieder Geschäftsleute.«

»Also faxen die mir morgen Namen zu. Waren von der Idee nicht sonderlich erbaut, von wegen Datenschutz, Diskretion und so.«

»Aber Sie können überzeugend sein.«

»Ja.«

»Also, worauf hoffen wir? Auf einen Gast im Fairmount, der in irgendeiner Beziehung zur Robert Gordon's steht?«

»Darum bete ich jedenfalls.«

»Ab wann können Sie morgen mit der Antwort rechnen?«

»Das hängt vom Hotel ab. Möglich, dass ich rüberfahre und denen Dampf unterm Hintern mache.«

»Ich ruf Sie an.«

»Wenn sich der AB meldet, hinterlassen Sie mir eine Nummer, unter der ich Sie erreichen kann.«

»Mach ich. Tschüs, Siobhan.« Er legte auf und ging zu Jacks Zimmer. Jack war im Bademantel.

»Ich müsste mir vielleicht mal so ein Ding gönnen«, sagte er. »Stullen sind unterwegs, eine große Kanne Kaffee dito. Ich geh nur mal rasch unter die Dusche.«

»Prima. Hör mal, Siobhan könnte auf was gestoßen sein.« Er setzte Jack ins Bild.

»Klingt viel versprechend. Andererseits...« Jack zuckte die Achseln.

»Mann, und ich dachte, *ich* wär der Zyniker.«

Jack zwinkerte ihm zu und verschwand ins Bad. Rebus wartete, bis er die Dusche laufen und Jack »Puppy Love« summen hörte. Jacks Sachen lagen auf einem Stuhl. Rebus kramte in den Jacketttaschen, förderte Autoschlüssel zutage und steckte sie ein.

Er fragte sich, um wie viel Uhr das Burke's donnerstagnachts schließen mochte. Er fragte sich, was er Judd Fuller sagen würde. Er fragte sich, wie übel Judd Fuller es aufnehmen würde.

Die Dusche verstummte. »Puppy Love« ging nahtlos in »What Made Milwaukee Famous« über. Ging doch nichts über einen Mann mit vielseitigem Geschmack. Jack tauchte auf, in Bademantel und allerlei Preisboxerposen.

»Morgen zurück nach Edinburgh?«

»Aber *schnurstracks*«, bestätigte Rebus.

»Die Sache ausbaden.«

Rebus verschwieg, dass er möglicherweise schon vorher etwas auszubaden haben würde. Und als die Sandwiches kamen, stellte er fest, dass er keinen Appetit mehr hatte. Durst allerdings schon: Vier Tassen Kaffee waren weg wie nix. Er musste wach bleiben. Ihm stand eine lange Nacht bevor, schwarz und ohne Mond.

Dunkelheit während der kurzen Fahrt, Nieselregen. Rebus war vom Kaffee aufgedreht: lose, Funken sprühende Kabel, wo seine Nerven hätten sein sollen. Viertel nach eins. Er hatte im Burke's angerufen, das Münztelefon am Tresen, und einen Gast gefragt, um wie viel Uhr der Laden schloss.

»Die Party is schon fast vorbei, du Arsch!« Und Hörer aufgeknallt. Im Hintergrund »Albatross«, war also Schmusestunde. Jetzt noch zwei, drei langsame Stücke, die letzte Chance, sich eine Frühstückspartnerin zu schnappen. Vollstress auf der Tanzfläche; mit vierzig nicht weniger als mit achtzehn.

Albatross.

Rebus schaltete versuchsweise das Radio ein – hirnloser Pop, wummernder Diskostampf, Telefongeplauder. Dann Jazz. Jazz war okay. Jazz war gut, selbst auf Radio Two. Er parkte in der Nähe des Burke's, beobachtete ohne Ton, wie zwei Rausschmeißer es mit drei Bauernburschen aufnahmen, an denen die jeweiligen Freundinnen erfolglos zerrten.

»Hört auf die Damen«, murmelte Rebus. »Heut Abend habt ihr schon genug bewiesen.«

Die Rangelei löste sich mit drohend gestreckten Zeige-
fingern und Geschimpfe auf, während die Rausschmeißer
mit vor Kraft strotzendem Wiegeschritt hineinstapften. Ein
abschließender Tritt gegen die Tür, Spucken auf die bull-
äugigen Fenster, dann zurückgezerrt und davongeschlurft.
Vorhang auf zu einem weiteren Wochenende im Nordosten. Rebus stieg aus und schloss den Wagen ab, atmete die
Stadtluft ein. Geschrei und Sirenen oben auf der Union
Street. Er überquerte die Straße und ging auf das Burke's
zu.

Die Tür war geschlossen. Er trat dagegen, aber niemand
kam: Wahrscheinlich dachten sie, die Bauernburschen seien
zurückgekehrt. Rebus trat unbeirrt weiter. Jemand streckte
den Kopf aus der Innentür, stellte fest, dass es sich nicht um
einen normalen Gast handelte, rief irgendwas nach hinten.
Jetzt erschien ein schlüsselbundklimpernder Rausschmeißer. Er sah so aus, als wollte er, nach des Tages Last und
Müh, endlich ins Bett. Die Tür rasselte und öffnete sich zwei
Finger breit.

»Was?«, knurrte er.

»Ich bin mit Mr. Fuller verabredet.«

Der Rausschmeißer starrte ihn an, riss dann die Tür auf.
In der Bar brannte Licht, Angestellte leerten Aschenbecher
und wischten Tische ab, sammelten unzählige Gläser ein.
So bei Licht betrachtet, brauchte sich der Klub in Sachen
Trostlosigkeit vor keiner Moorlandschaft zu verstecken. Zwei
Männer, die wie DJs aussahen – Pferdeschwanz, schwarzes,
ärmelloses T-Shirt –, saßen rauchend am Tresen und schütte-
ten flaschenweise Bier in sich hinein. Rebus wandte sich zum
Rausschmeißer.

»Ist Mr. Stemmons da?«

»Ich dachte, Sie sind mit Mr. Fuller verabredet.«

Rebus nickte. »Ich hatte mich nur gefragt, ob Mr. Stemmons zu sprechen ist.« Erst mit ihm reden – dem zurech-

nungsfähigen Mitglied der Truppe; Geschäftsmann, kann also zuhören.

»Könnte oben sein.« Sie gingen zurück ins Foyer, stiegen die Treppe hinauf zu Stemmons' und Fullers Büros. Der Rausschmeißer öffnete eine Tür. »Rein mit Ihnen.«

Rebus ging rein – und duckte sich zu spät. Die Hand knallte mit der Wucht einer Rinderhälfte gegen seinen Hals und legte ihn flach. Finger krallten sich um seine Kehle, tasteten nach der Halsschlagader, drückten zu. Keinen Hirnschaden, dachte Rebus, als sich sein Gesichtsfeld von den Rändern her zu verdunkeln begann. Bitte, Gott, mach, dass ich keinen Hirnschaden abbekomme…

31

Er wachte auf und war am Ertrinken.

Sog Schaum und Wasser durch die Nase, durch den Mund ein. Es prickelte auf der Zunge – kein Wasser, Bier. Er schüttelte heftig den Kopf, öffnete die Augen. Lager rann ihm die Kehle hinab. Er versuchte, es auszuhusten. Jemand stand hinter ihm, die inzwischen leere Flasche in der Hand, und kicherte. Rebus versuchte, sich umzudrehen, und stellte fest, dass seine Arme brannten. Buchstäblich. Er konnte Whiskey riechen, eine zerschmetterte Flasche auf dem Fußboden sehen. Seine Arme waren mit dem Zeug übergossen und in Brand gesteckt worden. Er schrie, wand sich. Ein Barhandtuch schlug auf die Flammen ein, und sie verloschen. Das kokelnde Handtuch fiel klatschend auf den Boden. Gelächter hallte von den Mauern wider.

Es stank nach Alkohol. Es war ein Keller. Nackte Glühbirnen und Aluminiumfässchen, Kästen voller Flaschen und Gläser. Ein halbes Dutzend Backsteinpfeiler stützten die Decke. Rebus hatte man nicht an einen davon gefesselt.

Er hing an einem Haken: die Handgelenke vom Seil aufge-
scheuert, die Oberarmknochen kurz davor, aus den Gelen-
ken zu springen. Rebus verlagerte sein Gewicht mehr auf
die Füße. Die Gestalt hinter ihm schmiss die Bierflasche
in eine Kiste, kam nach vorn und blieb vor ihm stehen. Po-
madisiertes schwarzes Haar mit einem Schmalzlöckchen
auf der Stirn und eine große Hakennase mitten in einem
Gesicht, das vor Verderbnis troff. Dunkler Anzug, weißes
T-Shirt. Rebus tippte auf Judd Fuller, schätzte aber, dass er
den Zeitpunkt für eine Vorstellung irgendwie verpasst hatte.

»Leider fehlt mir Tony Els Begabung mit Elektrogeräten«,
sagte Fuller. »Aber ich tu, was ich kann.«

»Soweit ich's beurteilen kann, machen Sie's ganz gut.«

»Danke.«

Rebus sah sich um. Sie befanden sich allein im Keller,
und keiner hatte daran gedacht, seine Fußknöchel zu fesseln. Er konnte Fuller in die Eier treten und...

Die Faust hatte tief gezielt und traf ihn knapp über dem
Schambein. Wären seine Arme frei gewesen, wäre er wie ein
Taschenmesser zusammengeklappt. In seiner momentanen
Lage riss er instinktiv die Knie hoch und hob die Füße vom
Boden. Seine Schultergelenke verrieten ihm, dass das keine
sehr kluge Reaktion gewesen war.

Fuller schlenderte davon, krümmte und streckte dabei
die Finger seiner rechten Hand. »Also, Bulle«, sagte er, den
Rücken zu Rebus gewandt, »wie findest du's bis jetzt?«

»Also, *ich* hätte nichts gegen ein Päuschen einzuwenden.«

»Ein Päuschen gönn ich erst deinem Kadaver.« Fuller
drehte sich um, grinste, dann griff er sich eine weitere Bierflasche, köpfte sie mit einem Schlag gegen die Wand und
kippte sie zur Hälfte.

Der Alkoholgeruch war überwältigend, und die paar Mund
voll, die Rebus bereits geschluckt hatte, schienen schon eine
gewisse Wirkung zu zeigen. Seine Augen brannten; ebenso

die Verbrennungen an seinen Händen. Seine Handgelenke waren schon mit Blasen bedeckt.

»Das hier ist ein hübscher Klub«, redete Fuller inzwischen weiter. »Jeder kommt hier auf seine Kosten. Sie können rumfragen, wo Sie wollen, das ist ein beliebtes Lokal. Was gibt dir das Recht, dich als Spielverderber zu betätigen?«

»Ich weiß auch nicht.«

»Erik hat sich an dem Abend, wo du mit ihm geredet hast, richtig aufgeregt.«

»Weiß er, was hier abläuft?«

»Er wird nie was davon erfahren. Für Erik ist es besser, wenn er nichts weiß. Er hat ein Magengeschwür, weißt du. Er macht sich dauernd *Sorgen*.«

»Kann mir gar nicht vorstellen, warum.« Rebus starrte Fuller an. Im richtigen Licht betrachtet, sah er wie ein junger Leonard Cohen aus – von Travolta konnte *überhaupt* keine Rede sein.

»Du bist eine lästige Mücke, mehr nicht, eine juckende Stelle, die man sich kratzen muss.«

»Sie kapieren es nicht, Judd. Wir sind hier nicht in Amerika. Sie können hier nicht einfach eine Leiche verstecken und hoffen, dass keiner darüber stolpert.«

»Warum nicht?« Fuller breitete die Arme aus. »Aus Aberdeen fahren andauernd Schiffe und Boote aus. Ein Gewicht dran und in die Nordsee gekippt, und weg bist du. Hast du eine Ahnung, wie hungrig die Fische da draußen sind?«

»Ich weiß, dass die Nordsee *über*fischt ist – möchten Sie, dass ich einem Trawler ins Netz gehe?«

»Zweite Möglichkeit«, sagte Fuller und hob zwei Finger in die Höhe, »die Berge. Sollen dich doch die Scheißschafe finden und deine Knochen abnagen. Jede Menge Möglichkeiten – glaub ja nicht, die hätten wir nicht schon alle ausprobiert.« Er schwieg kurz. »Warum bist du heute Nacht hergekommen? Was hast du dir eigentlich *eingebildet*, das du hier erreichen könntest?«

»Keine Ahnung.«

»Als Eve anrief... sie konnte sich nicht verstellen, ihre Stimme hat sie verraten. Ich wusste sofort, dass sie mich anscheißen wollte, mich linken wollte. Aber ich muss zugeben, ich hatte etwas, na... *Anspruchsvolleres* erwartet.«

»Tut mir Leid, Sie zu enttäuschen.«

»Andererseits bin ich froh, dass du es bist, ich hatte mir *gewünscht*, dich wiederzusehen.«

»Nun... und da bin ich.«

»Was hat Eve dir erzählt?«

»Eve? Gar nichts hat sie mir erzählt.«

Ein Halbkreisfußtritt brauchte seine Zeit: Rebus tat, was er konnte, bot ihm die Flanke, erwischte ihn an den Rippen. Fuller setzte mit einem Schlag ins Gesicht nach, bei dem sich seine Faust so langsam bewegte, dass Rebus die Narbe auf dem Handrücken sehen konnte: ein langer, hässlicher Striemen. Ein Zahn brach entzwei, einer von seinen Wurzelbehandelten. Rebus spuckte ihn und etwas Blut aus, und Fuller wich, vom angerichteten Schaden beeindruckt, ein Stückchen zurück.

Rebus wusste, dass er es mit jemandem zu tun hatte, den man bestenfalls als unberechenbar, schlimmstenfalls als Psychopathen bezeichnen konnte. Ohne Stemmons, der ihn an die Kandare nahm, schien Judd Fuller zu allem fähig zu sein.

»Ich hab lediglich einen Deal mit ihr gemacht«, lispelte Rebus, »das ist alles. Sie hat das Treffen mit Ihnen arrangiert, und ich hab sie laufen lassen.«

»*Irgend*etwas muss sie dir erzählt haben.«

»Sie ist eine harte Nuss. Aus Stanley habe ich sogar noch weniger rausgekriegt.« Rebus versuchte, mutlos zu klingen; war nicht weiter schwer. Er wollte, dass Fuller die ganze Geschichte schluckte.

»Stanley und sie haben sich gemeinsam abgesetzt?« Fuller schmunzelte wieder. »Uncle Joe wird sich in den Arsch beißen.«

»Gelinde gesagt.«

»Also sag schon, Bulle: Wie viel weißt du? Sei brav, vielleicht können wir uns irgendwie einigen.«

»Ich bin für Angebote offen.«

Fuller schüttelte den Kopf. »Ich glaube, nicht. Was das angeht, hat Ludo dich ja schon abgecheckt.«

»Er hatte nicht ganz so gute Karten wie Sie.«

»Das ist auch wieder wahr.« Fuller schlug mit dem ausgezackten Hals seiner Bierflasche nach Rebus' Gesicht. Statt dem erwarteten scharfen Schmerz spürte Rebus lediglich einen Luftzug an der Wange. »Nächstes Mal«, sagte Fuller, »könnte ich etwas schlechter zielen. Ich könnte dir ganz unabsichtlich die Fresse versauen.«

Als ob der zum Tode Verurteilte noch an sein Aussehen dächte. Aber Rebus zitterte am ganzen Leib.

»Seh ich vielleicht wie der Stoff aus, aus dem man Märtyrer macht? Ich hab lediglich meinen Job getan. Dafür werd ich bezahlt, ich bin nicht damit verheiratet!«

»Aber du bist hartnäckig.«

»Dafür können Sie sich bei Lumsden bedanken, diesem Arschloch! Der ist mir richtig auf die Pelle gerückt!« Eine Erinnerung kam ihm unwillkürlich in den Sinn: Polizeistunde im Ox, Nächte, an denen sie in die Kälte hinausgetorkelt waren und sich zum Spaß vorgestellt hatten, sie würden sich im Keller einschließen lassen und den Laden leersaufen. Jetzt wollte Rebus nichts anderes als raus.

»Wie viel weißt du?« Das splittrige Glas war zwei Finger breit von seiner Nase entfernt. Fuller streckte den Arm weiter aus, bis die Flasche sich direkt unter Rebus' Nasenlöchern befand. Bierdünste, das Gefühl von kaltem Glas, das immer mehr nach oben drückte. »Erinnerst du dich an den alten Witz?«, fragte Fuller. »Frag dich, wie du ohne Nase riechen würdest.«

Rebus schniefte. »Ich weiß alles«, spie er aus.

»Und wie viel wär das?«

»Der Stoff kommt aus Glasgow rauf, schnurstracks hierher. Sie verkaufen es und schicken es auf die Bohrinseln. Eve und Stanley sammelten das Geld ein, Tony El war Uncle Joes Mann vor Ort.«

»Beweise?«

»Praktisch gleich null, besonders jetzt, wo Tony El tot ist und Eve und Stanley das Weite gesucht haben. Aber...« Rebus schluckte.

»Aber was?«

Rebus blieb stumm. Fuller stieß mit der Flasche nach oben und riss sie dann zurück. Aus Rebus' Nase tröpfelte Blut.

»Vielleicht lass ich dich ja einfach ausbluten! *Aber was?*«

»Aber das ist egal«, fuhr Rebus fort und versuchte, sich die Nase am Hemd abzuwischen. Seine Augen waren nass. Er blinzelte, und Tränen rannen ihm über beide Wangen.

»Warum?«, fragte Fuller interessiert.

»Weil die Leute plaudern.«

»Wer?«

»Sie wissen, dass ich nicht –«

Die Flasche schoss zu seinem rechten Auge hoch. Rebus kniff die Augen zu. »Okay, okay!« Die Flasche blieb, wo sie war, so dicht, dass sein Blick verschwamm. Er atmete tief durch. War Zeit, die Scheiße aufzurühren. Mit seinem tollen Plan loszulegen. »Wie viele Bullen stehen auf Ihrer Gehaltsliste?«

Fuller runzelte die Stirn. »Lumsden?«

»Er hat geredet... und jemand hat mit *ihm* geredet.«

Rebus hörte förmlich, wie die Zahnräder in Fullers Kopf

knirschten, aber selbst er musste es irgendwann auf die Reihe kriegen.

»Mr. H.?« Fullers Augen wurden größer. »Mr. H. hat mit Lumsden geredet, davon hab ich gehört. Aber angeblich ging's dabei um die Frau, die sich hatte umlegen lassen…« Fuller dachte so angestrengt nach, als kriegte er's bezahlt.

Mr. H. – der Mann, der Tony El bezahlt hatte. Und jetzt wusste Rebus auch, wer Mr. H. war: Hayden Fletcher, den Lumsden wegen Vanessa Holden vernommen hatte. Fletcher hatte Tony El bezahlt, damit der sich Allan Mitchison vornahm; die zwei Männer hatten sich wahrscheinlich genau in diesem Lokal getroffen. Vielleicht hatte Fuller sie miteinander bekannt gemacht.

»Es geht nicht nur um Sie. Er hat auch Eddie Segal verpfiffen, Moose Maloney…« Die Namen, die Stanley erwähnt hatte.

»Fletcher und Lumsden?«, sagte Fuller nachdenklich. Er schüttelte den Kopf, aber Rebus sah ihm an, dass er schon halb überzeugt war. Er starrte Rebus an, der seinerseits versuchte, fix und alle auszusehen; viel Schauspielkunst war dazu nicht erforderlich.

»Das Scottish Crime Squad plant eine Operation«, sagte Rebus. »Lumsden und Fletcher spielen brav mit.«

»Die beiden sind tot«, sagte Fuller endlich.

»Klar, warum aufhören, wenn's gerade Spaß macht?«

Ein kaltes, böses Lächeln. Fletcher und Lumsden waren was für die Zukunft: Rebus war hier und jetzt.

»Wir machen eine kleine Spritztour«, sagte Fuller. »Keine Angst, du warst brav. Ich werd's kurz machen. Eine Kugel in den Hinterkopf. Du wirst nicht schreiend abtreten.« Er ließ die Flasche auf den Boden fallen und ging zur Treppe; Glasscherben knirschten unter seinen Sohlen. Rebus sah sich hastig um – unmöglich zu sagen, wie viel Zeit ihm noch blieb. Der Haken wirkte ziemlich stabil; bis jetzt hatte er sein Gewicht problemlos gehalten. Wenn er sich auf eine Kiste stellen könnte, etwas Höhe gewinnen, dann ließe sich das Seil aushaken. Keinen Meter von ihm entfernt stand eine Kiste mit leeren Flaschen. Rebus reckte sich, ohne auf seine schmerzenden Schultergelenke zu achten, tastete mit dem Schuh danach, berührte gerade eben die Oberkante und fing an, die Kiste zu sich heranzuziehen. Fuller war durch eine Falltür hinaufgestiegen, hatte sie aber offen gelassen. Rebus hörte eine Stimme oben in der Bar. Vielleicht wollte Fuller einen Rausschmeißer dabeihaben, jemanden, der zusah, wie der Bulle das Zeitliche segnete. Die Kiste blieb in einer Vertiefung des Fußbodens hängen, wollte sich nicht mehr von der Stelle rühren. Rebus versuchte, sie mit der Schuhspitze anzuheben, schaffte es aber nicht. Er war völlig durchnässt: Blut, Bier und Schweiß. Die Kiste gab endlich nach, und er zog sie zu sich heran, stieg darauf und drückte die Knie durch. Er befreite das Seil vom Haken und ließ die Arme langsam herunter, versuchte, den Schmerz auszukosten, während sich das Blut wieder ameisenkribbelnd in ihnen ausbreitete. Seine Finger blieben taub und kalt. Er kaute an den Knoten, kriegte sie nicht auf. Es lagen jede Menge Glasscherben herum, aber den Strick durchzuschneiden hätte zu viel Zeit in Anspruch genommen. Er bückte sich, hob eine zerbrochene Flasche auf, entdeckte dann etwas Besseres.

Ein pinkfarbenes Einwegfeuerzeug. Fuller hatte es wahrscheinlich benutzt, um den Whiskey auf Rebus' Armen in Brand zu setzen, und es anschließend fallen lassen. Rebus hob es auf, sah sich um. Jede Menge Schnaps. Der einzige Weg nach draußen ging über die Leiter. Er fand einen alten Lappen, öffnete eine Whiskeyflasche und stopfte den Lumpen in den Flaschenhals. Nicht ganz ein Molotowcocktail, aber auf alle Fälle eine Waffe. Eine Möglichkeit: das Ding anzünden und durch die Falltür in den Klub werfen, den Feueralarm auslösen und auf die Ankunft der Kavallerie warten. Immer vorausgesetzt, sie kam. Immer vorausgesetzt, das würde Fuller aufhalten...

Zweite Möglichkeit: nachdenken.

Er sah sich um. CO_2-Flaschen; Plastikkisten; aufgerollte Gummischläuche. An einer Wand ein kleiner Feuerlöscher. Den schnappte er sich, entsicherte ihn und klemmte ihn sich unter einen Arm, so dass er die Hände frei hatte, um beim Hinaufklettern die Whiskeyflasche halten zu können.

Der Klub wirkte in der trüben Beleuchtung wie ausgestorben. Jemand hatte eine Glitzerkugel in Gang gesetzt, sie drehte und drehte sich und streute Lichtstrass über Wände und Decke. Er hatte die Tanzfläche zur Hälfte durchquert, als die Tür aufflog und Fuller vor dem hellen Hintergrund des Foyers erschien. Er hielt einen Bund Autoschlüssel zwischen den Zähnen, der, als ihm der Mund aufklappte, klappernd zu Boden fiel. Er griff schon in die Tasche seines Jacketts, als Rebus den Lappen angezündet bekam und die Flasche beidhändig losschleuderte. Sie drehte sich einmal in der Luft und zerschellte vor Fullers Füßen. Auf dem Boden breitete sich eine Pfütze von blauen Flammen aus. Rebus war inzwischen weitergegangen, den Feuerlöscher im Anschlag. Fuller hatte den Revolver gezogen, als der Strahl ihn mitten ins Gesicht traf. Rebus setzte mit einem Kopfstoß nach, der Fuller auf dem Nasenrücken erwischte, und rammte ihm dann ein Knie in den Unterleib. Nicht direkt wie aus dem Lehrbuch, aber durchaus effektiv. Der Amerikaner fiel auf die Knie. Rebus verpasste ihm noch einen Tritt ins Gesicht und rannte los, riss die Tür zur Außenwelt auf und lief beinah Jack Morton in die Arme.

»Himmelherrgott, Mann, was haben die denn mit *dir* gemacht?«

»Er hat eine Knarre, Jack, nix wie weg hier!«

Sie sprinteten zum Auto. Jack fischte die Schlüssel aus Rebus' Tasche. Rein ins Auto und davongebrettert.

»Du riechst wie eine ganze Brauerei«, stellte Jack fest.

»Mann, Jack, wie kommst du hierher?«

»Mit dem Taxi.«

»Nein, ich meine…«

»Du kannst dich bei Shetland bedanken.« Jack schniefte. »Dieser Wind da oben, ich hab mir einen Schnupfen geholt. Wollte das Taschentuch aus meiner Hosentasche holen… keine Autoschlüssel da. Kein Auto auf dem Parkplatz, und kein John Rebus in seinem Heiabettchen.«

»Und?«

»Und da hat mir die Rezeption die Nachricht wiederholt, die sie dir ausgerichtet hatte. Also hab ich ein Taxi gerufen. Was zum Teufel ist passiert?«

»Ich hab Prügel bezogen.«

»Ich würde sagen, das ist stark untertrieben. Wer hat eine Knarre?«

»Judd Fuller, der Ami.«

»Wir halten an der nächsten Telefonzelle und schicken denen ein Sondereinsatzkommando ins Haus.«

»Nein.«

Jack drehte sich um. »Nein?« Rebus schüttelte den Kopf. »Warum nicht?«

»Ich bin ein kalkuliertes Risiko eingegangen, Jack.«

»Ich würde sagen, du hast dich ziemlich verkalkuliert.«

»Ich glaube, es hat geklappt. Jetzt müssen wir nur ein bisschen abwarten.«

Jack dachte nach. »Du willst, dass sie sich gegenseitig an die Gurgel gehen?« Rebus nickte. »Von der vorschriftsmäßigen Tour hältst du gar nichts, wie? Die Nachricht war von Eve?« Rebus nickte. »Und du dachtest, du lässt mich aus dem Spiel. Weißt du was? Als ich festgestellt habe, dass die Schlüssel weg waren, war ich so sauer, dass ich fast sagte:

›Scheiß drauf, soll er doch machen, was er will, es ist sein Hals!‹«

»Wär's auch beinah gewesen.«

»Du bist ein verdammtes Arschloch!«

»Frucht jahrelanger Übung, Jack. Kannst du kurz halten und mich losbinden?

»Gefesselt bist du mir lieber. Notaufnahme oder Arzt rufen?«

»Ich komm schon klar.« Die Nase hatte schon aufgehört zu bluten; der kaputte Zahn tat überhaupt nicht weh.

»Also, was *hast* du da konkret getrieben?«

»Ich hab Fuller eine Geschichte aufgetischt und rausgekriegt, dass Hayden Fletcher Allan Mitchisons Mörder angeheuert hat.«

»Und du willst mir einreden, dass es keine einfachere Methode gegeben hätte?« Jack schüttelte bedächtig den Kopf. »Und wenn ich hundert werde – dich begreif ich nie.«

»Ich fasse das als Kompliment auf«, sagte Rebus und lehnte sich in seinem Sitz zurück.

Wieder im Hotel, entschieden sie, dass es an der Zeit sei, Aberdeen den Rücken zu kehren. Rebus stieg erst noch in die Wanne, und dann inspizierte Jack seine Blessuren.

»Eindeutig ein Amateursadist, unser Mr. Fuller.«

»Er hat sich gleich zu Anfang entschuldigt.« Rebus kontrollierte im Spiegel sein zahnlückiges Lächeln.

Jeder Quadratzentimeter seines Körpers tat weh, aber er würde es überleben, und er brauchte keinen Arzt, der ihm das bestätigte. Sie schafften ihr Gepäck ins Auto, gaben ihre Schlüssel an der Rezeption ab und brachen auf.

Als er die Liste auf vier Personen und vier Firmen zusammengestrichen hatte, war es an der Zeit, den »Schlüssel« einzusetzen: Vanessa Holden.

Weitere Verdächtige hatten sich als zu alt erwiesen oder als in anderer Hinsicht unpassend: der eine, mit Vornamen Alex, hatte sich als Frau entpuppt.

Bible John rief von seinem Büro aus an; die Tür hatte er geschlossen. Vor ihm lag sein Notizblock. Vier Firmen, vier Personen.

Eskflo	James Mackinley
LancerTech	Martin Davidson
Gribbin's	Steven Jackobs
Yetland	Oliver Howison

Er wählte die Nummer von Vanessa Holdens Firma. Es meldete sich die Telefonzentrale.

»Hallo«, begann er, »Detective Sergeant Collier, CID Queen Street. Eine Frage: Könnten Sie mir sagen, ob Ihre Firma je für Eskflo Fabrication gearbeitet hat?«

»Eskflo?« Die Frau klang zweifelnd. »Da verbinde ich Sie am besten mit Mr. Westerman.«

Bible John schrieb den Namen auf seinen Notizblock, umkringelte ihn. Als Westerman sich meldete, wiederholte er seine Frage.

»Hängt das mit Vanessa zusammen?«, fragte der Mann.

»Nein, Sir, aber ich habe mit großem Bedauern von ihrem Tod erfahren. Ich kann Sie meines tiefsten Mitgefühls versichern – und das Gleiche gilt für alle, die hier mit mir im Raum sind.« Er sah sich in seinem leeren Büro um. »Und es tut mir Leid, dass ich Sie zu einer so unpassenden Zeit anrufen muss.«

»Danke, Detective Sergeant. Es war ein großer Schock.«

»Natürlich ermitteln wir in der Sache in mehreren Richtungen. Meine jetzige Anfrage bezieht sich allerdings auf einen mutmaßlichen Fall von Betrug.«

»Betrug?«

»Nichts, was Sie betreffen würde, Mr. Westerman, aber wir ziehen Erkundigungen über mehrere Firmen ein.«

»Einschließlich Eskflo?«

»So ist es.« Bible John hielt einen Moment inne. »Es versteht sich natürlich, dass alles, was ich Ihnen sage, streng vertraulich ist?«

»Oh, natürlich.«

»Die Firmen, die mich interessieren, sind...« Ohne die Augen von seinem Notizblock zu wenden, tat er so, als würde er in irgendwelchen Unterlagen blättern. »Da hätten wir's: Eskflo, LancerTech, Gribbin's und Yetland.«

»Yetland«, sagte Westerman, »für die haben wir kürzlich etwas gemacht. Nein, warten Sie...Wir haben uns um einen Auftrag beworben, aber es wurde nichts daraus.«

»Und die anderen?«

»Hören Sie, kann ich Sie zurückrufen? Ich müsste erst nachsehen. Ich bin im Augenblick etwas durcheinander.«

»Ich verstehe, Sir. Ich muss jetzt allerdings kurz weg... Wie wäre es, wenn ich mich in einer Stunde noch mal melde?«

»Oder ich mich bei Ihnen, wenn ich so weit bin?«

»Ich rufe in einer Stunde noch einmal an, Mr. Westerman. Vielen Dank für Ihre Mithilfe.«

Er legte auf, kaute an einem Fingernagel. Würde Westerman die Queen-Street-Wache anrufen und nach einem DS Collier fragen? Er würde ihm vierzig Minuten Zeit lassen.

Am Ende ließ er ihm nur fünfunddreißig.

»Mr. Westerman? Es hat doch nicht so lang gedauert, wie ich dachte. Haben Sie in der Zwischenzeit etwas für mich herausgefunden?«

»Ja, ich glaube, ich habe, was Sie brauchen.«

Bible John konzentrierte sich auf den Ton seiner Stimme, horchte auf das leiseste Anzeichen dafür, dass Westerman möglicherweise bezweifelte, es mit einem Polizisten zu tun zu haben. Doch es fiel ihm nichts auf.

»Wie schon gesagt«, fuhr Westerman fort, »wir haben uns um einen Auftrag von Yetland beworben, ihn aber nicht bekommen. Das war im März dieses Jahres. Lancer… für die haben wir im Februar ein Panel-Display gestaltet. Sie hatten einen Stand auf der Seesicherheitskonferenz.«

Bible John konsultierte seine Liste. »Wissen Sie zufällig noch, wer Ihr damaliger Ansprechpartner bei Lancer war?«

»Tut mir Leid, Vanessa hat das organisiert.«

»Der Name Martin Davidson sagt Ihnen nichts?«

»Ich fürchte, nein.«

»Kein Problem, Sir. Und die zwei anderen Firmen?«

»Tja, in der Vergangenheit haben wir durchaus für Eskflo gearbeitet, aber das liegt schon ein paar Jahre zurück. Und Gribbin's… Also, um ehrlich zu sein, habe ich den Namen noch nie gehört.«

Bible John malte einen Kringel um den Namen Martin Davidson. Setzte ein Fragezeichen hinter James Mackinley: ein Zeitabstand von ein paar Jahren? Nicht sehr wahrscheinlich, aber immerhin möglich. Entschied, dass Yetland ein weit abgeschlagener Dritter war, aber zur Sicherheit…

»Hatte Yetland mit Ihnen oder mit Ms. Holden verhandelt?«

»Zu der Zeit war Vanessa in Urlaub. Das war unmittelbar nach der Konferenz, sie war fix und fertig.«

Bible John strich Yetland und Gribbin's von seiner Liste.

»Mr. Westerman, Sie haben uns sehr geholfen. Ich bin Ihnen sehr dankbar.«

»War mir ein Vergnügen. Nur noch eine Sache, Detective Sergeant…«

»Ja, Sir?«

»Wenn Sie den Dreckskerl, der Vanessa getötet hat, jemals erwischen, verpassen Sie ihm eine von mir.«

Zwei M. Davidsons im Telefonbuch, ein James Mackinley und zwei J. Mackinleys. Adressen notiert.

Dann noch ein weiteres Telefonat, diesmal mit Lancer Technical Support.

»Hallo, hier spricht die Handelskammer, wir hätten eine Frage. Wir stellen eine Datenbank hiesiger Firmen mit Beziehungen zur Erdölindustrie zusammen. Dazu würde doch auch LancerTech gehören, oder?«

»O ja«, sagte die Sekretärin. »Auf jeden Fall.« Sie klang ziemlich erschöpft. Hintergrundgeräusche: Stimmengewirr, ein Fotokopierer, ein klingelndes Telefon.

»Könnten Sie mir Ihre Tätigkeit kurz umreißen?«

»Tja… wir, äh, wir entwickeln Sicherheitskonzepte für Ölplattformen, Versorgungsschiffe…« Sie klang so, als lese sie von einem Spickzettel ab. »Solche Sachen eben…« Ihre Stimme verebbte.

»Ich notiere mir das gerade«, sagte Bible John. »Wenn Sie sich mit der Entwicklung von Sicherheitseinrichtungen befassen, darf ich wohl annehmen, dass Sie Beziehungen zum RGIT unterhalten?«

»O ja, sogar enge Beziehungen. Wir kooperieren mit dem Institut bei einem halben Dutzend Projekten. Ein paar unserer Angestellten arbeiten Teilzeit in den Räumen des RGIT.«

Bible John unterstrich den Namen Martin Davidson. Zweimal.

»Danke«, sagte er. »Auf Wiederhören.«

Zwei M. Davidsons im Telefonbuch. Einer davon war möglicherweise eine Frau. Er konnte anrufen, aber damit hätte er den Parvenü vorgewarnt… Was würde er mit ihm machen? Was wollte er mit ihm machen? Er hatte sein Werk im Zorn begonnen, aber jetzt war er gefasst… und ziemlich neugierig. Er konnte die Polizei anrufen, ihr einen anonymen Tipp geben, darauf wartete sie ja nur. Aber er wusste, dass er das nicht tun würde. Irgendwann hatte er noch geglaubt, er könne einfach den Wicht erledigen und sein bisheriges Leben fortsetzen, aber jetzt wusste er, dass das nicht möglich war. Der Parvenü hatte alles verändert. Seine Finger fuhren hinauf zur Krawatte, überprüften den Knoten. Er riss das Blatt aus seinem Notizblock, zerriss es in winzige Fetzchen und ließ sie in den Papierkorb rieseln.

Er fragte sich, ob er besser in den Staaten geblieben wäre. Nein, die Sehnsucht nach der Heimat hätte ihm keine Ruhe gelassen. Er erinnerte sich an eine der frühen Theorien über ihn – er sei Mitglied der »Exklusiven Brüder«, einer evangelischen Bewegung, gewesen. Und in gewissem Sinne war er das tatsächlich gewesen und war es noch immer. Und hatte fest vor, es zu bleiben. Gute Einsicht bringt Gunst; aber der Weg des Übermütigen ist rau.

Rau war der Weg wirklich, rau würde er immer sein. Er fragte sich, ob er »gute Einsicht« in das Wesen des Parvenüs hatte. Er bezweifelte es, und er wusste nicht einmal, ob er ihn überhaupt verstehen *wollte*.

Tatsache war, dass er, an diesem Punkt angelangt, nicht wusste, was er wollte.

Wohl aber, was er musste.

32

Als sie völlig fertig in die Arden Street einbogen, war gerade Frühstückszeit und keinem von beiden nach Frühstücken zumute. Rebus hatte in Dundee das Steuer übernommen, so dass Jack für eine Stunde auf dem Rücksitz schlafen konnte. Es war wie eine Heimfahrt nach einer seiner durchsoffenen Nächte: die Straßen leer, auf den Feldern Kaninchen und Fasane. Die sauberste Zeit des Tages, bevor die Menschheit sich dranmachte, alles wieder zu versauen.

Auf dem Fußboden in der Diele lag Post, und der AB hatte sich so viele Nachrichten gemerkt, dass das rote Lämpchen gar nicht mehr aufhörte zu blinken.

»Wag's ja nicht abzuhauen«, warnte Jack ihn, bevor er sich ins Gästezimmer schleppte, ohne die Tür hinter sich zu schließen. Rebus brühte sich einen Becher Kaffee auf und setzte sich dann in seinen Sessel am Fenster. Die Blasen an seinen Handgelenken sahen wie Nesselausschlag aus. Seine Nasenlöcher waren blutverkrustet.

»Tja«, sagte er zur erwachenden Welt, »das ist so gut gegangen, wie man erwarten konnte.« Er machte die Augen nur für fünf Minuten zu. Als er sie wieder öffnete, war der Kaffee kalt.

Sein Telefon klingelte. Er nahm ab, bevor der Anrufbeantworter ihm zuvorkommen konnte.

»Hallo?«

»Das CID erwacht. Das ist ja wie in einem Fantasy-Film.« Pete Hewitt aus Howdenhall. »Hören Sie, das dürfte ich eigentlich nicht, aber ganz im Vertrauen…«

»Ja?«

»Diese ganzen forensischen Tests, die wir mit Ihnen durchgeführt haben – nichts. Früher oder später werden die sich wohl bequemen, Ihnen das offiziell mitzuteilen, aber ich dachte, ich könnte Sie schon mal beruhigen.«

»Wenn Sie das nur könnten, Pete.«

»Üble Nacht gehabt?«

»Mal wieder rekordverdächtig. Danke.«

»Tschüs, Inspector.«

Rebus legte gar nicht erst wieder auf, sondern wählte Siobhans Nummer. Erzählte dem diensteifrigen AB, er sei wieder zu Haus. Dann noch eine Privatnummer, diesmal mit mehr Erfolg.

»Was?« Die Stimme klang ziemlich benommen.

»Morgen, Gill.«

»John?«

»Gesund und munter. Wie ist es gelaufen?«

»Ich hab mich mit Malcolm Toal unterhalten, ich glaube, er ist ein richtiger Schatz – wenn er nicht gerade mit dem Kopf gegen die Zellenwand rennt, heißt das –, aber…«

»Aber?«

»Aber ich hab alles an die Squaddies weitergegeben. Schließlich sind *sie* ja die Experten.« Schweigen. »John? Hör mal, es tut mir Leid, wenn du denkst, ich hätte gekniffen…«

»Du siehst nicht, wie ich grinse. Das war genau richtig, Gill. Du kriegst deine Lorbeeren, aber die Drecksarbeit können *die* erledigen. Du hast dazugelernt.«

»Vielleicht hatte ich einen guten Lehrer.«

Er lachte leise. »Nein, das glaub ich nicht.«

»John… danke… für alles.«

»Soll ich dir ein Geheimnis erzählen?«

»Was?«

»Ich bin trocken.«

»Schön für dich. Bin ehrlich beeindruckt. Was ist passiert?«

Jack kam ins Zimmer geschlurft. Er gähnte und kratzte sich am Kopf.

»Ich hatte einen guten Lehrer«, sagte Rebus und legte auf.

»Ich hab's klingeln hören«, erklärte Jack. »Kaffee da?«

»Im Wasserkocher.«

»Auch einen?«

»Lass kommen.« Rebus ging in die Diele und sammelte seine Post auf. Ein Umschlag war dicker als die Übrigen. In London abgestempelt. Er riss ihn auf, während er in die Küche ging. Innen befand sich ein zweiter dicker Umschlag, auf dem in Druckbuchstaben sein Name und seine Adresse standen. Außerdem ein kurzer Begleitbrief. Rebus setzte sich an den Tisch, um ihn zu lesen.

Er war von Lawson Geddes' Tochter.

Mein Vater hinterließ den beigefügten Umschlag mit der
Anweisung, ihn an Sie weiterzuleiten. Ich bin gerade aus
Lanzarote zurück, wo ich nicht nur die Bestattung, sondern
auch den Verkauf des Hauses meiner Eltern sowie die gan-
ze Haushaltsauflösung organisieren musste. Wie Sie sich
erinnern werden, war Dad, was seinen Sammeltrieb anbe-
langte, eine richtige Elster. Entschuldigen Sie bitte die Ver-
spätung, mit der ich dies an Sie schicke, aber ich bin zuver-
sichtlich, dass Sie dafür Verständnis haben werden. In der
Hoffnung, dass es Ihnen und Ihrer Familie gut geht, ver-
bleibe ich …

Unterschrieben war der Brief mit »Aileen Jarrold (geb. Geddes)«.

»Was ist das?«, fragte Jack, als Rebus den zweiten Umschlag aufriss. Rebus las die ersten paar Zeilen, sah dann zu
Jack auf.

»Das ist ein sehr langer Abschiedsbrief«, sagte er. »Von
Lawson Geddes.«

Jack setzte sich, und sie lasen ihn gemeinsam.

John, ich schreibe dies im vollen und sicheren Bewusstsein
dessen, dass ich kurz davor stehe, mir das Hirn wegzupus-
ten: Wir nannten das früher immer den Ausweg des Feig-
lings, weißt du noch? Jetzt bin ich mir diesbezüglich nicht
mehr so sicher, hab vielmehr das Gefühl, dass ich eher ei-
gensüchtig als feige handle, eigensüchtig, weil ich weiß, dass
das Fernsehen Spaven wieder ausgegraben hat – die Typen
haben sogar ein Team auf die Insel geschickt. Aber das Prob-
lem ist nicht Spaven, sondern Etta. Sie fehlt mir, und ich
möchte bei ihr sein, selbst wenn das »Jenseits« lediglich darin
bestehen sollte, dass meine Knochen irgendwo neben ihren
liegen.

Während Rebus las, schmolzen die Jahre wieder dahin. Er meinte, Lawsons Stimme zu hören und ihn in die Wache hereinstolzieren oder in einen Pub marschieren zu sehen, als sei er der Wirt höchstpersönlich: für jeden ein Wort, ob er ihn nun kannte oder nicht... Jack stand kurz auf und kehrte mit zwei Bechern Kaffee zurück. Sie lasen weiter.

Jetzt, wo Spaven tot ist und ich bald aus dem Weg geräumt sein werde, bleibst nur noch du übrig. Die Vorstellung, dass die Fernsehgeier sich jetzt auf dich stürzen werden, gefällt mir ganz und gar nicht. Ich weiß, dass du mit der ganzen Sache überhaupt nichts zu tun hattest. Also schreibe ich jetzt diesen Brief, nach all den Jahren, und vielleicht wird dadurch einiges klarer. Zeig ihn, wem immer du möchtest. Es heißt, Sterbende würden nicht lügen, und vielleicht wird man das Folgende als die Wahrheit akzeptieren – so wie ich sie kenne.

Ich kannte Lenny Spaven schon seit meiner Zeit bei den Scots Guards. Dauernd stellte er irgendwas an und handelte sich Arreststrafen ein; ein paarmal landete er sogar im Bunker. Gleichzeitig war er ein Drückeberger, und so freundete er sich mit dem Feldgeistlichen an. Spaven ging jeden Sonntag in die Kirche (ich sage »Kirche«, aber in Borneo war es ein Zelt, in der Heimat eine Wellblechhütte). Aber wahrscheinlich können im Angesicht des Herrn die verschiedensten Orte eine Kirche sein. Vielleicht frage ich ihn bei Gelegenheit, wenn ich Ihn sehe. Draußen sind's mehr als dreißig Grad, und ich trinke Feuerwasser – das gute alte usquebaugh. *Es schmeckt besser denn je.*

Rebus spürte plötzlich den scharfen Geschmack von Whiskey an seinem Gaumen; das Gedächtnis spielte ihm Streiche. Lawson hatte früher immer Cutty Sark getrunken.

Spaven ging dem Geistlichen zur Hand, legte die Gesang-
bücher auf die Stühle und zählte sie am Schluss immer
nach. Ich brauch dir ja nicht zu sagen, dass es bei der Army
gewissenlose Kerle gibt, die nichts Eiligeres zu tun haben,
als sich ein Gesangbuch unter den Nagel zu reißen… Re-
gelmäßige Kirchgänger gab's nicht viele. Wenn's brenzlig
wurde, ließen sich ein paar mehr blicken und beteten da-
rum, dass sie das Spielfeld nicht in einer Kiste verlassen
mussten. Na ja, wie gesagt, Spaven schob eine ruhige Kugel.
Ich hatte weder mit ihm noch mit sonst einem von den Kir-
chenheinis groß was zu tun.

Dann aber, John, passierte ein Mord: eine Prostituierte,
in der Nähe unseres Lagers. Ein Eingeborenenmädchen
aus dem kampong. *Die Dorfbewohner gaben uns daran die*
Schuld, und selbst die Gurkhas wussten, dass es wahr-
scheinlich ein britischer Soldat gewesen war. Es gab eine
Untersuchung – zwei: eine zivile und eine militärische. Lä-
cherlich eigentlich, ich meine, da versuchten wir alle, mög-
lichst viele Leute umzulegen – dafür wurden wir schließlich
bezahlt –, und da machten sich die Heinis wegen eines
Mordes ins Hemd. Wie auch immer, einen Schuldigen haben
sie nie gefunden. Allerdings wurde diese Nutte erdrosselt,
und eine ihrer Sandalen blieb für immer verschwunden.

Rebus blätterte weiter.

Na ja, das lag jetzt alles hinter mir. Ich war Bulle, wieder
in Schottland und ganz zufrieden mit meinem Los. Dann
wurde ich auf den Bible-John-Fall angesetzt. Du erinnerst
dich bestimmt, dass er am Anfang noch nicht so hieß. Erst
nach dem dritten Opfer gab's die Zeugin, die aussagte, er
hätte ständig aus der Bibel zitiert. Und da verfielen die Zei-
tungen auf den Namen. Tja, und als ich an jemanden dach-
te, der ständig aus der Bibel zitierte, an einen Würger und

Vergewaltiger, da erinnerte ich mich an Borneo. Ich ging
zu meinem Chef und erzählte ihm die ganze Geschichte. Er
meinte, sie sei alles andere als Booker-Prize-verdächtig,
aber wenn ich wollte, könnte ich ihr ja in meiner dienstfreien
Zeit nachgehen. Du kennst mich, John, einer Herausfor-
derung habe ich nie widerstehen können. Außerdem hatte
ich mir schon eine Abkürzung überlegt: Lenny Spaven. Ich
wusste, dass er wieder in Schottland war, und er kannte be-
stimmt alle damaligen Kirchgänger. Also setzte ich mich mit
ihm in Verbindung, aber er war in der Zwischenzeit nur noch
schlimmer geworden und wollte nichts mit der Sache zu tun
haben. Ich lass ja nicht so leicht locker, und schließlich be-
schwerte er sich bei meinem Chef. Das brachte mir eine Ver-
warnung ein, aber ich wollte auf keinen Fall auch nur einen
Gang runterschalten. Mir war klar, was ich wollte: Ich hatte
mir überlegt, dass Lenny vielleicht noch Fotos aus seiner Zeit
in Borneo besaß, vielleicht mit ihm und seinen Mitchrist-
lern drauf. Ich wollte sie der Frau zeigen, die mit Bible John
im Taxi gesessen hatte. Aber der verdammte Spaven blockte
einfach alles ab. Am Ende schaffte ich es schon, ein paar
Fotos aufzutreiben, aber auf die umständliche Tour: Erst
musste ich mit der Army reden, dann den damaligen Feld-
geistlichen ausfindig machen ... Hat mich Wochen gekostet.

Rebus sah Jack an. »Die Fotos, die Ancram uns gezeigt hat.«
Jack nickte.

Wir zeigten die Fotos der Augenzeugin. Klar, sie waren
acht, neun Jahre alt und von vornherein nicht besonders gut
gewesen; ein paar davon waren zwischendurch auch nass
geworden. Sie meinte, sie sei sich nicht sicher, aber einer von
den Soldaten, sagte sie wörtlich, »sah ihm ähnlich«. Aber
wie mein Chef erklärte, gab es Hunderte von Männern auf
der Welt, die eine gewisse Ähnlichkeit mit dem Mörder auf-

wiesen. Die meisten von ihnen hatten wir vernommen. Aber das reichte mir nicht. Ich fand den Namen des Mannes heraus, er hieß Ray Sloane – weiß Gott kein besonders häufiger Name –, und so war es nicht schwer, ihn aufzuspüren. Bloß dass er inzwischen verschwunden war. Er hatte in einem möblierten Zimmer in Ayr gewohnt und als Werkzeugmacher gearbeitet, aber kurz zuvor gekündigt. Keiner wusste, wohin er gezogen war. Ich hielt es für sehr wahrscheinlich, dass es sich um den Mann handelte, nach dem wir suchten. Aber es gelang mir nicht, meinen Chef zu überreden, eine groß angelegte Fahndung nach ihm zu starten.

Verstehst du, John: Dass ich so viel Zeit mit der Army-Bürokratie vergeudet hatte, war einzig und allein Spavens Schuld. Wenn er mir geholfen hätte, hätte ich Sloane erwischt, bevor er die Chance hatte zu verschwinden. Ich weiß es, ich spüre es. Ich hätte ihn haben können. Stattdessen hatte ich lediglich meine Wut und meine Enttäuschung, und die ließ ich beide wohl etwas zu lautstark raus. Der Chef zog mich vom Fall ab, und das war's dann.

»Dein Kaffee wird kalt«, sagte Jack. Rebus nahm einen großen Schluck und blätterte eine Seite weiter.

Zumindest war's das, bis Spaven wieder in mein Leben trat. Er zog praktisch zur selben Zeit wie ich nach Edinburgh. Es war so, als verfolgte er mich, und ich konnte ihm nicht verzeihen, was er getan hatte. Wenn überhaupt, verachtete ich ihn mit der Zeit nur noch mehr. Deswegen wollte ich ihn für den Mord an Elsie Rhind drankriegen. Ich gebe es zu, vor dir und jedem anderen, der das hier lesen wird: Ich war so versessen darauf, ihn zu kriegen, dass es sich wie ein Knoten in meinem Magen anfühlte, etwas, das man nur mit dem Skalpell aus mir rausgekriegt hätte. Als man mir befahl, ihn in Ruhe zu lassen, gehorchte ich nicht. Als man mir befahl, mich von ihm fern zu halten, rückte ich ihm noch näher auf die Pelle. Ich folge ihm – außerhalb der Dienstzeit –, ich ließ ihn Tag und Nacht nicht aus den Augen. Ich kam fast drei Tage lang nicht zum Schlafen. Aber ich wusste, dass es sich gelohnt hatte, als ich ihn in dieser Garage verschwinden sah, von der wir bis dahin nichts gewusst hatten. Ich war begeistert, überglücklich. Ich wusste zwar nicht, was, aber ich hatte das Gefühl, dass wir da etwas finden würden. Deswegen kam ich so außer Atem bei dir angerannt, deswegen hab ich dich so bedrängt mitzukommen. Du fragtest, ob wir einen Durchsuchungsbefehl hätten, und ich sagte, du solltest nicht so einen Blödsinn reden. Ich setzte dich ganz schön unter Druck, erpresste dich mit unserer langjährigen Freundschaft. Ich war wie im Fieber, ich hätte absolut alles getan, und dazu gehörte ganz gewiss die Übertretung von Gesetzen, die mir in dem Moment zu nichts anderem gedacht zu sein schienen, als die Polizei zu bestrafen und die Verbrecher zu schützen. Also sind wir reingegangen und haben diese Kartons gefunden, die ganze Beute aus dem Einbruch in der Fabrik in Queensferry. Und die Tasche. Die, wie sich rausstellte, Elsie Rhind gehört hatte. Fast wäre ich auf die Knie gefallen und hätte Gott für diesen Fund gedankt.

Ich weiß, was viele Leute dachten – dich eingeschlossen. Sie glaubten, ich hätte ihm die Tasche untergeschoben. Nun, ich schwöre auf meinem Sterbebett (wenn man davon absieht, dass ich im Augenblick an meinem Schreibtisch sitze), dass es nicht so war. Ich hab sie tatsächlich gefunden, auch wenn wir dazu gegen die Spielregeln verstoßen mussten. Aber verstehst du, genau aus diesem Grund hätte man dieses entscheidende Beweisstück vor Gericht nicht zugelassen, und eben deswegen überredete ich dich, wider besseres Wissen bei der Geschichte zu bleiben, die ich mir ausgedacht hatte. Tut es mir Leid, dass ich's getan habe? Ja und nein.

Zurzeit kann es für dich nicht besonders angenehm sein, John, und es war sicher auch nicht schön, all die Jahre mit diesem Wissen zu leben. Aber dafür hatten wir den Mörder, und meiner Ansicht nach – und ich habe Gott weiß wie viele Jahre immer wieder darüber nachgedacht, es immer wieder durchlebt, hab mir immer wieder vergegenwärtigt, was ich getan hatte – ist das das Einzige, was wirklich zählt.

John, ich hoffe, dass dieses ganze Theater bald sein Ende finden wird. Spaven ist es nicht wert. Und an Elsie Rhind verschwenden die Leute ja sowieso kaum noch einen Gedanken, oder? Das Opfer kann niemals gewinnen. Aber diesen Punkt kannst du für Elsie Rhind verbuchen. Dass ein Verbrecher zufällig schreiben kann, macht ihn nicht weniger schuldig. Ich hab mal gelesen, dass die KZ-Kommandanten nach Feierabend die Füße hochlegten und Klassiker lasen und sich dazu Beethoven anhörten. Ungeheuer können das. Jetzt weiß ich es. Ich weiß es durch Lenny Spaven.

Dein Freund Lawson

Jack klopfte Rebus auf den Rücken. »Damit bist du aus dem Schneider, John. Halt das hier Ancram unter die Nase, und die Sache ist erledigt.«

Rebus nickte und wünschte, er könnte sich erleichtert fühlen oder sonst eine der Situation angemessene Empfindung verspüren.

»Stimmt was nicht?«, fragte Jack.

Rebus tippte mit dem Finger auf den Brief. »Das hier«, sagte er. »Ich meine, der größte Teil davon ist wahrscheinlich wahr, aber trotzdem ist und bleibt es eine Lüge.«

»Was?«

Rebus sah ihn an. »Die Sachen, die damals in der Garage lagen … ich hatte sie schon vorher in Elsie Rhinds Wohnung gesehen, als wir das erste Mal da gewesen waren. Lawson muss sie später dort hingeschafft haben.«

Jack sah ihn verständnislos an. »Bist du dir sicher?«

Rebus sprang auf. »Nein, bin ich nicht, und das ist die Scheiße! Ich werde mir *nie* sicher sein!«

»Ich meine, das war vor zwanzig Jahren, da kann man sich inzwischen alles Mögliche einbilden.«

»Ich weiß. Selbst damals hätte ich nicht beschwören können, dass ich die Sachen schon vorher gesehen hatte. Vielleicht hatte ich ja eine *andere* Tasche, einen *anderen* Hut gesehen. Ich bin wieder in ihre Wohnung, hab mich noch einmal umgesehen. Da saß Spaven schon in Untersuchungshaft. Ich suchte nach dem Hut und der Tasche, die ich da gesehen hatte… und sie waren nicht mehr da. Ach, Scheiße, vielleicht *hatte* ich die überhaupt nicht gesehen, hatte es mir nur eingebildet! Aber es ändert nichts an der Tatsache, dass ich *glaube*, sie gesehen zu haben. Ich *glaube*, dass Lenny Spaven die Sache nur angehängt wurde, und ich habe es schon immer geglaubt… und ich habe deswegen nie etwas unternommen.« Er setzte sich wieder hin. »Hab bis zu diesem Moment niemandem was davon erzählt.« Er versuchte, den Becher an den Mund zu führen, aber seine Hand zitterte. »Säufertatterich«, sagte er und rang sich ein Lächeln ab.

Jack dachte nach. »Spielt es eine Rolle?«, fragte er schließlich.

»Du meinst, ob ich mich richtig erinnere oder nicht? Verdammt, Jack, ich weiß es nicht.« Rebus rieb sich die Augen. »Es ist alles so lang her. Spielt's eine Rolle, ob der Mörder davonkam? Selbst wenn ich damals was gesagt hätte, Spaven wäre vielleicht entlastet gewesen, aber damit hätten wir noch lange nicht den wirklichen Mörder gehabt, oder?« Er atmete tief aus. »Das geht mir schon so lange durch den Kopf – das dreht sich und dreht sich, dass die Rille komplett ausgeleiert ist.«

»Vielleicht wär's an der Zeit, sich eine neue Platte zu kaufen.«

Diesmal lächelte Rebus wirklich. »Vielleicht hast du Recht.«

»Eins verstehe ich nicht ... warum hat *Spaven* das niemals erklärt? Ich meine, in seinem Buch steht nirgendwo ein Wort darüber. Er hätte doch einfach sagen können, warum Geddes einen solchen Hass auf ihn hatte.«

Rebus zuckte die Achseln. »Sieh dir Weir und seine Tochter an.«

»Du meinst, es war nur was zwischen den beiden?«

»Ich weiß es nicht, Jack.«

Jack nahm den Brief und überflog ihn. »Interessant ist allerdings, was er über die Bilder aus Borneo schreibt. Ancram dachte, sie wären wichtig, weil sie Spaven zeigten. Jetzt erfahren wir, dass es dieser Sloane war, um den es Geddes ging.« Jack sah auf seine Uhr. »Wir sollten schnellstens nach Fettes fahren und das hier Ancram zeigen.«

Rebus nickte. »Das machen wir. Aber zuerst will ich Lawsons Brief fotokopieren. Wie du gesagt hast, Jack – ich mag selbst nicht daran glauben, aber hier steht's schwarz auf weiß.« Er sah seinen Freund an. »Was für das *Justice Programme* eigentlich genügen sollte.«

Ancram sah aus, als hätte er ein Überdruckventil benötigt. Er war so wütend, dass er fast schon wieder ruhig wirkte. Seine Stimme war das erste Rauchfähnchen aus einem noch untätigen Vulkan.

»Was ist das?«

Rebus versuchte, ihm ein zusammengefaltetes Blatt Papier in die Hand zu drücken. Sie befanden sich in Ancrams Büro. Ancram saß, Rebus und Jack standen.

»Sehen Sie selbst«, antwortete Rebus.

Ancram starrte ihn an, faltete dann das amtlich aussehende Schreiben auseinander.

»Es ist ein Attest«, erklärte Rebus. »Achtundvierzigstündige Magen-Darm-Grippe. Dr. Curt hat mir eingeschärft, ja nicht unter Menschen zu gehen. Er sagte, es könnte ansteckend sein.«

Als Ancram sprach, war seine Stimme kaum mehr als ein Flüstern. »Seit wann lässt man sich von Pathologen krankschreiben?«

»Sie haben die Menschenschlangen vor der Praxis meines Kassenarztes noch nicht gesehen.«

Ancram knüllte das Attest zusammen.

»Ist datiert und alles«, meinte Rebus. Dr. Curt war ihre letzte Zwischenstation gewesen, bevor sie mit Eve nach Norden aufgebrochen waren.

»Mund halten, hinsetzen und zuhören, während ich Ihnen erkläre, warum Sie einen strengen Verweis erhalten. Und bilden Sie sich ja nicht ein, ein Verweis wäre schon das Ende der Geschichte.«

»Vielleicht sollten Sie zuerst das hier lesen, Sir«, sagte Jack und reichte ihm Geddes' Brief.

»Was ist das?«

»Nicht so sehr das Ende der Geschichte, Sir«, antwortete Rebus, »als vielmehr der Kern der Sache. Während Sie sich das zu Gemüte führen, könnte ich vielleicht noch einen Blick in die Akte werfen.«

»Warum?«

»Diese Bilder aus Borneo, ich würd sie mir gern noch einmal ansehen.«

Schon nach den ersten Zeilen konnte Ancram sich nicht mehr von Geddes' Geständnis losreißen. Rebus hätte völlig unbemerkt mit der Akte unter dem Arm den Raum verlassen können. Doch stattdessen holte er die Fotos aus dem Umschlag und sah sie durch, einschließlich etwaiger Namen, die auf den Rückseiten notiert sein mochten.

Auf einem Bild war der Dritte von links ein gewisser Gefreiter R. Sloane. Leicht unscharf, durch Feuchtigkeit beschädigt und schon etwas verblasst. Ein junger Mann, Anfang zwanzig, mit frischem Gesicht und leicht schiefem Lächeln, was an seinen Zähnen liegen mochte.

Bible John hatte laut Augenzeugin einen schiefen Zahn gehabt.

Rebus schüttelte den Kopf. Das bedeutete wirklich, die Indizien überzustrapazieren, und das hatte Geddes seinerzeit schon für sie beide zur Genüge getan. Ohne genau zu wissen, warum – und nachdem er sich vergewissert hatte, dass Ancram noch immer in den Brief vertieft war –, steckte sich Rebus das Foto in die Tasche.

»Nun«, sagte Ancram schließlich, »darüber wird man sich selbstverständlich noch eingehend unterhalten müssen.«

»Natürlich, Sir. Also keine Vernehmung heute?«

»Nur ein paar Fragen. Erstens, was zum Teufel ist mit Ihrer Nase und Ihrem Zahn passiert?«

»Ich bin einer Faust zu nahe gekommen. Sonst noch etwas, Sir?«

»Ja, was haben Sie verdammt noch mal mit Jack angestellt?«

Rebus drehte sich um und sah, was Ancram meinte: Jack saß auf einem Stuhl an der Wand und schlief tief und fest.

»So«, sagte Jack, »jetzt kommt also die Stunde der Wahrheit.«

Sie waren in der Oxford Bar, denn irgendwo mussten sie ja schließlich hin. Rebus bestellte zwei Orangensäfte, wandte sich dann zu Jack. »Frühstück?« Jack nickte. »Und vier Tüten Chips, Geschmack ist egal«, sagte Rebus zur Bardame.

Sie hoben ihre Gläser, sagten »Cheers!« und tranken.

»Lust auf 'ne Kippe?«, fragte Jack.

»Ich würd dafür einen Mord begehen«, erwiderte Rebus lachend.

»Also«, sagte Jack, »was haben wir erreicht?«

»Hängt davon ab, wie man's betrachtet«, war Rebus' Antwort. Er hatte sich diese Frage selbst schon gestellt. Vielleicht würden die Squaddies alle Dealer hochnehmen: Uncle Joe, Fuller, Stemmons. Vielleicht schaffte es Fuller, bevor das passierte, noch irgendwas mit Ludovic Lumsden und Hayden Fletcher anzustellen. Vielleicht. Hayden Fletcher war ein regelmäßiger Gast des Burke's. Er hatte dort Tony El kennen gelernt, vielleicht sogar etwas Nasenpuder von ihm bezogen. Vielleicht war Fletcher der Typ, der gern mit Gangstern rumhing. Es gab so Leute. Als er merkte, dass der Major sich Sorgen machte, und erfuhr, dass das Problem Allan Mitchison hieß... da dürfte es für ihn nicht allzu schwierig gewesen sein, die Sache mit Tony El zu besprechen – und für Tony El zu erkennen, dass er sich ohne viel Mühe was dazuverdienen konnte. Vielleicht hatte Major Weir selbst Mitchs Ermordung befohlen. Nun, er war der Einzige, der mit Sicherheit nicht ungeschoren davonkommen würde, dafür würde seine Tochter schon sorgen. Und hatte Tony El überhaupt vorgehabt, Mitch zu töten? Rebus konnte sich nicht einmal in dem Punkt sicher sein. Möglicherweise hätte er Mitch die Plastiktüte im letzten Moment vom Kopf gerissen. Dann hätte er ihm vielleicht empfohlen, künftig einen weiten Bogen um T-Bird Oil zu machen.

Alles schien Teil eines größeres Musters zu sein: Zufälle, die sich zu einem Reigen von Assoziationen ordneten. Väter und Töchter, Väter und Söhne, Treuebrüche, die Einbildungen, die wir manchmal Erinnerung nennen. Alte Lügen, beharrlich fortgeführt oder durch falsche Geständnisse wieder gutgemacht. Leichen, über die Jahre verteilt, größtenteils vergessen – außer von den Tätern. Geschichte, die jeglichen Sinn verlor oder wie alte Fotografien verblasste. Enden... ungereimt und sinnlos. Sie ergaben sich einfach. Man starb oder verschwand oder geriet in Vergessenheit. Man wurde zu einem bloßen Namen auf der Rückseite eines alten Fotos, und manchmal nicht einmal das.

Jethro Tull: »Living in the Past«. Rebus war schon zu lange ein Sklave dieses Rhythmus gewesen. Das lag am Beruf. Als Detective lebte er in anderer Menschen Vergangenheit: Verbrechen, die vor seinem Auftreten begangen worden waren; das Gedächtnis von Zeugen, das es zu durchforsten galt. Er war zu einem Historiker geworden, und diese Rolle hatte auf sein Privatleben abgefärbt. Gespenster, Albträume, Echos.

Aber vielleicht gab es jetzt eine Chance. Jack zum Beispiel: Er hatte sich neu erfunden. Letztlich eine positive Woche.

Das Telefon klingelte, die Bardame nahm ab, nickte und reichte Rebus dann den Hörer.

»Hallo?«

»Zu Haus waren Sie nicht, also dachte ich, ich versuch's in Ihrer zweiten Heimat.«

Siobhan. Rebus richtete sich auf.

»Was haben Sie rausgekriegt?«

»Einen Namen: Martin Davidson. Hat drei Wochen vor Judith Cairns' Ermordung im Fairmount gewohnt. Das Zimmer wurde seinem Arbeitgeber in Rechnung gestellt, einer Firma namens LancerTech, Tech für ›Technical Support‹. Sitz in Altens, direkt außerhalb von Aberdeen. Entwickelt Sicherheitseinrichtungen für Ölplattformen.«

»Haben Sie mit den Leuten gesprochen?«

»Sobald ich den Namen hatte. Den Mann habe ich völlig aus dem Spiel gelassen, hab nur ein paar allgemeine Fragen gestellt. Die Frau in der Zentrale meinte, ich sei schon die zweite Person in zwei Tagen, die sie das fragt.«

»Wer war die andere?«

»Angeblich die Handelskammer.« Sie schwiegen einen Moment.

»Und Davidson hat auch was mit der Robert Gordon's zu tun?«

»Er hat dieses Jahr ein paar Seminare angeboten. Sein Name steht im Personalverzeichnis.«

Eine eindeutige Verbindung. Rebus spürte sie wie einen Fausthieb. Seine Knöchel hoben sich weiß vom Hörer ab.

»Das ist noch nicht alles«, fuhr Siobhan fort. »Sie wissen doch, dass Firmen manchmal einer bestimmten Hotelkette treu bleiben. Tja, ein Fairmount gibt's auch hier bei uns. Martin Davidson von LancerTech war in der Nacht, als Angie Riddell ermordet wurde, in der Stadt.«

Rebus hatte wieder ihr Bild vor Augen: Angie. Er hoffte, dass sie bald ihren Frieden finden würde.

»Siobhan, Sie sind ein Genie. Haben Sie sonst jemandem davon erzählt?«

»Sie sind der Erste. Schließlich haben Sie mir ja den Tipp gegeben.«

»Das war nur so eine vage Idee. Hätte auch genauso gut nichts dabei rauskommen können. Das geht allein auf Ihr Konto. Jetzt laufen Sie damit zu Gill Templer – sie ist schließlich Ihre Chefin –, und erzählen ihr, was Sie mir gerade erzählt haben, und dann soll sie es an die zuständige Ermittlungsgruppe weitergeben. Strikt den Dienstweg einhalten.«

»Das ist er, stimmt's?«

»Geben Sie die Information weiter, und passen Sie auf, dass sie *Ihnen* gutgeschrieben wird. Dann sehen wir weiter. In Ordnung?«

»Ja, Sir.«

Er legte auf, wiederholte Jack, was sie ihm gerade mitgeteilt hatte. Dann tranken sie wortlos ihren Saft, starrten in den Spiegel hinter dem Tresen. Erst gelassen, dann mit wachsender Unruhe. Rebus sprach als Erster aus, was sie beide dachten.

»Wir müssen dabei sein, Jack. *Ich* muss dabei sein.«

Jack sah ihn an, nickte. »Wer fährt – du oder ich?«

33

Bei der British Telecom waren zwei Martin Davidsons in Aberdeen eingetragen. Aber am Freitagnachmittag arbeitete er höchstwahrscheinlich noch.

»Heißt allerdings nicht, dass er in Altens ist«, sagte Jack.

»Fahren wir trotzdem hin.« Rebus' praktisch einziger Gedanke während der ganzen Fahrt: Er *musste* Martin Davidson sehen, nicht unbedingt mit ihm reden, aber ihn sehen. Blickkontakt: *Diese* Erinnerung wollte Rebus sich bewahren.

»Er könnte gerade im OSC arbeiten oder sonstwo«, fuhr Jack fort. »Vielleicht ist er nicht einmal in Aberdeen.«

»Fahren wir trotzdem hin«, wiederholte Rebus.

Das Gewerbegebiet Altens lag südlich der Stadt. Nachdem sie die beschilderte Ausfahrt von der A92 genommen hatten, entdeckten sie eine Tafel mit dem Plan des Industriegeländes und versuchten, sich mit dessen Hilfe zu LTS – Lancer Technical Support – durchzufinden. Irgendwann gerieten sie in eine Art Stau. Jedenfalls blockierten Autos die Straße, und sie steckten fest. Rebus stieg aus, um nachzusehen, was los war, und wünschte beinah, er hätte es nicht getan. Es waren Polizeiwagen, nicht gekennzeichnet, aber mit charakteristisch rauschenden Funkgeräten. Siobhan hatte die Info weitergegeben, und irgendjemand hatte schnell gehandelt.

Ein Mann kam auf Rebus zu. »Was zum Teufel tun Sie denn hier?«

Die Hände in den Taschen, zuckte Rebus die Achseln. »Ich spiele den inoffiziellen Beobachter.«

DCI Grogan kniff die Augen zusammen. Aber er war in Gedanken woanders; er hatte weder Zeit noch Lust zu Auseinandersetzungen.

»Ist er da drin?«, fragte Rebus und nickte in Richtung LTS-Gebäude, eine fensterlose Industriehalle aus weiß gestrichenem Wellblech.

Grogan schüttelte den Kopf. »Wir sind mit Volldampf hergedüst, aber anscheinend ist er heute nicht zur Arbeit erschienen.«

Rebus runzelte die Stirn. »Hat er einen Tag freigenommen?«

»Nicht offiziell jedenfalls. Die Telefonzentrale hat's bei ihm zu Haus versucht, aber keine Antwort.«

»Und da wollen Sie jetzt hin?«

Grogan nickte.

Rebus fragte nicht, ob sie mitkönnten; Grogan hätte ja doch nur Nein gesagt. Aber hatte sich die Wagenkolonne erst in Bewegung gesetzt, würde ein zusätzliches Auto niemandem auffallen.

Er stieg wieder in den Peugeot und informierte Jack, während dieser zurücksetzte und eine etwas abseits gelegene Parklücke fand. Sie warteten, bis die Polizeiwagen umständlich wendeten und in Richtung A92 losfuhren; dann hängten sie sich an den letzten Wagen.

Sie fuhren nach Norden, über den Dee und den Anderson Drive entlang, an Gebäuden der Robert Gordon's University und mehreren Zentralen von Erdölunternehmen vorbei. Schließlich bogen sie vom Anderson Drive ab, fuhren an der Summerhill Academy vorbei und hinein in eine labyrinthische Vorstadtsiedlung, hinter der sich noch unerschlossene Bauflächen ausdehnten.

Ein paar Autos lösten sich aus dem Konvoi, wahrscheinlich um sich Davidsons Haus von der anderen Seite her zu nähern und dem Verdächtigen den Fluchtweg abzuschneiden. Bremslichter leuchteten auf, die Autos blieben mitten auf der Straße stehen. Türen öffneten sich, Beamte stiegen aus. Rasch gewechselte Worte. Grogan erteilte Befehle, deutete nach links und rechts. Die meisten Augen waren auf ein frei stehendes Haus mit zugezogenen Vorhängen gerichtet.

»Meinst du, er ist ausgeflogen?«, fragte Jack.

»Sehen wir mal nach.« Rebus öffnete die Tür.

Grogan schickte gerade Männer zu den benachbarten Häusern, teils, damit sie die Leute befragten, teils, um sich durch deren Hintertür an die Rückseite von Davidsons Haus heranzupirschen.

»Ich hoffe, das ist nicht alles für die Katz«, brummte Grogan. Er bemerkte Rebus, ignorierte dessen Anwesenheit jedoch weiterhin.

»Alle Männer in Position, Sir.«

Nachbarn traten aus ihren Häusern und fragten sich, was eigentlich los sei.

»Sondereinsatzkommando steht bereit, Sir.«

»Ich glaube nicht, dass wir es brauchen werden.«

»Nein, Sir.«

Grogan schniefte, rieb sich die Nase und bestimmte dann zwei Männer, die ihn zur Tür des Verdächtigen begleiten sollten. Er klingelte, dann warteten alle mit stockendem Atem. Grogan klingelte noch einmal.

»Was ist von hinten zu sehen?«

Einer von Grogans Männern gab die Frage über Sprechfunk weiter. »Vorhänge oben und im Erdgeschoss zu, keinerlei Lebenszeichen.«

Genau wie vorne.

»Rufen Sie einen Friedensrichter an, wir bräuchten einen Durchsuchungsbefehl.«

»Jawohl, Sir.«

»Und in der Zwischenzeit einen großen Hammer her und die Scheißtür aufgemacht.«

Der Beamte nickte, gab ein Signal, und ein Kofferraum wurde geöffnet. Darin sah es so aus wie im Lieferwagen eines Bauunternehmers. Heraus kam der Hammer. Drei Schläge, und die Tür war offen. Zehn Sekunden später hörte man Stimmen, die nach einem Rettungswagen riefen. Weitere zehn Sekunden später meinte jemand, ein Leichenwagen sei wohl angebrachter.

Jack war ein guter Bulle: Der Kofferraum *seines* Wagens enthielt eine komplette Spurensicherungsausrüstung, einschließlich Über- und Handschuhen und dieser Plastikoveralls, in denen man wie ein wandelnder Pariser aussah. Die Beamten mussten draußen bleiben, um keine Spuren zu verwischen. Sie drängten sich an die offene Tür und versuchten hineinzusehen. Als Rebus und Jack ankamen, erkannte sie niemand, und so glaubten alle, sie seien von der Spurensicherung. Die Menschenmenge teilte sich für einen Moment und ließ die zwei Männer durch.

Höhere Beamte und deren Laufburschen schienen per definitionem keine Spuren zu verwischen: Grogan stand mitten im Wohnzimmer, die Hände in den Taschen, und nahm den Tatort in Augenschein. Auf dem schwarzen Ledersofa lag der Leichnam eines jungen Mannes. Sein blondes Haar war über einer tiefen Platzwunde verklebt. Mehr geronnenes Blut an Gesicht und Hals. Man erkannte die Spuren eines Kampfes. Der Couchtisch aus Glas und Chrom war umgekippt, auf dem Boden zerknitterte Zeitschriften. Über die Brust des Toten hatte jemand eine schwarze Lederjacke geworfen – eine freundliche Geste nach dem Blutvergießen. Als er näher trat, sah Rebus Würgemale unter den eingetrockneten Blutrinnsalen. Auf dem Fußboden neben der Leiche stand eine große grüne Tasche, wie man sie zum Sport oder Wochenendausflug mitnahm. Rebus spähte hinein, entdeckte einen Rucksack, einen einzelnen Schuh,

Angie Riddells Halskette... und ein Stück kunststoffum-
mantelte Wäscheleine.

»Ich denke, Selbstmord können wir ausschließen«, brummte Grogan.

»Bewusstlos geschlagen, dann erwürgt«, tippte Rebus.

»Sie glauben, das ist er?«

»Diese Tasche steht nicht nur zur Dekoration da rum. Wer
immer es getan hat, wusste, wer er war, und wollte, dass wir
es erfahren.«

»Ein Komplize?«, fragte Grogan. »Ein Kumpel, jemand,
vor dem er sich verplappert hatte?«

Rebus zuckte die Achseln. Er betrachtete aufmerksam das
Gesicht des Toten, fühlte sich von ihm betrogen, verspottet:
die geschlossenen Augen, der friedliche Ausdruck... *War ein
elend langer Weg hierher, herzlichen Dank auch, du Scheißkerl.* Er
ging näher heran, hob die Jacke ein paar Zentimeter hoch
und schaute darunter. Unter Martin Davidsons linker Achselhöhle klemmte ein schwarzer Slipper.

»Herrgott«, sagte Rebus und wandte sich zu Grogan und
Jack. »Das war Bible John!« In ihren Mienen vermischte sich
Unglauben mit Entsetzen. Rebus hob die Jacke noch ein
Stückchen höher, so dass auch sie den Schuh sehen konn-
ten. »Er war die ganze Zeit hier«, stellte er fest. »Er ist über-
haupt nie weg gewesen...«

Die Spurensicherung erledigte ihr Geschäft, fotografierte
und filmte, nahm Fingerabdrücke ab und steckte potenzielle Beweisstücke in Plastikbeutel. Der Pathologe untersuchte die Leiche und erklärte dann, sie könne jetzt abtransportiert werden. Draußen vor der Polizeiabsperrung warteten
Reporter. Als die Spusi im ersten Stock fertig war, nahm
Grogan Rebus und Jack mit nach oben. Es schien ihn nicht
zu stören, dass sie da waren; wahrscheinlich hätte es ihn
nicht mal gestört, Jack the Ripper als Zuschauer zu haben.

Grogan war derjenige, den man heute Abend im Fernsehen sehen würde, der Mann, der Johnny Bible zur Strecke gebracht hatte. Bloß, dass es leider nicht stimmte – jemand war ihm zuvorgekommen.

»Erklären Sie's mir noch mal«, sagte Grogan, während sie die Treppe hinaufstiegen.

»Bible John nahm Souvenirs mit – Schuhe, Kleidungsstücke, Handtaschen. Aber er stopfte auch immer eine Monatsbinde in die linke Achselhöhle. Das da unten ... das war seine Art, uns mitzuteilen, wer es getan hat.«

Grogan schüttelte den Kopf. Da würde noch einige Überzeugungsarbeit zu leisten sein. Vorerst hatte er ihnen allerdings einiges zu zeigen. Das Schlafzimmer war nicht weiter bemerkenswert, aber unter dem Bett lagen Kartons voller Magazine und Videos, Hardcore-SM, nicht viel anders als das Zeug, das man in Tony Els Pensionszimmer gefunden hatte, mit Texten in Englisch und anderen Sprachen. Rebus fragte sich, ob eine der amerikanischen Gangs das Material nach Aberdeen eingeführt hatte.

Dann gab es noch ein kleines Gästezimmer mit Vorhängeschloss an der Tür. Sobald man es aufgebrochen hatte, fiel eine alternative Theorie wie ein Kartenhaus in sich zusammen. Ein paar CID-Beamte hatten sich gefragt, ob Johnny Bible nicht möglicherweise versuchte, sie auszutricksen: einen Unschuldigen getötet und Beweisstücke platziert hatte, die ihn als den Serienmörder erscheinen lassen sollten. Das Gästezimmer bewies, dass Martin Davidson Johnny Bible war. Der Raum war eine einzige Kultstätte zu Ehren Bible Johns und anderer Mörder: Dutzende von Sammelalben, an die Korktapeten gepinnte Zeitungsausschnitte und Fotos, Kopien von Dokumentarfilmen über Serienmörder, Taschenbücher voller handschriftlicher Notizen und im Mittelpunkt des Ganzen eine vergrößerte Kopie eines der alten Bible-John-Fahndungsbilder: ein fast lächelndes, freundliches Gesicht, darüber die immer gleich bleibende entscheidende Frage: HABEN SIE DIESEN MANN GESEHEN?

Rebus hätte beinahe »ja« geantwortet; dieses Gesicht – seine Form –, er hatte es zuvor schon einmal gesehen... vor nicht allzu langer Zeit. Er holte das Foto aus Borneo aus der Tasche, sah Ray Sloane an, dann wieder das Poster. Sie waren sich sehr ähnlich, aber es war nicht *diese* Ähnlichkeit, die Rebus zu schaffen machte. Da war noch etwas anderes, *jemand* anderes...

Dann fragte ihn Jack etwas, und es war weg.

Sie fuhren mit allen anderen zurück in die Queen Street. Rebus und Jack waren stillschweigend ins Ermittlungsteam aufgenommen worden. Allseits gedämpfter Jubel, gemäßigt durch das Wissen darum, dass ein weiterer Mörder auf freiem Fuß war. Aber wie wenigstens ein Officer es formulierte: »Wenn er diesen Dreckskerl erledigt hat, kann er von mir aus selig werden.«

Was, wie Rebus vermutete, genau die Reaktion war, auf die Bible John gehofft hatte. Falls er tatsächlich wieder aktiv geworden war, dann einzig zu dem einen Zweck – seinen Imitator zu töten. Johnny Bible hatte seinem Vorgänger den wohl verdienten Ruhm gestohlen; jetzt hatte ihn die Strafe dafür ereilt.

Rebus saß im CID-Büro und starrte nachdenklich ins Leere. Als jemand ihm eine Tasse reichte, führte er sie an die Lippen. Aber Jack hielt seine Hand fest.

»Das ist Whiskey«, sagte er warnend. Rebus senkte den Blick, sah liebliche honigfarbene Flüssigkeit, starrte sie einen Augenblick an, stellte die Tasse dann auf den Schreibtisch. Das Büro dröhnte von Gelächter, Jubelrufen und Gesang, ganz wie nach einem siegreichen Fußballspiel: selbe Lieder, selbe Sprechchöre.

»John«, sagte Jack, »denk an Lawson.« Es klang wie eine Warnung.

»Was ist mit ihm?«

»Er wurde besessen.«

Rebus schüttelte den Kopf. »Das ist etwas anderes. Ich weiß, dass es Bible John war.«

»Und wenn?«

Rebus schüttelte langsam den Kopf. »Komm schon, Jack, nach all dem, was ich dir erzählt habe? Nach Spaven und allem Übrigen? Du fragst doch wohl nicht im Ernst?«

Grogan winkte Rebus ans Telefon. Lächelnd reichte er ihm mit Whiskeyatem den Hörer.

»Jemand will Sie sprechen.«

»Hallo?«

»Was in Gottes Namen treibst *du* denn da?«

»Ach, hallo, Gill. Glückwunsch, diesmal scheint es ja zur Abwechslung mal gut auszugehen.«

Sie wurde ein bisschen sanfter. »Siobhans Verdienst, nicht meins. Ich hab lediglich die Info weitergegeben.«

»Sieh zu, dass es auch so in die Akten kommt.«

»Mach ich.«

»Wir unterhalten uns später.«

»John... wann kommst du zurück?« Nicht eigentlich die Frage, die sie hatte stellen wollen.

»Heute Nacht, vielleicht morgen.«

»Okay.« Sie schwieg einen Moment. »Wir sehen uns dann.«

»Lust, am Sonntag was zu unternehmen?«

Die Frage schien sie zu überraschen. »Was denn zum Beispiel?«

»Ich weiß nicht. Irgendwo hinfahren, ein bisschen spazieren gehen, irgendwo am Meer?«

»Ja, okay.«

»Ich ruf dich an. Tschüs, Gill.«

»Tschüs.«

Grogan füllte gerade eine Tasse nach. Es standen mindestens ein paar Kisten Whiskey herum, dazu drei Kästen Bier.

»Wo beziehen Sie das Zeug eigentlich?«, fragte Rebus.

Grogan lächelte. »Ach, Sie wissen schon.«

»Pubs? Klubs? Lokale, die Ihnen einen Gefallen schulden?«

Grogan zwinkerte nur. Dauernd trafen weitere Beamte ein – Uniformierte, Zivile, selbst Leute, die dienstfrei zu haben schienen. Alle hatten die Neuigkeit gehört, und alle wollten dabei sein. Die hohen Tiere blickten steif lächelnd in die Runde und lehnten ab, wenn man ihnen nachschenken wollte.

»Besorgt es Ihnen vielleicht Ludovic Lumsden?«

Grogans Stirn zog sich in Falten. »Ich weiß, Sie glauben, er hätte Sie reingelegt, aber Ludo ist ein guter Bulle.«

»Wo ist er?«

Grogan sah sich um. »Keine Ahnung.«

Tatsächlich wusste keiner, wo sich Lumsden aufhielt; man hatte ihn schon den ganzen Tag nicht gesehen. Und zu Hause hatte sich auch nur der Anrufbeantworter gemeldet. Sein Pieper war eingeschaltet, aber er rief nicht zurück. Ein Streifenwagen, der bei ihm vorbeifahren sollte, hatte gemeldet, sein Auto stehe zwar vor dem Haus, aber ansonsten sei nichts von ihm zu sehen. Rebus kam eine Idee, und er ging nach unten in die Funkzentrale. Hier arbeiteten noch ein paar Leute, nahmen Anrufe entgegen, hielten den Kontakt zu Streifenwagen und Fußstreifen aufrecht. Aber auch sie taten sich an einer Flasche Whiskey gütlich. Rebus bat, in die Protokolle der heutigen Anrufe Einsicht nehmen zu dürfen.

Er brauchte nicht lange zurückzublättern. Erst eine Stunde zuvor hatte eine Mrs. Fletcher ihren Mann als vermisst gemeldet. Er sei am Morgen wie immer zur Arbeit gefahren, dort aber nicht angekommen und habe sich seitdem auch zu Hause nicht mehr blicken lassen. Die Vermisstenmeldung enthielt nähere Angaben zu seinem Fahrzeug sowie eine kurze Personenbeschreibung. Die Streifen waren aufgefordert worden, die Augen offen zu halten. In rund zwölf Stunden würde man die Suche etwas ernsthafter angehen.

Vorname des vermissten Ehemanns: Hayden.

Rebus erinnerte sich, dass Judd Fuller von der Entsorgung von Leichen auf See gesprochen hatte oder im Binnenland, an Stellen, wo man sie niemals finden würde. Er fragte sich, ob dies Lumsdens und Fletchers Los sein würde... Nein, das konnte er nicht zulassen. Er schrieb auf die Rückseite eines der Meldebögen eine Mitteilung und reichte sie dem Dienst habenden Beamten, der sie erst schweigend durchlas und anschließend zum Mikro griff.

»An alle Streifenwagen im Bereich des Stadtzentrums: Burke's Club, College Street. Miteigentümer Judd Fuller ist festzunehmen und zwecks Vernehmung zur Queen Street zu bringen.« Der Beamte wandte sich zu Rebus, der ihm zunickte. »Und Kellerräume überprüfen«, fuhr er fort, »da dort möglicherweise Personen gegen ihren Willen festgehalten werden.«

»Bitte wiederholen«, kam es aus einem der Streifenwagen. Die Durchsage wurde wiederholt. Rebus ging wieder nach oben.

Trotz der Feiertagsstimmung wurde hier und da doch noch gearbeitet. Rebus beobachtete, wie Jack eine der Sekretärinnen in eine Ecke manövrierte und in Grund und Boden quasselte. Nicht weit von den beiden hingen ein paar zur Schreibtischarbeit verdonnerte Beamte an ihren Telefonen. Rebus griff sich einen gerade unbesetzten Apparat und rief Gill an.

»Ich bin's.«

»Was ist passiert?«

»Nichts. Hör zu, hast du die Sache mit Toal und Aberdeen an das Scottish Crime Squad weitergegeben?«

»Ja.«

»Wer ist dein dortiger Kontaktmann?«

»Warum?«

»Weil ich eine Nachricht für ihn habe. Ich glaube, Judd Fuller hat sich DS Ludovic Lumsden und einen gewissen Hayden Fletcher geschnappt und ist entschlossen, dafür zu sorgen, dass niemand die beiden je wieder zu Gesicht bekommt.«

»Was?«

»Ein Streifenwagen ist unterwegs zum Klub. Gott weiß, was sie da vorfinden, aber die Squaddies sollten ein Auge auf den Laden haben. Wenn man sie findet, werden sie in die Queen Street gebracht. Die Squaddies möchten vielleicht einen Mann vor Ort haben.«

»Ich mach mich dran. Danke, John.«

»Keine Ursache.«

Ich werd weich auf meine alten Tage, dachte er. Oder vielleicht habe ich auch bloß mein Gewissen wiedergefunden.

Er schlenderte ein bisschen zwischen den Feiernden herum, fragte hier und da, und schließlich zeigte man ihm den Ölverbindungsbeamten, DI Jenkins. Stanley hatte in seinem Geständnis außer Lumsden auch ihn erwähnt. Die Squaddies würden bestimmt ein paar Takte mit ihm reden wollen. Er lächelte unbekümmert und sah nach seinem Urlaub braun gebrannt und erholt aus. Es verschaffte Rebus ein wohlig warmes Gefühl, sich vorzustellen, dass der Mann bald durch die Mangel einer internen Untersuchung gedreht werden würde.

Vielleicht wurde er ja doch nicht so weich.

Er ging zu den arbeitenden Beamten, sah ihnen über die Schulter. Sie begannen die polizeiliche Voruntersuchung des Mordes an Martin Davidson: trugen die Aussagen von

Nachbarn und Arbeitgeber zusammen, versuchten, Angehörige zu ermitteln und dabei die Medien in Schach zu halten.

Einer von ihnen knallte den Telefonhörer auf die Gabel und grinste breit. Er griff nach seinem Becher Whiskey und leerte ihn in einem Zug.

»Ist was?«, fragte Rebus.

Eine Papierkugel traf den Beamten am Kopf. Lachend warf er sie zurück.

»Ein Nachbar kommt heute früh von der Nachtschicht zurück«, sagte er, »und stellt fest, dass ein Auto seine Einfahrt blockiert. Musste auf der Straße parken. Meint, er hätte den Wagen vorher noch nie gesehen, und hat ihn sich genau angeguckt, um ihn gegebenenfalls wiedererkennen zu können. Ist um Mittag rum aufgewacht, und das Auto war weg. 5er BMW, blau metallic. Er hat sich sogar einen Teil der Zulassungsnummer gemerkt.«

»Wahnsinn.«

Der Officer griff schon nach dem Telefon. »Dürfte nicht allzu lange dauern.«

»Wär auch besser«, erwiderte Rebus, »sonst könnte es sein, dass DCI Grogan zu blau ist, um das gebührend zu würdigen.«

34

Grogan fing Rebus im Flur ab, legte ihm einen Arm um die Schultern. Sein Schlips war verschwunden, und aus seinem nicht mehr ganz zugeknöpften Hemd sahen Büschel von borstigen grauen Haaren hervor. Er hatte mit ein paar Polizistinnen ein Tänzchen aufs Parkett gelegt und schwitzte wie ein Schwein. Die Schicht hatte gewechselt oder besser gesagt, eine neue Schicht war angetreten, ohne dass die alte gegangen wäre. Man hatte von Pubs und Restaurants geredet, von Nachtklubs und Bowlingbahnen, aber irgendwie schien sich niemand losreißen zu können, und als von einem indischen Restaurant um die Ecke – von den hohen Tieren, die mittlerweile das Feld geräumt hatten, spendierte – Kartons und Tüten mit Essen angeliefert wurden, brach allgemeiner Applaus aus. Rebus hatte sich mit Pakoras, Kima-Nan und Hühnchen-Tikka versorgt, während ein Beamter einem anderen zu erklären versuchte, als er sagte: »Bhajis, wir brauchen keine stinkenden Bhajis!«, so als wäre das als Witz gemeint.

Nach seiner Fahne zu urteilen, hatte Grogan keine Essenspause eingelegt. »Na, mein Lowland-Knabe«, sagte er. »Wie geht's denn so? Gefällt dir unsere Highland-Gastlichkeit?«

»Ist 'ne tolle Party.«

»Warum dann das Sauregurkengesicht?«

Rebus zuckte die Achseln. »War ein langer Tag.« Und davor eine lange Nacht, hätte er hinzufügen können.

Grogan klopfte ihm auf die Schulter. »Da bist hier jederzeit willkommen, jederzeit.« Grogan ging auf die Toiletten zu, hielt dann inne und drehte sich um. »Irgendwas von Ludo gehört?«

»Er liegt im City Hospital, Bett an Bett mit einem gewissen Hayden Fletcher.«

»Was?«

»Ein Beamter vom Crime Squad ist ebenfalls auf der Station und wartet darauf, dass die beiden aufwachen und ihre Aussage machen können. So sauber ist Lumsden. War langsam Zeit, dass Sie das kapieren.«

Rebus ging nach unten zu den Vernehmungsräumen, öffnete die Tür zu dem Zimmer, in dem er vernommen worden war. Drinnen standen zwei Squaddies herum, und am Tisch saß, eine Zigarette im Mund, Judd Fuller. Rebus war schon vorher unten gewesen, nur um einen Blick hineinzuwerfen und den Beamten zu erklären, was passiert war, und sie auf Gills Bandaufnahmen und Notizen zu verweisen.

»'n Abend, Judd«, sagte Rebus jetzt.

»Kenn ich Sie?«

Rebus trat zu ihm. »Du dummer Wichser, du hast mich entkommen lassen, aber weiter den Keller benutzt.« Er schüttelte den Kopf. »Erik wird enttäuscht sein.«

»Scheiß auf Erik.«

Rebus nickte. »Jetzt heißt es jeder für sich, hm?«

»Bringen wir's hinter uns.«

»Was?«

»Wozu Sie hier sind.« Fuller sah zu ihm auf. »Sie wollen mir risikolos eine reinhauen. Das ist jetzt die einzige Chance, die Sie jemals kriegen werden, also machen Sie was draus.«

»Ich hab's nicht nötig, dir eine reinzuhauen, Judd.« Rebus grinste, so dass der zerbrochene Zahn sichtbar wurde.

»Dann sind Sie eine feige Sau.«

Rebus schüttelte langsam den Kopf. »Das war ich mal, jetzt aber nicht mehr.«

Er machte kehrt und ging.

Im CID war die Fete in vollem Gang. Ein Kassettenrekorder gab verzerrtes Akkordeongedudel von sich. Es tanzten jedoch nur zwei Paare, und auch die nicht besonders gut. Drei oder vier Körper waren, den Kopf auf die Arme gelegt, an ihren Schreibtischen zusammengesackt. Ein weiterer lag bäuchlings auf dem Fußboden. Rebus zählte neun leere Whiskeyflaschen, und jemand war nach weiteren Kästen Bier ausgeschickt worden. Jack unterhielt sich noch immer mit der Sekretärin. Seine Wangen glühten vor innerer und äußerer Hitze. Allmählich begann es im Büro wie in einem überfüllten Umkleideraum zu riechen.

Rebus schlenderte im Zimmer herum. Die Wände waren noch immer mit Material zu den Aberdeener Johnny-Bible-Morden bedeckt: Stadtplänen, Diagrammen, Dienstplänen, Fotos. Er betrachtete die Fotos, als wollte er sich die lächelnden Gesichter unauslöschlich einprägen, und bemerkte, dass das Faxgerät gerade etwas ausgespuckt hatte. Angaben zu den Haltern von metallicblauen BMWs. Vier in Aberdeen, aber nur einer, in dessen amtlichem Kennzeichen die Buchstabenfolge vorkam, an die sich der Zeuge erinnerte. Zugelassen auf eine Firma namens Eugene Construction mit einer Adresse in Peterhead, einer kleineren Hafenstadt rund fünfzig Kilometer nördlich von Aberdeen.

Eugene Construction? *Eugene Construction?*

Rebus leerte seine Taschen auf einen Schreibtisch: Tankquittungen, Notizbücher, Papierfetzen mit Telefonnummern, Rennies, ein Briefchen Streichhölzer... und da – eine Visitenkarte. Von dem Mann, den er auf der Konferenz kennen gelernt hatte. Rebus las: Ryan Slocum, Sales Manager, Abteilung Maschinenbau. Die Firma: Eugene Construction, mit Sitz in Peterhead. Zitternd nahm Rebus das Foto aus Borneo in die Hand und sah es sich noch einmal an, während er sich den Mann ins Gedächtnis rief, der ihn an dem Tag in der Bar angesprochen hatte.

»Kein Wunder, dass Schottland im Eimer ist... und wir wollen die Unabhängigkeit!«

Er hatte ihm seine Visitenkarte gegeben, und Rebus hatte ihm erklärt, er sei Polizeibeamter.

»Habe ich irgendwas für mich Belastendes gesagt...? Geht's um Johnny Bible?«

Das Gesicht, die Augen, die Statur... alles passte zu dem Mann auf dem Foto. Passte. Ray Sloane... Ryan Slocum. Jemand war in Rebus' Wohnung eingebrochen, hatte etwas gesucht und nichts mitgenommen. Etwas gesucht, das ihn hätte belasten können? Er warf wieder einen Blick auf die

Visitenkarte, ging dann zum nächsten Telefon, rief Siobhan an und erreichte sie schließlich zu Hause.

»Siobhan, der Typ in der National Library, mit dem Sie geredet haben…?«

»Ja?«

»Hat er Ihnen eine Beschreibung des angeblichen Journalisten gegeben?«

»Ja.«

»Lassen Sie hören.«

»Moment.« Sie holte ihr Notizbuch. »Worum geht's denn?«

»Sag ich Ihnen später. Lesen Sie vor.«

»Groß, blond, Anfang fünfzig, längliches Gesicht, keine besonderen Merkmale.«

»Irgendwas über seinen Akzent?«

»Hier steht nichts.« Sie schwieg einen Moment. »Doch, er hatte was gesagt. Er sagte, irgendwie nasal.«

»Amerikanisch nasal?«

»Aber gleichzeitig schottisch.«

»Das ist er.«

»Wer?«

»Bible John, genau wie Sie gesagt haben.«

»*Was?*«

»Auf der Jagd nach seinem Nachahmer…« Rebus rieb sich die Stirn, kniff sich in die Nasenwurzel. Seine Augen waren fest geschlossen. War er's, oder war er's nicht? War er besessen? Wie weit unterschied sich Johnny Bibles Hausaltar von dem mit Zeitungsausschnitten übersäten Tisch in *seiner* Küche?

»Ich weiß es nicht«, sagte er. Aber er wusste es doch. »Ich meld mich später noch mal.«

»Warten Sie!«

Aber genau das konnte Rebus jetzt nicht. Er musste es genau wissen. Er musste es jetzt sofort wissen. Er blickte sich im Zimmer um, sah Auflösung und verträumte, betrunkene Gesichter, niemanden, der noch hätte fahren können, keinen möglichen Begleiter.

Ausgenommen Jack.

Der hatte mittlerweile einen Arm um die Sekretärin gelegt und flüsterte ihr etwas ins Ohr. Sie lächelte und hielt ihre Tasse ganz ruhig fest. Vielleicht trank sie ja das Gleiche wie Jack: Cola. Würde Jack ihm die Schlüssel geben? Nicht ohne eine Erklärung, und diese Sache wollte – *musste* – Rebus allein durchziehen. Was er sich davon versprach: eine Konfrontation und vielleicht etwas wie einen Exorzismus. Außerdem hatte Bible John ihn um Johnny Bible betrogen.

Rebus rief unten an. »Ist ein Auto frei?«

»Nicht wenn Sie getrunken haben.«

»Ich kann gern ins Röhrchen pusten.«

»Draußen steht ein Escort.«

Rebus kramte in Schreibtischschubladen, fand ein Telefonbuch. Peterhead… Slocum, R. Kein Eintrag. Er konnte es bei der Telecom probieren, aber die Suche nach einem nicht eingetragenen Teilnehmer würde lange dauern. Andere Möglichkeit: einfach losfahren. War ohnehin das, was er eigentlich wollte.

Auf den Straßen war der Teufel los: mal wieder Freitagnacht, die Jugend tobte sich aus. Rebus sang »All Right Now«. Überleitung zu »Been Down So Long« von den Doors. Fünfzig Kilometer rauf nach Peterhead, Tiefwasserhafen. Tanker und Plattformen liefen ihn zur Wartung an. Rebus gab Gas, stadtauswärts herrschte nicht viel Verkehr. Der Himmel war ein dunkel glühendes Rosa. *Simmer dim*, wie die Shetlander sagten. Rebus versuchte, nicht daran zu denken, was er gerade tat: gegen Regeln verstoßen, die einzuhalten er anderen empfohlen hatte. Keinerlei Rückendeckung. Außerhalb seines Reviers. Weit weg von zu Hause.

Die Adresse von Eugene Construction hatte er von Ryan

Slocums Visitenkarte. *Ich hab in einer Bar neben Bible John gestanden. Er hat mir einen Drink ausgegeben.* Rebus schüttelte den Kopf. Das hätten eine Menge anderer Leute auch sagen können – wenn sie's denn gewusst hätten. Was das anging, war er nichts Besonderes. Auf der Karte stand die Telefonnummer der Firma, aber es meldete sich nur ein Anrufbeantworter. Bedeutete nicht, dass keiner da war; der Sicherheitsdienst ging wohl nicht unbedingt ans Telefon. Auf der Karte stand auch Slocums Pagernummer, aber *die* würde Rebus ganz gewiss nicht wählen.

Die Firma verschanzte sich hinter einem hohen Maschendrahtzaun. Es erforderte zwanzig Minuten Rumfahrerei und wiederholte Erkundigungen, um sie ausfindig zu machen. Anders als er eigentlich erwartet hätte, lag sie nicht am Hafen. Am Stadtrand gab es ein Industriegelände, und Eugene Construction grenzte daran an. Rebus fuhr ans Tor. Es war abgeschlossen. Er hupte. Es gab ein Pförtnerhäuschen; das Licht brannte, doch drinnen war niemand. Jenseits des Tors befand sich eine rot-weiß gestrichene Schranke. Sie leuchtete im Licht seiner Scheinwerfer, und dann erschien dahinter eine Gestalt in Wachmannuniform, die gemächlich nach vorn geschlendert kam. Rebus ließ den Motor laufen und ging ans Tor.

»Was gibt's?«, fragte der Wachmann.

Rebus hielt seinen Dienstausweis an den Maschendraht. »Polizei. Ich brauche die Privatadresse eines Ihrer Mitarbeiter.«

»Kann das nicht bis morgen warten?«

Zähneknirschen. »Tut mir Leid, nein.«

Der Wachmann – Mittsechziger, Rentenalter, Hängewampe – rieb sich das Stoppelkinn. »Ich weiß nicht«, sagte er.

»Hören Sie, wen rufen Sie in Notfällen an?«

»Meine Zentrale.«

»Und die benachrichtigt wiederum jemanden von der Firma?«

»Nehm ich an. Ist bisher noch nicht vorgekommen. Jugendliche haben vor ein paar Monaten versucht, über den Zaun zu klettern, aber sie –«

»Könnten Sie anrufen?«

»– haben mich kommen gehört und sind schleunigst abgehauen. Was?«

»Könnten Sie anrufen?«

»Könnt ich, wenn's ein Notfall ist.« Der Wachmann entfernte sich in Richtung Pförtnerhäuschen.

»Und könnten Sie mich reinlassen, wenn wir schon dabei sind? Ich müsste anschließend selbst telefonieren.«

Der Wachmann kratzte sich am Kopf, brummelte irgendwas in sich hinein, zog dann einen an einer Kette baumelnden Schlüsselbund aus der Tasche und kam ans Tor.

»Danke«, sagte Rebus.

Das Pförtnerhäuschen war spartanisch eingerichtet. Wasserkocher, Becher und ein Kännchen Milch auf einem rostigen Tablett. Ein Elektroöfchen, zwei Stühle und ein Tisch, auf dem ein billiges Taschenbuch lag: ein Westernroman. Rebus nahm den ihm hingehaltenen Hörer und erklärte dem Vorgesetzten des Wachmanns die Situation, worauf der noch einmal den Wachmann sprechen wollte.

»Ja, Sir«, sagte der Wachmann, »Ausweis und alles.« Mit einem starren Blick auf Rebus, als könnte er der Anführer einer Verbrecherbande sein. Er reichte Rebus den Hörer zurück, und der Vorgesetzte gab ihm den Namen und die Telefonnummer, die er brauchte. Rebus wählte und wartete.

»Hallo?«

»Mr. Sturges?«

»Am Apparat.«

»Sir, tut mir Leid, Sie zu dieser Uhrzeit belästigen zu

müssen. Ich bin Detective Inspector John Rebus. Ich rufe vom Pförtnerhäuschen Ihrer Firma aus an.«

»Doch hoffentlich kein Einbruch?« Der Mann seufzte. Ein Einbruch hätte für ihn bedeutet, sich anziehen und herkommen zu müssen.

»Nein, Sir, ich bräuchte lediglich eine Information über einen Ihrer Mitarbeiter.«

»Kann das nicht bis morgen warten?«

»Leider nein.«

»Um wen geht's?«

»Ryan Slocum.«

»Ryan? Was ist passiert?«

»Ein ärztlicher Notfall, Sir.« War nicht das erste Mal, dass Rebus diese Lüge vorbrachte. »Eine ältere Verwandte. Mr. Slocum müsste seine Einwilligung zu einem chirurgischen Eingriff geben.«

»Gütiger Himmel.«

»Deswegen ist es ja so dringend.«

»Ja, ich verstehe, ich verstehe.« Es funktionierte immer: Omas in Lebensgefahr. »Na ja, es ist ja nicht so, dass ich die Adresse jedes meiner Mitarbeiter im Kopf hätte.«

»Aber die von Mr. Slocum, ja?«

»Ich war ein paarmal zum Abendessen bei ihm.«

»Er ist verheiratet?« Eine neue Unbekannte in der Gleichung: die Gattin. Rebus hatte sich Bible John eigentlich ledig vorgestellt.

»Seine Frau heißt Una, ein reizendes Paar.«

»Und die Adresse, Sir?«

»Na ja, was Sie brauchen, ist ja wohl die Telefonnummer, oder?«

»Eigentlich beides. Damit wir, falls sich niemand meldet, jemanden vorbeischicken können.«

Rebus schrieb sich die Angaben in sein Notizbuch, dankte und legte auf.

»Sie wissen nicht zufällig, wie ich nach Springview komme?«, fragte er den Wachmann.

35

Springview war eine Neubausiedlung an der Küstenstraße südlich der Stadt. Rebus parkte vor der Einfahrt in den Privatweg Three Rankeillor Close und sah sich das Haus lange und gründlich an. Der Vorgarten war landschaftlich gestaltet – kurz geschorener Rasen, Steinblöcke, Sträucher und Blumenbeete. Keinerlei Zaun oder Hecke zum Bürgersteig hin. Die übrigen Grundstücke sahen nicht anders aus.

Das Haus selbst war ein ziemlich neues zweigeschossiges Gebäude mit Giebeldach. Rechts vom Haus befand sich eine frei stehende Garage. Über einem der Schlafzimmerfenster war der Signalkasten einer Alarmanlage zu sehen. Hinter den zugezogenen Vorhängen des Wohnzimmers brannte Licht. Auf der bekiesten Zufahrt parkte ein weißer Peugeot 106.

»Jetzt oder nie, John«, sagte sich Rebus, atmete tief durch und stieg aus dem Auto. Er ging an die Haustür, klingelte und trat dann wieder zwei Schritte zurück. Sollte Ryan Slocum selbst öffnen, wollte Rebus ein wenig Abstand von ihm haben. Er erinnerte sich an seine Nahkampfausbildung beim Militär und an die alte Maxime: erst schießen, dann Fragen stellen. Daran hätte er denken sollen, als er zum Burke's Club gegangen war.

Hinter der Tür erklang eine Frauenstimme. »Ja? Was ist?«

Rebus begriff, dass er durch einen Spion beobachtet wurde. Er stieg wieder auf die Türstufe, damit die Frau ihn besser sehen konnte. »Mrs. Slocum?« Er hielt seine Dienstmarke vor sich in die Höhe. »CID, Madam.«

Die Tür flog auf. Eine kleine, zierliche Frau mit schwarzen Ringen unter den Augen, die Haare kurz, dunkel und zerzaust.

»O mein Gott«, sagte sie, »was ist passiert?« Sie hatte einen amerikanischen Akzent.

»Nichts, Madam.« Plötzlich Erleichterung. »Warum sollte etwas passiert sein?«

»Ryan«, sagte sie und schniefte. »Ich weiß nicht, wo er ist.« Sie suchte nach einem Taschentuch, erinnerte sich, dass die Box im Wohnzimmer stand, und forderte Rebus auf einzutreten. Er folgte ihr in den großen, hübsch eingerichteten Raum, und während sie Papiertaschentücher aus der Schachtel zupfte, nutzte er die Gelegenheit, um den Vorhang ein Stückchen aufzuziehen. Sollte ein blauer BMW vorfahren, wollte er es mitbekommen.

»Macht er vielleicht Überstunden?«, fragte er und wusste schon die Antwort.

»Ich habe im Büro angerufen.«

»Ja, aber er arbeitet doch im Verkauf, könnte er nicht mit einem Kunden unterwegs sein?«

»Er ruft immer an – was das angeht, ist er sehr pflichtbewusst.«

Pflichtbewusst: seltsame Wortwahl. Das Zimmer sah aus, als würde es immer geputzt werden, bevor es überhaupt schmutzig war, und Una Slocum schien diejenige zu sein, die putzte. Ihre Hände fummelten zittrig an einem Bausch Papiertaschentücher herum, ihr Gesicht war ängstlich angespannt.

»Versuchen Sie, sich zu beruhigen, Mrs. Slocum. Haben Sie nichts, was Sie nehmen könnten?« Er hätte wetten können, dass es irgendwo im Haus etwas Verschreibungspflichtiges gab.

»Doch, im Bad, aber ich will nichts. Ich werd davon immer so benommen.«

Im hinteren Teil des Zimmers standen ein großer Mahagoni-Esstisch und sechs Stühle, dahinter drei Vitrinen. Porzellanpuppen hinter Glas, indirekte Beleuchtung. Etwas Silberzeug. Keinerlei Familienfotos…

»Vielleicht eine Freundin, die Ihnen…?«

Una Slocum setzte sich hin, erinnerte sich dann, dass sie einen Gast hatte, und stand wieder auf. »Eine Tasse Tee, Mr.…?«

»Rebus, Inspector Rebus. Tee wäre wunderbar.«

Damit sie abgelenkt wird, an anderes denken muss. Die Küche war nur geringfügig kleiner als das Wohnzimmer. Rebus spähte hinaus in den rückwärtigen Garten. Er schien eingehegt zu sein, da würde es für Slocum nicht leicht sein, sich an das Haus anzuschleichen. Rebus' Ohren waren ganz auf Motorgeräusche eingestellt…

»Er hat mich verlassen«, sagte sie und blieb, den Wasserkocher in der einen, die Teekanne in der anderen Hand, abrupt stehen.

»Wie kommen Sie darauf, Mrs. Slocum?«

»Ein Koffer, ein paar Kleidungsstücke… sind nicht mehr da.«

»Vielleicht eine Geschäftsreise? In letzter Minute?«

Sie schüttelte den Kopf. »Er hätte mir ein paar Zeilen dagelassen, etwas auf den Anrufbeantworter gesprochen.«

»Und, nichts gefunden?«

Sie schüttelte den Kopf. »Ich war den ganzen Tag in Aberdeen, einkaufen, spazieren gehen. Als ich zurückkam, fühlte sich das Haus irgendwie anders an, leerer. Ich glaube, ich wusste sofort Bescheid.«

»Hatte er in irgendeiner Form angedeutet, dass er Sie verlassen würde?«

»Nein.« Der Anflug eines Lächelns. »Aber eine Ehefrau spürt das, Inspector. Eine andere Frau.«

»Eine Frau?«

Una Slocum nickte. »Ist das nicht immer der Grund? Er

war in letzter Zeit so … ich weiß nicht, einfach *anders*. Gereizt, unruhig … häufiger nicht da, auch wenn ich wusste, dass er keine geschäftlichen Verabredungen hatte.« Sie nickte die ganze Zeit, als gebe sie sich selbst Recht. »Er hat mich verlassen.«

»Und Sie haben keine Ahnung, wo er sein könnte?«

Sie schüttelte den Kopf. »Wo immer *sie* ist – das ist alles, was ich weiß.«

Rebus ging ins Wohnzimmer zurück, sah aus dem Fenster: kein BMW. Eine Hand berührte seinen Arm. Er fuhr erschrocken herum. Es war Una Slocum.

»Herrgott«, sagte er. »Ich hätt beinah einen Herzschlag bekommen.«

»Ryan beschwert sich immer, dass ich so leise gehe. Das liegt am Teppich.«

Fingerdicke Wilton-Ware, so weit das Auge reichte.

»Haben Sie Kinder, Mrs. Slocum?«

Sie schüttelte den Kopf. »Ich glaube, Ryan hätte sich einen Sohn gewünscht. Vielleicht lag's daran …«

»Wie lange sind Sie schon verheiratet?«

»Schon lange, fünfzehn Jahre, fast sechzehn.«

»Wo haben Sie sich kennen gelernt?«

Sie lächelte gedankenverloren. »In Galveston, Texas. Ryan war Ingenieur, ich Sekretärin bei derselben Firma. Er war einige Zeit vorher aus Schottland ausgewandert. Ich merkte ihm an, dass er die Heimat vermisste, und wusste von Anfang an, dass wir früher oder später zurückkehren würden.«

»Wie lange wohnen Sie schon hier?«

»Seit viereinhalb Jahren.« Und keine Morde während dieser Zeit, also war Bible John vielleicht wirklich nur wegen dieses einen Jobs wieder aktiv geworden … »Natürlich«, fuhr Una Slocum fort, »besuchen wir ab und zu meine Eltern. Sie wohnen in Miami. Und Ryan fliegt drei-, viermal pro Jahr geschäftlich rüber.«

Geschäftlich. Rebus hängte noch eine Notiz an seinen vorherigen Gedanken: *oder auch nicht.*

»Geht er regelmäßig in die Kirche, Mrs. Slocum?«

Sie starrte ihn an. »Er tat es, als wir uns kennen lernten. Später immer seltener, aber in letzter Zeit hat er wieder damit angefangen.«

Rebus nickte. »Dürfte ich mich vielleicht ein wenig umsehen? Wäre möglich, dass sich irgendwo ein Hinweis darauf findet, wohin er fahren wollte.«

»Also… ja, sicher, machen Sie nur.« Das Wasser fing an zu kochen, und der Kessel schaltete sich aus. »Ich kümmer mich dann um den Tee.« Sie wandte sich ab, hielt inne, drehte sich wieder um. »Inspector, was tun Sie eigentlich hier?«

Rebus lächelte. »Ist nur eine Routinebefragung, Mrs. Slocum, im Zusammenhang mit der Arbeit Ihres Mannes.«

Sie nickte, als ob das alles erklärte, und verschwand dann lautlos in die Küche.

»Ryans Arbeitszimmer ist links!«, rief sie. Also fing Rebus dort an.

Es war ein kleiner Raum, der durch die Möbel und Bücherregale noch kleiner wirkte. Es gab unzählige Bücher über den Zweiten Weltkrieg, eine ganze Wand voll. Auf dem Schreibtisch säuberlich geordnete Arbeitsunterlagen. In den Schubladen weitere Heftordner: Berufliches, dann Steuerunterlagen, Haus- und Lebensversicherung, Rente. Ein nach Schubfächern geordnetes Leben. Ein kleines Radio, Rebus schaltete es ein. Radio Three. Er schaltete es wieder aus, gerade als Una Slocum den Kopf durch die Tür streckte.

»Der Tee steht im Wohnzimmer.«

»Danke.«

»Ach, noch eins, er hat den Computer mitgenommen.«

»Den Computer?«

»Sie wissen schon, einen Laptop. Er hat ihn oft benutzt. Wenn er arbeitete, schloss er immer die Tür ab, aber ich hörte dann die Tasten klacken.«

An der Innenseite der Tür steckte ein Schlüssel im Schloss. Als sie gegangen war, schloss Rebus die Tür ab und versuchte, sich vorzustellen, dies sei das Versteck eines Mörders. Es gelang ihm nicht. Das war ein Arbeitszimmer, weiter nichts. Keine sichtbaren Trophäen und kein Platz, wo sie hätten versteckt sein können. Keine Reisetasche voller Souvenirs, wie bei Johnny Bible. Und kein Hausaltar, keine Sammelalben des Schreckens. Keinerlei Anzeichen dafür, dass dieser Mensch ein Doppelleben geführt hatte ...

Rebus schloss die Tür wieder auf, ging ins Wohnzimmer, sah wieder aus dem Fenster.

»Irgendwas gefunden?« Una Slocum schenkte gerade Tee in feine Porzellantassen ein. Auf einer dazu passenden Platte lag aufgeschnittener Kuchen.

»Nein«, gestand Rebus. Er nahm eine Tasse Tee und ein Stück Kuchen entgegen. »Danke.« Dann verzog er sich wieder zum Fenster.

»Wenn man mit einem Vertreter verheiratet ist«, fuhr sie fort, »gewöhnt man sich daran, seinen Mann unregelmäßig zu sehen, langweilige Partys und Versammlungen besuchen zu müssen, Gäste zum Abendessen zu empfangen, die man selbst nicht eingeladen hätte.«

»Ist bestimmt nicht einfach«, pflichtete ihr Rebus bei.

»Aber ich habe mich nie beklagt. Vielleicht hätte sich Ryan mehr um mich gekümmert, wenn ich es getan hätte.« Sie sah ihn an. »Sind Sie auch wirklich sicher, dass er nicht in Schwierigkeiten ist?«

Rebus setzte sein ehrlichstes Gesicht auf. »Ganz sicher, Mrs. Slocum.«

»Ich hab's mit den Nerven, wissen Sie. Hab alles probiert: Pillen, Kräutertees, Hypnose ... Aber wenn's in einem drinsteckt, kann man nicht viel machen. Ich meine, wenn man's von Geburt an in sich hat, wie eine kleine tickende Zeitbombe...« Sie schaute sich um. »Vielleicht liegt's an diesem Haus, so neu und überhaupt... da bleibt mir gar nichts zu tun.«

Der Hellseher Aldous Zane hatte von einem solchen Haus gesprochen, einem modernen Haus...

»Mrs. Slocum«, sagte Rebus, ohne die Augen vom Fenster zu wenden, »das mag Ihnen jetzt wie eine unverschämte Bitte erscheinen, und ich kann sie Ihnen beim besten Willen nicht erklären, aber würden Sie mir erlauben, einen Blick auf den Dachboden zu werfen?«

Auf dem oberen Treppenabsatz eine herunterhängende Kette. Man zog daran, und die Falltür öffnete sich, die Holzleiter schob sich einem teleskopartig entgegen.

»Geschickt«, sagte Rebus. Er begann hinaufzuklettern; Una Slocum blieb unten stehen.

»Der Lichtschalter ist direkt rechts, gleich wenn Sie oben sind!«, rief sie.

Rebus streckte den Kopf ins Leere, halb darauf gefasst, mit einem Spaten eins übergebraten zu bekommen, und tastete nach dem Schalter. Eine einzelne nackte Birne erleuchtete den gedielten Dachboden.

»Wir haben uns mehrfach überlegt, ihn auszubauen!«, rief Una Slocum hinauf. »Aber wozu eigentlich? Das Haus ist sowieso schon zu groß für uns.«

Auf dem Dachboden war es dank moderner Isoliertechnik ein paar Grad kühler als im Rest des Hauses. Rebus blickte sich um, ohne so recht zu wissen, was er zu finden hoffte. Was hatte Zane noch mal gesagt? Fahnen: das Sternenbanner und eine Hakenkreuzfahne. Slocum hatte in den USA gelebt und schien vom Dritten Reich fasziniert zu sein. Aber Zane hatte auch einen Schrankkoffer auf dem Dachboden eines großen modernen Hauses gesehen. Nun, Rebus konnte nichts dergleichen sehen: Umzugskisten, Kartons voller Weihnachtsschmuck, ein paar zerbrochene Stühle, eine Tür, ein paar hohl klingende Koffer ...

»Ich bin seit letzter Weihnacht nicht mehr hier oben gewesen«, erklärte Una Slocum. Rebus half ihr die letzten paar Stufen herauf.

»Ein großer Dachboden«, sagte Rebus. »Ich verstehe, warum Sie sich überlegten, ihn auszubauen.«

»Das Problem wäre die Baugenehmigung gewesen. Die Häuser in der Siedlung sollen alle so bleiben, wie sie sind. Da gibt man ein Vermögen dafür aus, und anschließend darf man nichts damit machen.« Sie hob ein Stück rotes Tuch von einem der Koffer, staubte es mit der Hand ab. Es sah wie ein Tischtuch aus, ein Vorhang vielleicht. Aber als sie es schüttelte, entfaltete es sich zu einer großen Fahne: rot mit einem weißen Kreis und darin Schwarz. Eine Hakenkreuzfahne. Rebus war geschockt.

»Er sammelte solche Sachen?« Sie sah sich um, runzelte die Stirn. »Das ist komisch.«

Rebus schluckte. »Was?«

»Der Schrankkoffer ist weg.« Sie deutete auf eine Stelle auf dem Fußboden. »Ryan hat ihn anscheinend woanders hingebracht.« Sie blickte umher, aber er war offensichtlich nirgendwo auf dem Dachboden.

»Schrankkoffer?«

»Ein großes altes Ding, hat er schon immer gehabt. Warum sollte er ihn wohl wegschaffen? Überhaupt – wie hat er das denn *geschafft*?«

»Wie meinen Sie das?«

»Es war eine schwere Kiste. Er hielt sie immer verschlossen, sagte, da wäre lauter altes Zeug drin, Erinnerungsstücke aus der Zeit, bevor wir uns kennen lernten. Er hatte versprochen, dass er sie mir eines Tages zeigen würde ... Glauben Sie, er hat sie mitgenommen?«

Rebus schluckte wieder. »Wär möglich«, antwortete er und ging zurück zur Leiter. Johnny Bible hatte eine Reisetasche gehabt, aber Bible John brauchte einen ganzen Schrankkoffer. Rebus wurde langsam mulmig zumute.

»Es ist noch Tee da«, sagte Mrs. Slocum, als sie wieder ins Wohnzimmer kamen.

»Danke, aber ich muss jetzt gehen.« Er sah, wie sie ihre Enttäuschung zu verbergen versuchte. Ein trauriges Leben, wenn man keine andere Gesellschaft hatte als einen Polizisten, der den eigenen Mann jagte.

»Tut mir Leid«, sagte er, »wegen Ryan.« Dann sah er ein letztes Mal aus dem Fenster.

Und da parkte ein blauer BMW am Straßenrand.

Rebus' Herz begann zu rasen. Er sah niemanden im Auto, niemanden auf das Haus zukommen …

Dann klingelte es an der Tür.

»Ryan?« Mrs. Slocum wollte zur Tür eilen, doch Rebus stoppte sie und schob sie zurück. Sie stieß einen Schrei aus.

Er legte sich einen Finger an die Lippen, bedeutete ihr mit einer Geste zu bleiben, wo sie war. In ihm krampfte sich alles zusammen. Sein ganzer Körper stand wie unter Spannung. Es klingelte noch einmal. Rebus holte tief Luft, rannte zur Tür und riss sie auf.

Da stand ein junger Mann: Jeansjacke und -hose, gelstachliges Haar über Pickelgesicht. Er hielt einen Bund Autoschlüssel in der ausgestreckten Hand.

»Wo haben Sie's her?«, brüllte Rebus. Der Jüngling trat erschrocken einen Schritt zurück, stolperte und fiel hin. »Wo haben Sie das Auto her?« Rebus war herausgekommen und stand drohend über ihm.

»Ist mein Job«, erwiderte der Jüngling. »G-gehört zum S-service.«

»Was?«

»D-den Wagen zurückzufahren. Vom Flughafen.« Rebus starrte ihn ungeduldig an. »Wir erledigen die Innenreinigung und so. Und wenn Sie Ihr Auto stehen lassen und möchten, dass es wieder nach Hause gefahren wird, erledigen wir das auch. Sinclair-Autovermietung... Sie können nachfragen!«

Rebus streckte die Hand aus, half dem Jungen wieder auf die Beine.

»Ich wollte nur fragen, ob ich es in die Garage fahren soll«, sagte der Junge kreidebleich.

»Lassen Sie es stehen, wo es ist.« Rebus bemühte sich, sein Zittern unter Kontrolle zu halten. Ein weiteres Auto war vorgefahren, hupte.

»Ich werd abgeholt«, erklärte der junge Mann, dem noch immer der Schrecken ins Gesicht geschrieben stand.

»Wo wollte Mr. Slocum hin?«

»Wer?«

»Der Besitzer des Wagens.«

Der junge Mann zuckte die Achseln. »Woher soll ich das wissen?« Er gab Rebus die Schlüssel, wandte sich zum Gehen. »Wir sind doch nicht die Gestapo.« Kleine Spitze zum Abschied.

Rebus händigte Mrs. Sloane die Schlüssel aus; sie starrte ihn an, als hätte sie noch Fragen, als wollte sie wieder von vorn beginnen. Rebus schüttelte den Kopf und marschierte davon. Sie sah auf die Schlüssel in ihrer Hand.

»Und was soll ich mit zwei Autos anfangen?«

Aber Rebus war schon verschwunden.

Er erzählte Grogan seine Geschichte.

Der Chief Inspector war nahezu nüchtern und bereits auf dem Sprung nach Hause. Die Leute vom Crime Squad hatten sich schon mit ihm unterhalten. Sagten, sie würden morgen weitere Fragen stellen, alle im Zusammenhang mit Ludovic Lumsden. Grogan hörte mit wachsender Ungeduld zu, fragte dann, was sie für Beweise hätten. Rebus zuckte die Achseln. Sie konnten beweisen, dass sich Slocums Auto in der Nähe des Tatorts befunden hatte, und das zu einer recht merkwürdigen Uhrzeit. Aber mehr auch nicht. Vielleicht würden die forensischen Untersuchungen noch etwas ergeben, aber sie vermuteten, dass Bible John zu klug war, um irgendwelche Spuren zu hinterlassen. Dann gab es Lawson Geddes' Brief – die Erzählung eines Toten – und das Foto aus Borneo. Aber das alles hatte keinerlei Bedeutung ohne Ryan Slocums Geständnis, dass er einst Ray Sloane geheißen und Ende der Sechziger in Glasgow gelebt hatte und damals wie heute Bible John war.

Doch Ryan Slocum blieb verschwunden.

Sie setzten sich mit dem Dyce Airport in Verbindung, aber er war bei keiner Fluglinie als Passagier registriert, und keine Taxi- oder Mietwagenfirma gab an, ihn gesehen zu haben. Hatte er bereits das Land verlassen? Was hatte er mit dem Schrankkoffer gemacht? Hatte er sich irgendwo in einem Hotel in der Nähe einquartiert und wartete darauf, dass sich die Aufregung legte?

Grogan erklärte, sie würden Ermittlungen anstellen, Häfen und Flughäfen überwachen lassen. Er wisse nicht, was sie sonst tun könnten. Jemand würde Mrs. Slocum befragen, vielleicht das Haus gründlich unter die Lupe nehmen… morgen oder übermorgen. Grogan klang nicht allzu begeistert. Er hatte seinen Serienmörder gefunden, und für heute war das genug; zur Gespensterjagd hatte er keine übermäßige Lust.

Rebus fand Jack in der Kantine bei Tee und Pommes mit Bohnen.

»Wo warst du?«

Rebus setzte sich neben ihn. »Ich dachte, ich schränke dich möglicherweise in deiner Entfaltungsfreiheit ein.«

Jack schüttelte den Kopf. »Ich hätt sie um ein Haar in dieses Hotel mitgenommen.«

»Warum hast du's nicht getan?«

Jack zuckte die Achseln. »Sie meinte, sie könnte einem Mann, der nicht trinkt, niemals vertrauen. Was meinst du, sollen wir fahren?«

»Warum nicht?«

»Jetzt im Ernst, John – wo *warst* du?«

»Ich erzähl's dir während der Rückfahrt. Hilft dir vielleicht, wach zu bleiben ...«

36

Am nächsten Morgen, nach ein paar Stunden Schlaf im Sessel, rief Rebus Brian Holmes an. Er wollte wissen, wie es ihm ging und ob Ancrams Drohungen sich angesichts von Lawson Geddes' Brief verflüchtigt hatten.

»Hallo?« Eine Frauenstimme: Nells Stimme. Rebus legte sofort wieder auf. Sie war also zurück. Bedeutete das, dass sie sich mit Brians Beruf abgefunden hatte? Oder hatte er versprochen, ihn aufzugeben? Rebus war sicher, dass er das schon bald erfahren würde.

Jack kam hereingeschlurft. Er betrachtete seinen Job als »Kindermädchen« zwar als erledigt, war aber trotzdem dageblieben, zu müde, um noch die lange Heimfahrt nach Falkirk auf sich zu nehmen.

»Gott sei Dank ist die Woche rum«, meinte er und fuhr sich mit beiden Händen durch die Haare. »Irgendwas vor?«

»Ich dachte, ich flitz mal eben rüber nach Fettes und seh nach, was Ancram so macht.«

»Gute Idee, ich komm mit.«

»Brauchst du nicht.«

»Will ich aber.«

Sie nahmen zur Abwechslung Rebus' Auto. Aber als sie in Fettes ankamen, war Ancrams Büro leer. Rebus rief in Glasgow an, Revier Govan, und wurde durchgestellt.

»Heißt das, es ist vorbei?«, fragte er.

»Ich schreibe meinen Bericht«, sagte Ancram. »Ihr Chef wird sich dann bestimmt mit Ihnen darüber unterhalten wollen.«

»Was ist mit Brian Holmes?«

»Das steht alles in meinem Bericht.«

Rebus wartete. »*Alles*?«

»Sagen Sie mir eins, Rebus, sind Sie so clever, oder haben Sie bloß ein Wahnsinnsglück?«

»Was ist der Unterschied?«

»Sie haben die Sache wirklich ordentlich vermasselt. Wenn wir uns weiter an Uncle Joe gehalten hätten, wüssten wir jetzt, wer der Maulwurf ist.«

»Stattdessen werden Sie bald Uncle Joe einbuchten können.« Ancram gab dazu nur einen Grunzer von sich. »*Wissen* Sie, wer der Maulwurf ist?«

»Ich hab so eine Ahnung. Lennox, Sie haben ihn an dem Tag in der Lobby kennen gelernt.« DS Andy Lennox: Sommersprossen und rote Locken. »Das Problem ist, ich hab keine handfesten Beweise.«

Immer das gleiche Problem. In der Rechtsprechung genügte es nicht, etwas zu *wissen*. Und die schottischen Gesetze waren diesbezüglich sogar noch strenger: Jeder Beweis erforderte noch eine zusätzliche Bestätigung.

»Vielleicht klappt's ja ein andermal«, meinte Rebus und legte auf.

Sie fuhren zurück zu Rebus' Wohnung, damit Jack sein Auto abholen konnte. Aber dann musste er noch mit Rebus rauf, da er ein paar Sachen vergessen hatte.

»Werde ich dich denn nie wieder los?«, fragte Rebus.

Jack lachte. »Nur 'ne Frage von Minuten.«

»Na, wenn du schon mal da bist, kannst du mir ja helfen, den Kram ins Wohnzimmer zurückzuräumen.«

Sie brauchten dazu nicht lang. Als Letztes hängte Rebus das Fischerbootbild wieder an seinen Platz.

»Und was nun?«, erkundigte sich Jack.

»Ich könnte mir diesen Zahn in Ordnung bringen lassen. Und ich hab eine Verabredung mit Gill.«

»Dienstlich oder privat?«

»Streng undienstlich.«

»Ich wett einen Fünfer, dass es nicht lange dabei bleibt.«

Rebus lächelte. »Da halt ich mit. Was ist mit dir?«

»Ach, ich dachte, wenn ich schon mal in der Stadt bin, könnte ich die hiesigen AA abchecken, mal sehen, ob's ein Treffen gibt. Schon zu lange nicht mehr da gewesen.« Rebus nickte. »Willst du mit?«

Rebus nickte. »Warum nicht?«

»Die andere Möglichkeit wäre, mit der Renovierung weiterzumachen.«

Rebus rümpfte die Nase. »Bin nicht mehr in Stimmung.«

»Willst du doch nicht verkaufen?« Rebus schüttelte den Kopf. »Kein Häuschen am Meer?«

»Ich denk, ich bleib da, wo ich bin, Jack. Scheint irgendwie zu mir zu passen.«

»Und wo genau ist das?«

Rebus dachte nach, bevor er antwortete. »Irgendwo nördlich der Hölle.«

Er kehrte von seinem Sonntagsspaziergang mit Gill zurück und steckte einen Fünfer in einen Umschlag, den er dann an Jack Morton adressierte. Gill und er hatten über die Toals und die Amerikaner geredet und darüber, dass die Bandaufnahme sie ins Kittchen bringen könnte. Rebus' Aussage würde vielleicht nicht ausreichen, um Hayden Fletcher der Anstiftung zum Mord zu überführen, aber er würde sich verdammt noch mal alle Mühe geben. Rebus hatte eine anstrengende Woche vor sich. Er putzte gerade im Wohnzimmer, als das Telefon klingelte.

»John?«, sagte die Stimme. »Brian hier.«

»Alles in Ordnung?«

»Prima.« Aber Brians Stimme klang tonlos. »Ich dachte nur … also, es ist so … ich reiche meinen Abschied ein.« Eine Pause. »So sagt man doch, oder?«

»Herrgott, Brian …«

»Die Sache ist, ich hab versucht, von Ihnen zu lernen, aber ich bin mir nicht so sicher, dass Sie auch wirklich das richtige Vorbild waren. Ein bisschen zu … verbissen, oder? Was immer es ist, was Sie haben – ich hab's einfach nicht.« Eine längere Pause. »Und um ehrlich zu sein, würde ich nicht beschwören, dass ich's überhaupt haben *will*.«

»Sie brauchen nicht so wie ich zu werden, um ein guter Bulle zu sein, Brian. Manche würden sogar sagen, Sie sollten sich bemühen zu sein, was ich *nicht* bin.«

»Tja … Ich hab's mal so, mal so versucht. Verdammt, ich hab's sogar mit weder noch versucht. Hat alles nichts gebracht.«

»Es tut mir Leid, Brian.«

»Wir sehen uns, ja?«

»Klar. Passen Sie auf sich auf.«

Er ließ sich in seinen Sessel fallen, starrte aus dem Fenster. Ein heller Sommernachmittag, wie geschaffen für einen Spaziergang auf den Meadows. Bloß dass Rebus gerade erst von einem Spaziergang zurück war. Wollte er wirklich noch einen machen? Das Telefon klingelte, und er ließ den AB drangehen. Er wartete auf eine Nachricht, aber er hörte lediglich ein Knistern, Hintergrundrauschen. Es war jemand dran; er hatte nicht aufgelegt. Aber eine Nachricht wollte er nicht aufs Band sprechen. Rebus legte eine Hand auf den Hörer, wartete und nahm dann ab.

»Hallo?«

Er hörte, wie die Verbindung unterbrochen wurde, dann nur noch das Summen der freien Leitung. Er stand einen Augenblick lang nachdenklich da, legte dann wieder auf und ging in die Küche, öffnete den Schrank und holte die Zeitungen und Zeitungsausschnitte heraus. Stopfte den ganzen Klumpatsch in den Mülleimer. Griff sich das Jackett und ging dann doch spazieren.

Nachwort

Die Grundlage dieses Buches war eine Geschichte, die ich Anfang 1995 hörte; ich machte mich sofort an die Arbeit und schloss kurz vor Weihnachten eine zufrieden stellende erste Fassung ab. Dann, am 29. Januar 1996, als meine Lektorin sich gerade meinem Manuskript widmen wollte, brachte die *Sunday Times* unter der Schlagzeile »Bible John ›lebt friedlich in Glasgow‹« einen Artikel, der sich auf Informationen aus einem Buch stützte, das im April bei Mainstream erscheinen sollte: *Power in the Blood* von Donald Simpson. Simpson behauptete, er habe einen Mann kennen gelernt und sich mit ihm angefreundet, und dieser Mann habe ihm schließlich anvertraut, Bible John zu sein. Simpson behauptete außerdem, der Mann habe irgendwann versucht, ihn zu töten. Verschiedenes deutete darauf hin, dass der Mörder außerhalb von Glasgow zugeschlagen hatte. Tatsächlich gibt es weiterhin ungelöste Morde an der Westküste und zwei ungelöste Fälle aus Dundee von 1979 und 1980: Beide Opfer wurden nackt und erdrosselt aufgefunden.

Es mag natürlich ein Zufall sein, aber am selben Tag brachte *Scotland on Sunday* die Meldung, die Polizei von Strathclyde sei im noch immer nicht abgeschlossenen Bible-John-Fall auf neue Indizien gestoßen. Dank der verbesserten Methoden der DNA-Analyse war es gelungen, anhand von Spermaspuren an der Strumpfhose des dritten Opfers einen genetischen Fingerabdruck des Täters zu erstellen. Die Polizei hatte alle einstigen Verdächtigen, die sie noch ausfindig machen konnte, aufgerufen, sich zu melden und eine Blutprobe abzugeben. Einer dieser Verdächtigen, John Irvine McInnes, hatte 1980 Selbstmord begangen, und so ließ sich stattdessen ein Angehöriger von ihm eine Blutprobe abnehmen. Die Analyse scheint eine ausreichende Übereinstimmung ergeben zu haben, um die Exhumierung von McInnes' Leiche zwecks eingehender Untersuchungen zu rechtfertigen. Anfang Februar wurde der Leichnam (zusammen mit demjenigen von McInnes' Mutter, die in der Grabstätte ihres Sohnes bestattet worden war) exhumiert. Damit begann für alle, die sich für den Fall interessierten, das lange Warten.

Während ich diese Zeilen schreibe (Juni 1996), dauert das Warten immer noch an. Mittlerweile ist man sich allerdings ziemlich sicher, dass die Polizei und ihre Experten es nicht schaffen werden, hieb- und stichfeste Beweise zu finden. Für manche ist die Sache ohnehin schon entschieden – in ihren Augen wird John Irvine McInnes immer der Hauptverdächtige bleiben –, und es ist unbestreitbar, dass McInnes' Lebensgeschichte vor dem Hintergrund des psychologischen Profils, das seinerzeit von Bible John erstellt wurde, eine faszinierende Lektüre abgibt.

Es bestehen allerdings auch berechtigte Zweifel, die sich zum Teil ebenfalls auf anerkannte Täterprofile stützen. Würde ein Serienmörder einfach so aufhören zu töten, dann elf Jahre warten und anschließend Selbstmord begehen? Eine Zeitung spekuliert, Bible John habe wegen der wieder aufgenommenen Ermittlungen »einen Schreck bekommen« und deswegen mit dem Töten aufgehört. Aber wenigstens *ein* Fachmann sieht darin einen Widerspruch zum festgestellten Verhaltensmuster. Dann gibt es noch die Augenzeugin, in die Hauptermittler Joe Beattie so viel Hoffnung setzte. Irvine McInnes hatte bereits wenige Tage nach dem dritten Mord an einer Gegenüberstellung teilgenommen.

Helen Puttocks Schwester erkannte ihn nicht. Sie hatte mit dem Mörder im selben Taxi gesessen, Stunden in seiner Gesellschaft zugebracht und ihre Schwester mit ihm tanzen sehen. Mit den Fotos John Irvine McInnes' konfrontiert, erklärt sie jetzt, 1996, dasselbe wie damals: Der Mann, der ihre Schwester ermordete, hatte nicht McInnes' abstehende Ohren.

Es bleiben auch noch andere Fragen unbeantwortet: Hätte der Mörder seinen wirklichen Vornamen angegeben? Entsprachen die Geschichten, die er den Schwestern während der Taxifahrt erzählte, der Wahrheit? Hätte er wirklich sein drittes Opfer getötet, obwohl er wusste, dass es eine Augenzeugin gab? Viele – Polizeibeamte ebenso wie eine zunehmende Anzahl von Privatpersonen, zu denen auch ich gehöre – würden sich nicht einmal von einem DNS-Test überzeugen lassen. Für uns ist Bible John noch immer auf freiem Fuß und, wie der Robert-Black- und der Frederick-West-Fall gezeigt haben, keineswegs allein.

Dank

Mein Dank gilt folgenden Personen und Institutionen: Chris Thomson für die Erlaubnis, aus einem seiner Songs zu zitieren; Dr. Jonathan Wills für seine Ansichten über das Leben auf Shetland und die Erdölindustrie; Don und Susan Nichol für ihre unschätzbare Hilfe bei den Recherchen; der Energy Division des Scottish Office Industry Department; Keith Webster, Abteilung für Öffentlichkeitsarbeit, Conoco UK; Richard Grant, Abteilung für Öffentlichkeitsarbeit, BP Exploration; Andy Mitchell, Berater der Abteilung für Öffentlichkeitsarbeit, Amerada Hess; Mobil North Sea; Bill Kirton für seine Fachkenntnis in Sachen Offshoresicherheit; Andrew O'Hagan, dem Verfasser von *The Missing;* Jerry Sykes, der dieses Buch für mich aufgespürt hat; Mike Ripley für das Videomaterial; dem angeheiterten Erdölarbeiter Lindsey Davis, den ich in einem Zug südlich von Aberdeen kennen lernte; dem unvergleichlichen Trading-Standards-Beamten Colin Baxter; dem Personal des Caledonian-Thistle-Hotels, Aberdeen; dem Grampian Regional Council; Ronnie Mackintosh; Ian Docherty; Patrick Stoddart; und Eva Schegulla für die E-Mail. Wie immer ein herzlicher Dank den Mitarbeitern der National Library of Scotland (besonders des südlichen Lesesaals) und der Edinburgh Central Library. Ich möchte auch den vielen Freunden und Autoren danken, die sich 1996, als der Bible-John-Fall wieder Schlagzeilen machte, bei mir gemeldet haben, um mir ihr Mitgefühl auszusprechen oder um mir Vorschläge zu unterbreiten, wie sich die Handlung noch zurechtbiegen ließe. Meine Lektorin, Carolyn Oakley, hat stets an das Projekt geglaubt und mich auf das James-Ellroy-Zitat aufmerksam gemacht, das jetzt am Anfang meines Buches steht. Schließlich ein Dankeschön an Lorna Hepburn, die mir überhaupt erst die Geschichte erzählt hat…

Aus folgenden Werken habe ich mich stillschweigend bedient: Christopher Harvie, Fool's Gold; Jonathan Wills, *A Place in the Sun*; Douglas Skelton, *Innocent Passage: The Wreck of the Tanker* Braer; Patrick Stoddart, *Bible John: Search for a Sadist;* Andrew O'Hagan, *The Missing.*

Major Weirs Zitat – »Geschöpfe, von Grausamkeit gezähmt« – ist der Titel von Ron Butlins erster Gedichtsammlung.

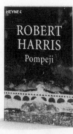